Paulo e Estêvão

Francisco Cândido Xavier

Paulo e Estêvão

Episódios Históricos do Cristianismo Primitivo

Pelo Espírito
Emmanuel

Copyright © 1941 *by*
FEDERAÇÃO ESPÍRITA BRASILEIRA – FEB

45ª edição – 23ª impressão – 12 mil exemplares – 1/2025

Revisado conforme edição definitiva (1ª edição – 1942)

ISBN 978-85-7328-696-0

Todos os direitos reservados. Nenhuma parte desta publicação pode ser reproduzida, armazenada ou transmitida, total ou parcialmente, por quaisquer métodos ou processos, sem autorização do detentor do *copyright*.

FEDERAÇÃO ESPÍRITA BRASILEIRA – FEB
SGAN 603 – Conjunto F – Avenida L2 Norte
70830-106 – Brasília (DF) – Brasil
www.febeditora.com.br
editorial@febnet.org.br
+55 61 2101 6161

Pedidos de livros à FEB
Comercial
Tel.: (61) 2101 6161 – comercial@febnet.org.br

Adquirindo esta obra, você está colaborando com as ações de assistência e promoção social da FEB e com o Movimento Espírita na divulgação do Evangelho de Jesus à luz do Espiritismo.

Dados Internacionais de Catalogação na Publicação (CIP)
(Federação Espírita Brasileira – Biblioteca de Obras Raras)

E54p   Emmanuel (Espírito)

Paulo e Estêvão: episódios históricos do Cristianismo primitivo: romance / pelo Espírito Emmanuel; [psicografado por] Francisco Cândido Xavier. – 45. ed. – 23. imp. – Brasília: FEB, 2025.

512 p.; 23 cm – (Série Romances de Emmanuel)

Inclui índice geral

ISBN 978-85-7328-696-0

1. Romance espírita. 2. Obras psicografadas. I. Xavier, Francisco Cândido, 1910-2002. II. Federação Espírita Brasileira. III. Título. IV. Série.

CDD 133.93
CDU 133.7
CDE 80.02.00

Sumário

Breve notícia 7

PRIMEIRA PARTE

I   Corações flagelados 13
II   Lágrimas e sacrifícios 33
III   Em Jerusalém 47
IV   Nas estradas de Jope 65
V   A pregação de Estêvão 79
VI   Ante o Sinédrio 93
VII   As primeiras perseguições 109
VIII   A morte de Estêvão 131
IX   Abigail cristã 155
X   No caminho de Damasco 169

SEGUNDA PARTE

I   Rumo ao deserto 187
II   O tecelão 209
III   Lutas e humilhações 233
IV   Primeiros labores apostólicos 277
V   Lutas pelo Evangelho 331
VI   Peregrinações e sacrifícios 355
VII   As Epístolas 373

VIII   O martírio em Jerusalém 403
IX   O prisioneiro do Cristo 441
X   Ao encontro do Mestre 459

Índice geral.. 489

Breve notícia

Não são poucos os trabalhos que correm mundo, relativamente à tarefa gloriosa do Apóstolo dos Gentios. É justo, pois, esperarmos a interrogativa: – Por que mais um livro sobre Paulo de Tarso? Homenagem ao grande trabalhador do Evangelho ou informações mais detalhadas de sua vida?

Quanto à primeira hipótese, somos dos primeiros a reconhecer que o convertido de Damasco não necessita de nossas mesquinhas homenagens; e quanto à segunda, responderemos afirmativamente para atingir os fins a que nos propomos, transferindo ao papel humano, com os recursos possíveis, alguma coisa das tradições do Plano Espiritual acerca dos trabalhos confiados ao grande amigo dos gentios.

Nosso escopo essencial não poderia ser apenas rememorar passagens sublimes dos tempos apostólicos, e sim apresentar, antes de tudo, a figura do cooperador fiel, na sua legítima feição de homem transformado por Jesus Cristo e atento ao divino ministério. Esclareceremos, ainda, que não é nosso propósito levantar apenas uma biografia romanceada. O mundo está repleto dessas fichas educativas, com referência aos seus vultos mais notáveis. Nosso melhor e mais sincero desejo é recordar as lutas acerbas e os ásperos testemunhos de um coração extraordinário, que se levantou das lutas humanas para seguir os passos do Mestre, num esforço incessante.

As Igrejas amornecidas da atualidade e os falsos desejos dos crentes, nos diversos setores do Cristianismo, justificam as nossas intenções.

Em toda parte há tendências à ociosidade do espírito e manifestações de menor esforço. Muitos discípulos disputam as prerrogativas de Estado, enquanto outros, distanciados voluntariamente do trabalho justo, suplicam a proteção sobrenatural do Céu. Templos e devotos entregam-se, gostosamente, às situações acomodatícias, preferindo as dominações e regalos de ordem material.

Observando esse panorama sentimental é útil recordarmos a figura inesquecível do Apóstolo generoso.

Muitos comentaram a vida de Paulo, mas, quando não lhe atribuíram certos títulos de favor, gratuitos do Céu, apresentaram-no como um fanático de coração ressequido. Para uns, ele foi um santo por predestinação, a quem Jesus apareceu, em uma operação mecânica da graça; para outros, foi um espírito arbitrário, absorvente e ríspido, inclinado a combater os companheiros, com vaidade quase cruel.

Não nos deteremos nessa posição extremista.

Queremos recordar que Paulo recebeu a dádiva santa da visão gloriosa do Mestre, às portas de Damasco, mas não podemos esquecer a declaração de Jesus relativa ao sofrimento que o aguardava por amor ao seu nome.

Certo é que o inolvidável tecelão trazia o seu ministério divino, mas quem estará no mundo sem um ministério de Deus? Muita gente dirá que desconhece a própria tarefa, que é insciente a tal respeito, mas nós poderemos responder que, além da ignorância, há desatenção e muito capricho pernicioso. Os mais exigentes advertirão que Paulo recebeu um apelo direto, mas, na verdade, todos os homens menos rudes têm a sua convocação pessoal ao serviço do Cristo. As formas podem variar, mas a essência ao apelo é sempre a mesma. O convite ao ministério chega, às vezes, de maneira sutil, inesperadamente; a maioria, porém, resiste ao chamado generoso do Senhor. Ora, Jesus não é um mestre de violências e se a figura de Paulo avulta muito mais aos nossos olhos, é que ele ouviu, negou-se a si mesmo, arrependeu-se, tomou a cruz e seguiu o Cristo até o fim de suas tarefas materiais. Entre perseguições, enfermidades, apodos, zombarias, desilusões, deserções, pedradas, açoites e encarceramentos, Paulo de Tarso foi um homem intrépido e sincero, caminhando entre as sombras do mundo, ao encontro do Mestre que se fizera ouvir nas encruzilhadas da sua vida. Foi muito mais que um predestinado, foi um realizador que trabalhou diariamente para a luz.

O Mestre chama-o da sua esfera de claridades imortais. Paulo tateia na treva das experiências humanas e responde:

– Senhor, que queres que eu faça?

Entre ele e Jesus havia um abismo que o Apóstolo soube transpor em decênios de luta redentora e constante.

Demonstrá-lo, para o exame do quanto nos compete em trabalho próprio, a fim de ir ao encontro de Jesus, é o nosso objetivo.

Outra finalidade deste esforço humilde é reconhecer que o Apóstolo não poderia chegar a essa possibilidade, em ação isolada no mundo.

Sem Estêvão, não teríamos Paulo de Tarso. O grande mártir do Cristianismo nascente alcançou influência muito mais vasta na experiência paulina, do que poderíamos imaginar tão só pelos textos conhecidos nos estudos terrestres. A vida de ambos está entrelaçada com misteriosa beleza. A contribuição de Estêvão e de outras personagens desta história real vem confirmar a necessidade e a universalidade da lei de cooperação. E, para verificar a amplitude desse conceito, recordemos que Jesus, cuja misericórdia e poder abrangiam tudo, procurou a companhia de doze auxiliares, a fim de empreender a renovação do mundo.

Aliás, sem cooperação, não poderia existir amor; e o amor é a força de Deus, que equilibra o Universo.

Desde já, vejo os críticos consultando textos e combinando versículos para trazerem à tona os erros do nosso tentame singelo. Aos bem-intencionados agradecemos sinceramente, por conhecer a nossa expressão de criatura falível, declarando que este livro modesto foi grafado por um Espírito para os que vivam em espírito; e ao pedantismo dogmático ou literário, de todos os tempos, recorremos ao próprio Evangelho para repetir que, se a letra mata, o espírito vivifica.

Oferecendo, pois, este humilde trabalho aos nossos irmãos da Terra, formulamos votos para que o exemplo do grande convertido se faça mais claro em nossos corações, a fim de que cada discípulo possa entender quanto lhe compete trabalhar e sofrer, por amor a Jesus Cristo.

EMMANUEL

Pedro Leopoldo (MG), 8 de julho de 1941.

PRIMEIRA PARTE

I
Corações flagelados

A manhã enfeitava-se de muita alegria e de sol, mas as ruas centrais de Corinto estavam quase desertas.

No ar brincavam as mesmas brisas perfumadas, que sopravam de longe; entretanto, não se observava, na fisionomia suntuosa das vias públicas, o sorriso de suas crianças despreocupadas, nem o movimento habitual das liteiras de luxo, em seu giro costumeiro.

A cidade, reedificada por Júlio César, era a mais bela joia da velha Acaia,[1] servindo de capital à formosa província. Não se podia encontrar, na sua intimidade, o espírito helênico em sua pureza antiga, mesmo porque, depois de um século de lamentável abandono, após a destruição operada por Múmio,[2] restaurando-a, o grande imperador transformara Corinto em colônia importante de romanos, para onde acorrera grande número de libertos ansiosos de trabalho remunerador ou proprietários de promissoras fortunas. A estes, associara-se vasta corrente de israelitas e considerável

---

[1] N.E.: Província do Império Romano que compreendia o atual Peloponeso e sul da Grécia. A sua capital era Corinto. Formada em 146 a.C., após uma brutal campanha em que a cidade de Corinto foi devastada pelo general Licínio Minúcio e os habitantes chacinados ou vendidos como escravos. Licínio Minúcio herda assim o cognome de Acaico, ou seja, "conquistador da Acaia".

[2] N.E.: Lúcio Múmio – militar e político romano do século II a.C. Também conhecido como Licínio Minúcio, cujo cognome é Acaico, ou seja, "conquistador da Acaia".

percentagem de filhos de outras raças que ali se aglomeravam, transformando a cidade em núcleo de convergência de todos os aventureiros do Oriente e do Ocidente. Sua cultura estava muito distante das realizações intelectuais do gosto grego mais eminente, misturando-se, em suas praças, os templos mais diversos. Obedecendo, talvez, a essa heterogeneidade de sentimentos, Corinto tornara-se famosa pelas tradições de libertinagem da grande maioria dos seus habitantes.

Os romanos lá encontravam campo largo para as suas paixões, entregando-se, desvairadamente, ao venenoso perfume desse jardim de flores exóticas. Ao lado dos aspectos soberbos e das pedrarias rutilantes, o pântano das misérias morais exalava nauseante bafio. A tragédia foi sempre o preço doloroso dos prazeres fáceis. De quando em quando, os grandes escândalos reclamavam as grandes repressões.

Nesse ano de 34 d.C., a cidade em peso fora atormentada por violenta revolta dos escravos oprimidos.

Crimes tenebrosos foram perpetrados na sombra, exigindo severas devassas. O Procônsul não hesitara, ante a gravidade da situação. Expedindo mensageiros oficiais, solicitara de Roma os recursos precisos. E os recursos não tardaram. Em breve, a galera das águias dominadoras, auxiliada por ventos favoráveis, trazia no bojo as autoridades da missão punitiva, cuja ação deveria esclarecer os acontecimentos.

Eis por que, nessa manhã radiosa e alegre, os edifícios residenciais e as lojas do comércio apresentavam-se envolvidos em profundo silêncio, semicerrados e tristes. Os transeuntes eram raros, com exceção de vários magotes de soldados, que cruzavam as esquinas despreocupados e satisfeitos, como quem se entregava, de bom grado, ao sabor das novidades.

Já de alguns dias, um chefe romano, cujo nome se fazia acompanhar de sombrias tradições, fora recebido pela Corte provincial, ali desempenhando as elevadas funções de legado de César, cercado de grande número de agentes políticos e militares e estabelecendo o terror entre todas as classes, com os seus processos infamantes. Licínio Minúcio chegara ao poder, mobilizando todos os recursos da intriga e da calúnia. Conseguindo voltar a Corinto, onde estacionara anos antes, sem maior autoridade, tudo ousava agora, por aumentar seus cabedais, fruto de avareza insaciável e sem escrúpulos. Pretendia recolher-se, mais tarde, àqueles sítios, onde suas propriedades particulares atingiam grandes proporções, esperando aí a noite da decrepitude. Assim, de maneira a consumar seus criminosos desígnios, iniciou largo movimento de arbitrárias expropriações, a pretexto de garantir a ordem pública em benefício do poderoso Império que a sua autoridade representava.

Numerosas famílias de origem judaica foram escolhidas como vítimas preferenciais da nefanda extorsão.

Por toda parte começavam a chorar os oprimidos; entretanto, quem ousaria o recurso das reclamações públicas e oficiais? A escravidão esperava sempre os que se entregassem a qualquer impulso de liberdade contra as expressões da tirania romana. E não era só a figura desprezível do odioso funcionário que constituía para a cidade uma angustiosa e permanente ameaça. Seus asseclas espalhavam-se em vários pontos das vias públicas, provocando cenas insuportáveis, características de uma perversidade inconsciente.

A manhã ia alta, quando um homem idoso, dando a entender que buscava o mercado, pelo cesto que lhe pendia das mãos, atravessava a passos vagarosos uma praça ensolarada e extensa.

Um grupo de tribunos alvejava-o com ditérios deprimentes, entre gargalhadas de ironia.

O velhinho, que denunciava nos traços fisionômicos a linha israelita, demonstrava perceber o ridículo de que vinha sendo objeto, mas, distanciando-se dos militares patrícios, como desejoso de resguardar-se, caminhou com mais timidez e humildade, desviando-se em silêncio.

Foi nesse instante que um dos tribunos, em cujo olhar autoritário perpassava acentuada malícia, acercou-se dele, interrogando-o asperamente:

– Olá, judeu desprezível,[3] como ousas passar sem saudar os teus senhores?

O interpelado estacou pálido e trêmulo. Seus olhos revelaram estranha angústia que resumia, na sua eloquência silenciosa, todos os martírios infinitos que flagelavam a sua raça. As mãos enrugadas lhe tremiam ligeiramente, enquanto o busto se arqueava reverente, premindo a longa barba encanecida.

– Teu nome? – tornou o oficial, entre desrespeitoso e irônico.

– Jochedeb, filho de Jared – respondeu timidamente.

– E por que não saudaste os tribunos imperiais?

– Senhor, eu não ousei! – explicou quase lacrimoso.

---

[3] N.E.: Expressão utilizada pelo personagem, na época do Cristianismo nascente, manifestando preconceito que, atualmente, é condenado pela própria legislação humana.

— Não ousaste? — perguntou o oficial com profunda aspereza.

E, antes que o interpelado conseguisse oportunidade para mais amplas desculpas, o mandatário imperial assentou-lhe os punhos cerrados no rosto venerável, em bofetões sucessivos e impiedosos.

— Toma! Toma! — exclamava rudemente, ao estridor das gargalhadas dos companheiros presentes à cena, em tom festivo. — Guarda mais esta lembrança! Cão asqueroso, aprende a ser educado e agradecido!...

O velhinho cambaleou, mas não reagiu. Percebia-se-lhe a surda revolta íntima, a traduzir-se no olhar chamejante, indignado, que lançou ao agressor com uma serenidade terrível. Num movimento espontâneo, olhou os braços encarquilhados na luta e no sofrimento, reconhecendo a inutilidade de qualquer revide. Foi quando o verdugo inesperado, observando-lhe a calma silenciosa, pareceu medir a extensão da própria covardia e, colando as mãos na complicada armadura do cinto, voltou a dizer com profundo desdém:

— Agora que recebeste a lição, podes procurar o mercado, judeu insolente![4]

A vítima dirigiu-lhe, então, um olhar de ansiosa amargura, no qual transpareciam as dolorosas angústias em toda uma longa existência. Emoldurado na túnica singela e na velhice venerável, aureolada por cabelos branqueados nas mais penosas experiências da vida, o olhar do ofendido semelhava-se a um dardo invisível que penetraria, para sempre, a consciência do agressor desrespeitoso e mau. No entanto, aquela dignidade ferida não se demorou muito na atitude de exprobração, intraduzível em palavras. Em breves instantes, suportando os ditérios da geral zombaria, prosseguiu no objetivo que o levara a sair à rua.

O velho Jochedeb experimentava agora estranhas e amargas reflexões. Duas lágrimas quentes e doloridas sulcavam-lhe as rugas da face macilenta, perdendo-se nos fios grisalhos da barba veneranda. Que fizera para merecer tão pesados castigos? A cidade fora trabalhada pelos movimentos de rebeldia de numerosos escravos, mas seu pequeno lar prosseguia com a mesma paz dos que trabalham com dedicação e obediência a Deus.

A humilhação experimentada fazia-o regressar, pela imaginação, aos períodos mais difíceis da história de sua raça. Por que motivo, e até quando sofreriam os israelitas a perseguição dos elementos mais poderosos do

---

[4] N.E.: Ver nota nº 3.

mundo? Qual a razão de serem sempre estigmatizados, como indignos e miseráveis, em todos os recantos da Terra? Entretanto, amavam sinceramente aquele Pai de justiça e amor, que velava dos Céus pela grandeza da sua fé e pela eternidade dos seus destinos. Enquanto os outros povos se entregavam ao relaxamento das forças espirituais, transformando esperanças sagradas em expressões de egoísmo e idolatria, Israel sustentava a lei do Deus único, esforçando-se, em todas as circunstâncias, por conservar intacto o seu patrimônio religioso, com sacrifício embora da sua independência política.

Acabrunhado, o pobre velho meditava na própria sorte.

Esposo dedicado, enviuvara quando aquele mesmo Licínio Minúcio, questor do Império, anos antes, instaurara nefandos processos em Corinto, a fim de punir alguns elementos de sua população descontente e rebelada. Sua grande fortuna pessoal fora extremamente reduzida e houve de amargar uma prisão injusta, resultante de falsas acusações, que lhe valeram pesados dissabores e terríveis confiscos. Sua mulher não havia resistido aos sucessivos golpes que lhe feriram fatalmente o coração sensível, mergulhando-se na morte, atormentada de acerbos desgostos e deixando-lhe os dois filhinhos que constituíam a coroa de esperança da sua laboriosa existência. Jeziel e Abigail desenvolviam-se sob o carinho de seus braços afetuosos e, por eles, no acúmulo dos sagrados deveres domésticos, sentia que a neve da estrada humana lhe alvejara precocemente os cabelos, consagrando a Deus as suas mais santas experiências. À mente lhe veio então, mais viva, a silhueta graciosa dos filhos. Era um lenitivo conhecer o sabor agradável das experiências do mundo, em benefício deles. O tesouro filial compensava-o das flagelações em cada acidente do caminho. A evocação do lar, onde o amor carinhoso dos filhos alimentava as esperanças paternas, suavizou-lhe as amarguras.

Que importava a brutalidade do romano conquistador, quando sua velhice se aureolava dos mais santos afetos do coração? Experimentando resignado consolo, chegou ao mercado, onde se abasteceu do que necessitava.

O movimento não era intenso na feira habitual, como nos dias mais comuns; entretanto, havia certa concorrência de compradores, mormente de libertos e pequenos proprietários, que afluíam das estradas de Cencreia.[5]

---

[5] N.E.: Antiga cidade da Grécia, no Peloponeso, junto ao Golfo Sarônico, no istmo de Corinto. Paulo visitou-a em 55, em sua passagem rumo a Jerusalém.

Nem havia terminado a compra de peixe e legumes, luxuosa liteira parou no centro da praça e dela saltou um oficial patrício, desdobrando largo pergaminho. Ao sinal de silêncio, que fizera emudecer todas as vozes, a palavra da estranha personagem vibrou forte na leitura fiel do édito que trazia:

"Licínio Minúcio, questor do Império e legado de César, encarregado de abrir nesta província a necessária devassa para restabelecimento da ordem em toda a Acaia, convida a todos os habitantes de Corinto que se considerarem prejudicados em seus interesses pessoais, ou que se encontrarem necessitados de amparo legal, a comparecerem amanhã, ao meio-dia, no palácio provincial, junto ao templo de Vênus Pandemos,[6] a fim de exporem suas queixas e reclamações, que serão plenamente atendidas pelas autoridades competentes."

Lido o aviso, o mensageiro retomou a elegante viatura, que, sustentada por hercúleos braços escravos, desapareceu na primeira esquina, envolvida por uma nuvem de pó levantada em remoinho pela ventania da manhã.

Entre os circunstantes, surgiram logo opiniões e comentários.

Os queixosos não tinham conta. O legado e seus prepostos logo de começo se apossaram de pequenos patrimônios territoriais da maioria das famílias mais humildes, cujos recursos financeiros não davam para custear processos no foro provincial. Daí, a onda de esperanças que avassalava o coração de muitos e a opinião pessimista de outros, que não enxergavam no édito senão nova cilada, para obrigar os reclamantes a pagarem muito caro as suas legítimas reivindicações.

Jochedeb ouviu a comunicação oficial, colocando-se imediatamente entre os que se julgavam com direito a esperar legítima indenização pelos prejuízos sofridos noutros tempos. Animado das melhores esperanças, desandou para casa, escolhendo caminho mais longo, de modo a evitar novo encontro com os que o haviam humilhado rudemente.

Não havia caminhado muito, quando lhe surgiram à frente novos grupos de militares romanos, em conversações ruidosas, que transbordavam alacremente nas claridades da manhã.

---

[6] N.E.: De acordo com a personagem Pausânias em *O Banquete* de Platão, a deusa Afrodite tem duas manifestações, representadas por duas histórias: Afrodite Uraniana (Afrodite "celestial") e Afrodite Pandemos (Afrodite "comum").

Defrontando o primeiro grupo de tribunos e sentindo-se alvo de comentários deprimentes a transparecerem em risos escarninhos, o velho israelita considerou: "Deverei saudá-los, ou passar mudo e reverente, como procurei fazer na vinda?" Preocupado em evitar novo pugilato que agravasse as humilhações daquele dia, inclinou-se profundamente qual mísero escravo e murmurou tímido:

— Salve, valorosos tribunos de César!

Mal acabou de dizer e um oficial de fisionomia dura e impassível se acercou, exclamando colérico:

— Que é isso? Um judeu a dirigir-se impunemente aos patrícios? Chegou a tanto a condenável tolerância da autoridade provincial? Façamos justiça por nossas próprias mãos.

E novas bofetadas estalaram no rosto dorido do infeliz, que necessitava concentrar todas as energias na vontade para não se atirar, de qualquer modo, a uma reação desesperada. Sem uma palavra de justificação, o filho de Jared submeteu-se ao castigo cruel. Seu coração, precípite, parecia rebentar de angústia no peito envelhecido; todavia, o olhar refletia a intensa revolta que lhe ia na alma opressa. Impossibilitado de coordenar ideias em face da agressão inesperada, na sua atitude humilde reparou que, desta vez, o sangue jorrava das narinas, tingindo-lhe a barba branca e o linho singelo das vestiduras. Isso, porém, não chegou a sensibilizar o agressor, que, por fim, lhe vibrou a última punhada na fronte enrugada, murmurando:

— Safa-te, insolente!

Sustentando, a custo, o cesto que lhe pendia dos braços trêmulos, Jochedeb avançou cambaleante, sufocando a explosão do seu extremo desespero. "Ah! ser velho!", pensava. Simultaneamente, os símbolos da fé modificavam-lhe as disposições espirituais, e sentia no íntimo a palavra antiga da Lei: "Não matarás." No entanto, os ensinamentos divinos, a seu ver, na voz dos profetas, aconselhavam o revide: "Olho por olho, dente por dente." Seu espírito guardava a intenção da represália como remédio às reparações a que se julgava com direito, mas as forças físicas já não eram compatíveis com os requisitos da reação.

Profundamente humilhado e presa de angustiosos pensamentos, buscou recolher-se ao lar, onde se aconselharia com os filhos muito amados, em cujo afeto encontraria, decerto, a necessária inspiração.

Sua modesta vivenda não demorava longe e, ainda a distância, acabrunhado, entreviu o singelo e pequenino teto do qual fizera a edícula do seu amor. Presto, enveredou na trilha que terminava na cancelinha tosca, quase afogada pelas roseiras de Abigail, a exalarem forte e delicioso perfume. As árvores verdes e copadas espalhavam frescor e sombra, que atenuavam o rigor do sol. Uma voz clara e amiga chegava de longe aos seus ouvidos. O coração paternal adivinhava. Àquela hora, Jeziel, conforme o programa por ele mesmo traçado, arava a terra, preparando-a para as primeiras semeaduras. A voz do filho parecia casar-se à alegria do sol. A velha canção hebraica, que lhe saía dos lábios quentes de mocidade, era um hino de exaltação ao trabalho e à Natureza. Os versos harmoniosos falavam do amor a terra e da proteção constante de Deus. O generoso pai afogava, a custo, as lágrimas do coração. A melodia popular sugeria-lhe um mundo de reflexões. Não havia trabalhado a existência inteira? Não se presumia um homem honesto nos mínimos atos da vida, para jamais perder o título de justo? Entretanto, o sangue da perseguição cruel ali estava a pingar-lhe da barba veneranda sobre a túnica branca e indene de qualquer mácula que lhe pudesse atormentar a consciência.

Ainda não transpusera o cercado rústico da vivenda humilde, quando uma voz cariciosa lhe gritava assustadiça e veemente:

— Pai! Pai! que sangue é esse?

Uma jovem de notável formosura corria a abraçá-lo com imensa ternura, ao mesmo tempo em que lhe arrancava o cesto das mãos trêmulas e doloridas.

Abigail, na candidez dos seus 18 anos, era um gracioso resumo de todos os encantos das mulheres da sua raça. Os cabelos sedosos caíam-lhe em anéis caprichosos sobre os ombros, emoldurando-lhe o rosto atraente num conjunto harmonioso de simpatia e beleza. No entanto, o que mais impressionava, no seu talhe esbelto de menina e moça, eram os olhos profundamente negros, nos quais intensa vibração interior parecia falar dos mais elevados mistérios do amor e da vida.

— Filhinha, minha querida filha! — murmurou ele, amparando-se nos seus braços carinhosos.

Em breve, dava conta de todas as ocorrências. E, enquanto o velho genitor banhava o rosto contundido, na infusão balsâmica que a filha preparara cuidadosamente, Jeziel era chamado a inteirar-se do acontecido.

O jovem acorreu solícito e pressuroso. Abraçado ao pai, ouviu-lhe o desabafo amargo, palavra por palavra. No vigor da juventude, não se lhe poderia dar mais de 25 anos, mas o comedimento dos gestos e a gravidade com que se exprimia, deixavam entrever um espírito nobre, ponderado e servido por uma consciência cristalina.

— Coragem, pai! — exclamou depois de ouvir a dolorosa exposição, pondo nas expressões de firmeza um acentuado cunho de ternura — nosso Deus é de justiça e sabedoria. Confiemos na sua proteção!

Jochedeb contemplou o filho de alto a baixo, fixando-lhe o olhar bondoso e calmo, em que desejaria lobrigar, naquele momento, a indignação que lhe parecia natural e justa, dominado pelo desejo das represálias. É verdade que criara Jeziel para as alegrias puras do dever, em obediência à leal execução da Lei; entretanto, nada o compelia a abandonar suas ideias de desforra, de maneira a desafrontar-se dos ultrajes recebidos.

— Filho — obtemperou depois de meditar longo tempo —, Jeová é cheio de justiça, mas os filhos de Israel, como escolhidos, precisam igualmente exercê-la. Poderíamos ser justos, olvidando afrontas? Não poderei descansar, sem o repouso da consciência pela obrigação cumprida. Tenho necessidade de assinalar os erros de que fui vítima, no presente e no passado, e amanhã irei ao legado ajustar minhas contas.

O jovem hebreu fez um movimento de espanto e acrescentou:

— Ireis, porventura, à presença do questor Licínio, esperando providências legais? E os antecedentes, meu pai? Pois não foi esse mesmo patrício quem vos despojou de grande patrimônio territorial, atirando-vos ao cárcere? Não vedes que ele tem nas mãos as forças da iniquidade? Não será de temer novas investidas com o fim de extorquir o pouco que nos resta?

Jochedeb mergulhou no olhar do filho, olhar que a nobreza do coração orvalhava de lágrimas emotivas, porém, na sua rigidez de caráter, acostumado a executar os desígnios próprios até o fim, exclamou quase secamente:

— Como sabes, tenho contas velhas e novas a acertar, e, amanhã, de conformidade com o édito, aproveitarei o ensejo que o Governo provincial nos faculta.

— Meu pai, suplico-vos — advertiu o rapaz, entre respeitoso e carinhoso —, não lanceis mão desses recursos!

— E as perseguições? — explodiu o velho energicamente — e esse turbilhão incessante de ignomínias a respeito dos homens de nossa raça? Não haverá um paradeiro nesse caminho de infinitas angústias? Assistiremos, inermes, ao enxovalho de tudo que possuímos de mais sagrado? Tenho o coração revoltado com esses crimes odiosos que nos atingem impunemente...

A voz tornara-se-lhe arrastada e melancólica, deixando perceber extremo desânimo; todavia, sem se perturbar com as objeções paternas, Jeziel prosseguiu:

— Essas torturas, entretanto, não são novas. Há muitos séculos, os faraós do Egito levaram tão longe a crueldade para com os nossos ascendentes que os meninos de nossa raça eram trucidados logo ao nascer. Antíoco Epifânio,[7] na Síria, mandou degolar mulheres e crianças, no recesso mesmo dos nossos lares. Em Roma, de tempos em tempos, todos os israelitas sofrem vexames e confiscos, perseguição e morte. Mas, certamente, meu pai, Deus permite que assim aconteça para que Israel reconheça, nos sofrimentos mais atrozes, a sua missão divina.

O velho israelita parecia meditar as ponderações do filho; contudo, acrescentou resoluto:

— Sim, tudo isso é verdade, mas a justiça reta deve ser cumprida, ceitil por ceitil, e nada poderá demover-me.

— Então, ireis reclamar, amanhã, perante o legado?

— Sim!

Nesse momento, o olhar do jovem demorou na velha mesa onde repousava a coleção dos Escritos Sagrados da família. Animado por súbita inspiração, Jeziel lembrou humildemente:

— Pai, não tenho o direito de exortar-vos, mas vejamos o que nos suscita a palavra de Deus a respeito do que pensais neste momento.

E abrindo os textos ao acaso, conforme o costume da época, a fim de conhecer a sugestão que lhes pudessem facultar as sagradas letras, leu na parte dos *Provérbios*:

Filho meu, não rejeites o corretivo do Senhor, nem te enojes de sua repreensão; porque Deus repreende aquele a quem ama, assim como o pai, ao filho a quem quer bem.[8]

---

[7] N.E.: Antíoco IV (175-164 a.C.), ocupou o Egito, de onde foi expulso pelos romanos. Sua política de helenização provocou a revolta dos judeus (os macabeus).
[8] *Provérbios*, 3:11 e 12.

O velho israelita abriu os olhos espantados, revelando a estupefação que a mensagem indireta lhe causava; e como Jeziel o fixasse longamente, demonstrando ansioso interesse por conhecer-lhe a atitude íntima, em face da sugestão dos pergaminhos sagrados, acentuou:

– Recebo a advertência dos Escritos, meu filho, mas não me conformo com a injustiça e, segundo tenho resolvido, levarei minha queixa às autoridades competentes.

O rapaz suspirou e disse resignado:

– Que Deus nos proteja!...

***

No dia seguinte, avolumava-se compacta multidão junto ao templo da Vênus popular. Do antigo casarão onde funcionava um tribunal improvisado, viam-se as luxuosas e extravagantes viaturas que cruzavam a grande praça em todas as direções. Eram patrícios que se dirigiam às audiências da Corte Provinciana, ou antigos proprietários da fortuna particular de Corinto, que se entregavam aos entretenimentos do dia, à custa do suor dos misérrimos cativos. Desusado movimento caracterizava o local, observando-se, de vez em quando, os oficiais embriagados que deixavam o ambiente viciado do templo da famosa deusa, entupido de capitosos perfumes e condenáveis prazeres.

Jochedeb atravessou a praça, sem se deter para fixar qualquer detalhe da multidão que o rodeava e penetrou no recinto, onde Licínio Minúcio, cercado de muitos auxiliares e soldados, expedia numerosas ordens.

Os que se atreveram à queixa pública excediam tão somente de uma centena e, depois de prestarem declarações individuais, sob o olhar percuciente do legado, eram um por um conduzidos para a solução isolada do assunto que lhes dizia respeito.

Chegada a sua vez, o velho israelita expôs suas reclamações particulares, atinentes às indébitas expropriações do passado e aos insultos de que fora vítima na véspera, enquanto o orgulhoso patrício lhe anotara as menores palavras e atitudes, do alto de sua cátedra, como quem já conhecia, de longo tempo, a personagem em causa. Conduzido novamente ao interior, Jochedeb esperou, como os demais, a solução dos seus pedidos de reparação à justiça, mas, aos poucos, quando outros eram convocados nominalmente ao acerto das contas com o Governo provincial, reparava que o antigo casarão se envolvia em grande silêncio, percebendo que sua vez, possivelmente, fora adiada por circunstâncias que não podia presumir.

Instado nominalmente a dirigir-se ao juiz, ouviu, grandemente surpreendido, a sentença negativa, lida por um oficial que desempenhava as atribuições de secretário daquela alçada:

— O legado imperial, em nome de César, resolve ordenar o confisco da suposta propriedade de Jochedeb ben Jared, concedendo-lhe três dias para desocupar as terras que ocupa indebitamente, visto pertencerem, com fundamento legal, ao questor Licínio Minúcio, habilitado a provar, a qualquer tempo, seus direitos de propriedade.

A decisão inesperada causou intensa comoção ao velho israelita, a cuja sensibilidade aquelas palavras levaram um efeito de morte. Nem saberia definir a angustiosa surpresa. Não confiara na justiça e não estava à procura de sua ação reparadora? Queria gritar o seu ódio, manifestar suas pungentes desilusões, mas a língua estava como que petrificada na boca retraída e trêmula. Após um minuto de profunda ansiedade, fixou no alto a figura detestada do antigo patrício, que lhe causava, agora, a derradeira ruína, e, envolvendo-o na vibração colérica da alma revoltada e sofredora, encontrou energias para dizer:

— Ó Ilustríssimo questor, onde está a equidade das vossas sentenças? Venho até aqui implorando a intervenção da justiça e me retribuís a confiança com mais uma extorsão que me aniquilará a existência? No passado, sofri a desapropriação descabida de todos os meus bens territoriais, conservando com enormes sacrifícios a chácara humilde, onde pretendo esperar a morte!... Será crível que vós, dono de opulentos latifúndios, não sintais remorso em subtrair ao mísero velho a derradeira côdea de pão?

O orgulhoso romano, sem um gesto que denotasse a mais leve emoção, retrucou secamente:

— Ponha-se na rua; e que ninguém discuta as decisões imperiais!

— Não discutir? – clamou Jochedeb já desvairado. – Não poderei alterar a voz amaldiçoando a memória dos criminosos romanos que me espoliaram? Onde colocareis vossas mãos, envenenadas com o sangue das vítimas e as lágrimas das viúvas e dos órfãos esbulhados, quando soar a hora do julgamento no Tribunal de Deus?...

Mas, recordando subitamente o lar povoado pela ternura dos filhos amorosos, modificou a atitude mental, sensibilizado nas fibras recônditas do ser. Prostrando-se, de joelhos, em convulsivo pranto, exclamou comovedoramente:

– Tende piedade de mim, Ilustríssimo!... Poupai-me a vivenda modesta, onde, acima de tudo, sou pai... Meus filhos esperam-me com o beijo da sua afeição sincera e desvelada!...

E acrescentava afogado em lágrimas:

– Tenho dois filhos que são duas esperanças do coração. Poupai-me, por Deus! Prometo conformar-me com esse pouco, nunca mais reclamarei!...

Entretanto, o legado impassível respondeu com frieza, dirigindo-se a um soldado:

– Espártaco, para que esse judeu impertinente se afaste do recinto, com as suas lamentações, dez bastonadas.

O preposto formalizou-se para cumprir imediatamente a ordem, mas o juiz implacável acrescentou:

– Tenha cuidado em não lhe cortar o rosto, para que o sangue não escandalize os transeuntes.

De joelhos, o pobre Jochedeb suportou o castigo e, terminada a prova, levantou-se, cambaleante, alcançando a praça ensolarada, sob as risotas disfarçadas de quantos haviam presenciado o ignóbil espetáculo. Nunca, em sua vida, experimentara tão intenso desespero como naquela hora. Quereria chorar e tinha os olhos frios e secos, lamentar a desdita imensa e os lábios estavam petrificados de revolta e dor. Parecia um sonâmbulo vagando inconsciente entre as viaturas e os transeuntes que se aglomeravam na praça enorme. Contemplou com extrema e íntima repugnância o templo de Vênus. Desejava ter voz estentórica e poderosa para humilhar todos os circunstantes com a palavra da condenação. Observando as cortesãs coroadas que o encontravam, as armaduras dos tribunos romanos e a ociosa atitude dos afortunados que passavam despercebidos do seu martírio, molemente recostados nas liteiras vistosas da época, sentiu-se como que mergulhado num dos pântanos mais odiosos do mundo, entre os pecados que os profetas da sua raça jamais se cansaram de profligar, com todas as veras do coração consagrado ao Todo-Poderoso. Corinto, a seus olhos, era uma nova edição da Babilônia condenada e desprezível.

De súbito, apesar dos tormentos que lhe perturbavam a alma exausta, recordou novamente os filhos queridos, sentindo, por antecipação, a profunda amargura que a notícia da sentença lhes causaria ao espírito sensível e afetuoso. A lembrança da ternura de Jeziel enternecia-lhe o peito galvanizado no sofrimento. Teve a impressão de vê-lo ainda a seus pés, suplicando desistisse de qualquer reclamação e, aos ouvidos, ecoava-lhe agora, com mais intensidade, a exortação dos Escritos: "Filho meu, não rejeites a repreensão do Senhor!" Ao mesmo tempo, porém, ideias destruidoras invadiam-lhe o cérebro cansado e dolorido. A Lei sagrada estava cheia de símbolos de justiça. Para ele, impunha-se como dever soberano providenciar a reparação que lhe parecia conveniente. Agora, em desolação suprema, regressava ao lar, despojado de tudo que possuía de mais humilde e mais simples, e já no fim da vida! Como lhe viria o pão de amanhã?! Sem elementos de trabalho e sem-teto, via-se constrangido a peregrinar em situação parasitária, ao lado da juventude dos filhos. Inenarrável martírio moral sufocava-lhe o coração.

Dominado por acerbos pensamentos, aproximou-se do sítio bem-amado, onde edificara o ninho familiar. O sol quente da tarde fazia mais doce a sombra das árvores, de ramarias verdes e abundantes. Jochedeb avançou no terreno, que era propriedade sua, e, angustiado pela perspectiva de abandoná-lo para sempre, deu ensejo a que terríveis tentações lhe desvairassem a mente. As terras de Licínio não se limitavam com a chácara? Afastando-se do caminho que o levava ao ambiente doméstico, penetrou nos matagais próximos e, depois de alguns passos, demorou o olhar na linha de demarcação, entre ele e o seu verdugo. As pastagens do outro lado não pareciam bem cuidadas. À falta de melhor distribuição da água comum, certa secura geral fazia-se sentir asperamente. Apenas algumas árvores, isoladas, amenizavam a paisagem com a sua sombra, refrescando a região abandonada, entre espinheiros e parasitas que sufocavam as ervas úteis.

Obcecado pela ideia de reparação e vingança, o velho israelita deliberou incendiar as pastagens próximas. Não consultaria os filhos, que, possivelmente, dobrariam o seu espírito, inclinados à tolerância e à benignidade. Jochedeb recuou alguns passos e, recorrendo ao material de serviço ali guardado nas proximidades, fez o fogo com que acendeu um feixe de ervas ressequidas. O rastilho comunicou-se, célere, e em rápidos minutos o incêndio das pastagens propagava-se com a velocidade do relâmpago.

Terminada a tarefa, sob a penosa impressão dos ossos doloridos, regressou cambaleante ao lar, onde Abigail o inquiriu, inutilmente, dos motivos de tão profundo abatimento. Jochedeb deitou-se à espera do filho, mas, dentro em pouco, um ruído ensurdecedor ecoava-lhe aos ouvidos. Não longe da chácara, o fogo destruía árvores amigas e frondes robustas, reduzindo pastos verdes a punhados de cinzas. Grande área ardia, irremediavelmente, escutando-se os gritos lamentosos das aves que fugiam espavoridas. Pequenas benfeitorias do questor, inclusive algumas termas pitorescas de sua predileção, construídas entre as árvores, ardiam igualmente, convertendo-se em negros escombros. Aqui e acolá, o alarido dos trabalhadores do campo, em espantosa correria por salvar da destruição a residência campestre do poderoso patrício, ou procurando insular a serpente de fogo que lambia a terra em todas as direções, aproximando-se dos pomares vizinhos.

Algumas horas de ansiedade espalharam as mais angustiosas expectativas, mas, ao fim da tarde, o incêndio fora dominado, depois de ingentes esforços.

Debalde o velho judeu enviara mensagens à procura do filho, dentro dos círculos de serviço da sua pequena herdade. Desejava falar a Jeziel das suas necessidades e da situação tormentosa em que se encontravam novamente, ansioso por descansar a mente atormentada nas palavras dulcificantes da sua ternura filial. Entretanto, somente à noite, com as vestes chamuscadas e as mãos ligeiramente feridas, o jovem entrou em casa, deixando entrever no cansaço da fisionomia a laboriosa tarefa a que se impusera. Abigail não se surpreendeu com o seu aspecto, entendendo que o irmão não deixara de auxiliar os companheiros de trabalho da vizinhança, nas ocorrências da tarde, preparando-lhe aos pés cansados e às mãos doloridas o banho de água aromatizada, mas, tão logo o viu e notou as mãos feridas, foi com espanto que Jochedeb exclamou:

— Onde estiveste, filho meu?

Jeziel falou da cooperação espontânea no salvamento da propriedade vizinha e, à medida que relatava os tristes sucessos do dia, o pai deixava trair a própria angústia na fácies sombria, em que se estereotipavam os traços rudes da revolta que lhe devorava o coração. Ao cabo de alguns minutos, erguendo a voz desalentada, falou com profunda emoção:

— Meus filhos, custa dizer-lhes, mas fomos espoliados na derradeira migalha que nos resta... Reprovando minha reclamação sincera e justa, o legado de César determinou o sequestro do nosso próprio lar. A iníqua sentença é o passaporte da nossa ruína total. Pelas suas disposições, somos obrigados a abandonar a chácara em três dias!

Elevando os olhos para o Alto, como a insistir junto à Divina Misericórdia, exclamava com o olhar embaciado de lágrimas:

"Tudo perdido!... Por que fui assim desamparado, meu Deus?! Onde a liberdade do vosso povo fiel, se, em toda parte, nos exterminam e perseguem sem piedade?"

Grossas lágrimas escorriam-lhe pelas faces, enquanto com a voz trêmula narrava aos filhos os pesados tormentos de que fora vítima. Abigail osculava-lhe as mãos enternecidamente, e Jeziel, sem qualquer alusão à rebeldia paterna, abraçava-o depois da sua dolorosa exposição, consolando-o com amor:

— Meu pai, por que vos atemorizardes? Deus nunca é avaro de misericórdia. Os Escritos Sagrados nos ensinam que Ele, antes de tudo, é o Pai desvelado de todos os vencidos da Terra! Essas derrotas chegam e passam. Tendes os meus braços e o cuidado afetuoso de Abigail. Por que lastimar, se amanhã mesmo, com o socorro divino, poderemos sair desta casa, para buscar outra em qualquer parte, a fim de nos consagrarmos ao trabalho honesto?! Deus não guiou o nosso povo expulso do lar, através do oceano e do deserto? Por que negaria, então, seu apoio a nós que tanto o amamos neste mundo? Ele é a nossa bússola e a nossa casa.

Os olhos de Jeziel fixavam o velho genitor em uma atitude de súplica profundamente cariciosa. Suas palavras revelavam o mais doce enternecimento no coração. Jochedeb não era insensível àquelas formosas manifestações de carinho, mas, ante a revelação de tanta confiança no poder divino, sentia-se envergonhado, depois do ato extremo que praticara. Descansando na ternura que a presença dos filhos lhe oferecia ao espírito desolado, dava curso às lágrimas dolorosas que lhe fluíam da alma pungida por acerbas desilusões. Entretanto, Jeziel continuava:

— Não choreis meu pai, contai conosco! Amanhã, eu próprio providenciarei a nossa retirada, como se faz preciso.

Foi nesse instante que a voz paternal se ergueu soturna e acentuou:

— Mas não é tudo, meu filho!...

E, pausadamente, Jochedeb pintou o quadro de suas angústias reprimidas, da sua cólera justa, que culminara com a decisão de atear fogo à propriedade do verdugo execrando. Os filhos ouviam-no espantados, entremostrando a dor sincera que a conduta paterna lhes causava. Depois de um olhar de infinito amor e funda preocupação, o jovem abraçou-o, murmurando:

— Meu pai, meu pai, por que levantastes o braço vingador? Por que não esperastes a ação da Justiça Divina?...

Embora perturbado pelas afetuosas admoestações, o interpelado esclarecia:

— Está escrito nos mandamentos: "não furtarás"; e, fazendo o que fiz, procurei retificar um desvio da Lei, porquanto fomos espoliados de tudo que constituía o nosso humilde patrimônio.

— Acima de todas as determinações, porém, meu pai — acentuou Jeziel sem irritação —, Deus mandou gravar o ensinamento do amor, recomendando que o amássemos sobre todas as coisas, de todo o coração e todo o entendimento.

— Amo o Altíssimo, mas não posso amar o romano cruel — suspirou Jochedeb amargurado.

— Mas como revelarmos dedicação ao Todo-Poderoso que está nos Céus — continuou o jovem compadecido —, destruindo suas obras!?

— No caso do incêndio, não temos só a considerar o nosso testemunho de desconfiança para com a Justiça de Deus, mas os campos que nos fornecem agasalho e pão sofreram com a nossa atitude e os dois melhores servos de Licínio Minúcio, Caio e Rufílio, foram feridos de morte quando tentavam salvar as termas prediletas do amo, em uma luta inútil para livrá-las do fogo que as destruiu; ambos, apesar de escravos, têm sido nossos melhores amigos. As árvores frutíferas e os canteiros de legumes de nossa propriedade devem quase tudo a eles, não só no concernente às sementes vindas de Roma, mas também no esforço e cooperação com o meu trabalho. Não seria justo honrarmos sua amizade, dedicada e diligente, evitando-lhes a punição e os sofrimentos injustos?

Jochedeb pareceu meditar profundamente nas observações filiais, ditas em tom carinhoso. Enquanto Abigail chorava em silêncio, o moço acrescentava:

— Nós que estávamos em paz, nas derrotas do mundo, porque trazíamos a consciência pura, precisamos resolver, agora, em face do que nos advirá em represálias. Quando dava o meu esforço contra o fogo, observei que muitos afeiçoados de Minúcio me contemplavam com indisfarçável desconfiança. A esta hora, já ele terá regressado dos serviços da Corte provincial. Precisamos encomendar-nos ao amor e à complacência de Deus, pois não ignoramos os tormentos reservados pelos romanos a todos os que lhes desrespeitam as determinações.

Penosa nuvem de tristeza mergulhara os três em sombrias preocupações. No velho observava-se uma ansiedade terrível, que se misturava à dor do remorso pungente e, em ambos os jovens, notava-se, no olhar, inexcedível amargura, angustiosa e intraduzível.

Jeziel tomou de sobre a mesa os velhos pergaminhos sagrados e disse à irmã, com triste acento:

— Abigail, vamos recitar o Salmo que nos foi ensinado pela mamãe para as horas difíceis.

Ambos se ajoelharam e suas vozes comovidas, como a de pássaros torturados, cantavam baixinho uma das formosas orações de Davi, que haviam aprendido no colo maternal:

O Senhor é o meu pastor;
Nada me faltará.
Deitar-me faz em verdes pastos,
Guia-me mansamente
A águas mui tranquilas.
Refrigera a minha alma;
Guia-me nas veredas da justiça
Por amor do seu nome.
Ainda que eu andasse
Pelo vale das sombras da morte,
Não temeria mal algum,
Porque Tu estás comigo;
A tua vara e o teu cajado me consolam.
Preparas-me o banquete do amor
Na presença dos meus inimigos,
Unges de perfume a minha cabeça,
O meu cálice transborda de júbilo!...
Certamente,
A bondade e a misericórdia
Seguirão todos os dias de minha vida;
E habitarei na Casa do Senhor
Por longos dias.[9]

---

[9] Nota do autor espiritual: *Salmos*, 23.

O velho Jochedeb acompanhava o cântico dolorido, sentindo-se oprimido de amargosas emoções. Começava a compreender que todos os sofrimentos enviados por Deus são proveitosos e justos, e que todos os males procurados pelas mãos do homem trazem, invariavelmente, torturas infernais à consciência invigilante. O cântico abafado dos filhos enchia-lhe o coração de tristezas pungentes. Lembrava, agora, a companheira querida que Deus havia chamado à Vida Espiritual. Quantas vezes acalentara-lhe ela o espírito atormentado com aqueles versos inesquecíveis do profeta? Bastava que sua observação amiga e fiel se fizesse ouvir para que o sentido da obediência e da justiça lhe falasse mais alto ao coração.

Ao ritmo da harmonia cariciosa e triste, que apresentava acento singular na voz dos filhos idolatrados, Jochedeb chorou longamente. Da pequenina janela aberta no aposento humilde, seus olhos buscaram ansiosamente o céu azul, que se enchera de sombras tranquilas. A noite abraçara a Natureza e, muito longe, no alto, começavam a luzir as primeiras estrelas. Identificando-se com as sugestões grandiosas do firmamento, experimentou intensas comoções na alma ansiosa. Profundo enternecimento fê-lo levantar-se e, sedento de revelar aos filhinhos quanto os amava e quanto deles esperava naquela hora culminante da sua vida, inclinou-se de braços abertos, com significativa expressão de carinho e, quando as últimas notas se desprendiam do cântico dos jovens enlaçados e genuflexos, abraçou-os em pranto, murmurando:

— Meus filhos! meus queridos filhos!...

Nesse instante, porém, abriu-se a porta e um pequenino servidor das vizinhanças anunciou com grande assombro a lhe transparecer nos olhos:

— Senhores, o soldado Zenas e mais alguns companheiros chamam-vos à porta.

O velho colou a destra ao peito oprimido, enquanto Jeziel pareceu meditar um instante; todavia, revelando a firmeza do seu espírito resoluto, o jovem exclamou:

— Deus nos protegerá.

Daí a instantes, o mensageiro que chefiava a pequena escolta leu o mandado de prisão de toda a família. A ordem era categórica e irrevogável. Os acusados deveriam ser recolhidos imediatamente ao cárcere, a fim de que se lhes esclarecesse a situação no dia seguinte.

Abraçado aos dois filhos, o pobre israelita marchou à frente da escolta, que os observava sem piedade.

Jochedeb contemplou os canteiros de flores e as árvores bem-amadas junto da casinha singela em que tecera todos os sonhos e esperanças da sua vida. Singular emoção dominou-lhe o espírito cansado. Uma torrente de lágrimas fluía-lhe dos olhos e, transpondo a cancela florida, falou em voz alta, olhando o céu claro, agora recamado pelos astros da noite:

– Senhor! compadece-te do nosso amargurado destino!...

Jeziel apertou-lhe docemente a mão encarquilhada, como a lhe pedir resignação e calma, e o grupo marchou silenciosamente à luz das estrelas.

II
Lágrimas e sacrifícios

A prisão que recebera as nossas personagens, em Corinto, era um velho casarão de corredores úmidos e escuros, mas a sala destinada aos três, conquanto desprovida de qualquer conforto, apresentava a vantagem de uma janela gradeada, que comunicava o ambiente desolado com a natureza exterior.

Jochedeb estava cansadíssimo e, servindo-se do manto que apanhara ao acaso, ao retirar-se, Jeziel improvisou-lhe um leito sobre as lajes frias. O velho, atormentado por uma aluvião de pensamentos, descansava o corpo dolorido, entregue a penosas meditações sobre os problemas do destino humano. Sem saber externar suas dores pungentes, engolfara-se em angustioso mutismo, evitando o olhar dos filhos. Jeziel e Abigail aproximaram-se da janela segurando-lhe as grades inflexíveis e abafando, com dificuldade, a justa inquietação. Ambos olharam, instintivamente, o firmamento, cuja imensidade sempre resumiu a fonte das mais ternas esperanças para os que choram e sofrem na Terra.

O jovem abraçou a irmã, com imensa ternura, e disse comovido:

– Abigail, lembras-te da nossa leitura de ontem?

– Sim – respondeu ela com a ingênua serenidade dos seus olhos negros e profundos –, tenho agora a impressão de que os Escritos nos davam uma grande mensagem, pois nosso ponto de estudo foi justamente aquele em que Moisés contemplava, de longe, a terra da Promissão sem poder alcançá-la.

O rapaz sorriu satisfeito por sentir-se identificado nos seus pensamentos e confirmou:

— Vejo que estamos de perfeito acordo. O céu, esta noite, oferece-nos a perspectiva de uma pátria luminosa e distante. Lá – continuava apontando o zimbório estrelado – organiza Deus os triunfos da verdadeira justiça; dá paz aos tristes; conforto aos desalentados da sorte. Certamente, nossa mãe está com Deus, esperando por nós.

Abigail mostrou-se muito impressionada com as palavras do irmão e acentuou:

— Estás triste? Ficaste agastado com o proceder de nosso pai?

— De modo algum – atalhou o moço, afagando-lhe os cabelos –, estamos em experiências que devem ter a melhor finalidade para a nossa redenção, porque, de outro modo, Deus não no-las mandaria.

— Não nos aborreçamos com o pai – tornou a jovem –; estive pensando que, se a mamãe estivesse conosco, ele não chegaria a reclamações de tão tristes consequências. Nós não temos aquele poder de persuasão com que ela, carinhosa sempre, iluminava a nossa casa. Lembras-te? Sempre nos ensinou que os filhos de Deus devem estar prontos para a execução das divinas vontades. Os profetas, por sua vez, nos esclarecem que os homens são varas no campo da criação. O Todo-Poderoso é o lavrador e nós devemos ser os galhos floridos ou frutíferos, na sua obra. A palavra de Deus nos ensina a ser bons e amáveis. O bem deve ser a flor e o fruto, que o Céu nos pede.

Nessa altura, a bela jovem fez uma pausa significativa. Seus grandes olhos estavam velados por um tênue véu de pranto, que não chegava a cair.

— Entretanto – continuou ela, emocionando o irmão carinhoso –, sempre desejei fazer algum bem, sem jamais o conseguir. Quando nossa vizinha enviuvou, quis auxiliá-la com dinheiro, mas não o possuía; sempre que me surge uma oportunidade de abrir as mãos, tenho-as pobres e vazias. Então, agora, penso que foi útil a nossa prisão. Não será uma felicidade, neste mundo, podermos sofrer alguma coisa por amor a Deus? Quem nada tem, inda possui o coração para dar. E estou convicta de que o Céu nos abençoará pela nossa resolução em servi-lo com alegria.

O rapaz aconchegou-a ao peito e exclamou:

— Deus te abençoe pelo entendimento das suas leis, irmãzinha!

Longa pausa estabelecia-se entre ambos, enquanto mergulhavam no infinito da noite clara os olhos ternos e ansiosos.

Em dado instante, voltou a jovem a considerar:

— Por que será que os filhos de nossa raça são perseguidos em toda parte, provando injustiça e sofrimentos?

— Suponho — respondeu o moço — que Deus o permite a exemplo do pai amoroso que, para educar os filhos mais jovens e ignorantes, toma por base os filhos mais experientes. Enquanto os outros povos amortecem forças na dominação pela espada, ou nos prazeres condenáveis, nosso testemunho ao Altíssimo, pelas dores e amarguras, multiplica em nosso espírito a capacidade de resistência, ao mesmo tempo em que os outros homens aprendem a considerar, com o nosso esforço, as verdades religiosas.

E, fixando o olhar sereno no firmamento, acrescentou:

— Mas eu creio no Messias Redentor, que virá esclarecer todas as coisas. Os profetas nos afirmam que os homens não o compreenderão; entretanto, Ele há de vir ensinando o amor, a caridade, a justiça e o perdão. Nascerá entre os humildes, exemplificará entre os pobres, iluminará o povo de Israel, levantará os tristes e oprimidos, tomará, com amor, todos os que padecem no abandono do coração. Quem sabe, Abigail, estará Ele no mundo, sem o sabermos? Deus opera em silêncio e não concorre com as vaidades da criatura. Temos fé e a nossa confiança no Céu é uma fonte de força inesgotável. Os filhos da nossa raça muito têm padecido, mas Deus saberá o porquê, e não nos enviaria problemas de que não necessitássemos.

A jovem pareceu meditar longamente e obtemperou, depois de alguns instantes:

— E já que falamos em sofrimentos, como deveremos esperar o dia de amanhã? Prevejo grandes contrariedades no interrogatório e, afinal, que farão os juízes de nosso pai e de nós próprios?

— Não deveremos aguardar senão desgostos e decepções, mas não esqueçamos a oportunidade de obedecer a Deus. Quando experimentou a ironia de sua mulher, nas desditas extremas, Jó teve a boa lembrança de que, se o Criador nos dá os bens para nossa alegria, pode enviar-nos igualmente os dissabores para nosso proveito. Se o papai for acusado, direi que fui eu o autor do delito.

— E se te flagelarem por isso? — perguntou ela de olhos ansiosos.

— Entregar-me-ei ao flagício com a paz da consciência. Se estiveres junto de mim, nesse instante, cantarás comigo a prece dos que se encontram em aflição.

— E se te matarem, Jeziel?

— Pediremos a Deus que nos proteja.

Abigail abraçou mais ternamente o irmão, que, por sua vez, dissimulava a custo a emoção que lhe ia na alma. A irmã querida constituíra sempre o tesouro afetivo de toda a sua vida. Desde que a morte lhes arrebatara a genitora, dedicara-se à irmã, com todas as veras do coração. Sua vida pura dividia-se entre o trabalho e a obediência ao pai; entre o estudo da Lei e a afeição à meiga companheira da infância. Abigail contemplava-o ternamente, enquanto ele a abraçava com o enlevo da amizade pura, que reúne duas almas afins.

Depois de meditar longos minutos, Jeziel falou comovido:

— Se eu morrer, Abigail, hás de prometer-me seguir à risca aqueles conselhos da mamãe, para que tivéssemos a vida sem mácula neste mundo. Lembrar-te-ás de Deus e da nossa vida de trabalho santificador, e nunca ouvirás a voz das tentações que arrastam as criaturas à queda nos abismos do caminho. Recordas-te das últimas observações da mamãe no leito da morte?

— Se recordo — respondeu Abigail com uma lágrima. — Tenho a impressão de ouvir ainda as suas últimas palavras: "E vocês, meus filhos, amarão a Deus acima de tudo, de todo o coração e de todo o entendimento."

Jeziel sentiu os olhos úmidos, com aquelas recordações, e murmurou:

— Feliz de ti que não esqueceste.

E como quem desejava mudar o rumo da conversa, acrescentou sensibilizado:

— Agora precisas descansar.

Embora ela se recusasse ao repouso, tomou-lhe o manto pobre, improvisou um leito à luz baça do luar que penetrava pelas grades e, osculando-lhe a fronte com indizível ternura, advertiu afetuosamente:

— Descansa, não te impressiones com a situação, nosso destino pertence a Deus.

Abigail, para lhe ser agradável, aquietou-se como pôde, enquanto ele se aproximou da janela para contemplar a beleza da noite polvilhada de luz. Seu coração moço atufava-se de angustiosas cogitações. Agora que o pai e a irmãzinha repousavam na sombra, dava curso às ideias profundas que lhe empolgavam o espírito generoso. Buscava, ansiosamente, uma resposta às interrogações que mandava às estrelas distantes. Esperava, com sinceridade e confiança, no seu Deus de sabedoria e misericórdia, que os pais lhe deram a conhecer. A seus olhos, o Todo-Poderoso sempre fora infinitamente justo e bom. Ele, que esclarecera o genitor e consolara a irmãzinha, perguntava também, por sua vez, dentro de si, o porquê das suas provas dolorosas. Como se justificava, por causa tão comezinha, a prisão inesperada de um ancião honesto, de um homem trabalhador e de uma criança inocente? Que delito irreparável haviam praticado para merecer expiação tão penosa? O pranto correu-lhe copioso ao relembrar a humilhação da irmã, mas também não procurou enxugar as lágrimas que lhe inundavam o rosto, de maneira a escondê-las de Abigail, que talvez o observasse na sombra. Rememorava, um a um, todos os ensinamentos dos Escritos Sagrados. As lições dos profetas consolavam-lhe a alma ansiosa. Entretanto, vagava-lhe no coração uma saudade infinita. Lembrava-se do carinho materno que a morte lhe arrebatara. Se presente àquele transe, a mãe saberia como confortá-los. Quando criança, nas suas pequenas contrariedades, ela ensinava que, em tudo, Deus era bom e misericordioso; que, nas enfermidades, corrigia o corpo, e nas angústias da alma esclarecia, iluminava o coração; no desfile das reminiscências, considerava igualmente que ela sempre o incitara à coragem e à alegria, fazendo-lhe sentir que a criatura convicta da paternidade divina anda, no mundo, fortalecida e feliz.

Edificado na fé, cobrou ânimo e, depois de longas reflexões, aquietou-se na laje fria, procurando o repouso possível no silêncio augusto da noite.

O dia amanheceu prenhe de lúgubres expectativas.

Dentro de poucas horas, Licínio Minúcio, rodeado de numerosos guardas e satélites, recebeu os prisioneiros na sala destinada aos criminosos comuns, na qual se ostentavam alguns instrumentos de punição e suplício.

Jochedeb e os filhos traíam na palidez do semblante a emoção profunda que os dominava.

Os costumes da época eram excessivamente desumanos para que o juiz implacável e a maioria dos circunstantes se inclinassem à comiseração pelo aspecto desditoso deles.

Alguns esbirros perfilavam-se junto dos potros de castigo, em que pendiam açoites e algemas impiedosos.

Não houve interrogatório, nem depoimento de testemunhas, como seria de esperar antes de providências tão odiosas, e, chamado rudemente pela voz metálica do legado, o velho judeu aproximou-se vacilante e trêmulo:

— Jochedeb — exclamou o algoz impassível e sanhudo —, os que desacatam as leis do Império devem ser punidos de morte, mas eu procurei ser magnânimo em consideração à tua velhice desamparada.

Um olhar de angustiada expectação transfigurou o rosto do acusado, enquanto o patrício esboçou um sorriso irônico.

— Alguns operários lá da herdade — continuou Licínio — viram-te as mãos perversas na tarde de ontem, quando incendiaste as pastagens. Esse ato redundou em sérios prejuízos para os meus interesses, além de ocasionar males talvez irreparáveis à saúde de dois servos mui prestimosos. Como nada tens de teu para compensar o dano causado, receberás o justo corretivo em flagelações, para que nunca mais venhas a erguer tuas garras de abutre contra os interesses romanos.

Sob o olhar angustiado e lacrimoso dos filhos, o velho israelita ajoelhou-se e murmurou:

— Senhor, por piedade!

— Piedade? — berrou Minúcio com rispidez. — Cometes um crime e imploras favores?! Bem se diz que tua raça se compõe de vermes asquerosos e desprezíveis.

E, designando o tronco, disse friamente a um dos sequazes:

— Pescênio, avia-te! Vergasta-o vinte vezes.

Ante a muda aflição dos jovens, o respeitável ancião foi solidamente algemado.

O castigo ia começar quando Jeziel, rompendo a expectativa geral, aproximou-se da mesa e falou com humildade:

— Questor Ilustríssimo, perdoai minha covardia de haver calado até agora; asseguro-vos, porém, que meu pai está sendo acusado injustamente. Fui eu quem incendiou os terrenos de vossa propriedade, perturbado pela sentença de confisco exarada contra nós. Dignai-vos, pois, libertá-lo e dar-me a mim a merecida punição. Aceitá-la-ei de bom grado.

O patrício teve um lampejo de surpresa nos olhos frios, que se caracterizavam por mobilidade extrema, e acentuou:

— Mas não auxiliaste os meus homens a salvar uma parte das termas? Não foste o primeiro a medicar Rufílio?

— Assim fiz levado pelo remorso, Ilustríssimo — retrucou o rapaz, ansioso por isentar o pai do suplício iminente —; quando vi a extensão do fogo comunicando-se às árvores, temi as consequências do ato praticado, mas, agora, confesso ter sido o seu autor.

Nesse ínterim, receoso pela sorte do filho, Jochedeb exclamou, intimamente atormentado:

— Jeziel, não te inculpes por uma falta que não cometeste!...

Mas, pontilhando as palavras com extrema ironia, o legado replicou, dirigindo-se ao moço hebreu:

— Está bem — poupei-te até agora, baseado nas falsas informações que me deram a teu respeito —; contudo, terás também o teu quinhão de disciplina indispensável. Teu pai pagará pelo crime em que foi visto, de maneira inegável; e tu pagarás pelo que confessaste espontaneamente.

Colhido de surpresa pela decisão que não esperava, Jeziel foi conduzido ao poste de tortura, em frente da angústia paterna. A seu lado, postou-se o companheiro de Pescênio, que o atou sem piedade aos elos de bronze, e as primeiras vergastadas começaram a lamber-lhe o dorso, impiedosas, isócronas. Uma... duas... três...

Jochedeb revelava profunda debilidade, vendo-se-lhe o peito a arfar penosamente, ao passo que o filho demonstrava tolerar o suplício com heroísmo e nobre serenidade; ambos de olhos fixos em Abigail, que os contemplava excessivamente pálida, entremostrando nas lágrimas ardentes que derramava o cruciante martírio do seu espírito afetuoso.

A punição terrível ia quase a meio, quando um mensageiro entrou no recinto e, em voz alta, anunciou ao legado, em tom solene:

— Ilustríssimo, portadores de vossa casa participam que o servo Rufílio acaba de falecer.

O cruel patrício franziu o sobrolho[10] como costumava fazer nos momentos de explosão colérica. Sentimentos rancorosos lhe afloraram à face, que a perversidade do egoísmo exacerbado vincara de traços indeléveis.

— Era o melhor dos meus homens — bradou. — Estes judeus malditos pagarão muito caro esta afronta.

— Filócrio, aplica-lhe mais vinte vergastadas e, em seguida, leva-o à prisão, de onde deverá seguir para o cativeiro nas galeras.

---

[10] N.E.: Sobrancelha.

Entre as pobres vítimas e a jovem aflita trocou-se um olhar de significação intraduzível. Aquele cativeiro era a ruína e a morte. E ainda não se haviam recobrado da cruel surpresa, quando o juiz inexorável prosseguiu:

– Quanto a ti, Pescênio, renova a tarefa. Esse velho, criminoso e sem escrúpulos, pagará a morte do meu fiel servidor. Golpeia-lhe as mãos e os pés até que fique impossibilitado de caminhar e praticar o mal.

Ante a sentença iníqua, Abigail caiu de joelhos, em preces ardentes. Do peito do irmão escapavam fundos suspiros, nevoando-se-lhe os olhos de lágrimas dolorosas, ao conjeturar a inexorável desdita da irmãzinha, enquanto o pai lhes buscava ansiosamente o olhar, receoso da hora extrema.

As vergastadas continuavam sem trégua, mas, de uma feita, Pescênio não conseguira equilibrar-se e a aguçada ponta de bronze do açoite lanhou fundo a garganta do pobre israelita, jorrando o sangue em borbotões. Os filhos compreenderam a gravidade da situação e entreolharam-se ansiosos. Em preces de sublimado fervor, Abigail dirigia-se a Deus, àquele Deus terno e amoroso que sua mãe lhe ensinara a adorar. Filócrio concluíra a sua empreitada. A fronte de Jeziel erguia-se a custo, exibindo pastoso suor tisnado de sangue. Os olhos fixavam-se na irmã muito amada, mas, em todo o seu aspecto, deixava transparecer profunda fraqueza, que lhe anulava as últimas resistências. Incapaz de definir os próprios pensamentos, Abigail repartia sua atenção angustiada com o pai e o irmão; todavia, em breves instantes, ao fluxo incessante do sangue que corria abundante, Jochedeb deixou pender, para sempre, a cabeça alvejada de cabelos brancos. O sangue alagara as vestes e empastava-se-lhe nos pés. Sob o olhar cruel do legado, ninguém ousou articular palavra. Apenas o açoite, cortando o ambiente morno da sala, quebrava o silêncio num silvo singular, mas notaram que do peito da vítima ainda se escapavam palavras confusas, das quais sobressaíam as carinhosas expressões:

– Meus filhos, meus queridos filhos!...

A jovem talvez não pudesse compreender que chegara o momento decisivo, mas Jeziel, não obstante o terrível sofrimento daquela hora, tudo compreendeu e, num esforço profundo, gritou para a irmã:

– Abigail, papai está expirando; tem coragem, confia... Não posso acompanhar-te na oração... mas faze por todos nós... a prece dos aflitos...

Dando mostras de fé invejável em tão amarguradas circunstâncias, a jovem, de joelhos, fixou longamente o velho pai cujo peito já não arfava;

depois, erguendo os olhos ao Alto, começou a cantar com voz trêmula, porém harmoniosa e cristalina:

> *Senhor Deus, pai dos que choram,*
> *Dos tristes, dos oprimidos,*
> *Fortaleza dos vencidos,*
> *Consolo de toda a dor,*
> *Embora a miséria amarga*
> *Dos prantos de nosso erro,*
> *Deste mundo de desterro*
> *Clamamos por vosso amor!*
>
> *Nas aflições do caminho,*
> *Na noite mais tormentosa,*
> *Vossa fonte generosa*
> *É o bem que não secará.*
> *Sois, em tudo, a luz eterna*
> *Da alegria e da bonança,*
> *Nossa porta de esperança*
> *Que nunca se fechará.*

Suas expressões vocais enchiam o ambiente de sonoridade indefinível. O canto semelhava-se mais a um gorjeio de dor de um rouxinol que cantasse ferido, em uma alvorada de primavera. Tão grande, tão sincera se lhe revelava a fé no Todo-Poderoso, que sua atitude geral era a de uma filha carinhosa e obediente, comunicando-se com o pai silencioso e invisível. O pranto perturbava-lhe a voz trêmula, mas repetia com desassombro a prece aprendida no lar, com a mais formosa expressão de confiança no Altíssimo.

Penosa emoção apossara-se de todos. Que fazer com uma criança cantando o suplício dos seus entes amados e a crueldade dos seus verdugos? Soldados e guardas presentes mal dissimulavam a emoção. O próprio questor parecia imobilizado, como que submetido a enfadonho mal-estar. Abigail, estranha à perversidade das criaturas, suplicando o amparo do Onipotente, não sabia que o cântico era inútil à salvação dos seus, mas que despertaria a comiseração pela sua inocência, ganhando-lhe, assim, a liberdade.

Recobrando alento e percebendo que a cena ferira a sensibilidade geral, Licínio esforçou-se por não perder a dureza de espírito e recomendou a um dos velhos servidores, em tom imperioso:

— Justino, leva esta mulher para a rua e solta-a, mas que não cante mais, nem mesmo uma nota!

Diante da ordem retumbante, Abigail não terminou a oração, emudecendo instantaneamente, como se obedecesse a estranho estacado.[11]

Lançou ao cadáver ensanguentado do pai um olhar inesquecível e, logo contemplando o irmão ferido e algemado, com quem trocava as mais íntimas impressões na linguagem dos olhos doridos e ansiosos, sentiu-se tocada pela mão calosa de um velho soldado que lhe dizia em voz quase áspera:

— Acompanha-me!

Ela estremeceu; todavia, endereçando a Jeziel o derradeiro e significativo olhar, seguiu o preposto de Minúcio, sem resistência. Após atravessar inúmeros corredores úmidos e sombrios, Justino, modificando sensivelmente a voz, deu-lhe a perceber extrema simpatia por sua figura quase infantil, murmurando-lhe ao ouvido, comovidamente:

— Minha filha, também sou pai e compreendo o teu martírio. Se queres atender a um amigo, escuta o meu conselho. Foge de Corinto a toda pressa. Vale-te deste instante de sensibilidade dos teus verdugos e não voltes aqui.

Abigail cobrou algum ânimo e, sentindo-se encorajada por aquela simpatia imprevista, perguntou extremamente perturbada:

— E meu pai?

— Teu pai descansou para sempre — murmurou o generoso soldado.

O pranto da jovem se fez mais copioso, borbulhando-lhe dos olhos tristes. Todavia, ansiosa por defender-se contra a perspectiva de solidão, perguntou ainda:

— Mas... e meu irmão?

— Ninguém volta do cativeiro das galeras — respondeu Justino com olhar significativo.

Abigail levou as mãos pequeninas ao peito, desejando afogar a própria dor. Os gonzos de velha porta rangeram vagarosamente e o seu inesperado protetor exclamou, apontando a rua movimentada:

---

[11] N.E.: Do italiano *staccato*; em português, "estacado" ou "destacado", sinal usado em partitura musical para indicar que o som deve ser interrompido mediante um toque seco e breve; figuradamente, uma pausa, uma interrupção.

– Vai em paz e que os deuses te protejam.

A pobre criatura não tardou a sentir o insulamento entre as fileiras de transeuntes que cruzavam, apressados, a via pública. Habituada aos carinhos domésticos, no lar onde o idioma paterno substituía a linguagem das ruas, sentiu-se estranha no meio de tantas criaturas inquietas, assoberbadas de interesses e preocupações materiais. Ninguém lhe notava as lágrimas, nenhuma voz amiga procurava inteirar-se das suas íntimas angústias.

Estava só! Sua mãe fora chamada por Deus, anos antes; seu pai acabava de sucumbir covardemente assassinado; o irmão, prisioneiro e cativo, sem esperança de remissão. Apesar do sol do meio-dia, tinha a sensação de intenso frio. Deveria regressar ao ninho doméstico? Mas, com que fim, se haviam sido expulsos? A quem confiar sua enorme desdita? Lembrou-se de uma velha amiga da família. Procurou-a. A viúva Sostênia, muito afeiçoada à sua mãe, recebeu-a com o sorriso generoso da sua velhice bondosa.

Desfeita em pranto, a infortunada contou-lhe todo o sucedido.

A veneranda velhinha, acariciando-lhe a cabeleira anelada, falou comovida:

– Nas perseguições passadas, nossos sofrimentos foram os mesmos.

E dando a entender que não desejava reviver antigas e dolorosas reminiscências, Sostênia acentuou:

– É indispensável o máximo de coragem nas situações penosas como esta. Não é fácil elevar o coração em meio de tão terríveis escombros, mas é preciso confiar em Deus nas horas mais amargas. Que contas fazer, agora que todos os recursos desapareceram? Por minha vez, nada posso oferecer-te, senão o coração amigo, pois também aqui estou por esmola da pobre família que me agasalhou caridosamente, na última tempestade da minha vida.

– Sostênia – disse Abigail, suspirando –, meus pais me prepararam para uma existência de corajoso esforço próprio. Estou pensando em recorrer ao legado e suplicar-lhe um cantinho da nossa chácara para ali viver uma vida honesta, na esperança de reaver Jeziel e sua fraterna companhia. Que pensas a respeito?

Notando a indecisão da veneranda amiga, continuou:

– Quem sabe o questor Licínio se condoerá da minha sorte? Minha resolução talvez o enterneça; voltarei para casa e levar-te-ei comigo. Ser-me-ias uma segunda mãe para o resto da vida.

Sostênia conchegou-a de encontro ao coração e acentuou de olhos úmidos:

— Minha querida, tu és um anjo, mas o mundo ainda é propriedade dos maus. Viveria contigo eternamente, minha boa Abigail; entretanto, não conheces o legado nem a sua camarilha. Ouve, filha! É preciso que fujas de Corinto, de modo a não incidires em mais duras humilhações.

A moça teve uma exclamação de abatimento e, depois de longa pausa, acrescentou:

— Aceitarei teus conselhos, mas, antes de qualquer providência, necessito voltar a casa.

— Para quê? – interrogou a amiga admirada.

— É imprescindível que partas quanto antes. Não voltes ao lar. A esta hora, é possível já esteja ocupado por homens sem escrúpulos, que te não respeitariam. Convém-te uma atitude de sincera fortaleza moral, pois vivemos uma época em que necessitamos fugir da perdição, como Ló e seus familiares, correndo o risco de sermos transformados em estátua inútil, se olharmos para trás.

A irmã de Jeziel bebia-lhe as palavras com dolorosa estranheza, em face do imprevisto da situação.

Passado um momento, Sostênia levou a mão à fronte, como a recordar uma providência oportuna e falou com animação:

— Lembras-te de Zacarias, filho de Hanan?

— Aquele amigo da estrada de Cencreia?

— Ele mesmo. Fui informada de que, em companhia da esposa, prepara-se para deixar definitivamente a Acaia, por haver sido assassinado pelos romanos irresponsáveis, nestes últimos dias, o seu único filho.

Confortada por ardente esperança, concluía com ansiedade:

— Corre à casa de Zacarias! Se ainda o encontrares, fala-lhe em meu nome. Pede-lhe acolhimento. Ruth é um coração generoso e não deixará de estender-te as mãos generosas e fraternais; sei que ela te receberá com afagos maternos!...

Abigail tudo ouvia, parecendo indiferente à própria sorte. Mas Sostênia fê-la considerar a necessidade do recurso e, decorridos minutos de consolações recíprocas, a jovem, sob o calor causticante das primeiras horas da tarde, pôs-se a caminho para Cencreia, dando a impressão de um autômato que vagasse na estrada, a que vários veículos e inúmeros pedestres imprimiam considerável movimento. O porto de Cencreia ficava a certa distância do centro de Corinto. Situado de maneira a servir às comunicações com o Oriente, seus bairros populosos estavam cheios de famílias israelitas, fixadas de longa data nas regiões da Acaia, ou em trânsito para a capital do Império e adjacências. A irmã de Jeziel chegou à casa de Zacarias dominada por terrível abatimento. Aliado à vigília da última noite e às angústias do dia, penoso cansaço físico lhe agravava os desalentos. Pernas trôpegas a relembrar o pai morto e o irmão prisioneiro, não reparava em si própria, no mísero estado do seu organismo enfermo e desnutrido. Somente ao defrontar a modesta morada do amigo, verificou que a febre começava a devorar-lhe as entranhas, obrigando-a a refletir nas suas dolorosas necessidades.

Zacarias e Ruth, sua mulher, atendendo ao chamado, receberam-na espantados e aflitos.

— Abigail!...

O grito de ambos revelava grande surpresa, com o aspecto da jovem despenteada, face esfogueada, olhos fundos e vestes em desalinho.

A filha de Jochedeb, perturbada pela fraqueza e pela febre, rojou-se aos pés do casal, exclamando em tom lancinante:

— Meus amigos, tende piedade do meu infortúnio!... Nossa boa Sostênia lembrou-me vosso afeto, no transe doloroso por que passo. Eu, que já não tinha mãe, tive hoje meu pai assassinado e Jeziel escravizado sem remissão. Se é verdade que partireis de Corinto, levai-me, por compaixão, em vossa companhia!

Abigail abraçava-se agora a Ruth, ansiosamente, enquanto a amiga a acarinhava entre lágrimas.

Soluçante, a jovem relatou os fatos da véspera e os tristes episódios daquele dia.

Zacarias, cujo coração paterno acabava de sofrer tremendo golpe, abraçou-a com afeto e amparou-a sensibilizado, exclamando solícito:

— Dentro de uma semana voltaremos à Palestina. Ainda não sei bem onde nos vamos fixar, mas nós, que perdemos o filho querido, teremos em ti uma filha estremecida. Acalma-te! Irás conosco, serás nossa filha para sempre.

Incapaz de traduzir seu jubiloso agradecimento, atormentada pela febre alta, a jovem ajoelhou-se, em pranto, procurando externar sua gratidão carinhosa e sincera; Ruth tomou-a ternamente nos braços e, qual desvelado anjo maternal, conduziu-a a um leito macio, onde Abigail, assistida pelos dois amigos generosos, delirou três dias entre a vida e a morte.

III
Em Jerusalém

    Depois de contemplar angustiadamente o cadáver paterno, o jovem hebreu acompanhou a irmã, de olhar ansioso, até a porta de acesso a um dos vastos corredores da prisão. Jamais experimentara tão profunda emoção. Ao cérebro atormentado acudiam-lhe os conselhos maternos, quando asseverava que a criatura, acima de tudo, devia amar a Deus. Jamais conhecera lágrimas tão amargas como aquelas que lhe fluíam em torrente, do coração dilacerado. Como reaver a coragem e reorganizar o caminho? Desejou, num relance, romper as algemas, aproximar-se do pai inanimado, afagar-lhe os cabelos brancos e, simultaneamente, abrir todas as portas, correr no encalço de Abigail, tomá-la nos braços para nunca mais se apartarem nas estradas da vida. Debalde se estorceu no tronco do martírio, porque, em retribuição aos esforços, somente o sangue manava mais copioso das feridas abertas. Singultos[12] dolorosos abalavam-lhe o peito, a cuja altura a túnica se fizera em rubros frangalhos. Abismado em si mesmo, finalmente foi recolhido a uma cela úmida, onde, por trinta dias, mergulhou o pensamento em profundas cogitações.
    Ao fim de um mês, as feridas estavam cicatrizadas e um dos prepostos de Licínio julgou chegado o momento de encaminhá-lo a uma das

---
[12] N.E.: Soluços, suspiros.

galeras do tráfego comercial, onde se encontrava o questor, interessado em assuntos lucrativos.

O moço hebreu perdera o viço róseo das faces e o tom ingênuo da fisionomia carinhosa e alegre. A rude experiência dera-lhe uma expressão dolorosa e sombria. Vagava-lhe no semblante indefinível tristeza e na fronte apontavam rugas precoces, nunciativas de velhice prematura; nos olhos, porém, a mesma serenidade doce, oriunda da íntima confiança em Deus. Como outros descendentes da sua raça, sofrera o sacrifício pungente; todavia, guardara a fé, como a auréola divina dos que sabem verdadeiramente agir e esperar. O autor dos *Provérbios* recomendara, como imprescindível, serenidade da alma em todas as flutuações da vida humana, porque dela procedem as fontes mais puras da existência e Jeziel guardara o coração. Órfão de pai e mãe, cativo de verdugos cruéis, saberia conservar o tesouro da esperança e procuraria a irmã, até os confins do mundo, se um dia conseguisse, de novo, o beijo da liberdade na fronte escravizada.

Seguido de perto por sentinelas impiedosas, qual se fora um vagabundo vulgar, cruzou as ruas de Corinto até o porto, onde o internaram no porão infecto de uma galera adornada com o símbolo das águias dominadoras.

Reduzido à mísera condição de condenado a trabalhos perpétuos, enfrentou a nova situação cheio de confiança e humildade. Foi com admiração que o feitor Lisipo anotou-lhe a boa conduta e o esforço nobre e generoso. Habituado a lidar com malfeitores e criaturas sem escrúpulos, que, não raro, requeriam a disciplina do chicote, surpreendeu-se ao reconhecer no moço hebreu a disposição sincera de quem se entregava ao sacrifício, sem rebeldias e sem baixeza.

Manejando os remos pesados com absoluta serenidade, como quem se dava a uma tarefa habitual, sentia o suor abundante inundar-lhe a face juvenil, relembrando, comovido, os dias laboriosos da sua charrua amiga. Em breve, o feitor reconhecia nele um servo digno de estima e consideração, que soubera impor-se aos próprios companheiros com o prestígio da natural bondade que lhe transbordava da alma.

— Ai de nós! — exclamou um colega desalentado. — São raros os que resistem a estes remos malditos por mais de quatro meses!...

— Mas todo o serviço é de Deus, amigo — respondeu Jeziel altamente inspirado —, e desde que aqui nos encontramos em atividade honesta e de consciência tranquila, devemos guardar a convicção de servos do Criador, trabalhando em suas obras.

Para todas as complicações da nova modalidade de sua existência, tinha uma fórmula conciliatória, harmonizando os ânimos mais exaltados. O feitor surpreendia-se com a delicadeza do seu trato e capacidade de trabalho, que se aliavam aos mais altos valores da educação religiosa recebida no lar.

No bojo escuro da embarcação, sua firmeza de fé não se modificara. Dividia o tempo entre os labores rudes e as sagradas meditações. A todos os pensamentos, sobrelevava a saudade do ninho familiar, com a esperança de rever a irmã algum dia, por mais que se lhe dilatasse o cativeiro.

De Corinto, a grande embarcação aproara em Cefalônia[13] e Nicópolis,[14] de onde deveria regressar aos portos da linha de Chipre, depois de ligeira passagem pela costa da Palestina, consoante o itinerário organizado para aproveitar o tempo seco e tendo em vista que o inverno paralisava toda a navegação.

Afeito ao trabalho, não lhe foi difícil adaptar-se à pesada faina de carga e descarga do material transportado, à manobra dos remos implacáveis e à assistência aos poucos passageiros, sempre que lhe requisitavam préstimos, sob o olhar vigilante de Lisipo.

Voltando de Cefalônia, a galera recebeu um passageiro ilustre. Era o jovem romano Sérgio Paulo, que se dirigia para a cidade de Citium,[15] em comissão de natureza política. Com destino ao porto de Nea-Pafos, onde alguns amigos o esperavam, o moço patrício se constituiu, desde logo, entre todos, alvo de grandes atenções. Dada a importância do seu nome e o caráter oficial da missão a ele cometida, o comandante Sérvio Carbo lhe reservou as melhores acomodações.

Sérgio Paulo, entretanto, muito antes de aportarem novamente em Corinto, onde a embarcação deveria permanecer alguns dias, em prosseguimento da rota prefixada, adoeceu com febre alta, abrindo-se-lhe o corpo em chagas purulentas. Comentava-se, à sorrelfa, que nas cercanias de Cefalônia grassava uma peste desconhecida. O médico de bordo não conseguiu explicar a enfermidade e os amigos do enfermo começaram a retrair-se com indisfarçável escrúpulo. Ao fim de três dias, o jovem romano achava-se quase abandonado. O comandante, preocupado, por sua vez, com a própria situação e receoso por si mesmo, chamou Lisipo, pedindo-lhe que indicasse

---

[13] N.E.: Ilha da Grécia, a maior das jônicas.
[14] N.E.: Nicópolis de Istro – Antiga cidade da Dácia, fundada por Trajano.
[15] N.E.: Cício, cidade da ilha de Chipre.

um escravo dos mais educados e maneirosos, capaz de incumbir-se de toda a assistência ao passageiro ilustre. O feitor designou Jeziel, incontinente, e, na mesma tarde, o moço hebreu penetrou no camarote do enfermo, com o mesmo espírito de serenidade que costumava testemunhar nas situações mais díspares e arriscadas.

Sérgio Paulo tinha o leito em desalinho. Não raro, levantava-se de súbito, no auge da febre que o fazia delirar, pronunciando palavras desconexas e agravando, com o movimento dos braços, as chagas que sangravam em todo o corpo.

– Quem és tu? – perguntou o doente em delírio –, logo que enxergou a figura silenciosa e humilde do jovem de Corinto.

– Chamo-me Jeziel, o escravo que vos vem servir.

E a partir daquele momento, consagrou-se ao enfermo com todas as reservas da sua afetividade. Com a permissão dos amigos de Sérgio, utilizou todos os recursos de que podia dispor a bordo, imitando a medicação aprendida no lar. Dias seguidos e longas noites, velou à cabeceira do ilustre romano, com devotamento e boa vontade. Banhos, essências e pomadas eram manipulados e aplicados com extrema dedicação, como se estivesse a tratar um parente íntimo e muito caro. Nas horas mais críticas da enfermidade dolorosa, falava-lhe de Deus, recitava trechos antigos dos profetas, que trazia de cor, cumulando-o de consolações e carinho fraternal.

Sérgio Paulo compreendeu a gravidade do mal que afastara os amigos mais caros e, no convívio daqueles dias, afeiçoou-se ao enfermeiro humilde e bom. Depois de alguns dias em que Jeziel conquistara plenamente a sua admiração e o seu reconhecimento, pelos atos de inexcedível bondade, o doente entrou em rápida convalescença, com manifestações de geral alegria.

Contudo, na véspera de regressar ao porão abafado, o jovem cativo apresentou os primeiros sintomas da moléstia desconhecida que grassava em Cefalônia.

Após entender-se com alguns subordinados de categoria, o comandante chamou a atenção do patrício, já quase restabelecido, e lhe pediu aprovação para o projeto de lançar o jovem ao mar.

– Será preferível envenenar os peixes, antes que afrontar o perigo do contágio e arriscar tantas vidas preciosas – esclarecia Sérvio Carbo com malicioso sorriso.

O patrício refletiu um instante e reclamou a presença de Lisipo, entrando os três a tratar do assunto.

– Qual a situação do rapaz? – perguntou o romano com interesse.

O feitor passou a esclarecer que o jovem hebreu lhe viera com outros homens capturados por Licínio Minúcio, por ocasião dos últimos distúrbios da Acaia. Lisipo, que simpatizava extremamente com o moço de Corinto, procurou pintar com fidelidade a correção da sua conduta, suas maneiras distintas, a benéfica influência moral que ele exercia sobre os companheiros muitas vezes desesperados e insubmissos.

Depois de longas considerações, Sérgio ponderou com profunda nobreza:

– Não posso admitir que Jeziel seja atirado ao mar com a minha aquiescência. Devo a esse escravo uma dedicação que equivale à minha própria vida. Conheço Licínio e, se necessário, poderei esclarecê-lo mais tarde sobre esta minha atitude. Não duvido que a peste de Cefalônia esteja trabalhando o seu organismo e, por isso mesmo, é que lhes peço a cooperação necessária a fim de que esse jovem fique liberto para sempre.

– Mas isso é impossível... – exclamou Sérvio reticenciosamente.

– Por que não? – revidou o romano.

– Em que dia atingiremos o porto de Jope?

– Amanhã, à noitinha.

– Pois bem; espero que vocês não se oponham aos meus planos, e tão logo alcancemos o porto levarei Jeziel num bote até as margens, pretextando o ensejo de exercício muscular que preciso recomeçar. Aí, então, lhe daremos liberdade. É um feito que se me impõe em obediência aos meus princípios.

– Mas, senhor... – obtemperou o comandante indeciso.

– Não aceito quaisquer restrições, mesmo porque Licínio Minúcio é um velho camarada de meu pai.

E continuou, depois de refletir um momento:

– Não ias atirar o rapaz ao fundo do mar?

– Sim.

– Pois faze constar nos teus apontamentos que o escravo Jeziel, atacado de mal desconhecido, contraído em Cefalônia, foi sepultado no mar, antes que a peste contagiasse os tripulantes e passageiros. Para que o rapaz não se comprometa, instruí-lo-ei a respeito, dando-lhe umas tantas ordens terminantes. Além disso, noto-o bastante enfraquecido para resistir com êxito às crises culminantes da moléstia ainda em começo. Quem poderá garantir que ele resistirá? Quem sabe morrerá ao abandono, no segundo minuto de liberdade?

O comandante e o feitor trocaram um olhar inteligente, de implícito acordo mútuo.

Depois de longa pausa, Sérvio concordou, dando-se por vencido:

— Está bem, seja.

O moço patrício estendeu a mão aos dois e murmurou:

— Por este obséquio ao meu dever de consciência, poderão sempre dispor em mim de um amigo.

Daí a instantes, Sérgio acercou-se do jovem, semiadormecido junto do seu camarote e já tomado da febre em começo de explosão, dirigindo-lhe a palavra com delicadeza e bondade:

— Jeziel, desejarias voltar à liberdade?

— Ó senhor! — exclamou o jovem, reanimando o organismo com um raio de esperança.

— Quero compensar a dedicação que me dispensaste nos longos dias da minha enfermidade.

— Sou vosso escravo, senhor. Nada me deveis. — Ambos falavam o grego e, refletindo subitamente na situação de futuro, o patrício interrogou:

— Sabes o idioma comum da Palestina?

— Sou filho de israelitas, que me ensinaram a língua materna nos mais verdes anos.

— Então, não te será difícil recomeçar a vida nessa província.

E medindo as palavras, como se temesse alguma surpresa contrária aos seus projetos, acentuou:

— Jeziel, não ignoras que te encontras enfermo, talvez tão gravemente quanto eu há alguns dias. O comandante, atento à possibilidade de um contágio geral, dada a presença de numerosos homens a bordo, pretendia lançar-te ao mar; contudo, amanhã de tarde chegaremos a Jope e hei de valer-me dessa circunstância para devolver-te à vida livre. Não desconheces, todavia, que, assim procedendo, estou a infringir certas determinações importantes que regem os interesses de meus compatriotas, e é justo pedir-te sigilo do meu feito.

— Sim, senhor — respondeu o rapaz extremamente abatido —, tentando com dificuldade coordenar as ideias.

— Sei que dentro em pouco a enfermidade assumirá graves proporções — prosseguiu o benfeitor — Dar-te-ei a liberdade, mas só o teu Deus poderá conceder-te a vida. Entretanto, caso te restabeleças, deverás ser um novo homem, com um nome diferente. Não desejo ser inculpado de traidor dos meus próprios amigos e devo contar com a tua cooperação.

— Obedecer-vos-ei em tudo, senhor.

Sérgio lançou-lhe um olhar generoso e terminou:

— Tomarei todas as providências. Dar-te-ei algum dinheiro para atenderes as primeiras necessidades e vestirás uma de minhas velhas túnicas, mas, tão logo seja possível, vai-te de Jope para o interior da província. O porto está sempre cheio de marinheiros romanos, curiosos e maleficentes.

O enfermo fez um gesto de agradecimento, enquanto Sérgio se retirou para atender ao chamado de alguns amigos.

No dia imediato, à hora esperada, o casario palestinense estava à vista. E quando luziam os primeiros astros da noite, pequeno batel aproximava-se de local silencioso das margens, tripulado por dois homens cujos vultos se perdiam na sombra. Derradeiras palavras de bom conselho e despedida, e o moço hebreu osculou, comovidamente, a destra do benfeitor, que voltou à galera apressado, de consciência tranquila.

Mal não dera os primeiros passos, Jeziel sentou-se premido pelas dores gerais que lhe tomavam todo o corpo e pelo abatimento natural, consequente à febre que o consumia. Ideias confusas dançavam-lhe no cérebro. Queria pensar na ventura da libertação; desejava fixar a imagem da irmã, que haveria de procurar no primeiro ensejo, mas estranho torpor infirmava-lhe as faculdades, acarretando-lhe sonolência invencível. Olhou, indiferente, as estrelas que povoavam a noite refrescada pelas brisas marinhas. Reparou que havia movimento nas casas próximas, mas deixou-se ficar inerte no matagal a que se recolhera, junto da praia. Pesadelos estranhos dominavam-lhe o repouso físico, enquanto o vento lhe acariciava a fronte febril.

De madrugada, acordou ao contato de mãos desconhecidas, que lhe revistavam atrevidamente os bolsos da túnica.

Abrindo os olhos, estremunhado, notou que os primeiros clarões da alvorada listravam os horizontes. Um homem de fisionomia sagaz inclinava-se para ele, procurando alguma coisa, com ansiedade que o moço hebreu adivinhou de pronto, convencido de haver topado um desses malfeitores comuns, ávidos da bolsa alheia. Estremeceu e fez um movimento involuntário, observando que o assaltante inesperado alçara a mão direita, empunhando um instrumento, na iminência de exterminar-lhe a vida.

— Não me mates, amigo — balbuciou com voz trêmula.

A essas palavras, ditas comovedoramente, o meliante susteve o golpe homicida.

— Dar-vos-ei todo o dinheiro que possuo — rematou o rapaz com tristeza.

E, vasculhando a algibeira[16] em que guardara o escasso dinheiro que lhe dera o patrício, tudo entregou ao desconhecido, cujos olhos fulguravam de cobiça e prazer. Num relance, aquela fisionomia contrafeita transformava-se no semblante risonho de quem deseja aliviar e socorrer.

— Oh! sois excessivamente generoso! — murmurara, apossando-se da bolsa recheada.

— O dinheiro é sempre bom — disse Jeziel — quando com ele podemos adquirir a simpatia ou a misericórdia dos homens.

O interlocutor fingiu não perceber o alcance filosófico daquelas palavras e asseverou:

— Vossa bondade, entretanto, dispensa o concurso de quaisquer elementos estranhos para a conquista de bons amigos. Eu, por exemplo, dirigia-me agora para o meu trabalho no porto, mas experimentei tanta simpatia pela vossa situação que aqui estou para quanto vos preste.

— Vosso nome?

— Irineu de Crotona, para vos servir — respondeu o interpelado —, visivelmente satisfeito com o dinheiro que lhe refertava o bolso.

— Meu amigo — exclamou o rapaz extremamente enfraquecido —, estou enfermo e não conheço esta cidade, de modo a tomar qualquer resolução. Podeis indicar-me algum albergue ou alguém que me possa prestar a caridade de um asilo?

Irineu esboçou uma fácies de fingida piedade e respondeu:

— Pesa-me nada ter para colocar à disposição de vossas necessidades; e também não sei onde possa existir um abrigo adequado para receber-vos, como se faz preciso. A verdade é que, para a prática do mal, todos estão prontos, mas para fazer o bem...

Depois, concentrando-se por momentos, acrescentou:

---

[16] N.E.: Pequeno bolso integrado à roupa, geralmente costurado pelo lado de dentro do vestuário; sacola.

— Ah! agora me lembro!... Conheço umas pessoas que vos podem auxiliar. São os homens do "Caminho".[17]

Mais algumas palavras e Irineu prontificou-se a conduzi-lo ao conhecido mais próximo, amparando-lhe o corpo enfermo e vacilante.

O Sol caricioso da manhã começava a despertar a Natureza com os seus raios quentes e confortadores. Feita a reduzida caminhada por um atalho agreste, sustido pelo meliante arvorado em benfeitor, Jeziel parava à porta de uma casa de aparência humilde. Irineu entrou e de lá regressou com um homem idoso, de semblante agradável, que estendeu a mão, cordialmente, ao moço hebreu, dizendo:

— De onde vens, irmão?

O rapaz admirou-se de tanta afabilidade e delicadeza, num homem a quem via pela primeira vez. Por que lhe dava o título familiar, reservado ao círculo mais íntimo dos que nasciam sob o mesmo teto?

— Por que me chamais irmão, se não me conheceis? — interrogou comovido.

Mas o interpelado, renovando o sorriso generoso, acrescentava:

— Somos todos uma grande família em Cristo Jesus. — Jeziel não compreendeu. Quem seria aquele Jesus? Um novo deus para os que desconheciam a Lei? Reconhecendo que a enfermidade não lhe dava ensanchas a cogitações religiosas ou filosóficas, respondeu simplesmente:

— Deus vos recompense pela generosidade da acolhida. Venho de Cefalônia, tendo adoecido gravemente em viagem, e assim é que, neste estado, recorro à vossa caridade.

— Efraim — disse Irineu, dirigindo-se ao dono da casa —, nosso amigo tem febre e o seu estado geral requer cuidados. Você, que é um dos bons homens do "Caminho", há de acolhê-lo com o coração dedicado aos que sofrem.

Efraim aproximou-se mais do jovem enfermo e observou:

— Não é o primeiro doente de Cefalônia que o Cristo envia à minha porta. Ainda anteontem, outro aqui surgiu com o corpo crivado de feridas de mau caráter. Aliás, conhecendo a gravidade do caso, pretendo logo à tarde levá-lo para Jerusalém.

— Mas é necessário ir tão longe? — perguntou Irineu com certo espanto.

---

[17] Nota do autor espiritual: Primitiva designação do Cristianismo.

— Somente lá, temos maior número de cooperadores — esclareceu com humildade.

Ouvindo o que diziam e considerando a necessidade de ausentar-se do porto em obediência às recomendações do patrício que se lhe mostrara tão amigo, restituindo-o à liberdade, Jeziel dirigiu-se a Efraim num apelo humilde e triste:

— Por quem sois! levai-me para Jerusalém convosco, por piedade!...

O interpelado, evidenciando natural bondade, anuiu sem maior estranheza:

— Irás comigo.

Abandonado por Irineu aos cuidados de Efraim, o doente recebeu carinhos de um verdadeiro amigo. Não fosse a febre e teria travado com o irmão um conhecimento mais íntimo, procurando conhecer minuciosamente os nobres princípios que o levaram a estender-lhe a mão protetora. Contudo, mal conseguiu manter-se de pensamento vigilante sobre si mesmo, a fim de elucidar as suas interrogações carinhosas, medicando-se convenientemente.

Ao crepúsculo, aproveitando a frescura da noite, uma carroça, cuidadosamente velada por um toldo de pano barato, saía de Jope com destino a Jerusalém.

Caminhando cuidadoso para não esfalfar a pobre alimária, Efraim transportava os dois enfermos à cidade próxima, buscando os recursos indispensáveis. Descansando aqui e ali, somente na manhã seguinte o veículo parou à porta de um casarão de grandes proporções, aliás, paupérrimo em sua feição exterior. Um rapaz de semblante alegre veio atender ao recém-vindo, que o interpelou com intimidade:

— Urias, poderás dizer-me se Simão Pedro está?

— Está sim.

— Poderás chamá-lo em meu nome?

— Vou já.

Acompanhado de Tiago, irmão de Levi, Simão apareceu e recebeu o visitante com efusivas demonstrações de carinho. Efraim esclareceu o motivo da sua presença. Dois desamparados do mundo requeriam auxílio urgente.

— Mas é quase impossível — atalhou Tiago. — Estamos com 49 doentes acamados.

Pedro esboçou um sorriso generoso e obtemperou:

— Ora, Tiago, se estivéssemos pescando, seria justo nos eximíssemos desse ou daquele dever que exorbitasse a esfera das obrigações inadiáveis de cada dia, junto da família, cuja organização vem de Deus; mas agora o Mestre nos legou o trabalho de assistência a todos os seus filhos, no sofrimento. Presentemente, nosso tempo se destina a isso; vejamos, pois, o que é possível fazer.

E o bondoso Apóstolo adiantou-se para acolher os dois infelizes.

Desde que viera do Tiberíades para Jerusalém, Simão transformara-se em célula central de grande movimento humanitarista. Os filósofos do mundo sempre pontificaram de cátedras confortáveis, mas nunca desceram ao plano da ação pessoal, ao lado dos mais infortunados da sorte. Jesus renovara, com exemplos divinos, todo o sistema de pregação da virtude. Chamando a si os aflitos e os enfermos, inaugurara no mundo a fórmula da verdadeira benemerência social.

As primeiras organizações de assistência ergueram-se com o esforço dos Apóstolos, ao influxo amoroso das lições do Mestre.

Era por esse motivo que a residência de Pedro, doação de vários amigos do "Caminho", regurgitava de enfermos e desvalidos sem esperança. Eram velhos a exibirem úlceras asquerosas, procedentes de Cesareia; loucos que chegavam das regiões mais longínquas, conduzidos por parentes ansiosos de alívio; crianças paralíticas, da Idumeia, nos braços maternais, todos atraídos pela fama do Profeta nazareno, que ressuscitava os próprios mortos e sabia restituir tranquilidade aos corações mais infortunados do mundo.

Natural era que nem todos se curassem, o que obrigava o velho pescador a agasalhar consigo todos os necessitados, com carinho de um pai. Recolhendo-se ali, com a família, era auxiliado particularmente por Tiago, filho de Alfeu, e por João, mas, em breve, Filipe e suas filhas instalavam-se igualmente em Jerusalém, cooperando no grande esforço fraternal. Tamanho o movimento de necessitados de toda sorte, que há muito Simão não mais podia entregar-se a outro mister, no que concerne à pregação da Boa-Nova do Reino. A dilatação desses misteres vinculara o antigo discípulo aos maiores núcleos do Judaísmo dominante. Obrigado a valer-se do socorro dos elementos mais notáveis da cidade, Pedro sentia-se cada vez mais escravo dos seus amigos benfeitores e dos seus pobres beneficiados, acorridos de toda parte, em grau de recurso supremo ao seu espírito de discípulo abnegado e sincero.

Atendendo às solicitações confiantes de Efraim, providenciou para que ambos os enfermos fossem instalados na sua casa pobre.

Jeziel ocupou leito asseado e singelo, em estado de completa inconsciência, no delírio da febre que o prostrava. Suas palavras desconexas, entretanto, revelavam tão exato conhecimento dos textos sagrados, que Pedro e João se interessaram de modo especial por aquele jovem de faces macilentas e tristes. Mormente Simão, passava longas horas entretido em ouvi-lo, anotando-lhe os conceitos profundos, embora filhos da exaltação febril.

Decorridas duas semanas exaustivas, Jeziel melhorou, rearmonizando as próprias faculdades para melhor analisar e sentir a nova situação. Afeiçoara-se a Pedro, como um filho afetuoso ao legítimo pai. Notando-lhe o carinho, de leito em leito, de necessitado a necessitado, o moço hebreu experimentava deliciosa e íntima surpresa. O ex-pescador de Cafarnaum, relativamente moço ainda, era o exemplo vivo da renúncia fraterna.

Tão logo convalescente, Jeziel foi transferido a ambiente mais calmo, à sombra amena de vetustas tamareiras que circundavam a velha casa.

Entre ambos estabelecera-se, desde os primeiros dias, a corrente magnética das grandes atrações afetivas.

Nessa manhã, as observações amáveis sucediam-se e, não obstante a justa curiosidade que lhe pairava na alma, a respeito do interessante hóspede, Simão ainda não tinha logrado o ensejo de um intercâmbio de ideias, mais íntimo, de maneira a sondar-lhe os pensamentos, inteirando-se dos seus sentimentos e da sua origem. Ao sopro generoso da aragem matinal, sob as árvores frondosas, o Apóstolo criou ânimo e, a certa altura, depois de distrair o convalescente com alguns ditos afetuosos, buscou penetrar-lhe o mistério, cuidadosamente:

– Amigo – disse com jovial sorriso –, agora que Deus te restituiu a saúde preciosa, regozijo-me por havermos recebido tua visita em nossa casa. Nosso júbilo é sincero, pois que, nos mínimos detalhes da tua permanência entre nós, revelaste a condição espiritual de filho legítimo dos lares organizados com Deus, pelo conhecimento que tens dos textos sagrados. E tanto me impressionei com as tuas referências a *Isaías*, quando deliravas com febre alta, que desejaria saber de que tribo descendes.

Jeziel compreendeu que aquele amigo sincero, antes irmão carinhoso nas horas mais críticas da enfermidade, desejava conhecê-lo melhor, identificá-lo íntima e profundamente, com delicada argúcia psicológica. Achou justo e considerou que não devia desprezar o amparo de um coração verdadeiramente fraterno, para o acendramento das próprias energias espirituais.

— Meu pai era filho dos arredores de Sebaste e descendia da tribo de Issacar — esclareceu atencioso.

— E era tão altamente dedicado ao estudo de *Isaías*?

— Estudava sinceramente todo o Testamento, sem preferências, talvez, de ordem particular. A mim, porém, *Isaías* sempre me impressionou profundamente pela beleza das promessas divinas de que foi portador, anunciando-nos o Messias, cuja vinda tenho meditado desde a infância.

Simão Pedro esboçou um sorriso de viva satisfação e disse:

— Mas não sabes que o Messias já veio?

Jeziel teve um brusco sobressalto na cadeira improvisada.

— Que dizeis? — inquiriu ansioso.

— Nunca ouviste falar em Jesus de Nazaré?

Embora recordasse vagamente as palavras ouvidas de Efraim, declarou:

— Nunca!

— Pois o Profeta nazareno já nos trouxe a mensagem de Deus para todos os séculos.

E Simão Pedro, olhos acesos na chama luminosa dos que se sentem felizes ao recordar um tempo venturoso, falou-lhe da exemplificação do Senhor, traçando uma perfeita biografia verbal do Mestre sublime.

Em traços de forte colorido, lembrou os dias em que o hospedava no seu tugúrio à margem do Genesaré, as excursões pelas aldeias vizinhas, as viagens de barca, de Cafarnaum aos sítios marginais do lago. Era de se lhe ver a emoção intraduzível da voz, a alegria interior com que rememorava os feitos e prédicas junto ao lago marulhoso, acariciado pelo vento, a poesia e a suavidade dos crepúsculos vespertinos. A imaginação viva do Apóstolo sabia tecer comentários judiciosos e brilhantes ao evocar um leproso curado, um cego que recuperara a vista, uma criancinha doente e prestes restabelecida.

Jeziel bebia-lhe as palavras, inteiramente empolgado, como se houvesse encontrado um mundo novo. A mensagem da Boa-Nova penetrava-lhe o espírito desencantado, como um bálsamo suave.

Quando Simão parecia prestes a terminar a narrativa, não pôde conter-se e perguntou:

— E o Messias? Onde está o Messias?

— Há mais de um ano – exclamou o Apóstolo apagando a vivacidade com a lembrança triste – foi crucificado aqui mesmo em Jerusalém, entre os ladrões.

Em seguida, passou a enumerar os martírios pungentes, as dolorosas ingratidões de que o Mestre fora vítima, os ensinos derradeiros e a gloriosa ressurreição do terceiro dia. Depois, falou dos primeiros dias do apostolado, dos acontecimentos do *Pentecostes* e das últimas aparições do Senhor, no cenário sempre saudoso da Galileia distante.

Jeziel tinha as pupilas úmidas. Aquelas revelações sensibilizavam-lhe o coração, como se houvesse conhecido o Profeta de Nazaré. E, ligando o perfil deste aos textos que retinha de cor, enunciou, quase em voz alta, como se falasse consigo mesmo:

Levantar-se-á como um arbusto verde, na ingratidão de um solo árido...
Carregado de opróbrios e abandonado dos homens.
Coberto de ignomínias não merecerá consideração.
Será ele quem carregará o fardo pesado de nossas culpas e sofrimentos, tomando sobre si todas as nossas dores.
Parecerá um homem vergado sob a cólera de Deus...
Humilhado e ferido deixar-se-á conduzir como um cordeiro, mas, desde o instante em que oferecer sua vida, os interesses do Eterno hão de prosperar em suas mãos.[18]

Simão, admirado de tanto conhecimento dos sagrados textos, terminou dizendo:

— Vou buscar-te os textos novos. São as anotações de Levi[19] sobre o Messias redivivo.

E, em breves minutos, o Apóstolo lhe punha nas mãos os pergaminhos do Evangelho. Jeziel não leu; devorou. Assinalou, em voz alta, uma a uma, todas as passagens da narrativa, seguido pela atenção de Pedro intimamente satisfeito.

Terminada a rápida análise, o jovem advertiu:

— Encontrei o tesouro da vida, preciso examiná-lo com mais vagar, quero saturar-me da sua luz, pois aqui pressinto a chave dos enigmas humanos.

---

[18] *Isaías*, 53.
[19] N.E.: Um dos nomes de Mateus.

Quase em lágrimas, leu o Sermão da Montanha, secundado pelas comovedoras lembranças de Pedro. Em seguida, ambos passaram a comparar os ensinamentos do Cristo com as profecias que o anunciavam. O jovem hebreu estava comovidíssimo e queria conhecer os mínimos episódios da vida do Mestre. Simão procurava satisfazê-lo, edificado e satisfeito. O generoso amigo de Jesus, tão incompreendido em Jerusalém, experimentava uma alegria orgulhosa por haver encontrado um jovem que se entusiasmava com os exemplos e ensinamentos do Mestre incomparável.

— Desde que dei acordo de mim em vossa casa — disse Jeziel —, verifiquei que participais de princípios que me não são conhecidos. Tanta preocupação em amparar os desfavorecidos da sorte representa uma lição nova para minha alma. Os doentes que vos abençoam, qual o faço agora, são tutelados desse Cristo que eu não tive a ventura de conhecer.

— O Mestre amparava a todos os sofredores e nos recomendou que o mesmo fizéssemos em seu nome esclareceu o Apóstolo enfaticamente.

— De acordo com as instruções do *Levítico* — disse Jeziel —, toda cidade deve possuir, longe de suas portas, um vale, destinado aos leprosos e pessoas consideradas imundas; entretanto, Jesus nos deu um lar no coração daqueles que o seguem.

— O Cristo nos trouxe a mensagem do amor — explicou Pedro —, completou a Lei de Moisés, inaugurando um novo ensinamento. A Lei Antiga é justiça, mas o Evangelho é amor. Ao passo que o código do passado preceituava o "olho por olho, dente por dente", o Messias ensinou que devemos "perdoar setenta vezes sete vezes" e que se alguém quiser tirar-nos a túnica devemos dar-lhe também a capa.

Jeziel sensibilizou-se e chorou. Aquele Cristo amoroso e bom, suspenso na cruz da ignomínia humana, era a personificação de todos os heroísmos do mundo. Como se aliviava ao analisá-lo! Sentia-se bem por não haver reagido contra o despotismo de que fora vítima. Cristo era o Filho de Deus e não desdenhara o sofrimento. Seu cálice transbordara e Pedro lhe fazia sentir que, nos instantes mais acerbos, aquele Mestre desconhecido e humilde, no mundo, sabia transmitir a lição da coragem, da renúncia e da vida. Como exemplo do seu amor, ali estava aquele homem simples e carinhoso, que lhe chamava irmão, que o acolhia como pai dedicado. O rapaz lembrou seus últimos dias em Corinto e chorou longamente. Foi aí que, abrindo o coração, tomou as mãos de Pedro e contou-lhe toda a sua tragédia, sem nada omitir e rogando-lhe conselhos.

Finalizando a narrativa, acrescentou comovido:

— Revelastes-me a luz do mundo; perdoai, pois, se vos revelo meus sofrimentos, que devem ser justos. Tendes no coração as claridades da palavra do Salvador e haveis de inspirar minha pobre vida.

O Apóstolo abraçou-o e murmurou:

— Julgo prudente guardares o anonimato, pois Jerusalém regurgita de romanos e não seria justo comprometer o generoso amigo que te restituiu à liberdade. Teu caso, entretanto, não é novo, meu amigo. Estou nesta cidade há quase um ano, e, por estes leitos singelos, têm passado as mais singulares criaturas. Eu, que era um paupérrimo pescador, tenho adquirido ampla experiência do mundo, nestes poucos meses! A estas portas têm batido homens esfarrapados, que foram políticos importantes; mulheres leprosas, que foram quase rainhas! Em contato com a história de tantos castelos desmoronados, no jogo das vaidades mundanas, agora reconheço que as almas necessitam do Cristo, acima de tudo.

Essas explicações singulares constituíam conforto para Jeziel, que interrogou agradecido:

— E achais que vos poderia servir em alguma coisa? Eu, que era cativo dos homens, desejaria escravizar-me ao Salvador, que soube viver e morrer por todos nós.

— Serás meu filho, doravante — exclamou Simão num transporte de júbilo.

— E já que preciso reformar-me em Cristo, como me chamarei? — perguntou Jeziel com olhos fulgurantes de alegria.

O Apóstolo refletiu algum tempo e falou:

— Para que não te esqueças da Acaia, onde o Senhor se dignou de buscar-te para o seu ministério divino, eu te batizarei no credo novo com o nome grego de Estêvão.

Consolidaram-se ainda mais os laços de simpatia que os aproximavam desde o primeiro instante, e o moço jamais olvidaria aquele encontro com o Cristo, à sombra das tamareiras aureoladas de luz.

Durante um mês, Jeziel, agora conhecido por Estêvão, absorveu-se no estudo de toda a exemplificação e ensinos do Mestre que não chegara a conhecer de modo direto.

A casa dos Apóstolos, em Jerusalém, apresentava um movimento de socorro cada vez maior aos necessitados, requerendo vasto coeficiente de carinho e dedicação. Eram loucos a chegarem de todas as províncias, anciães abandonados, crianças esquálidas e famintas. Não só isso. À hora habitual das refeições, extensas filas de mendigos comuns imploravam a esmola da sopa. Acumulando as tarefas com ingente sacrifício, João e Pedro, com o concurso dos companheiros, haviam construído um pavilhão modesto, destinado aos serviços da Igreja, cuja fundação iniciavam para difundir as mensagens da Boa-Nova. A assistência aos pobres, entretanto, não dava tréguas ao labor das ideias evangélicas. Foi quando João considerou desarrazoado que os discípulos diretos do Senhor menosprezassem a sementeira da palavra divina e despendessem todas as possibilidades de tempo no serviço do refeitório e das enfermarias, visto que, dia a dia, multiplicava o número de doentes e infelizes que recorriam aos seguidores de Jesus como a última esperança para os seus casos particulares. Havia enfermos que batiam à porta, benfeitores da nova instituição que requeriam situações especiais para os seus protegidos, amigos que reclamavam providências a favor dos órfãos e das viúvas.

Na primeira reunião da Igreja humilde, Simão Pedro pediu, então, que nomeassem sete auxiliares para o serviço das enfermarias e dos refeitórios, resolução que foi aprovada com geral aprazimento. Entre os sete irmãos escolhidos, Estêvão foi designado com a simpatia de todos.

Começou para o jovem de Corinto uma vida nova. Aquelas mesmas virtudes espirituais que iluminavam a sua personalidade e que tanto haviam contribuído para a cura do patrício, que o restituíra à liberdade, difundiam entre os doentes e indigentes de Jerusalém os mais santos consolos. Grande parte dos enfermos, recolhidos ao casarão dos discípulos, recobrou a saúde. Velhos desalentados encontravam bom ânimo sob a influência da sua palavra inspirada na fonte divina do Evangelho. Mães aflitas buscavam-lhe o conselho seguro; mulheres do povo, esgotadas pelo trabalho e angústias da vida, ansiosas de paz e consolação, disputavam o conforto da sua presença carinhosa e fraterna.

Simão Pedro não cabia em si de contente, em face das vitórias do filho espiritual. Os necessitados tinham a impressão de haver recebido um novo arauto de Deus para alívio de suas dores.

Em pouco tempo, Estêvão tornou-se famoso em Jerusalém, pelos seus feitos quase miraculosos. Considerado como escolhido do Cristo, sua ação resoluta e sincera arregimentara, em poucos meses, as mais vastas conquistas para o Evangelho do amor e do perdão. Seu nobre esforço não se limitava à tarefa de mitigar a fome dos desvalidos. Entre os Apóstolos galileus, sua palavra resplandecia nas pregações da Igreja, iluminada pela fé ardente e pura. Quando quase todos os companheiros, a pretexto de não ferirem velhos princípios estabelecidos, deixavam de ampliar os comentários públicos para além das considerações agradáveis ao Judaísmo dominante, Estêvão apresentava à multidão, desassombradamente, o Salvador do mundo na glória das novas revelações divinas, indiferente às lutas que iria provocar, comentando a vida do Mestre com o seu verbo inflamado de luz. Os próprios discípulos surpreendiam-se com a magia das suas profundas inspirações. Alma temperada na forja sublime do sofrimento, sua pregação estava cheia de lágrimas e alegrias, de apelos e aspirações.

Em poucos meses, seu nome era aureolado de uma veneração surpreendente. E, ao fim do dia, quando chegavam as orações da noite, o moço de Corinto, ao lado de Pedro e João, falava das suas visões e das suas esperanças, cheio do espírito daquele Mestre adorável, que, por intermédio do seu Evangelho, lhe semeara no coração as estrelas abençoadas de um júbilo infinito.

IV
Nas estradas de Jope

Estamos na velha Jerusalém, em uma clara manhã do ano 35 d.C.

No interior de sólido edifício, onde tudo transpira conforto e luxo da época, um homem ainda moço parece impaciente, à espera de alguém que se demora. Ao menor rumor da via pública, corre à janela, apressado, voltando a sentar-se e a examinar papiros e pergaminhos, como quem se diverte matando o tempo.

Chegando à cidade, depois de uma semana de viagem exaustiva, Sadoque aguardava o amigo Saulo para o abraço afetuoso da sua amizade de muitos anos.

Dentro em breve um carro minúsculo, semelhante às bigas romanas, estacava à porta, tirado por dois soberbos cavalos brancos. Num minuto, as nossas personagens se abraçaram efusivamente, transbordantes de alegria e juventude.

O jovem Saulo apresentava toda a vivacidade de um homem solteiro, bordejando os seus 30 anos. Na fisionomia cheia de virilidade e máscula beleza, os traços israelitas fixavam-se particularmente nos olhos profundos e percucientes, próprios dos temperamentos apaixonados e indomáveis, ricos de agudeza e resolução. Trajando a túnica do patriciato, falava de preferência o grego, a que se afeiçoara na cidade natal, ao convívio de mestres bem-amados, trabalhados pelas escolas de Atenas e Alexandria.

– Quando chegaste? – perguntou Saulo, bem-humorado, ao visitante.

– Estou em Jerusalém desde ontem de manhã. Aliás, estive com tua irmã e teu cunhado, que me deram notícias tuas ao partirem para Lida.

– E como vais de vida lá por Damasco?

– Sempre bem.

Antes que se fizesse alguma pausa, Sadoque observou:

– Mas como estás modificado!... Um carro à romana, a conversação em grego e...

Saulo, porém, não o deixou prosseguir e rematou:

– E no coração a Lei, sempre desejoso de submeter Roma e Atenas aos nossos princípios.

– Sempre o mesmo homem! – exclamou o amigo com um sorriso franco. – Aliás, posso apresentar um complemento às tuas próprias explicações. A biga é indispensável às visitas a uma casinha florida, na estrada de Jope; e a conversação grega é necessária aos colóquios com uma legítima descendente de Issacar, nascida entre as flores e os mármores de Corinto.

– Como o sabes? – inquiriu Saulo admirado.

– Pois não te disse que estive ontem à tarde com tua irmã?

E os dois, acomodados em poltronas confortáveis da época, entremeando a conversação com algumas pequenas taças do capitoso[20] "Chipre", esfloravam largamente os problemas da vida pessoal, relacionando as pequenas ocorrências de cada dia.

Jovialíssimo, Saulo contou ao amigo que, de fato, se enamorara de uma jovem da sua raça, que aliava os dotes de peregrina beleza aos mais elevados tesouros do coração. Seu culto ao lar constituía um dos mais santificados atributos femininos. Explicou o primeiro encontro que tiveram. Em companhia de Alexandre e Gamaliel, fora, havia uns três meses, à festividade íntima que Zacarias ben Hanan, adiantado lavrador no caminho de Jope, oferecera a alguns amigos bem colocados, em homenagem à circuncisão dos filhinhos de seus servidores. Acrescentou que o anfitrião era antigo comerciante israelita emigrado de Corinto, após longos anos de trabalho na Acaia, desgostoso com as perseguições de que fora vítima. Após grandes provações na viagem de Cencreia a Cesareia, Zacarias chegara àquele porto em péssimas condições financeiras, mas foi auxiliado por um patrício

---

[20] N.E.: Com alto teor alcoólico (diz-se de vinho); inebriante.

romano, que lhe facultou recursos para arrendar uma grande propriedade na estrada de Jope, a regular distância de Jerusalém. Acolhido generosamente em sua casa, agora farta e feliz, ali conhecera na jovem Abigail um terno coração de menina, dona dos mais belos predicados morais que pudessem exornar uma filha da sua raça. Era, de fato, o seu ideal de moça: inteligente, versada na Lei e, sobretudo, dócil e carinhosa. Adotada pelo casal como filha muito cara, havia sofrido amargamente em Corinto, ali deixando o pai morto e o irmão escravizado para sempre. Havia três meses que se conheciam, permutando-se as mais risonhas esperanças e, quem sabe talvez o Eterno lhes reservasse a união conjugal, como coroamento dos sonhos sagrados da juventude. Saulo falava com o entusiasmo próprio do seu temperamento apaixonado e vibrátil. No olhar profundo, notava-se-lhe a chama viva dos sentimentos resolutos, com respeito à afeição que lhe dominava a capacidade emotiva.

— E já comunicaste a teus pais esses projetos? – perguntou Sadoque.

— Minha irmã pretende ir a Tarso nestes dois meses e será a intérprete dos meus votos, concernentes à organização do meu futuro. Aliás, sabes, isso não pode nem deve ser um problema de soluções precipitadas. Penso que ao homem não convém entregar-se assim, sem mais nem menos, a uma questão decisiva do seu destino. Obedecendo ao nosso velho instinto de prudência, venho analisando demoradamente meus próprios ideais e ainda não trouxe Abigail para conviver com Dalila, alguns dias, em nossa casa; pretendo fazê-lo tão só nas vésperas da visita de minha irmã ao lar paterno.

— Já que acalentas tantos projetos para o futuro – adjuntou o amigo com bondoso interesse –, em que pé estão as tuas pretensões ao cargo no Sinédrio?

— Não posso queixar-me, porquanto o Tribunal me confere atualmente atribuições especialíssimas. Sabes que Gamaliel há muito vem instando com meu pai a respeito da minha transferência para Jerusalém, onde me prometem lugar de relevo na administração do nosso povo. Como sabemos, o antigo mestre está idoso e deseja retirar-se da vida pública. Não tardarei a substituí-lo no voto das mais altas deliberações, além de auferir atualmente ótima remuneração, independente da contribuição que me vem de Tarso periodicamente. Tenho, acima de tudo, o ideal político de aumentar meu prestígio junto aos rabinos. É preciso não esquecer que

Roma é poderosa e que Atenas é sábia, tornando-se indispensável acordar a eterna hegemonia de Jerusalém como tabernáculo do Deus único. Precisamos, pois, dobrar os joelhos de gregos e romanos ante a Lei de Moisés.

Sadoque, no entanto, deixando perceber que não prestava muita atenção ao seu idealismo nacionalista, retinha o pensamento na situação particular, advertindo delicadamente.

– Pelo que me dizes, folgo em saber que teu pai vai melhorando, progressivamente, as condições financeiras. E dizer-se que foi tecelão humilde...

– Por isso mesmo, talvez – glosou Saulo –, ensinou-me a profissão, quando menino, para que nunca me esquecesse de que o progresso de um homem depende do seu próprio esforço. Hoje, porém, depois de tantas fadigas no tear, ele descansa, com justiça, em uma velhice honrada e sem cuidados, junto de minha mãe. Suas caravanas e camelos percorrem toda a Cilícia[21] e os transportes lhe garantem um desenvolvimento de renda cada vez maior.

A palestra continuou animada e, em dado instante, o moço de Tarso inquiriu o amigo sobre os motivos que o traziam a Jerusalém.

– Vim certificar-me da cura de meu tio Filodemos, que ficou curado da velha cegueira, mediante processos misteriosos – disse Sadoque.

Como se trouxesse o cérebro onusto[22] de interrogações de toda sorte, para as quais não encontrava resposta nos próprios conhecimentos, acentuou:

– Já ouviste falar nos homens do "Caminho"?

– Ah! Andrônico falou-me a respeito deles, há muito tempo. Não se trata de uns pobres galileus maltrapilhos e ignorantes que se refugiam nos bairros desprezíveis?

– Isso, justamente.

E contou que um homem chamado Estêvão, portador de virtudes sobrenaturais, no dizer do povo, havia devolvido a vista ao tio, com assombro geral de muita gente.

– Como é isso? – disse Saulo admirado.

– Como pôde Filodemos submeter-se a experiências tão sórdidas? Acaso não terá compreendido que o fato pode radicar nas artimanhas dos inimigos de Deus? Várias vezes, desde que Andrônico me referiu o assunto pela

---

[21] N.E.: Região da Turquia asiática. A Cilícia esteve sucessivamente sob dominação assíria, persa, grega e depois romana.
[22] N.E.: Repleto, muito cheio ou carregado, sobrecarregado.

primeira vez, tenho ouvido comentários a respeito desses homens e cheguei mesmo a trocar ideias com Gamaliel, no intuito de reprimir essas atividades perniciosas; entretanto, o mestre, com a tolerância que o caracteriza, me fez ver que essa gente vem auxiliando a numerosas pessoas sem recursos.

– Sim – atalhou o outro –, mas ouço dizer que as pregações de Estêvão estão arrebanhando muitos estudiosos a novos princípios que, de algum modo, infirmam a Lei de Moisés.

– Todavia, não foi um carpinteiro galileu, obscuro, sem cultura, que originou tal movimento? Que poderíamos esperar da Galileia? Porventura terá produzido outra coisa além de legumes e peixes?

– Contudo, o carpinteiro martirizado tornou-se um ídolo para os sequazes. Procurando desfazer as impressões de meu tio, chamando-o à razão com a energia necessária, fui levado a visitar, ontem, as obras de caridade dirigidas por tal Simão Pedro. É uma instituição estranha e que não deixa de ser extraordinária. Crianças desamparadas que encontram carinho, leprosos que recobram a saúde, velhos enfermos e desprotegidos da sorte, que exultam de conforto.

– Mas os doentes? Onde ficam esses doentes? – interrogou Saulo assombrado.

– Todos se agasalham junto desses homens incompreensíveis.

– Estão todos malucos! – disse o moço de Tarso com a franqueza espontânea que lhe marcava as atitudes.

Ambos trocaram impressões íntimas sobre a nova doutrina, pontuando de ironia o comentário de muitos fatos piedosos que empolgavam a atenção do povo simples de Jerusalém.

Ao finalizar a conversa, Sadoque acrescentou:

– Não me conformo em ver os nossos princípios aviltados e proponho-me a cooperar contigo, embora esteja em Damasco, para estabelecermos a imprescindível repressão a tais atividades. Com as tuas prerrogativas de futuro rabino, em destaque no Templo, poderás encabeçar uma ação decisiva contra esses mistificadores e falsos taumaturgos.

– Sem dúvida – respondeu Saulo. – Prontifico-me a executar todas as providências que o caso requer. Até agora, a atitude do Sinédrio tem sido da máxima tolerância, mas farei que todos os companheiros mudem de opinião e procedam como lhes compete, em face dessas investidas que estão a desafiar severa punição.

E, quase solene, concluía:
— Quais os dias de pregação desse tal Estêvão?
— Os sábados.
— Pois bem; depois de amanhã iremos juntos apreciar os sandeus. Caso verifique o caráter inofensivo dos seus ensinamentos, haverá que os deixar em paz com a sua logomania, ao lado das mazelas do próximo, mas, caso contrário, pagarão muito caro a audácia de ofender nossos códigos religiosos, na própria metrópole do Judaísmo.

Ainda por longo tempo comentaram os fatos sociais, as tricas do farisaísmo a que pertenciam, os sucessos do presente e as esperanças do porvir.

Ao cair da tarde desse mesmo dia, a biga elegante de Saulo de Tarso atravessava as portas de Jerusalém, tomando a direção do porto de Jope.

O Sol ardente, alto ainda no horizonte, enchia o caminho com a sua luz muito viva. O semblante do jovem doutor da Lei irradiava uma alegria louca, ao trote largo dos animais, que, de quando em vez, passavam a galopar. Recordava, satisfeito, o esporte a que se afeiçoara na cidade natal, tão ao gosto grego em que fora educado, graças à solicitude paterna. Olhos fixos nos cavalos árdegos e velozes vinham-lhe à mente as vitórias alcançadas, entre os parceiros de jogos na sua descuidosa adolescência.

Poucas milhas distante erguia-se uma casa confortável, entre grandes tamareiras e pessegueiros em flor. Em torno, grandes plantações de legumes, ao lado de tênue fio d'água inteligentemente aproveitado em extenso horto. A propriedade era parte integrante de uma das muitas pequenas aldeias que rodeavam a cidade santa, onde quer que houvesse condições favoráveis para a pequena lavoura, de alto interesse nos mercados de Jerusalém, colocada no meio de uma secura singular. Era aí que Zacarias se instalara com a família para recomeçar a vida honesta. Ruth e Abigail procuravam ajudá-lo no seu nobre esforço de homem ativo e trabalhador, cultivando frutos e flores, e com isso aproveitando toda a terra disponível.

Deixando Corinto, o generoso israelita encontrou grandes dificuldades, até que desembarcou em Cesareia, onde se lhe esgotaram os últimos recursos. Alguns conterrâneos, entretanto, o apresentaram a conhecido patrício romano, grande proprietário na Samaria e que lhe emprestou avultada soma, recomendando-lhe aquela zona de Jope onde poderia arrendar-lhe a propriedade de um amigo. Zacarias aceitou o auxílio e tudo ia às mil maravilhas. A venda de legumes e frutas, bem como a criação de aves e animais pesados, compensavam-lhe as fadigas. Embora distante de Jerusalém, tivera ensejo de visitar a cidade, mais de três vezes, sendo que, sob o amparo de Alexandre, parente próximo de Anás, conseguira incluir-se entre os negociantes privilegiados que podiam vender animais para os sacrifícios do Templo. Auxiliado por amigos influentes, do estofo de Gamaliel e de Saulo de Tarso, que se emancipara da condição de discípulo para graduar-se em autoridade competente, no mais alto tribunal da raça, pudera resgatar grande parte de suas dívidas, caminhando vertiginosamente para uma bela posição de independência financeira, no país natal. Ruth regozijava-se com a vitória do marido, secundada por Abigail, em quem encontrara a dedicada afeição de verdadeira filha.

A irmã de Jeziel parecia haver refundido a delicadeza dos traços femininos, na forja dos sofrimentos experimentados. A gracilidade do semblante e o negrume dos olhos haviam-se irmanado a um véu de formosa tristeza, que a envolvera toda, a partir daqueles dias trágicos e lúgubres passados em Corinto. Quanto desejava uma notícia, ainda que ligeira e banal, do irmão que o destino havia convertido em escravo de verdugos cruéis!... Para isso, desde os primeiros tempos, Zacarias não poupara expediente nem esforços. Incumbindo a um fiel amigo da Acaia de promover diligências em tal sentido, apenas fora informado de que Jeziel havia sido levado, quase a ferros, para bordo de um navio mercante que se destinava a Nicópolis. Nada mais. Abigail instara novamente. E de Corinto vinham novas promessas dos amigos, que prosseguiriam investigando nas rodas afeiçoadas a Licínio Minúcio, de modo a descobrirem o paradeiro do jovem cativo.

Nesse dia, a moça recordava profundamente a figura do irmão querido, as suas advertências e conselhos tão carinhosos sempre.

Desde que travara relações com o rapaz de Tarso e entrevira a possibilidade de uma união conjugal, era com ansiedade que suplicava a Deus a consoladora certeza da existência do irmão, fosse onde fosse. A seu ver, Jeziel gostaria de conhecer o eleito do seu coração, cujos pensamentos eram igualmente iluminados pelo zelo sincero de bem servir a Deus. Contar-lhe-ia que a afeição da sua alma era também entretecida de comentários religiosos e filosóficos, e não tinham conta as vezes em que ambos se submergiam na contemplação da Natureza, comparando as suas lições vivas com os símbolos divinos dos Escritos Sagrados. Saulo muito lhe ajudara no cultivo das flores da fé, que Jeziel havia semeado em sua alma singela.

Não era ele um homem excessivamente sentimental, dado às efusões dos carinhos que passam sem maior significação, mas, compreendera-lhe o espírito nobre e leal, que um profundo sentimento de autodomínio assinalava. Abigail estava certa de entender-lhe as aspirações mais íntimas, nos sonhos grandiosos que lhe empolgavam a mocidade. Sublime atração, essa que a impelia para o jovem sábio, voluntarioso e sincero! Às vezes, parecia-lhe áspero e enérgico em demasia. Suas concepções da Lei não admitiam meios-termos. Sabia ordenar e desagradava-lhe qualquer expressão de desobediência aos seus propósitos. Aqueles meses de convívio, quase diário, davam-lhe a conhecer o seu temperamento indômito e inquieto, a par de um coração eminentemente generoso, em que uma fonte de ignorada ternura se retraía em abismais profundezas.

Mergulhada em cismas, num gracioso banco de pedra junto dos pessegueiros em festa primaveril, viu que o carro de Saulo se aproximava ao trote largo dos animais.

Zacarias o recebeu a distância e, juntos, em conversação animada, demandaram o interior, para onde a jovem se dirigiu.

A palestra estabeleceu-se no tom de cordialidade, que se repetia várias vezes na semana, e, como de costume, os dois jovens, no deslumbramento da paisagem crepuscular, quase de mãos dadas como dois prometidos, desceram ao pomar cuja relva se constituía de espaçosos canteiros de flores orientais. O mar estendia-se à distância de muitas milhas, mas o ar fresco da tarde dava a impressão dos ventos suaves que sopram do litoral. Saulo e Abigail falaram, a princípio, das banalidades de cada dia; contudo, em dado momento, reconhecendo o véu de tristeza que se estampava no rosto da companheira, o moço interrogou-a com ternura:

— Por que estás tão triste hoje?

— Não sei — respondeu ela de olhos úmidos —, mas tenho pensado muito em meu irmão. Espero, ansiosa, notícias dele, pois guardo a esperança de que te possa conhecer, mais cedo ou mais tarde. Jeziel acolheria tua palavra com entusiasmo e contentamento. Um amigo de Zacarias prometeu informações a respeito e estamos esperando notícias de Corinto.

Depois de pequena pausa, ergueu os grandes olhos e prosseguiu:

— Ouve, Saulo! Se Jeziel ainda estiver preso, prometes-me teu auxílio em seu favor? Teus prestigiosos amigos de Jerusalém poderão intervir para libertá-lo, junto do Procônsul da Acaia! Quem sabe? Minhas esperanças, agora, resumem-se exclusivamente em ti.

Ele tomou-lhe a mão e replicou enternecido:

— Farei tudo por ele.

E, fixando nela os olhos dominadores e apaixonados, acentuou:

— Abigail, amarias a teu irmão mais que a mim?

— Que dizes? — exclamou, compreendendo a delicadeza da pergunta.

— Entendes o meu coração fraterno e isso me exime de mais amplas explicações. Como sabes, querido, Jeziel foi meu amparo nos dias da orfandade materna. Companheiro de infância e amigo da juventude sem sonhos foi sempre o irmão carinhoso que me ensinou a soletrar os mandamentos, a cantar os *Salmos* de mãos-postas, livrando-me das veredas do mal e inclinando-me ao bem e à virtude. Tudo que encontraste em mim constitui dádiva da sua generosa assistência de irmão desvelado.

Saulo observou-lhe o olhar úmido de pranto e considerou com bondade:

— Não chores. Compreendo as tuas sagradas razões afetivas. Se necessário, irei ao fim do mundo descobrir Jeziel, caso ainda esteja vivo. Levarei cartas de Jerusalém à Corte provincial de Corinto. Farei tudo. Tranquiliza-te, pois. Pelos teus informes, presumo nele um santo. Mas falemos de outras coisas. Há problemas imediatos a resolver. E nossos projetos, Abigail?

— Deus há de abençoar-nos — murmurou a jovem comovida.

— Ontem, Dalila e o esposo foram a Lida, em visita a alguns parentes nossos. Entretanto, ficou tudo combinado para que estejas conosco em Jerusalém, daqui a dois meses. Antes que minha irmã empreenda a próxima viagem a Tarso, quero que ela te conheça mais intimamente, a fim de que exponha, com franqueza, a meus pais, o nosso projeto de casamento.

— Teu convite me sensibiliza sobremaneira, mas...

— Nada de restrições nem timidez. Viremos buscar-te. Combinarei todas as providências indispensáveis, com Ruth e Zacarias, e, quanto ao necessário para que te apresentes em uma cidade grande, não permitirei que façam aqui despesa alguma. Já estou providenciando para que recebas, em breves dias, várias túnicas de modelo grego.

E rematava a observação com um belo sorriso:

— Quero que apareças em Jerusalém como expoente perfeito da nossa raça, desenvolvida entre as antigas belezas de Corinto.

A moça fez um gesto tímido, demonstrando íntimo contentamento.

Mais alguns passos e sentaram-se sob velhos pessegueiros floridos, respirando a longos haustos as virações suaves que perfumavam o ambiente. A terra cultivada e colorida de rosas de todos os matizes exalava delicioso aroma. O fim do crepúsculo está sempre cheio de sons que passam apressados, como se a alma das coisas estivesse igualmente ansiosa pelo silêncio, amigo do grande repouso. Eram árvores frondosas que se velavam nas sombras, derradeiros passarinhos errantes que voejavam céleres e as brisas cariciosas que chegavam de longe, agitando as grandes ramarias e acentuando os doces murmúrios do vento.

Saulo, inebriado de indefinível alegria, contemplou as primeiras estrelas que sorriam no céu recamado de luz. A Natureza é sempre o espelho fiel das emoções mais íntimas, e aquelas vagas de perfume, que as virações traziam de longe, encontravam eco de misterioso júbilo no seu coração.

— Abigail — disse retendo-lhe a mãozinha entre as suas —, a Natureza canta sempre com as almas esperançosas e crentes. Com que ansiedade esperei-te no caminho da vida!... Meu pai falou-me do lar e das suas doçuras e eu aguardava a mulher que me compreendesse inteiramente.

— Deus é bom — replicou ela com enlevo — e somente agora reconheço que, depois de tantos sofrimentos, Ele me reservava, na sua misericórdia infinita, o tesouro maior da minha vida, o teu amor, na terra de meus pais. Teu afeto, Saulo, concentra todos os meus ideais. O Céu nos fará felizes. Todas as manhãs, quando estivermos casados, pedirei, em preces fervorosas, aos anjos de Deus que me ensinem a tecer a rede das tuas alegrias; à noite, quando a bênção do repouso envolver o mundo, dar-te-ei um carinho sempre novo, do meu afeto. Tomarei tua cabeça atormentada pelos problemas da vida e ungirei tua fronte com a carícia de minhas mãos. Viverei com Deus e contigo, somente. Ser-te-ei fiel por toda a vida e amarei os próprios sofrimentos que acaso o mundo possa acarretar-me, por amor à tua vida e ao teu nome.

Saulo apertou-lhe as mãos com mais enlevo, redarguindo deslumbrado:

— Dar-te-ei, por minha vez, meu coração dedicado e sincero. Abigail, meu espírito estava possuído somente do amor à Lei e a meus pais. Minha mocidade tem sido muito inquieta, mas pura. Não te oferecerei uma flor sem perfume. Desde os primeiros dias da juventude, conheci companheiros que me incitaram a lhes seguir os passos incertos na embriaguez dos sentidos, precursora da morte de nossas preocupações mais nobres neste mundo, mas nunca traí o ideal divino que me vibra na alma sincera. Depois dos estudos iniciais da minha carreira, encontrei mulheres que me acenavam, levadas por uma concepção perigosa e errônea do amor. Em Tarso, nos dias suntuosos dos jogos juvenis, após a conquista das melhores láureas, recebia, de jovens inquietas, declarações de amor e propostas de núpcias, mas, a verdade é que permanecia insensível, a esperar-te como heroína ignota do meu sonho, nas assembleias ostentosas de púrpuras e flores. Quando Deus aqui me conduziu ao teu encontro, teus olhos me falaram, num lampejo, de sublimes revelações. És o coração do meu cérebro, a essência do meu raciocínio e serás a mão guiadora das minhas edificações, em toda a vida.

Enquanto a moça, sensibilizada e venturosa, tinha os olhos mareados de pranto, o fogoso mancebo continuava:

— Viveremos um para o outro e teremos filhos fiéis a Deus. Serei a ordenação da nossa vida, serás a obediência em nossa paz. Nossa casa será um templo. O amor a Deus será sua maior coluna e, quando o trabalho exigir minha ausência do altar doméstico, ficarás velando no tabernáculo da nossa ventura.

— Sim, querido. Que não faria por ti? Mandarás e obedecerei. Serás a ordem de minha vida e eu rogarei ao Senhor que me auxilie a ser teu bálsamo de ternura. Quando estiveres fatigado, lembrar-me-ei de minha mãe e adormecerei tua alma generosa com as mais formosas orações de Davi!... Interpretarás para mim a palavra de Deus. Serás a lei, serei tua serva.

Saulo enternecia-se ouvindo aquelas expressões blandiciosas. Eram as mais belas que já havia recolhido de um coração feminino. Mulher alguma, que não Abigail, jamais assim lhe falara ao espírito impetuoso. Habituado aos longos e difíceis raciocínios, escaldando o cérebro nos silogismos dos doutores, em busca de futuro brilhante, sentia a alma ressecada, sedenta de verdadeiro idealismo. Desde criança, com a sadia educação doméstica, guardava puros os primeiros impulsos do coração, sem jamais contaminá-los na esteira dos prazeres fáceis ou do fogo das paixões violentas, que soem deixar na alma o carvão das dores sem esperanças. Acostumado ao esporte, aos jogos da época, seguido sempre de muitos companheiros em desvario, tivera o heroísmo sagrado de sobrepor as disposições da Lei às próprias tendências naturais. Sua concepção de serviço a Deus não admitia concessões a si mesmo. A seu ver, todo homem devia conservar-se indene de contatos inferiores com o mundo, até que atingisse o tálamo nupcial. O lar constituído haveria de ser um tabernáculo das bênçãos eternas; os filhos, as primícias do altar do Maior Amor, consagrado ao Senhor Supremo. Não que a sua juventude estivesse isenta de desejos. Saulo de Tarso experimentava todos os anseios da mocidade impetuosa do seu tempo. Imaginava situações de anelos satisfeitos, e, no entanto, sujeito aos carinhos maternos, prometera a si mesmo jamais tergiversar. A vida do lar é a vida de Deus. E Saulo guardava-se para emoções mais sublimadas. De esperança em esperança, via passar os anos, esperando que a inspiração divina determinasse a rota dos seus ideais. Esperava e confiava. Seus pais presumiam encontrar, ali ou acolá, aquela a quem devesse ele eleger; entretanto, Saulo, enérgico e resoluto, removia a intervenção dos entes caros, no que concerne à escolha que afetava a decisão do seu destino. Abigail enchera-lhe o coração. Era a flor mística do seu ideal, a alma que lhe entenderia as aspirações em perfeita ressonância de pensamentos. De olhos fixos nas suas feições delicadas, que o luar pálido iluminava, teve ânsias de guardá-la para sempre nos braços fortes. Ao mesmo tempo, doce enternecimento lhe vibrava na alma. Desejava atraí-la a si, como se o fizesse a uma criança meiga e afagar-lhe os cabelos sedosos com todo o cabedal do seu carinho.

Inebriados de gozo espiritual, falaram longo tempo do amor que os identificava na mesma aspiração de ventura. Todos os comentários mais íntimos faziam de Deus o sagrado partícipe de suas esperanças no futuro que se lhes auspiciava, santificado em júbilos infinitos.

De mãos dadas extasiaram-se com o plenilúnio maravilhoso. Os eloendros pareciam sorrir-lhes. As rosas orientais, aureoladas pelos raios da Lua, eram-lhes qual mensagem de beleza e perfume.

Ao despedir-se, Saulo acrescentou venturoso:

— Dentro de dois dias voltarei a ver-te. Ficamos combinados. Quando Dalila partir, levará notícias nossas a meus pais e, precisamente de hoje a seis meses, quero ter-te comigo para sempre.

— Seis meses? — revidou ela meio ruborizada e surpreendida.

— Nada haverá, penso, que possa embargar esta resolução de vez que já temos o indispensável.

— E se ainda não tivermos, até lá, notícias de Jeziel? Por mim, desejaria casar-me convicta do seu contentamento e aprovação.

Saulo esboçando leve sorriso, em que havia muito de contrariedade mal dissimulada, esclareceu:

– Quanto a isso, fica tranquila. Cuidaremos primeiramente da atitude dos meus, que se encontram em plano mais imediato; e tão logo resolvamos o problema, se preciso for, irei pessoalmente a Acaia. É impossível que Zacarias não receba novas notícias de Corinto nas próximas semanas. Então, providenciaremos com mais segurança.

Abigail teve um gesto de satisfação e reconhecimento.

Irmanados, agora, na mesma vibração de júbilo, antes que reentrassem em casa, onde os donos os aguardavam entretidos com a leitura das Profecias, Saulo levou a mão da jovem aos lábios e murmurou a despedida habitual:

– Fiel para sempre!...

Daí a minutos, depois de ligeira palestra com os amigos, ouvia-se o trotear dos animais estrada afora, de regresso a Jerusalém. O carro minúsculo rodava, celeremente, ao luar, sob uma nuvem de pó.

V
A pregação de Estêvão

Saulo e Sadoque entraram na Igreja humilde de Jerusalém, notando a massa compacta de pobres e miseráveis que ali se aglomeravam com um raio de esperança nos olhos tristes.

O pavilhão singelo, construído à custa de tantos sacrifícios, não passava de grande telheiro revestido de paredes frágeis, carente de todo e qualquer conforto.

Tiago, Pedro e João surpreenderam-se singularmente com a presença do jovem doutor da Lei, que se popularizara na cidade pela sua oratória veemente e pelo acurado conhecimento das Escrituras.

Os generosos galileus ofereceram-lhe o banco mais confortável. Ele aceitou as gentilezas que lhe dispensavam, sorrindo com indisfarçável ironia de tudo que ali se lhe deparava. Intimamente, considerava que o próprio Sadoque fora vítima de falsas apreciações. Que podiam fazer aqueles homens ignorantes, irmanados a outros já envelhecidos, valetudinários e doentes? Que podiam significar de perigoso para a lei de Israel aquelas crianças ao abandono, aquelas mulheres semimortas, em cujo coração pareciam aniquiladas todas as esperanças? Experimentava grande mal-estar defrontando tantos rostos que a lepra havia devastado, que as úlceras malignas haviam desfigurado impiedosamente. Aqui, um velhote com chagas purulentas envolvidas em panos fétidos; além, um aleijado mal coberto de molambos, ao lado de órfãos andrajosos que se acomodavam com humildade.

O conhecido doutor da Lei notou a presença de várias pessoas que lhe acompanhavam a palavra na interpretação dos textos de Moisés, na Sinagoga dos cilícios; outras que seguiam de perto as suas atividades no Sinédrio, onde a sua inteligência era tida como penhor de esperança racial. Pelo olhar, compreendeu que esses amigos ali estavam igualmente pela primeira vez. Sua visita, ao templo ignorado dos galileus sem-nome, atraíra muitos afeiçoados do farisaísmo dominante, ansiosos pelos serviços eventuais que pudessem destacá-los e recomendá-los às autoridades mais importantes. Saulo concluiu que aquela fração do auditório fazia ato de presença e de solidariedade em qualquer providência que houvesse de tomar. Pareceu-lhe natural e lógica aquela atitude, conveniente aos fins a que se propunha. Não se contavam fatos incríveis, operados pelos adeptos do "Caminho"? Não seriam grosseiras e escandalosas mistificações? Quem diria que tudo aquilo não fosse o produto ignóbil de bruxarias e sortilégios condenáveis? Na hipótese de lhe identificar qualquer finalidade desonesta, podia contar, mesmo ali, com grande número de correligionários, dispostos a defender o rigoroso cumprimento da Lei, custasse-lhes embora os mais pesados sacrifícios.

Notando um que outro quadro menos grato ao seu olhar acostumado aos ambientes de luxo, evitava fixar os aleijados e doentes que se acotovelavam no recinto, chamando a atenção de Sadoque, com observações irônicas e pitorescas. Quando o vasto recinto, desnudo de ornatos e símbolos de qualquer natureza, de todo se encheu, um jovem permeou as filas extensas, ladeado de Pedro e João, galgando os três um estrado quase natural, formado de pedras superpostas.

– Estêvão!... É Estêvão!...

Vozes abafadas inculcavam o pregador, enquanto seus admiradores mais fervorosos apontavam para ele com jubiloso sorriso.

Inesperado silêncio mantinha todas as frontes em singulares expectativas. O moço, magro e pálido, em cuja assistência os mais infelizes julgavam encontrar um desdobramento do amor do Cristo, orou em voz alta suplicando para si e para a assembleia a inspiração do Todo-Poderoso. Em seguida, abriu um livro em forma de rolo e leu uma passagem das anotações de *Mateus*:

– "Mas ide, antes, às ovelhas perdidas da casa de Israel; e, indo, pregai, dizendo: É chegado o Reino dos Céus."[23]

Estêvão ergueu os olhos serenos e fulgurantes, e, sem se perturbar com a presença de Saulo e dos seus numerosos amigos, começou a falar mais ou menos nestes termos, com voz clara e vibrante:

– Meus caros, eis que chegados são os tempos em que o Pastor vem reunir as ovelhas em torno do seu zelo sem limites. Éramos escravos das imposições pelos raciocínios, mas hoje somos livres pelo Evangelho do Cristo Jesus. Nossa raça guardou, de épocas imemoriais, a luz do Tabernáculo, e Deus nos enviou seu Filho sem mácula. Onde estão, em Israel, os que ainda não ouviram as mensagens da Boa-Nova? Onde os que ainda não se felicitaram com as alegrias da nova fé? Deus enviou sua resposta divina aos nossos anseios milenares, a revelação dos Céus aclara os nossos caminhos. Consoante as promessas da profecia de todos quantos choraram e sofreram por amor ao Eterno, o Emissário Divino veio até o antro de nossas dores amargas e justas, para iluminar a noite de nossas almas impenitentes, para que se nos desdobrassem os horizontes da redenção. O Messias atendeu aos problemas angustiosos da criatura humana, com a solução do amor que redime todos os seres e purifica todos os pecados. Mestre do trabalho e da perfeita alegria da vida, suas bênçãos representam nossa herança. Moisés foi a porta, o Cristo é a chave. Com a coroa do martírio adquiriu, para nós outros, a láurea imortal da salvação. Éramos cativos do erro, mas seu sangue nos libertou. Na vida e na morte, nas alegrias de Caná, como nas angústias do Calvário, pelo que fez e por tudo que deixou de fazer em sua gloriosa passagem pela Terra, Ele é o Filho de Deus iluminando o caminho.

Acima de todas as cogitações humanas, fora de todos os atritos das ambições terrestres, seu reino de paz e luz esplende na consciência das almas redimidas.

Ó Israel! tu que esperaste por tantos séculos, tuas angústias e dolorosas experiências não foram vãs!... Quando outros povos se debatiam nos interesses inferiores, cercando os falsos ídolos de falsa adoração e promovendo, simultaneamente, as guerras de extermínio com requintes de perversidade, tu, Israel, esperaste o Deus justo. Carregaste os grilhões da impiedade humana, na desolação e no deserto; converteste em cânticos de esperança as

---

[23] Nota do autor espiritual: *Mateus*, 10:6 e 7.

ignomínias do cativeiro; sofreste o opróbrio dos poderosos da Terra; viste os teus varões e as tuas mulheres, os teus jovens e as tuas crianças exterminados sob o guante das perseguições, mas nunca descreste da Justiça dos Céus! Como o Salmista, afirmaste com teu heroísmo que o amor e a misericórdia vibram em todos os teus dias! Choraste no caminho longo dos séculos, com as tuas amarguras e feridas. Como Jó, viveste da tua fé, subjugada pelas algemas do mundo, mas já recebeste o sagrado depósito de Jeová, o Deus único!... Ó esperanças eternas de Jerusalém, cantai de júbilo, regozijai-vos, embora não tivéssemos sido fiéis inteiramente à compreensão, por conduzir o Cordeiro Amado aos braços da cruz. Suas chagas, todavia, nos compraram para o céu, com o alto preço do sacrifício supremo!...

Isaías o contemplou, vergado ao peso de nossas iniquidades, florescendo na aridez dos nossos corações, qual flor do céu num solo adusto, mas revelou também que, desde a hora da sua extrema renúncia, na morte infamante, a sagrada causa divina prosperaria para sempre em suas mãos.

Amados, onde andarão aquelas ovelhas que não souberam ou não puderam esperar? Procuremo-las para o Cristo, como dracmas perdidas do seu desvelado amor! Anunciemos a todos os desesperançados as glórias e os júbilos do seu reino de paz e de amor imortal!...

A Lei nos retinha no espírito de nação, sem conseguir apagar de nossa alma o desejo humano de supremacia na Terra. Muitos de nossa raça hão esperado um príncipe dominador, que penetrasse em triunfo a cidade santa, com os troféus sangrentos de uma batalha de ruína e morte; que nos fizesse empunhar um cetro odioso de força e tirania. Mas o Cristo nos libertou para sempre. Filho de Deus e emissário da sua glória, seu maior mandamento confirma Moisés, quando recomenda o amor a Deus acima de todas as coisas, de todo o coração e entendimento, acrescentando, no mais formoso decreto divino, que nos amemos uns aos outros, como Ele próprio nos amou.

Seu reino é o da consciência reta e do coração purificado ao serviço de Deus. Suas portas constituem o maravilhoso caminho da redenção espiritual, abertas de par em par aos filhos de todas as nações.

Seus discípulos amados virão de todos os quadrantes. Fora de suas luzes haverá sempre tempestade para o viajor vacilante da Terra que, sem o Cristo, cairá vencido nas batalhas infrutuosas e destruidoras das melhores energias do coração. Somente o seu Evangelho confere paz e liberdade. É o tesouro do mundo. Em sua glória sublime os justos encontrarão a coroa de triunfo, os infortunados o consolo, os tristes a fortaleza do bom ânimo, os pecadores a senda redentora dos resgates misericordiosos.

É verdade que o não havíamos compreendido. No grande testemunho, os homens não entenderam sua divina humildade e os mais afeiçoados o abandonaram. Suas chagas clamaram pela nossa indiferença criminosa. Ninguém poderá eximir-se dessa culpa, visto sermos todos herdeiros das suas dádivas celestiais. Onde todos gozam do benefício, ninguém pode fugir à responsabilidade. Essa a razão por que respondemos pelo crime do Calvário. Mas suas feridas foram a nossa luz, seus martírios o mais ardente apelo de amor, seu exemplo o roteiro aberto para o bem sublime e imortal.

Vinde, pois, comungar conosco à mesa do banquete divino! Não mais as festas do pão putrescível, mas o eterno alimento da alegria e da vida... Não mais o vinho que fermenta, mas o néctar confortante da alma, diluído nos perfumes do amor imortal.

O Cristo é a substância da nossa liberdade. Dia virá em que o seu reino abrangerá os filhos do Oriente e do Ocidente, num amplexo de fraternidade e de luz. Então, compreenderemos que o Evangelho é a resposta de Deus aos nossos apelos, em face da Lei de Moisés. A Lei é humana; o Evangelho é divino. Moisés é o condutor; o Cristo, o Salvador. Os profetas foram mordomos fiéis; Jesus, porém, é o Senhor da Vinha. Com a Lei, éramos servos; com o Evangelho, somos filhos livres de um Pai amoroso e justo!...

Nesse ínterim, Estêvão sustou a palavra que lhe fluía harmoniosa e vibrante dos lábios, inspirada nos mais puros sentimentos. Os ouvintes de todos os matizes não conseguiram ocultar o assombro, ante os seus conceitos de vigorosas revelações. A multidão embevecera-se com os princípios expostos. Os mendigos, ali aglomerados, endereçavam ao pregador um sorriso de aprovação, bem significativo de jubilosas esperanças. João fixava nele os olhos enternecidos, identificando, mais uma vez, no seu verbo ardente, a mensagem evangélica interpretada por um discípulo dileto do Mestre inesquecível, nunca ausente dos que se reúnem em seu nome.

Saulo de Tarso, emotivo por temperamento, fundia-se na onda de admiração geral, mas, altamente surpreendido, verificou a diferença entre a Lei e o Evangelho anunciado por aqueles homens estranhos, que a sua mentalidade não podia compreender. Analisou, de relance, o perigo que os novos ensinos acarretavam para o Judaísmo dominante. Revoltara-se com a prédica ouvida, nada obstante a sua ressonância de misteriosa beleza. Ao seu raciocínio, impunha-se eliminar a confusão que se esboçava, a propósito de Moisés. A Lei era uma e única. Aquele Cristo que culminou na derrota, entre dois ladrões, surgia a seus olhos como um mistificador indigno de qualquer consideração. A vitória de Estêvão na consciência popular, qual a verificava naquele instante, causava-lhe indignação. Aqueles galileus poderiam ser piedosos, mas não deixavam de ser criminosos pela subversão dos princípios invioláveis da raça.

O orador preparava-se para retomar a palavra, momentaneamente interrompida e aguardada com expectação de júbilo geral, quando o jovem doutor se levantou ousadamente e exclamou, quase colérico, frisando os conceitos com evidente ironia.

— Piedosos galileus, qual o senso de vossas doutrinas estranhas e absurdas? Como ousais proclamar a falsa supremacia de um nazareno obscuro sobre Moisés, na própria Jerusalém em que se decidem os destinos das tribos de Israel invencível? Quem era esse Cristo? Não foi um simples carpinteiro?

Ao orgulhoso entono da inesperada apóstrofe, houve no ambiente tal ou qual retraimento de temor, mas, dos desvalidos da sorte, para quem a mensagem do Cristo era o alimento supremo, partiu para Estêvão um olhar de defesa e jubiloso entusiasmo. Os Apóstolos da Galileia não conseguiam dissimular seu receio. Tiago estava lívido. Os amigos de Saulo notaram-lhe a máscara escarninha. O pregador também empalidecera, mas revelava no olhar resoluto o mesmo traço de imperturbável serenidade. Fitando o doutor da Lei, o primeiro homem da cidade que se atrevera a perturbar o esforço generoso do evangelismo, sem trair a seiva de amor que lhe desbordava do coração, fez ver a Saulo a sinceridade das suas palavras e a nobreza dos seus pensamentos. E antes que os companheiros voltassem a si da surpresa que os assomara, com admirável presença de espírito, indiferente à impressão do temor coletivo, obtemperou:

— Ainda bem que o Messias fora carpinteiro: porque, nesse caso, a Humanidade já não ficaria sem abrigo. Ele era, de fato, o Abrigo da paz e da esperança! Nunca mais andaremos ao léu das tempestades nem na esteira dos raciocínios quiméricos de quantos vivem pelo cálculo, sem a claridade do sentimento.

A resposta concisa, desassombrada, desconcertou o futuro rabino, habituado a triunfar nas esferas mais cultas, em todas as justas da palavra.

Enérgico, ruborizado, evidenciando cólera profunda, mordeu os lábios num gesto que lhe era peculiar e acrescentou com voz dominadora:

— Aonde iremos com semelhantes excessos de interpretação, em torno de mistificador vulgar, que o Sinédrio puniu com a flagelação e a morte? Que dizer de um Salvador que não conseguiu salvar-se a si mesmo? Emissário revestido de celestes poderes, como não evitou a humilhação da sentença infamante? O Deus dos exércitos, que sequestrou a nação privilegiada ao cativeiro, que a guiou através do deserto, abrindo-lhe a passagem do mar; que lhe saciou a fome com o maná divino e, por amor, transformou a rocha impassível em fonte de água viva, não teria meios, outros, de assinalar o seu enviado senão com uma cruz de martírio, entre malfeitores comuns? Tendes, nesta casa, a glória do Senhor Supremo, assim barateada? Todos os doutores do Templo conhecem a história do impostor que celebrizais com a simplicidade da vossa ignorância! Não vacilais em rebaixar nossos próprios valores, apresentando um Messias dilacerado e sangrento, sob os apupos do povo?!... Lançais vergonha sobre Israel e desejais fundar um novo reino? Seria justo dardes a conhecer, inteiramente, a nós outros, o móvel das vossas fábulas piedosas.

Estabelecida uma pausa na sua objurgatória, o orador voltou a falar com dignidade:

— Amigo, bem se dizia que o Mestre chegaria ao mundo para confusão de muitos em Israel. Toda a história edificante do nosso povo é um documento da revelação de Deus. No entanto, não vedes nos efeitos maravilhosos com que a Providência guiou as tribos hebreias, no passado, a manifestação do carinho extremo de um Pai desejoso de construir o futuro espiritual de crianças queridas do seu coração? Com o correr do tempo, observamos que a mentalidade infantil enseja mais vastos princípios educativos. O que ontem era carinho é hoje energia oriunda das grandes expressões amorosas da alma. O que ontem era bonança e verdor, para nutrição da sublime esperança, hoje pode ser tempestade, para dar segurança e resistência. Antigamente, éramos meninos até no trato com a revelação; agora, porém, os varões e as mulheres de Israel atingiram a condição de adultos no conhecimento. O Filho de Deus trouxe a luz da verdade aos homens, ensinando-lhes a misteriosa beleza da vida, com o seu engrandecimento pela renúncia. Sua glória resumiu-se em amar-nos, como Deus nos ama. Por essa mesma razão, Ele ainda não foi compreendido. Acaso poderíamos aguardar um salvador de acordo com os nossos propósitos inferiores? Os profetas afirmam que as estradas de Deus podem não ser os caminhos que desejamos, e que os seus pensamentos nem sempre se poderão harmonizar com os nossos. Que dizermos de um messias que empunhasse o cetro no mundo, disputando com os príncipes da iniquidade um galardão de triunfos sangrentos? Porventura a Terra já não estará farta de batalhas e cadáveres? Perguntemos a um general romano quanto lhe custou o domínio da aldeia mais obscura; consultemos a lista negra dos triunfadores, segundo as nossas ideias errôneas da vida. Israel jamais poderia esperar um messias a exibir-se num carro de glórias magnificentes do plano material, suscetível de tombar no primeiro resvaladouro do caminho. Essas expressões transitórias pertencem ao cenário efêmero, no qual a púrpura mais fulgurante volta ao pó. Ao contrário de todos os que pretenderam ensinar a virtude, repousando na satisfação dos próprios sentidos, Jesus executou sua tarefa entre os mais simples ou mais desventurados, em que, muitas vezes, se encontram as manifestações do Pai, que educa, por meio da esperança insatisfeita e das dores que trabalham do berço ao túmulo, a existência humana. O Cristo edificou, entre nós, seu reino de amor e paz, sobre alicerces divinos. Sua exemplificação está projetada na alma humana, com luz eterna! Quem de nós, então, compreendendo tudo isso, poderá identificar no Emissário de Deus um príncipe belicoso? Não! O Evangelho é amor em sua expressão mais sublime. O Mestre deixou-se imolar transmitindo-nos o exemplo da redenção pelo amor mais puro. Pastor do imenso rebanho, Ele não quer se perca uma só de suas ovelhas bem-amadas, nem determina a morte do pecador. O Cristo é vida, e a salvação que nos trouxe está na sagrada oportunidade da nossa elevação, como filhos de Deus, exercendo os seus gloriosos ensinamentos.

Depois de uma pausa, o doutor da Lei já se erguia para revidar, quando Estêvão continuou:

— Agora, irmãos, peço vênia para concluir minhas palavras. Se não vos falei como desejáveis, falei como o Evangelho nos aconselha, arguindo a mim próprio na íntima condenação de meus grandes defeitos. Que a bênção do Cristo seja com todos vós.

Antes que pudesse abandonar a tribuna para confundir-se com a multidão, o futuro rabino levantou-se de chofre e observou enraivecido:

— Exijo a continuação da arenga! Que o pregador espere, pois não terminei o que preciso dizer.

Estêvão replicou serenamente:

— Não poderei discutir.

— Por quê? — perguntou Saulo irritadíssimo. — Estais intimado a prosseguir.

— Amigo — elucidou o interpelado calmamente —, o Cristo aconselhou que devemos dar a César o que é de César e a Deus o que é de Deus. Se tendes alguma acusação legal contra mim, exponde-a sem receio e vos obedecerei, mas, no que pertence a Deus, só a Ele compete arguir-me.

Tão alto espírito de resolução e serenidade, quase desconcertou o doutor do Sinédrio; compreendendo, porém, que a impulsividade somente poderia prejudicar-lhe a clareza do pensamento, acrescentou mais calmo, apesar do tom imperioso que deixava transparecer toda a sua energia:

— Mas eu preciso elucidar os erros desta casa. Necessito perguntar e haveis de responder-me.

— No tocante ao Evangelho — replicou Estêvão —, já vos ofereci os elementos de que podia dispor, esclarecendo o que tenho ao meu alcance. Quanto ao mais, este templo humilde é construção de fé e não de justas casuísticas. Jesus teve a preocupação de recomendar a seus discípulos que fugissem do fermento das discussões e das discórdias. Eis por que não será lícito perdermos tempo em contendas inúteis, quando o trabalho do Cristo reclama o nosso esforço.

— Sempre o Cristo! sempre o impostor! — trovejou Saulo, carrancudo.

— Minha autoridade é insultada pelo vosso fanatismo, neste recinto de miséria e de ignorância. Mistificadores, rejeitais as possibilidades de esclarecimento que vos ofereço; galileus incultos, não quereis considerar o meu nobre cartel de desafio. Saberei vingar a Lei de Moisés, da qual se tripudia. Recusais a intimativa, mas não podereis fugir ao meu desforço. Aprendereis a amar a verdade e a honrar Jerusalém, renunciando ao nazareno insolente, que pagou na cruz os criminosos desvarios. Recorrerei ao Sinédrio para vos julgar e punir. O Sinédrio tem autoridade para desfazer vossas condenáveis alucinações.

Assim concluindo, parecia possesso de fúria. Mas nem assim logrou perturbar o pregador, que lhe respondeu de ânimo sereno:

— Amigo, o Sinédrio tem mil meios de me fazer chorar, mas não lhe reconheço poderes para obrigar-me a renunciar ao amor de Jesus Cristo.

Dito isso, desceu da tribuna com a mesma humildade, sem se deixar empolgar pelo gesto de aprovação que lhe endereçavam os filhos do infortúnio, que ali o ouviam como a um defensor de sagradas esperanças.

Alguns protestos isolados começaram a ser ouvidos. Fariseus irritados vociferavam insolências e remoques. A massa agitava-se, prevendo atrito iminente; porém, antes que Estêvão caminhasse dez passos para o interior junto dos companheiros, e antes que Saulo o alcançasse com outras objeções pessoais e diretas, uma velhinha maltrapilha apresentou-lhe uma jovem pobremente vestida e exclamou cheia de confiança:

— Senhor! sei que continuais a bondade e os feitos do Profeta de Nazaré, que um dia me salvou da morte, apesar dos meus pecados e fraquezas. Atendei-me também, por piedade! Minha filha emudeceu há mais de um ano. Trouxe-a de Dalmanuta até aqui, vencendo enormes dificuldades, confiada na vossa assistência fraternal!

O pregador refletiu, antes de tudo, no perigo de qualquer capricho pessoal da sua parte, e, desejoso de atender à suplicante, contemplou a doente com sincera simpatia e murmurou:

— De nós nada temos, mas é justo esperar do Cristo as dádivas que nos sejam necessárias. Ele que é justo e generoso não te esquecerá na distribuição santificada da sua misericórdia.

E, como atuado por força estranha, acrescentava:

— Hás de falar, para louvor do bom Mestre!...

Então, viu-se um fato singular, que impressionou de súbito a numerosa assembleia. Com um raio de infinita alegria nos olhos, a enferma falou:

— Louvarei ao Cristo de toda minha alma, eternamente.

Ela e a genitora, tomadas de forte comoção, caíram, ali mesmo, de joelhos e beijaram-lhe as mãos; Estêvão, entretanto, tinha agora os olhos mareados de pranto, profundamente sensibilizado. Era o primeiro a comover-se e admirar a proteção recebida, e não tinha outro meio que não o das lágrimas sinceras para traduzir a intensidade do seu reconhecimento.

Os fariseus, que se aproximavam no intuito de comprometer a paz do recinto humilde, recuaram estupefatos. Os pobres e os aflitos, como se houvessem recebido um reforço do Céu para o êxito da crença pura, encheram a sala de exclamações de sublime esperança.

Saulo observava a cena sem poder dissimular a própria ira. Se possível, desejaria esfrangalhar Estêvão em suas mãos. No entanto, apesar do temperamento impulsivo, chegou à conclusão de que um ato agressivo levaria os amigos presentes a um conflito de sérias proporções. Refletiu, igualmente, que nem todos os adeptos do "Caminho" estavam, como o pregador, em condições de circunscrever a luta ao plano das lições de ordem espiritual, e, de certa maneira, não recusariam a luta física. De relance, notou que alguns estavam armados, que os anciães traziam fortes cajados de arrimo, e os aleijados exibiam rijas muletas. A luta corporal, naquele recinto de construção frágil, teria consequências lamentáveis. Procurou coordenar melhores raciocínios. Teria a Lei a seu favor. Poderia contar com o Sinédrio. Os sacerdotes mais eminentes eram amigos devotados. Lutaria com Estêvão até dobrar-lhe a resistência moral. Se não conseguisse submetê-lo, odiá-lo-ia para sempre. Na satisfação dos seus caprichos, saberia remover todos os obstáculos.

Reconhecendo que Sadoque e mais dois companheiros iam iniciar o tumulto, gritou-lhes em voz grave e imperiosa:

– Vamo-nos! Os adeptos do "Caminho" pagarão muito caro a sua ousadia.

Nesse momento, quando todos os fariseus se dispunham a lhe atender a voz de comando, o moço de Tarso notou que Estêvão se encaminhava para o interior da casa, passando-lhe rente aos ombros. Saulo sentiu-se abalado em todas as fibras do seu orgulho. Fixou-o, quase com ódio, mas o pregador correspondeu-lhe com um olhar sereno e amistoso.

Tão logo se retirou o jovem doutor da Lei com os companheiros numerosos que não conseguiam disfarçar o seu despeito, os Apóstolos galileus passaram a considerar, com grande receio, as consequências que poderiam advir do inesperado episódio.

No dia seguinte, como de costume, Saulo de Tarso, à tardinha, entrava em casa de Zacarias, deixando transparecer na fisionomia a contrariedade que lhe ia no íntimo. Depois de aliviar-se um tanto dos pensamentos sombrios que o atribulavam, graças ao carinho da noiva amada, por ela instado a dizer os motivos de tamanha preocupação, narrou-lhe os acontecimentos da véspera, acrescentando:

– Esse Estêvão pagará caríssimo a humilhação que pretendeu infligir-me publicamente. Seus raciocínios sutis podem confundir os menos argutos e necessário é fazermos preponderar nossa autoridade em face dos que não têm competência para versar os princípios sagrados. Hoje mesmo conversei com alguns amigos relativamente às providências que nos cumpre tomar. Os mais tolerantes alegam o caráter inofensivo dos galileus, pacíficos e caritativos, mas sou de opinião que uma ovelha má põe o rebanho a perder.

— Acompanho-te na defesa das nossas crenças – advertiu a moça satisfeita –, não devemos abandonar nossa fé ao trato e ao sabor das interpretações individuais e incompetentes.

Depois de uma pausa:

— Ah! se Jeziel estivesse conosco, seria teu braço forte na exposição dos conhecimentos sagrados. Certamente, ele teria prazer em defender o Testamento contra qualquer expressão menos razoável e fidedigna.

— Combateremos o inimigo que ameaça a genuinidade da revelação divina – exclamou Saulo – e não cederei terreno aos inovadores incultos e cavilosos.

— Esses homens são muitos? – perguntou Abigail apreensiva.

— Sim, e o que os torna mais perigosos é o mascararem as intenções com atos piedosos, por exaltar a imaginação versátil do povo com pretensos poderes misteriosos, naturalmente alimentados à custa de feitiçarias e sortilégios.

— Em qualquer hipótese – advertiu a jovem depois de refletir um momento –, convém proceder com serenidade e prudência, para evitar os abusos de autoridade. Quem sabe são criaturas mais necessitadas de educação que de castigo?

— Sim, já pensei em tudo isso. Aliás, não pretendo incomodar os galileus simplórios e despretensiosos que se cercam, em Jerusalém, de inválidos e doentes, dando-nos a impressão de loucos pacíficos. Contudo, não posso deixar de reprimir o orador, cujos lábios, a meu ver, destilam poderoso veneno no espírito volúvel das massas sem consciência perfeita dos princípios esposados. Aos primeiros importa esclarecer, mas o segundo precisa ser anulado, visto não se lhe conhecerem os fins, quiçá criminosos e revolucionários.

— Não tenho como desaprovar as tuas ilações – concluiu a jovem condescendente.

Em seguida, como de costume, palestraram sobre os sentimentos sagrados do coração, notando-se que o moço de Tarso encontrava singular encanto e caricioso bálsamo nas observações afetuosas da companheira querida.

Passados alguns dias, tomavam-se em Jerusalém providências para que Estêvão fosse levado ao Sinédrio e ali interrogado sobre a finalidade colimada com as prédicas do "Caminho".

Dada a intercessão conciliatória de Gamaliel, o feito se resumiria a uma discussão em que o pregador das novas interpretações definisse perante o mais alto tribunal da raça os seus pontos de vista, a fim de que os sacerdotes, como juízes e defensores da Lei, expusessem a verdade nos devidos termos.

O convite à requesta chegou à Igreja humilde, mas Estêvão se esquivou, alegando que não seria razoável disputar, em obediência aos preceitos do Mestre, apesar dos argumentos do filho de Alfeu, a quem intimidava a perspectiva de uma luta com as autoridades em evidência, parecendo-lhe que a recusa chocaria a opinião pública. Saulo, a seu turno, não poderia obrigar o antagonista a corresponder ao desafio, mesmo porque, o Sinédrio só poderia empregar meios compulsórios no caso de uma denúncia pública, depois da instauração de um processo em que o denunciado fosse reconhecido como blasfemo ou caluniador.

Ante a reiterada escusa de Estêvão, o doutor de Tarso exasperou-se. E depois de irritar a maioria dos companheiros contra o adversário, arquitetou vasto plano, de modo a forçá-lo à polêmica desejada, na qual buscaria humilhá-lo diante de todos os maiorais do Judaísmo dominador.

Depois de uma das sessões comuns do Tribunal, Saulo chamou um de seus amigos serviçais e falou-lhe em voz baixa:

— Neemias, nossa causa precisa de um cooperador decidido e lembrei-me de ti para a defesa dos nossos princípios sagrados.

— De que se trata? — perguntou o outro com enigmático sorriso. — Mandai e estou pronto a obedecer.

— Já ouviste falar num falso taumaturgo chamado Estêvão?

— Um dos tais homens detestáveis do "Caminho"? Já lhe ouvi a própria palavra e por sinal que reconheci nas suas ideias as de um verdadeiro alucinado.

— Ainda bem que o conheces de perto — replicou o jovem doutor satisfeito.

— Necessito de alguém que o denuncie como blasfemo em face da lei e lembrei-me da tua cooperação neste sentido.

— Só isso? — interrogou o interpelado, astutamente. — É coisa fácil e agradável. Pois não o ouvi dizer que o carpinteiro crucificado é o fundamento da Verdade Divina? Isso é mais que blasfêmia. Trata-se de um revolucionário perigoso, que deve ser punido como caluniador de Moisés.

– Muito bem! – exclamou Saulo num largo sorriso. – Conto, pois, contigo.

No dia imediato, Neemias compareceu ao Sinédrio e denunciou o generoso pregador do Evangelho como blasfemo e caluniador, acrescentando criminosas observações de própria conta. Na peça acusatória, Estêvão figurava como feiticeiro vulgar, mestre de preceitos subversivos em nome de um falso Messias que Jerusalém havia crucificado anos antes, mediante idênticas acusações. Neemias inculcava-se como vítima da perigosa seita que lhe atingira e disturbara a própria família, e afirmava-se testemunha de baixos sortilégios por ele praticados, em prejuízo de outrem.

Saulo de Tarso anotou as mínimas declarações, acentuando os detalhes comprometedores.

A notícia estourou na Igreja do "Caminho", produzindo efeitos singulares e dolorosos. Os menos resolutos, com Tiago à frente, deixaram-se empolgar por considerações de toda ordem, receosos de se verem perseguidos, mas Estêvão, com Simão Pedro e João, mantinha-se absolutamente sereno, recebendo com bom ânimo a ordem de responder corajosamente ao libelo.

Cheio de esperança rogava a Jesus não o desamparasse, de maneira a testemunhar a riqueza da sua fé evangélica.

E esperou o ensejo com fidelidade e alegria.

VI
Ante o Sinédrio

No dia fixado, o grande recinto do mais alto sodalício israelita enchia-se de verdadeira multidão de crentes e curiosos, ávidos de assistir ao primeiro embate entre os sacerdotes e os homens piedosos e estranhos do "Caminho". A assembleia congraçava o que Jerusalém tinha de mais aristocrático e de mais culto. Os mendigos, porém, não tiveram acesso, embora se tratasse de um ato público.

O Sinédrio exibia suas personagens mais eminentes. De mistura com os sacerdotes e mestres de Israel, notava-se a presença das personalidades mais salientes do farisaísmo. Lá estavam representantes de todas as sinagogas.

Compreendendo a acuidade intelectual de Estêvão, Saulo queria fornecer-lhe um confronto do cenário em que dominava o seu talento, com a Igreja humilde dos adeptos do carpinteiro de Nazaré. No fundo, seu propósito radicava na jactanciosa demonstração de superioridade, afagando, ao mesmo tempo, a íntima esperança de conquistá-lo para as hostes do Judaísmo. Preparara, por isso, a reunião com todos os requisitos, de feição a impressionar-lhe os sentidos.

Estêvão comparecia como um homem chamado a defender-se das acusações a ele imputadas, não como prisioneiro comum obrigado a acertar contas com a justiça. Examinando, pois, a situação, rogou com insistência aos Apóstolos galileus não o acompanhassem, considerando, não só a necessidade de permanecerem junto dos sofredores, como também a possível ocorrência de sérios atritos, no caso de comparecimento dos adeptos do "Caminho", dada a firmeza de ânimo com que procuraria salvaguardar a pureza e a liberdade do Evangelho do Cristo. Além disso, os recursos de que poderiam dispor eram demasiadamente simples e não seria justo afrontar com eles o poderio supremo dos sacerdotes, que tinham encontrado recursos para crucificar o próprio Messias. Em favor do "Caminho" pontificavam, apenas, aqueles enfermos desventurados; as convicções puras dos mais humildes; a gratidão dos mais infelizes – única força poderosa pelo seu conteúdo de virtude divina, a lhes amparar a causa perante as autoridades dominantes do mundo. Assim ponderando, disputava o júbilo de assumir, sozinho, a responsabilidade da sua atitude, sem comprometer qualquer companheiro, tal como fizera Jesus um dia, no seu apostolado sublime. Se necessário, não desdenharia a possibilidade do derradeiro sacrifício, no sagrado testemunho de amor ao seu coração augusto e misericordioso. O sofrimento, por Ele, ser-lhe-ia suave e doce. Sua argumentação vencera o bom desejo dos companheiros mais veementes. Assim, sem amparo de qualquer amigo, compareceu ao Sinédrio, tomado de forte impressão ao lhe observar a grandeza e a suntuosidade. Habituado aos quadros tristes e pobres dos subúrbios, onde se refugiavam os infelizes de toda espécie, deslumbrava-se com a riqueza do Templo, com o aspecto soberbo da torre dos romanos, com os edifícios residenciais de estilo grego, com a feição exterior das sinagogas que se espalhavam em grande número por toda parte.

Compreendendo a importância daquela sessão a que acorriam os elementos de escol, por identificarem o invulgar interesse de Saulo, que, no momento, era a expressão de mocidade mais vibrante do Judaísmo, o Sinédrio requisitara o concurso da autoridade romana para a absoluta manutenção da ordem. A Corte provincial não regateara providências. Os próprios patrícios residentes em Jerusalém compareceram, numerosos, ao grande feito do dia, considerando que se tratava do primeiro processo a respeito das ideias ensinadas pelo Profeta nazareno, depois da sua crucificação, que deixara tanta perplexidade e tantas dúvidas no espírito público.

Quando o grande recinto regurgitava de pessoas de alto destaque social, Estêvão sentou-se no lugar previamente designado, conduzido por um ministro do Templo, ali permanecendo sob a guarda de soldados que o fixavam ironicamente.

A sessão começou com todas as cerimônias regimentais. Ao iniciar os trabalhos, o sumo sacerdote anunciou a escolha de Saulo, consoante seu próprio desejo, para interpelar o denunciado e averiguar a extensão de sua culpa no aviltamento dos princípios sagrados da raça. Recebendo o convite para funcionar como juiz do feito, o jovem tarsense esboçou um sorriso triunfante. Com imperioso gesto, mandou que o humilde pregador do "Caminho" se aproximasse do centro da sala suntuosa, para onde se dirigiu Estêvão serenamente, acompanhado por dois guardas de cenho carregado.

O moço de Corinto fixou o quadro que o rodeava, considerando o contraste de uma e outra assembleia e recordando a última reunião da sua Igreja pobre, onde fora compelido a conhecer tão caprichoso antagonista. Não seriam aquelas as "ovelhas perdidas" da casa de Israel, a que aludia Jesus nos seus vigorosos ensinamentos? Ainda que o Judaísmo não houvesse aceitado a missão do Evangelho, como conciliava ele as observações sagradas dos profetas e sua elevada exemplificação de virtude, com a avareza e o desregramento? O próprio Moisés fora escravo e, por dedicação ao seu povo, sofrera inúmeras dificuldades em todos os dias da existência consagrada ao Todo-Poderoso. Jó padecera misérias sem nome e dera testemunho de fé nos sofrimentos mais acerbos. Jeremias chorara incompreendido. Amós experimentara o fel da ingratidão. Como poderiam os israelitas harmonizar o egoísmo com a sabedoria amorosa dos *Salmos* de Davi? Estranhável que, tão zelosos da Lei, se entregassem de modo absoluto aos interesses mesquinhos, quando Jerusalém estava cheia de famílias, irmãs pela raça, em completo abandono. Como cooperante de uma comunidade modesta, conhecia de perto as necessidades e sofrimentos do povo. Com essas ilações, sentia que o Mestre de Nazaré se elevava muito mais, agora, aos seus olhos, distribuindo entre os aflitos as esperanças mais puras e as mais consoladoras verdades espirituais.

Ainda não voltara a si da surpresa com que examinava as túnicas brilhantes e os ornamentos de ouro que exuberavam no recinto, quando a voz de Saulo, clara e vibrante, o chamou à realidade da situação.

Depois de ler a peça acusatória em que Neemias figurava como principal testemunha e no que foi ouvido com a máxima atenção, Saulo interrogou Estêvão entre ríspido e altivo:

— Como vedes, sois acusado de blasfemo, caluniador e feiticeiro, perante as autoridades mais representativas. No entanto, antes de qualquer decisão, o Tribunal deseja conhecer vossa origem para determinar os direitos que vos assistem neste momento. Sois, porventura, de família israelita?

O interrogado fez-se pálido, ponderando as dificuldades de uma plena identificação, caso fosse indispensável, mas respondeu firmemente:

— Pertenço aos filhos da tribo de Issacar.

O doutor da Lei surpreendeu-se, ligeiramente, de maneira imperceptível para a assembleia, e continuou:

— Como israelita, tendes o direito de replicar livremente às minhas interpelações; todavia, faz-se mister esclarecer que essa condição não vos eximirá de pesados castigos, caso perseverardes na exposição dos erros crassos de uma doutrina revolucionária, cujo fundador foi condenado à cruz infamante pela autoridade deste Tribunal, onde pontificam os filhos mais veneráveis das tribos de Deus. Aliás, apreciando, por suposição, a vossa origem, convidei-vos a discutir lealmente comigo, quando de nosso primeiro encontro na assembleia dos homens do "Caminho". Fechei os olhos aos quadros de miséria que então me cercavam, para analisar tão só os vossos dotes de inteligência, mas, evidenciando estranha exaltação de espírito, talvez em virtude de sortilégios, cujas influências são ali visíveis, vos mantivestes em singular reserva de opinião, apesar dos meus apelos reiterados. Vossa atitude inexplicável deu azo a que o Sinédrio considerasse a presente denúncia de vosso nome como inimigo de nossas ordenações. Sereis agora obrigado a responder a todas as interpelações convenientes e necessárias, e eu espero reconheçais que o título de israelita não vos poderá livrar da punição reservada aos traidores de nossa causa.

Depois de não pequeno intervalo em que o juiz e o denunciado puderam verificar a ansiosa expectativa da assembleia, Saulo entrou a interrogar:

— Por que rejeitastes meu convite à discussão quando honrei a pregação no "Caminho" com a minha presença?

Estêvão, que tinha os olhos fulgurantes, como inspirado por uma força divina, replicou em voz firme, sem revelar a emoção que intimamente o dominava:

— O Cristo, a quem sirvo, recomendou aos seus discípulos evitassem, a qualquer tempo, o fermento das discórdias. Quanto ao ato de haverdes honrado minha palavra humilde com a vossa presença, agradeço a prova de imerecido interesse, mas prefiro considerar com Davi[24] que nossa alma se gloriará no Senhor, visto nada possuirmos de bom em nós mesmos, se Deus nos não amparar com a grandeza da sua glória.

Em face da lição sutil que lhe era lançada em rosto, Saulo de Tarso mordeu os lábios, entre colérico e despeitado, e, procurando evitar, agora, qualquer alusão pessoal, para não cair em situação semelhante, prosseguiu:

– Sois acusado de blasfemo, caluniador e feiticeiro...

– Permito-me perguntar em que sentido – retrucou o interpelado, com desassombro.

– Blasfemo quando inculcais o carpinteiro de Nazaré como Salvador; caluniador quando achincalhais a Lei de Moisés, renegando os princípios sagrados que nos regem os destinos. Confirmais tudo isso? Aprovais essas acusações?

Estêvão esclareceu sem titubear:

– Mantenho minha crença de que o Cristo é o Salvador prometido pelo Eterno, por meio dos ensinos dos profetas de Israel, que choraram e sofreram no decurso de longos séculos, por transmitir-nos os júbilos doces da Promessa. Quanto à segunda parte, suponho que a acusação procede de interpretação errônea acerca de minhas palavras. Jamais deixei de venerar a Lei e as Sagradas Escrituras, mas considero o Evangelho de Jesus o seu divino complemento. As primeiras são o trabalho dos homens, o segundo é o salário de Deus aos trabalhadores fiéis.

– Sois então de parecer – disse Saulo sem dissimular irritação diante de tanta firmeza – que o carpinteiro é maior que o grande legislador?

– Moisés é a justiça pela revelação, mas o Cristo é o amor vivo e permanente.

A essa resposta do acusado, houve um prurido de exaltação na grande assembleia. Alguns fariseus encolerizados gritavam injúrias. Saulo, porém, lhes fez um sinal imperioso e o silêncio voltou a possibilitar o interrogatório. E, dando à voz um timbre de severidade, prosseguiu:

– Sois israelita e jovem ainda. Uma inteligência apreciável serve ao vosso esforço. Temos então o dever, antes de qualquer punição, de trabalhar pelo vosso regresso ao aprisco. É imprescindível chamar o irmão desertor, com carinho, antes do extremo recurso às armas. A Lei de Moisés

---

[24] Nota do autor espiritual: *Salmos*, 34:2.

poderá conferir-vos uma situação de grande relevo, mas que proveito tiraríeis da palavra insignificante, inexpressiva, do operário ignorante de Nazaré, que sonhou com a glória para pagar as esperanças loucas em uma cruz de ignomínia?

— Desprezo o valor puramente convencional que a Lei me poderia oferecer em troca do apoio à política do mundo, que se transforma todos os dias, considerando que a nossa segurança reside na consciência iluminada com Deus e para Deus.

— Que esperais, porém, do mistificador que lançou a confusão entre nós, para morrer no Calvário? — tornou Saulo exaltadamente.

— O discípulo do Cristo deve saber a quem serve e eu me honro em ser instrumento humilde em suas mãos.

— Não precisamos de um inovador para a vida de Israel.

— Compreendereis, um dia, que, para Deus, Israel significa a Humanidade inteira.

Diante dessa resposta ousada, a quase totalidade da assembleia prorrompeu em apupos, mostrando sua hostilidade franca ao denunciado de Neemias. Afeitos a um regionalismo intransigente, os israelitas não toleravam a ideia de confraternização com os povos que consideravam bárbaros e gentios. Enquanto os mais exaltados davam expansão a protestos veementes, os romanos observavam a cena, curiosos e interessados, como se presenciassem uma cerimônia festiva.

Depois de longa pausa, o futuro rabino continuou:

— Confirmais a acusação de blasfêmia, enunciando semelhante princípio contra a situação do povo escolhido. É a vossa primeira condenação.

— E isso não me atemoriza — disse o acusado resoluto —; às ilusões orgulhosas que nos conduziriam a tenebrosos abismos, prefiro acreditar, com o Cristo, que todos os homens são filhos de Deus, merecendo o carinho do mesmo Pai.

Saulo mordeu os lábios raivosamente e, acentuando sua atitude rigorosa de julgador, prosseguiu com aspereza.

— Caluniais Moisés, proferindo tais palavras. Aguardo vossa confirmação.

O interpelado, dessa vez, endereçou-lhe significativo olhar e murmurou:

— Por que aguardais minha confirmação se obedeceis a um critério arbitrário? O Evangelho desconhece as complicações da casuística. Não desdenho Moisés, mas não posso deixar de proclamar a superioridade de Jesus Cristo. Podeis lavrar sentenças e proferir anátemas contra mim; entretanto, é necessário que alguém coopere com o Salvador no restabelecimento da verdade acima de tudo, e sem embargo das mais dolorosas consequências. Aqui estou para fazê-lo e saberei pagar, pelo Mestre, o preço da mais pura fidelidade.

Depois de cessar o abafado vozerio da assistência, Saulo voltou a dizer:

— O Tribunal reconhece-vos como caluniador, passível das punições atinentes a esse título odioso.

E tão logo foram grafadas as novas declarações pelo escriba que anotava os termos da inquirição, acentuou sem disfarçar a ira que o dominava:

— É indispensável não esquecer que sois acusado de feiticeiro. Que respondeis a semelhante arguição?

— De que me acusam, nesse particular? — interrogou o pregador do "Caminho" com galhardia.

— Eu próprio vos vi curar uma jovem muda, num dia de sábado, e ignoro a natureza dos sortilégios que utilizastes nesse feito.

— Não fui eu quem praticou esse ato de amor, como, certamente, me ouvistes afirmar; foi o Cristo, por intermédio de minha pobreza, que nada tem de boa.

— Pensais inocentar-vos com esta ingênua declaração? — objetou Saulo com ironia. — A suposta humildade não vos exculpa. Fui testemunha do fato e só a feitiçaria poderá elucidar seus ascendentes estranhos.

Longe de se perturbar, o acusado respondeu inspiradamente:

— Contudo, o Judaísmo está cheio desses fatos que julgais não compreender. Em virtude de que sortilégio conseguiu Moisés fazer jorrar de uma rocha a fonte de água viva? Com que feitiçaria o povo eleito viu abrirem-se-lhe as ondas revoltas do mar para a necessária fuga do cativeiro? Com que talismã presumiu Josué atrasar a marcha do Sol? Não vedes, em tudo isso, os recursos da Providência Divina? De nós nada temos, e, todavia, no cumprimento do nosso dever, tudo devemos esperar da Divina Misericórdia.

Analisando a resposta concisa, reveladora de raciocínios lógicos, irretorquíveis, o doutor de Tarso quase rilhou os dentes. Um rápido relancear de olhos na assembleia deu-lhe a conhecer que o antagonista contava com a simpatia e admiração de muitos. Chegava a desconcertar-se intimamente. Como recuperar a calma, dado o temperamento impulsivo que o levava aos extremos emotivos? Examinando a última assertiva de Estêvão, sentia dificuldade em coordenar uma argumentação decisiva. Sem poder revelar o desapontamento próprio, incapaz de encontrar a resposta devida, considerou a urgência de uma saída a propósito e dirigiu-se ao sumo sacerdote, nestes termos:

— O acusado confirma, por sua palavra, a denúncia de que foi objeto. Acaba de confessar, em público, que é blasfemo, caluniador e feiticeiro. Entretanto, por sua condição de nascimento, ele tem direito à defesa última, independentemente das minhas interpretações de julgador. Proponho, então, que a autoridade competente lhe conceda esse recurso.

Grande número de sacerdotes e personalidades eminentes entreolhou-se, quase com espanto, como a prelibar a primeira derrota do orgulhoso doutor da Lei, cuja palavra vibrante sempre conseguira triunfar sobre quaisquer adversários, fixando-lhe o rosto rubro de cólera, denunciando a tempestade que lhe rugia no coração.

Aceita a proposta formulada pelo juiz da causa, Estêvão passou a usar de um direito que lhe era conferido pelo seu nascimento.

Levantando-se, nobremente contemplou os rostos ansiosos que o buscavam de todos os lados. Adivinhou que a maioria dos presentes presumia na sua figura um perigoso inimigo das tradições raciais, tal a sua expressão de hostilidade, mas notou, igualmente, que alguns israelitas o encaravam com simpatia e compreensão. Valendo-se desse auxílio, sentiu consolidar-se-lhe o bom ânimo, de maneira a expor com maior serenidade os sagrados ensinos do Evangelho. Lembrou, instintivamente, a promessa de Jesus aos seus continuadores, de que estaria presente no instante em que devessem dar testemunho pela palavra, competindo-lhe não tremer ante as provocações inconscientes do mundo. Mais que nunca, sentiu a convicção de que o Mestre auxiliá-lo-ia na exposição da doutrina de amor.

Passado um minuto de ansiosa expectativa, começou a falar de modo impressionante:

— Israelitas! por maior que fosse nossa divergência de opinião religiosa, não poderíamos alterar nossos laços de fraternidade em Deus – o supremo dispensador de todas as graças. É a esse Pai, generoso e justo, que elevo minha rogativa em favor de nossa compreensão fiel das verdades santas. Outrora, nossos antepassados ouviram as exortações grandiosas e profundas dos emissários do Céu. Por organizar um futuro de paz sólida aos seus descendentes, nossos avós sofreram misérias e penúrias do cativeiro. Seu pão era molhado nas lágrimas de amargura, sua sede angustiava. Viram malogradas todas as esperanças de independência, perseguições sem conto destruíram-lhes o lar, com agravo de sofrimentos nas lutas de seu roteiro. À frente de seus martírios dignificantes, andaram os santos varões de Israel, como gloriosa coroa do seu triunfo. Alimentou-os a palavra do Eterno, diante de todas as vicissitudes. Suas experiências constituem poderoso e sagrado patrimônio. Delas, temos a Lei e os Escritos dos profetas. Apesar disso, não podemos iludir nossa sede. Nossa concepção de justiça é fruto de um labor milenário, em que empregamos as maiores energias, mas sentimos, por intuição, que existe algo de mais elevado, além dela. Temos o cárcere para os que se transviam, o vale dos imundos para os que adoecem sem a proteção da família, a lapidação na praça pública para a mulher que fraqueja, a escravidão para os endividados, os trinta e nove açoites para os mais infelizes. Bastará isso? As lições do passado não estão cheias da palavra "misericórdia"? Algo nos fala à consciência, de uma vida maior, que inspira sentimentos mais elevados e mais belos. Ingente foi o trabalho no curso longo e multissecular, mas o Deus justo respondeu aos angustiados apelos do coração, enviando-nos seu Filho bem-amado – o Cristo Jesus!...

A assembleia ouvia grandemente surpreendida. No entanto, quando o orador frisou mais forte a referência ao Messias de Nazaré, os fariseus presentes, fazendo causa comum com o jovem de Tarso prorromperam em protestos, gritando alucinadamente:

– Anátema! Anátema!... Punição ao trânsfuga!

Estêvão recebeu com serenidade a tormenta objurgatória e, tão logo foi a ordem restabelecida, prosseguiu com firmeza:

– Por que me apupais desta forma? Toda precipitação de julgamento demonstra fraqueza. Primeiramente, renunciei à discussão considerando que se deve eliminar todo fermento de discórdia, mas dia a dia o Cristo nos convoca para um trabalho novo e, certamente, o Mestre me chama hoje, a fim de palestrar convosco relativamente às suas verdades poderosas. Desejais impor-me o ridículo e a zombaria? Isso, porém, deve confortar-me, porque Jesus experimentou esse tratamento em grau superlativo. Não obstante vossa repulsa honro-me em proclamar as glórias inexcedíveis do

Profeta nazareno, cuja grandeza veio ao encontro de nossas ruínas morais, levantando-nos para Deus com o seu Evangelho de redenção.

Nova saraivada de apóstrofes cortou-lhe a palavra. Ditos mordentes e ásperos baldões eram-lhe atirados a esmo, de todos os lados. Estêvão não esmoreceu. Voltando-se, sereno, fixou nobremente os circunstantes, guardando a intuição de que os mais exaltados seriam os fariseus, os mais fundamente atingidos pelas verdades novas.

Esperando que recobrassem a calma, falou novamente:

— Fariseus amigos, por que teimais em não compreender? Porventura temeis a realidade das minhas afirmações? Se vossos protestos se fundam nesse receio, calai-vos para que eu continue. Lembrai-vos de que me refiro aos nossos erros do passado e quem se associa na culpa dá testemunho de amor no capítulo das reparações. Apesar de nossas misérias, Deus nos ama e, reconhecendo eu a própria indigência, não poderia falar-vos senão como irmão. Entretanto, se expressais desespero e revolta, recordai que não poderemos fugir à realidade da nossa profunda insignificância. Lestes, acaso, as lições de *Isaías*? Importa considerar a exortação[25] de que não poderemos sair, apressadamente, nem enganando a nós mesmos, nem fugindo aos nossos deveres, porque o Senhor irá adiante e o Deus de Israel será a nossa retaguarda. Ouvi-me! Deus é o Pai, o Cristo é o Senhor nosso.

Muito falais da Lei de Moisés e dos profetas; todavia, podereis afirmar com a mão na consciência a plena observância dos seus gloriosos ensinamentos? Não estaríeis cegos atualmente, negando-vos à compreensão da mensagem divina? Aquele a quem chamais, ironicamente, o carpinteiro de Nazaré, foi amigo de todos os infelizes. Sua pregação não se limitou a expor princípios filosóficos. Antes, pela exemplificação, renovou nossos hábitos, reformou as ideias mais elevadas, com o selo do amor divino. Suas mãos nobilitaram o trabalho, pensaram úlceras, curaram leprosos, deram vista aos cegos. Seu coração repartiu-se entre todos os homens, dentro do novo entendimento do amor que nos trouxe com o exemplo mais puro.

Acaso ignorais que a palavra de Deus tem ouvintes e praticantes? Convém consultardes se não tendes sido meros ouvintes da Lei, de maneira a não falsear o testemunho.

---

[25] Nota do autor espiritual: *Isaías*, 52:12.

Jerusalém não me parece o santuário de tradições da fé, que conheci por informações de meus pais, desde criança. Atualmente, dá impressão de um grande bazar no qual se vendem as coisas sagradas. O Templo está cheio de mercadores. As sinagogas regurgitam de assuntos atinentes a interesses mundanos. As células farisaicas assemelham-se a um vespeiro de interesses mesquinhos. O luxo das vossas túnicas assombra. Vossos desperdícios espantam. Não sabeis que à sombra de vossos muros há infelizes que morrem de fome? Venho dos subúrbios, onde se concentra grande parte de nossas misérias.

Falais de Moisés e dos profetas, repito. Acreditais que os antepassados veneráveis mercadejassem com os bens de Deus? O grande legislador viveu entre experiências terríveis e dolorosas. Jeremias conheceu longas noites de angústias, a trabalhar pela intangibilidade do nosso patrimônio religioso, entre as perdições de Babilônia. Amós era pobre pastor, filho do trabalho e da humildade. Elias sofreu toda sorte de perseguições, compelido a recolher-se ao deserto, tendo só lágrimas como preço do seu iluminismo. Esdras foi modelo de sacrifício pela paz dos seus compatriotas. Ezequiel foi condenado à morte por haver proclamado a verdade. Daniel curtiu as infinitas amarguras do cativeiro. Mencionais os nossos heroicos instrutores do passado, tão só para justificar o gozo egoístico da vida? Onde guardais a fé? No conforto ocioso ou no trabalho produtivo? Na bolsa do mundo ou no coração que é o templo divino? Incentivais a revolta e quereis a paz? Explorais o próximo e falais de amor a Deus? Não vos lembrais de que o Eterno não pode aceitar o louvor dos lábios quando o coração da criatura permanece d'Ele distante?

A assembleia, ante o sopro daquela sublime inspiração, parecia imóvel, incapaz de se definir. Muitos israelitas supunham ver em Estêvão o ressurgimento de um dos primevos profetas da raça. Mas os fariseus, como se quebrassem a misteriosa força que os emudecia, romperam em algazarra ensurdecedora, gesticulando a esmo, proferindo impropérios, no propósito de atenuar a forte impressão causada pelos surtos eloquentes e calorosos do orador.

– Apedrejemos o imundo! Matemos a calúnia! Anátema ao caminho de Satanás!...

Nesse comenos, Saulo levantou-se rubro de cólera. Não conseguia disfarçar a fúria do temperamento impulsivo a desbordar-lhe dos olhos inquietos e brilhantes.

Caminhou presto para o acusado, dando a entender que ia cassar-lhe a palavra, e a assembleia logo se acalmou, embora continuasse o rumor dos comentários abafados.

Percebendo que ia talvez ser coagido pela violência e, mais, que os fariseus pediam sua morte, Estêvão fixou os mais irônicos e arrebatados, exclamando em voz alta e tranquila:

— Vossa atitude não me intimida. O Cristo foi solícito no recomendar não temêssemos os que só podem matar-nos o corpo.

Não pôde prosseguir. O moço tarsense, mãos à cintura, olhar iracundo e gestos rudes como se defrontasse um malfeitor comum, gritou-lhe furiosamente no ouvido:

— Basta! Basta! Nem mais uma palavra!... Agora que te foi concedido o último recurso inutilmente, também usarei o que me faculta a condição do nascimento em face de um irmão desertor.

E caiu-lhe de punhos fechados no rosto, sem que Estêvão tentasse a menor reação. Os fariseus aplaudiram o gesto brutal, em atroada delirante, qual se estivessem num dia de festa. Dando expansão ao seu arrebatamento, Saulo esmurrava sem compaixão. Sem recursos de ordem moral, ante a lógica do Evangelho, recorria à força física, satisfazendo à índole voluntariosa.

O pregador do "Caminho", submetido a tais extremos, implorava de Jesus a necessária assistência para não se trair no testemunho. Não obstante a reforma radical que a influência do Cristo havia imposto às suas concepções mais íntimas, ele não podia fugir à dor da dignidade ferida. Procurou, contudo, recompor imediatamente as energias interiores, na compreensão da renúncia que o Mestre predicara como lição suprema. Lembrou os sacrifícios do pai em Corinto, reviu na imaginação o seu suplício e morte. Recordou a prova angustiosa que sofrera e considerou que, se tão só no conhecimento de Moisés e dos profetas tanto conseguira em energia moral para enfrentar os ignorantes da bondade divina, que não poderia testemunhar agora com o Cristo no coração? Esses pensamentos acudiam-lhe ao cérebro atormentado, como bálsamo de suprema consolação. Entretanto, embora a fortaleza de ânimo que lhe marcasse o caráter, viu-se que ele vertia copiosas lágrimas. Quando lhe observou o pranto misturado com o sangue a jorrar da ferida que as punhadas lhe abriram em pleno rosto, Saulo de Tarso conteve-se saciado na sua imensa cólera. Não podia compreender a passividade com que o agredido recebera os bofetões da sua força enrijada nos exercícios do esporte.

A serenidade de Estêvão perturbou-o ainda mais. Sem dúvida, estava diante de uma energia ignorada.

Esboçando um sorriso de zombaria, advertiu altaneiro:

– Não reages, covarde? Tua escola é também a da indignidade?

O pregador cristão, apesar dos olhos molhados, respondeu com firmeza:

– A paz difere da violência, tanto quanto a força do Cristo diverge da vossa.

Verificando tamanha superioridade de concepção e pensamento, o doutor da Lei não podia ocultar o despeito e a fúria que lhe transpareciam nos olhos chamejantes. Parecia no auge da irritação, a extravasar nos maiores despropósitos. Dir-se-ia haver chegado ao cúmulo de tolerância e resistência.

Voltando-se para observar a aprovação dos seus partidários, que se contavam por maioria, dirigiu-se ao sumo sacerdote e impetrou uma sentença cruel. Tremia-lhe a voz, pelo esforço físico despendido.

– Analisando a peça condenatória – acrescentou ufano – e, considerados os graves insultos aqui bolçados, como juiz da causa rogo seja o réu lapidado.

Frenéticos aplausos secundaram-lhe a palavra inflexível. Os fariseus tão duramente atingidos pelo verbo ardente do discípulo do Evangelho supunham vingar, desse modo, o que consideravam escárnio criminoso às suas prerrogativas.

A autoridade superior recebeu o alvitre e procurou submetê-lo à votação no reduzido círculo dos colegas mais eminentes.

Foi então que Gamaliel, depois de palestrar em voz baixa com os colegas de elevada investidura, comentando talvez o caráter generoso e a incoercível impulsividade do ex-discípulo, dando-lhes a entender que a sanção proposta seria morte imediata do pregador do "Caminho", levantou-se no inquieto cenáculo e ponderou nobremente:

– Tendo voto neste Tribunal e não desejando precipitar a solução de um problema de consciência, proponho que se estude mais ponderadamente a sentença pedida, retendo-se o acusado em calabouço até que se esclareça a sua responsabilidade perante a justiça.

Saulo percebeu o ponto de vista do antigo mestre, inferindo que ele punha em jogo o seu reconhecido pendor à tolerância. Aquela advertência contrariava-lhe sobremaneira os propósitos resolutos, mas, sabendo que não lhe poderia ultrapassar a autoridade veneranda, acentuou:

— Aceito a proposição na qualidade de juiz do feito; entretanto, adiada a execução da pena, qual fora de desejar e tendo em vista o veneno destilado pelo verbo irreverente e ingrato do réu, espero seja este algemado e recolhido imediatamente ao cárcere. E proponho igualmente investigações mais amplas sobre as atividades supostamente piedosas dos perigosos crentes do "Caminho", a fim de que se extirpe na raiz a noção de indisciplina por eles criada contra a Lei de Moisés, movimento revolucionário de consequências imprevisíveis, que significa, em substância, desordem e confusão em nossas próprias fileiras e ominoso esquecimento das ordenações divinas, conjurando assim a propagação do mal, cujo crescimento intensificará os castigos.

A nova proposta foi plenamente aprovada. Com a sua profunda experiência dos homens, Gamaliel compreendeu que era indispensável conceder alguma coisa.

Ali mesmo, Saulo de Tarso foi autorizado pelo Sinédrio a iniciar as mais latas diligências a respeito das atividades do "Caminho", com ordem de admoestar, corrigir e prender todos os descendentes de Israel dominados pelos sentimentos colhidos no Evangelho, considerado, desde àquela hora, pelo regionalismo semita, como repositório de veneno ideológico, com que o ousado carpinteiro nazareno pretendia revolucionar a vida israelita, operando a dissolução dos seus elos mais legítimos.

O moço tarsense, em frente de Estêvão prisioneiro, recebeu a notificação oficial com um sorriso triunfante.

Encerrou-se, assim, a memorável sessão. Numerosos companheiros acercaram-se do moço judeu, felicitando-o pela palavra vibrante, ciosa da hegemonia de Moisés. O ex-discípulo de Gamaliel recebia a saudação dos amigos e murmurava confortado:

— Conto com todos, lutaremos até o fim.

Os trabalhos daquela tarde tinham sido exaustivos, mas o interesse despertado fora enorme. Estêvão sentia-se cansadíssimo. Ante os grupos que se retiravam esflorando os mais diversos comentários, foi ele maniatado antes de conduzido à prisão. Polarizando os sentimentos do Mestre, não obstante a fadiga, tinha confortada a consciência. Com sincera alegria interior, verificava que mais uma vez Deus lhe concedia a oportunidade de testemunhar a sua fé.

Em poucos instantes, a sombra do crepúsculo parecia caminhar rápida para a noite sombria.

Após suportar as mais dolorosas humilhações de alguns fariseus que se retiravam sob profunda impressão de despeito, custodiado por guardas rudes e insensíveis, ei-lo recolhido ao cárcere, com pesadas algemas.

VII
As primeiras perseguições

Saulo de Tarso, nas características de sua impulsividade, deixou-se empolgar pela ideia de vingança, impressionado com o desassombro de Estêvão em face da sua autoridade e da sua fama. A seu ver, o pregador do Evangelho infligira-lhe humilhações públicas, que impunham reparações equivalentes.

Todos os círculos de Jerusalém, não obstante o curto prazo da sua nova permanência na cidade, não escondiam a admiração que lhe votavam. Os intelectuais do Templo estimavam nele uma personalidade vigorosa, um guia seguro, tomando-o por mestre no racionalismo superior. Os mais antigos sacerdotes e doutores do Sinédrio reconheciam-lhe a inteligência aguda e nele depositavam a esperança do porvir. Na época, sua juventude dinâmica, votada quase inteiramente ao ministério da Lei, centralizava, por assim dizer, todos os interesses da casuística. Com a argúcia psicológica que o caracterizava, o jovem tarsense conhecia o papel que Jerusalém lhe destinava. Assim, as controvérsias de Estêvão doíam-lhe nas fibras mais sensíveis do coração. No fundo, seu ressentimento era apanágio de uma juventude generosa e sincera; entretanto, a vaidade ferida, o orgulho racial, o instinto de domínio, toldavam-lhe a retina espiritual.

No âmago das suas reflexões, odiava agora aquele Cristo crucificado, porque detestava a Estêvão, considerado então como perigoso inimigo.

Não poderia tolerar qualquer expressão daquela doutrina, aparentemente simples, mas que vinha abalar o fundamento dos princípios estabelecidos. Perseguiria inflexivelmente o "Caminho", na pessoa de quantos lhe estivessem associados. Mobilizaria, intencionalmente, todas as simpatias de que dispunha, para multiplicar a devassa imprescindível. Certo, deveria contar com as admoestações conciliatórias de um Gamaliel e de outros raros espíritos, que, a seu ver, se deixariam embair pela filosofia de bondade que os galileus haviam suscitado com as novas escrituras, mas estava convencido de que a maioria farisaica, em função política, ficaria a seu lado, animando-o na empresa começada.

No dia seguinte à prisão de Estêvão, procurou arregimentar as primeiras forças com a máxima habilidade. À cata de simpatia para o amplo movimento de perseguição que pretendia efetuar, visitou as personalidades mais eminentes do Judaísmo, abstendo-se, contudo, de procurar a cooperação das autoridades reconhecidamente pacifistas. A inspiração dos prudentes não o interessava. Necessitava de temperamentos análogos ao seu, para que o cometimento não falhasse.

Depois de concertar largo projeto entre os compatrícios, solicitou uma audiência da Corte provincial, para obter o apoio dos romanos encarregados da solução de todos os assuntos políticos da província. O Procurador, apesar de residir oficialmente em Cesareia, estagiava na cidade e ali tivera notícia dos fatos interessantes da véspera. Recebendo a petição do prestigioso doutor da Lei, hipotecou-lhe solidariedade plena, elogiando as providências em perspectiva. Seduzido pelo verbo fluente do moço rabino, fez-lhe sentir, com a displicência do homem de Estado de todos os tempos e em quaisquer circunstâncias pelos assuntos religiosos, que reconhecia no farisaísmo razões de sobra para mover combate aos galileus ignorantes, que perturbavam o ritmo das manifestações de fé, nos santuários da cidade santa. Concretizando as promessas, concedeu, imediatamente, ao moço de Tarso a necessária outorga para o feito colimado, ressalvando naturalmente os direitos de natureza política, que a suprema autoridade romana devia manter intangíveis.

Entretanto, bastava ao novel rabino a adesão dos poderes públicos aos projetos aventados.

Animado em seus propósitos pela quase geral aprovação do seu plano, Saulo começou a coordenar as primeiras diligências por desvendar as atividades do "Caminho" em suas mínimas modalidades. Obcecado pela ideia da desforra pública, idealizava quadros sinistros na mente superexcitada. Tão logo fosse possível, prenderia todos os implicados. O Evangelho, aos seus olhos, dissimulava sedição iminente. Apresentaria os conceitos oratórios de Estêvão como senha da bandeira revolucionária, de maneira a despertar a repulsa dos companheiros menos vigilantes habituados a pactuar com o mal, a pretexto de acomodatícia tolerância. Combinaria os textos da Lei de Moisés e dos Escritos Sagrados, para justificar que se deveria conduzir os desertores dos princípios da raça, até a morte. Demonstraria a irrepreensibilidade da sua conduta inflexível. Tudo faria por conduzir Simão Pedro ao calabouço. Em sua opinião, devia ser ele o autor intelectual da trama sutil que se vinha formando por causa da memória de um simples carpinteiro. No arrebatamento das ideias precipitadas, chegava a concluir que ninguém seria poupado nas suas decisões irrevogáveis.

Nesse dia, singularizado pela visita às autoridades em evidência, no intuito de atraí-las à sua causa, outros fatos surpreendentes vieram agravar as preocupações que o assoberbavam. Oseias Marcos e Samuel Natan, dois compatriotas riquíssimos, de Jerusalém, depois de ouvirem a defesa pessoal de Estêvão, no Sinédrio, impressionados com a eloquência e justeza dos conceitos do orador, distribuíram com os filhos a parte da herança cabível a cada um, e doaram ao "Caminho" o restante de seus haveres. Para isso, procuraram Simão Pedro beijando-lhe as mãos calejadas no trabalho, depois de lhe ouvirem a palavra acerca de Jesus Cristo.

A notícia ecoou nos círculos farisaicos com as características de verdadeiro escândalo.

Saulo de Tarso teve conhecimento do fato, no dia imediato, aferindo o abalo geral que a atitude de Estêvão provocara. A defecção dos dois correligionários bandeando-se para os galileus causou-lhe profundo sentimento de revolta. Falava-se, mais, que Oseias e Samuel, entregando ao "Caminho" a totalidade de seus bens, haviam declarado, entre lágrimas, que aceitavam o Cristo como o Messias Prometido. Os comentários dos amigos, a respeito, instigavam-no às mais fortes represálias. Designado pelas caprichosas correntes populares como o mais jovem defensor da Lei, sentia-se compelido, cada vez mais, a revelar o seu ascendente nesse posto que considerava sagrado. Na defesa do seu mandato, por isso mesmo, desprezaria todas as considerações tendentes a infirmar-lhe o rigorismo, em que presumia um divino dever.

Considerando a gravidade da última ocorrência que ameaçava a estabilidade do Judaísmo no seio mesmo dos seus elementos mais destacados, procurou novamente as autoridades supremas do Sinédrio, a fim de apressar as repressões em perspectiva.

Atento à autorização concedida pelos mais altos poderes políticos da província, Caifás propôs fosse o zeloso doutor de Tarso nomeado chefe e promotor de todas as providências atinentes e indispensáveis à guarda e defesa da Lei. Competia-lhe, então, promover todos os recursos que julgasse convenientes e úteis, reservadas ao Sinédrio as últimas decisões, máxime, as de natureza mais grave.

Satisfeito com o resultado da reunião que improvisara, o moço tarsense acentuou antes de se despedir dos amigos:

– Hoje mesmo requisitarei o corpo de tropa que deverá operar no perímetro da cidade. Amanhã ordenarei a detenção de Samuel e Oseias, até que se resolvam a retomar juízo e, no fim da semana, tratarei das capturas da gentalha do "Caminho".

– Não temerás, acaso, os sortilégios? – interrogou Alexandre com ironia.

– De modo algum – respondeu sentencioso e decisivo. – Sabendo de oitiva que os próprios militares começam a ficar supersticiosos sob a influência das ideias extravagantes dessa gente, chefiarei em pessoa a expedição, porquanto tenciono recolher o tal Simão Pedro ao calabouço.

– Simão Pedro? – perguntou um dos presentes admirado.

– Por que não?

– Sabes o motivo da ausência de Gamaliel ao nosso encontro de hoje? – tornou o outro.

– Não.

– É que, a convite desse mesmo Simão, ele foi observar as instalações e os feitos do "Caminho". Não achas tudo isso extremamente curioso? Temos, de maneira geral, a impressão de que o chefe humilde dos galileus, desaprovando a atitude de Estêvão perante o Sinédrio, deseja recompor a situação, buscando aproximar-se de nossa autoridade administrativa. Quem sabe? Talvez tudo isso seja útil. No mínimo, é bem possível estejamos caminhando para a necessária rearmonização.

Saulo mostrava-se mais que surpreso, porque estupefato.

— Mas que vem a ser tudo isso? Gamaliel visitando o "Caminho"? Chego a duvidar da sua integridade mental.

— Sabemos — interveio Alexandre — que o mestre sempre pautou seus atos e pensamentos com a máxima correção. Era justo se negasse a tal convite, em consideração a nós outros; entretanto, se tal não fez, é igualmente preciso não desacatemos a deliberação tomada, certo, com a nobreza de objetivos que sempre o inspirou.

— De acordo — disse Saulo algo contrafeito —, entretanto, apesar da amizade e gratidão que lhe consagro, nem mesmo Gamaliel poderá modificar minhas resoluções. É possível que Simão Pedro se justifique, saindo ileso das provas a que será submetido, mas, seja como for, terá de ser conduzido ao cárcere para as necessárias inquirições. Desconfio da sua aparente humildade. Com que fim se abalançaria ele a deixar suas redes para arvorar-se em benfeitor gracioso dos pobres de Jerusalém? Vejo em tudo isso propósitos de sedição que não deve andar muito longe. Os mais humildes e ignorantes caminham à frente dos perigos. Os senhores da destruição aparecem depois.

A palestra animou-se ainda algum tempo, acerca da expectativa geral dos acontecimentos que se aproximavam, até que Saulo se despediu e voltou para casa, disposto a assentar os últimos detalhes do seu plano.

A prisão de Estêvão tivera, na Igreja modesta do "Caminho", ampla repercussão, despertando justificados receios aos Apóstolos da Galileia. Pedro recebera a notícia com profunda tristeza. Encontrara no rapaz de Corinto um auxiliar devotado e um irmão. Além disso, pela nobreza de suas qualidades afetivas, Estêvão se tornara uma figura central a focalizar todas as atenções. Para a sua fronte inspirada convergiam numerosos problemas, em cuja solução o ex-pescador de Cafarnaum não mais dispensava a sua prestigiosa cooperação. Amado pelos aflitos e sofredores, tinha sempre a palavra de bom ânimo, que levantava o mais desalentado coração. Pedro e João preocuparam-se mais por amor, que por quaisquer outras considerações. Entretanto, Tiago, filho de Alfeu, não conseguia disfarçar seu desgosto em face da conduta desassombrada do irmão de fé, que não hesitara em afrontar os poderes farisaicos, dos senhores da situação. Na opinião dele, Estêvão andara errado no capítulo das exortações; deveria comedir-se, merecera a prisão pelos argumentos precipitados na defesa de si mesmo. Fermentara-se a discussão. Pedro fazia-lhe sentir a oportunidade da ocorrência, para que se revelasse a liberdade do Evangelho. E reforçava os argumentos com a lógica dos fatos. A resolução de Oseias e Samuel, entregando-se ao Cristo, era invocada para justificar o êxito espiritual do "Caminho". Toda a cidade comentava os acontecimentos; muitos se aproximavam da Igreja com sincero desejo de melhor conhecer o Cristo, e isso devia significar a vitória da causa; Tiago, no entanto, não se deixava vencer pelos mais fortes raciocínios. A discórdia tomava corpo, mas Simão e o filho de Zebedeu sobrepunham a tudo os interesses da mensagem de Jesus. O Mestre afirmara-se emissário para todos os desalentados e doentes. E estes já conheciam a Igreja humilde de Jerusalém, iluminando-se com a palavra de vida e de verdade. Os enfermos, os desiludidos da sorte, os desprotegidos do mundo, os tristes, iam-lhe ao encontro para o esclarecimento consolador. Era de ver-se como se rejubilavam na dor, quando se lhes falava da claridade eterna da ressurreição. Velhinhos trêmulos abriam os olhos desmesuradamente, como se contemplassem novos horizontes de imprevistas esperanças. Criaturas cansadas da luta terrestre sorriam venturosas, quando, ouvindo a Boa-Nova, compreendiam que a existência amargurada não era tudo.

Pedro observava os sofredores que Jesus tanto amara e experimentava novas forças.

Ciente da atitude nobre de Gamaliel ante as acusações do doutor de Tarso, e crente de que só ela evitara o apedrejamento imediato de Estêvão, concebeu o projeto de convidá-lo a visitar as instalações toscas da Igreja do "Caminho". Exposta aos companheiros, a ideia foi unanimemente aprovada. João era o mensageiro escolhido para o novo cometimento.

Gamaliel não só recebeu cavalheirescamente o emissário, como também demonstrou grande interesse pelo convite, aceitando-o com a generosidade que lhe exornava a velhice veneranda.

Entabuladas as combinações, o sábio rabino deu entrada na casa pobre dos galileus, que o receberam com infinita alegria. Simão Pedro, profundamente respeitoso, explicou-lhe as finalidades da instituição, esclareceu-o relativamente os feitos verificados e falou do conforto dispensado aos que se encontravam em abandono. Carinhosamente, ofereceu-lhe uma cópia, em pergaminho, de todas as anotações de *Mateus* sobre a personalidade do Cristo e seus gloriosos ensinamentos. Gamaliel agradecia atencioso ao ex-pescador, tratando-o igualmente com deferência e consideração. Dando a entender que desejava expor à sua respeitável apreciação todos os programas da Igreja humilde, Simão conduziu o velho doutor da Lei a todas as dependências. Chegados à longa enfermaria em que se aglomeravam os mais diversos doentes, o grande rabino de Jerusalém não pôde ocultar a máxima impressão, comovido até as lágrimas com o quadro que se lhe deparava aos olhos espantados. Em leitos acolhedores via anciães de cabelos nevados pelos invernos da vida e crianças esquálidas, cujos olhares agradecidos acompanhavam o vulto de Pedro, como se estivessem na presença de um pai. Não dera ainda dez passos em torno dos móveis singelos e limpos, quando estacou à frente de um velhinho de miserável aspecto. Imobilizado pela enfermidade que o prostrara, o pobre enfermo pareceu reconhecê-lo igualmente.

E o diálogo se travou sem preâmbulos:

– Samônio, tu aqui? – interrogou Gamaliel admirado. – Pois será possível que abandonasses Cesareia?

– Ah! sois vós, senhor! – respondeu o interpelado com uma lágrima no canto dos olhos. – Ainda bem que um dos meus compatrícios e amigos chegou a observar minha grande miséria.

O pranto embargou-lhe a voz, impedindo-o de continuar.

– Mas os teus filhos? E os parentes? Na posse de quem estão tuas propriedades da Samaria? – perguntava o velho mestre perplexo. – Não chores, Deus tem sempre muito para nos dar.

Decorrida longa pausa em que Samônio pareceu coordenar as ideias para explicar-se, conseguiu limpar as lágrimas e prosseguir:

– Ah, senhor! como Jó, vi meu corpo apodrecer entre os confortos de minha casa; Jeová em sua sabedoria reservava-me longas provanças. Denunciado como leproso, em vão solicitei socorro dos filhos que o Criador me concedeu na mocidade. Todos me abandonaram. Os familiares deram-se pressa em partir, deixando-me sozinho. Os amigos que se banqueteavam comigo, em Cesareia, fugiram sem que os pudesse ver. Fiquei só e desamparado. Um dia, para suprema desesperação da minha desdita, os executores da justiça procuraram-me para notificar a sentença cruel. Combinados entre si, a conselho da iniquidade, meus filhos destituíram-me de todos os bens, assenhorearam-se de minhas posses e dos títulos em dinheiro, que representavam a esperança de uma velhice honesta. Por fim e para cúmulo de sofrimentos, conduziram-me ao vale dos imundos, onde me abandonaram como se fora um criminoso sentenciado à morte. Senti tanto abandono e tanta fome, experimentei tamanhas necessidades, talvez pela minha vida passada no trabalho e no conforto, que fugi do vale dos leprosos, fazendo longa jornada a pé, esperançoso de encontrar em Jerusalém as amizades valiosas de outrora.

Ouvindo o relato doloroso, o velho mestre tinha os olhos úmidos. Conhecera Samônio nos dias mais felizes de sua vida. Homenageado em sua residência, de passagem por Cesareia, espantava-se agora daquela angustiosa indigência.

Depois de pequeno interregno em que o doente procurava enxugar o suor e as lágrimas, com voz pausada continuou:

– Empreendi a viagem, mas tudo conspirou contra mim. Em breve os pés chagados não podiam caminhar. Arrastava-me como podia, cheio de cansaço e sede, quando um carroceiro humilde, apiedado, me colheu e trouxe a esta casa, onde a dor encontra um consolo fraternal.

Gamaliel não sabia como externar sua surpresa, tal a emoção que lhe vibrava no íntimo. Pedro, igualmente, estava sensibilizado. Acostumando-se à prática do bem sem cogitar jamais dos antecedentes do socorrido, via no caso uma confortadora revelação do amoroso poder do Cristo.

O grande rabino estava atônito diante do que ali via e ouvia. Com a sinceridade que lhe era peculiar, não podia dissimular sua amizade agradecida ao pobre enfermo, mas, sem recursos para retirá-lo daquele pobre albergue, via-se na contingência de estender seu reconhecimento a Simão Pedro e demais companheiros do ex-pescador de Cafarnaum. Só agora reconhecia que o Judaísmo não havia cogitado desses pousos de amor. Encontrando ali o amigo leproso, desejou sinceramente ampará-lo. Mas como? Pela primeira vez pensou na dolorosa eventualidade de enviar um ente amado ao vale dos imundos. Ele que aconselhara esse recurso a tanta gente, ali estava considerando, agora, a situação de um amigo querido. O episódio abalava-o profundamente. Procurando evitar raciocínios filosóficos, de modo a não cair em conclusões apressadas, falou com doçura:

– Sim, tens razão para agradecer o esforço dos teus benfeitores.

– E também a misericórdia do Cristo – acentuou o doente com uma lágrima. – Creio, agora, que o generoso Profeta de Nazaré, com o testemunho de amor que nos trouxe, é o Messias Prometido.

O grande doutor compreendeu o êxito da nova doutrina. Aquele Jesus desconhecido, ignorado da sociedade mais culta de Jerusalém, triunfava no coração dos infelizes, pela contribuição de amor desinteressado que trouxera aos mais deserdados da sorte. Compreendeu, ao mesmo tempo, a discrição que se lhe impunha naquele meio humilde, atentas as suas responsabilidades na vida pública. Precisando prosseguir na conversa, por testemunhar o seu altruísmo e piedade, advertiu com um sorriso:

— Acredito que Jesus de Nazaré, de fato, foi um modelo de renúncia em prol de ideias que, até hoje, não pude perquirir ou compreender, mas daí a considerá-lo o próprio Messias...

Essas palavras reticenciosas davam a compreender o escrúpulo do seu coração delicado, entre a Lei Antiga e as novas revelações do Evangelho. Simão Pedro assim o entendeu e, debalde, procurava um meio para desviar a palestra noutro rumo. O próprio Samônio, porém, como tutelado do Mestre, foi em auxílio do Apóstolo, redarguindo a Gamaliel com observações ponderadas e justas:

— Se eu estivesse com saúde, plenamente identificado com a família e no gozo dos bens que conquistei com esforço e trabalho, talvez duvidasse também dessa realidade confortadora. Mas estou prostrado, esquecido de todos e sei quem me deu mão amiga. Como israelitas, amantes da Lei de Moisés, temos esperado um Salvador na pessoa mortal de um príncipe do mundo; contudo, essa crença há de prevalecer para uma situação passageira. São ilusórios preconceitos esses que nos levam a induzir uma dominação de forças perecíveis. A enfermidade, porém, é conselheira carinhosa e esclarecida. De que nos valeria um profeta que salvasse o mundo para depois desaparecer entre as misérias anônimas de um corpo apodrecido? Não está escrito que toda iniquidade perecerá? E onde está o príncipe poderoso da Terra que domine sem a garantia das armas? O leito de dor é um campo de ensinamentos sublimes e luminosos. Nele, a alma exausta vai estimando no corpo a função de uma túnica. Tudo o que se refira à vestimenta vai perdendo, consequentemente, de importância. Persevera, contudo, a nossa realidade espiritual. Os antigos afirmavam que somos deuses. Na minha situação atual tenho a perfeita impressão de que somos deuses projetados num turbilhão de pó. Apesar das chagas pustulentas que me segregaram das afeições mais queridas, penso, quero e amo. Na câmara escura do sofrimento, encontrei o Senhor Jesus, para compreendê-lo melhor. Hoje creio que seu poder dominará as nações, porque é a força do amor triunfando da própria morte.

A voz daquele homem marcado de feridas roxas, no seu grave entono, parecia o clarim da verdade saindo de um monte de pó. Pedro verificava, satisfeito, o progresso moral daquele mendigo anônimo, para avaliar intimamente a força regeneradora do Evangelho. Gamaliel, por sua vez, aturdia-se com o profundo sentido daqueles conceitos. A pregação do Cristo, nos lábios de um doente desamparado, tinha um cunho de beleza misteriosa e singular. Samônio falara no tom de quem tivera experiências diretas de um encontro real com o Profeta nazareno, buscando afastar qualquer possibilidade de controvérsia religiosa, o generoso rabino sorriu e acrescentou:

— Reconheço que falas com muita sabedoria. Se é incontestável que estou em uma idade em que não seria útil alterar os princípios, não posso manifestar-me contrário às tuas suposições, pois estou bem de saúde, gozo o carinho dos meus e tenho vida tranquila. Minha faculdade de julgar, portanto, tem de operar noutro rumo.

— Sim, é justo — retrucou Samônio inspirado —, por enquanto não estais precisando de um salvador. Eis por que o Cristo afirmava que viera para os doentes e para os aflitos.

Gamaliel compreendeu o alcance dessas palavras que davam para meditar uma vida inteira. Sentiu os olhos úmidos. A observação de Samônio penetrara-lhe fundo o coração sensível de homem justo. Percebendo, todavia, que necessitava de prudência para não confundir os sentimentos do povo, atento o cargo oficial que ocupava, esboçou um manso sorriso para o interlocutor, bateu-lhe levemente no ombro, e com acento de fraternal sinceridade acentuou:

— Talvez tenhas razão. Estudarei o teu Cristo.

E lembrando o pouco tempo de que dispunha, recomendou o amigo a Simão, despedindo-se num abraço, para acompanhar o Apóstolo de Cafarnaum às últimas dependências.

Antes de se retirar, o sábio rabino felicitou os companheiros de Jesus pela obra que realizavam na cidade, e, compreendendo a delicadeza de sua missão num ambiente por vezes tão hostil, aconselhou a Pedro não esquecer, na Igreja do "Caminho", todas as práticas exteriores do Judaísmo. Seria justo, a seu ver, que se cuidasse da circuncisão de todos os que lhe batessem à porta; que evitassem as viandas impuras; que não olvidassem o Templo e seus princípios. Gamaliel sabia que os galileus não seriam isentos de perseguição, ainda mais se tratando de uma organização iniciada por alguém que fora condenado à morte pelo Sinédrio. Com aqueles conselhos, visava aparar os golpes da violência, que, cedo ou tarde, haveriam de chegar.

Pedro, João e Tiago agradeceram sensibilizados a carinhosa admoestação, e o velho doutor regressou ao lar, fundamente impressionado com as lições do dia, levando consigo os apontamentos de *Mateus*, que se pôs a ler imediatamente.

Mais dois dias decorreram e as perseguições capitaneadas por Saulo de Tarso começaram a sacudir Jerusalém em todos os setores de suas atividades religiosas.

Oseias Marcos e Samuel Natan foram presos, sem nota de culpa, a fim de responderem a rigoroso inquérito. Os cooperadores do movimento organizaram longas nominatas dos israelitas mais destacados que frequentavam as reuniões da Igreja do "Caminho". O moço de Tarso determinara que se abrisse inquérito geral. Entretanto, como desejava dar uma demonstração de desassombro aos adversários, julgou que deveria iniciar as prisões de maior importância, depois do encarceramento de Oseias e Samuel, no reduto mesmo dos galileus obscuros, que haviam ousado afrontar a sua autoridade.

Foi pela manhã de um dia muito claro, que o futuro rabino, cercado de alguns companheiros e soldados, bateu à porta da casa humilde, fazendo grande alarde dos fins de sua visita insidiosa. Simão Pedro em pessoa foi atendê-lo com grande serenidade nos olhos. Indisfarçável pavor estabeleceu-se entre os mais tímidos, porquanto, dois jovens que acompanhavam o Apóstolo se incumbiram de correr ao interior e espalhar a notícia.

— És tu Simão Pedro, antigo pescador de Cafarnaum? – perguntou Saulo com certa ironia.

— Eu mesmo – respondeu com firmeza.

— Estás preso! – obtemperou o chefe da expedição num gesto de triunfo.

E mandando que dois dos companheiros se adiantassem, ordenou que fosse o Apóstolo algemado incontinente. Pedro não opôs a mínima resistência. Impressionado com o temperamento pacífico que os continuadores do Nazareno testemunhavam sempre, Saulo objetou com escárnio:

— O Mestre do "Caminho" deve ter sido um alto modelo de inércia e covardia. Ainda não encontrei qualquer indício de dignidade nos seus discípulos, cujas faculdades de reação parecem mortas.

Recebendo em cheio tão acerba injúria, o ex-pescador respondeu serenamente:

— Enganai-vos quando assim julgais. O discípulo do Evangelho é apenas inimigo do mal e, na sua tarefa, coloca o amor acima de todos os princípios. Além do mais, nós consideramos que todo jugo, com Jesus, é suave.

O jovem tarsense, detentor de tão alto poderio, não dissimulou o mal-estar que a resposta lhe causava e, apontando o continuador de Jesus, disse a um dos homens da escolta:

— Jonas, toma conta dele.

E, acentuando ironicamente as palavras, dirigiu-se aos demais com um gesto de desprezo para o Apóstolo algemado, que o contemplava sereno, embora surpreendido:

— Não discutamos com este homem. Esta gente do "Caminho" está sempre cheia de raciocínios absurdos. É preciso não perder tempo com a cegueira da ignorância. Vamos até lá dentro, prendamos os chefes. Os sequazes do carpinteiro hão de ser perseguidos até o fim.

Resoluto, tomou a dianteira, penetrando ousadamente em busca dos apartamentos mais íntimos. De porta em porta, encontrava mendigos que o fitavam tomados de espanto e amargura. O quadro vivo de tanta miséria abrigada enchia-o de admiração, mas esforçava-se por não perder a enfibratura implacável, de maneira a executar seus projetos nos menores detalhes. Ao lado da enfermaria de mais vastas proporções, encontrou o filho de Zebedeu, que lhe ouviu a voz de prisão sem alterar a serenidade fisionômica.

Sentindo as mãos grosseiras do soldado que lhe aplicava as algemas, João ergueu os olhos ao Alto e murmurou simplesmente:

— Encomendo-me ao Cristo.

O chefe da caravana olhou-o com profundo desprezo e exclamou altivamente para os companheiros:

— Faltam dois dos mais suspeitos. Procuremo-los.

Referia-se a Filipe e Tiago, na qualidade de discípulos diretos do Messias Nazareno.

Mais alguns passos e o primeiro foi encontrado facilmente. Filipe deixou-se algemar sem um protesto. Suas filhas o rodearam aflitas e chorosas.

— Coragem, filhas – disse ele sem temor –, acaso seríamos superiores a Jesus, que foi perseguido e crucificado pelos homens?

— Ouves, Clemente? — perguntou Saulo, irritado, a um dos amigos mais cotados. — Não se percebe outra coisa a não ser referências ao estranho Nazareno! O primeiro falou em jugo do Cristo, o segundo encomendou-se ao Cristo, este alude à superioridade do Cristo... Aonde iremos?

Após desabafar a cólera, em termos ásperos, rematava com o estribilho constante:

— Havemos de ir até o fim.

Seguros os três prisioneiros, faltava o filho de Alfeu. Alguém se lembrou de procurá-lo no tosco biombo que ocupava. Com efeito, lá o acharam ajoelhado, tendo diante dos olhos um rolo de pergaminhos em que se encontrava a Lei de Moisés. Via-se-lhe a palidez marmórea do rosto, quando Saulo se aproximou ríspido:

— Que é isso? Há aqui alguém que cuide da Lei?

O irmão de Levi levantou os olhos transbordantes de sincero receio e explicou humilde:

— Senhor, jamais esqueci a Lei de nossos pais. Meus avós ensinaram-me a receber de joelhos as luzes do profeta santo.

A atitude de Tiago não traduzia fingimento. Consagrando o máximo respeito ao libertador de Israel, sempre ouvira dizer que seus livros sagrados estavam tocados de virtude santa. Na expectativa do cárcere, atemorizara-se com o perigo iminente. Não pudera compreender, maiormente, como outros companheiros, o sentido divino e oculto das lições do Evangelho. O sacrifício inspirava-lhe indisfarçáveis temores. Afinal, pensava ele na compreensão parcial do Cristo: "quem ficaria para superintender as obras começadas?" O Mestre expirara na cruz e naquele instante, os Apóstolos de Jerusalém estavam presos. Precisava defender-se com os meios possíveis, ao seu alcance. Imaginou recorrer às virtudes sobrenaturais da Lei de Moisés, de acordo com as velhas crenças. Genuflexo, esperara os verdugos que se aproximavam.

Em face da atitude imprevista de Tiago, Saulo de Tarso estava atônito. Só os espíritos profundamente aferrados ao judaísmo liam, de joelhos, os ensinamentos de Moisés. Em sã consciência, não poderia ordenar a prisão daquele homem. O argumento que justificava sua tarefa, perante as autoridades políticas e religiosas de Jerusalém, era o combate aos inimigos das tradições.

— Mas não sois amigo do carpinteiro?

Com invejável presença de espírito o interpelado respondeu:

– Não me consta que a Lei nos impeça de ter amigos.

Saulo perturbou-se, mas prosseguiu:

– Mas que escolheis? A Lei ou o Evangelho? Qual dos dois aceitais em primeiro lugar?

– A Lei é a primeira revelação divina – disse Tiago com inteligência.

Ante a resposta que o desconcertava, de alguma sorte, o moço de Tarso refletiu um momento e acrescentou, dirigindo-se, aos circunstantes:

– Está bem. Este homem fica em paz.

O filho de Alfeu, intimamente satisfeito com o resultado de sua iniciativa, acreditava agora que a Lei de Moisés estava tocada de graças vivas e permanentes. A seu ver, fora o código do Judaísmo o talismã que o conservara em liberdade. Desde esse dia, o irmão de Levi ia consolidar, para sempre, suas tendências supersticiosas. O fanatismo que os historiadores do Cristianismo encontraram na sua personalidade enigmática teve aí sua origem.

Afastando-se do aposento de Tiago, Saulo preparava-se para sair, quando, de regresso à portaria para ordenar a partida dos prisioneiros, esbarrou com a cena que mais o haveria de impressionar.

Todos os doentes que se podiam arrastar, todos os abrigados capazes de se moverem, cercavam a pessoa de Pedro, chorando comovidamente. Algumas crianças lhe chamavam "pai"; anciães trêmulos osculavam-lhe as mãos...

– Quem se compadecerá de nós agora? – perguntava uma velhinha debulhada em pranto.

– Meu "pai", aonde vão levar-vos? – dizia um órfão afetuoso, abraçando-se ao prisioneiro.

– Vou ao monte, filho – respondia o Apóstolo.

– E se vos matarem? – tornava o pequenino com uma grande interrogação nos olhos azuis.

– Encontrar-me-ei com o Mestre e voltarei com Ele – esclarecia Pedro bondosamente.

Nesse instante, surgiu a figura de Saulo, que regressava. Contemplando a multidão de aleijados, cegos, leprosos e crianças que entupiam a sala, exclamou irritado:

– Afastem-se, abram caminho!

Alguns recuavam, espavoridos, vendo os soldados que se aproximavam, enquanto os mais resolutos não arredavam passo. Um leproso, que mal se punha em pé, adiantou-se. O velho Samônio, recordando-se do tempo em que podia mandar e ser obedecido aproximou-se de Saulo com desassombro.

– Nós precisamos saber para onde vão estes prisioneiros – disse com gravidade.

– Para trás! – exclamou o moço tarsense, esboçando um gesto de repugnância. – Será possível que um homem da Lei tenha de dar satisfações a um velho imundo?

Os guardas armados tentaram adiantar-se, para castigar o atrevido; no entanto, a lepra defendia Samônio dos seus ataques. Prevalecendo-se da situação, o antigo proprietário de Cesareia revidou com firmeza:

– O homem da Lei não precisa prestar contas senão a Deus, quando no exato cumprimento dos seus deveres; todavia, nesta casa, falam os códigos de humanidade. Para vós eu sou imundo, mas para Simão Pedro sou um irmão. Prendeis os bons e libertais os maus! Onde a vossa justiça? Credes somente no Deus dos exércitos? É indispensável saberdes que se o Eterno é o fator supremo da ordem, o Evangelho nos ensina a buscar em sua providência o carinho de um pai.

Ouvindo aquela voz digna, que fluía da miséria e do sofrimento como um apelo de desesperação, Saulo quedara-se admirado. O mendigo, entretanto, depois de longa pausa, prosseguia resoluto:

– Onde estão vossas casas de arrimo aos oprimidos da sorte? Quando vos lembrastes de um asilo para os mais infelizes? Enganai-vos se supondes inércia em nossa atitude. Os fariseus levaram Jesus ao Calvário da crucificação, privando os necessitados de sua presença inefável. Por haver praticado o bem, Estêvão foi metido no cárcere. Agora, o Sinédrio requisita os Apóstolos do "Caminho", retribuindo-lhes a bondade com a escuridão do calabouço. Mas estais equivocados. Nós, os miseráveis de Jerusalém, haveremos de lutar convosco. De Simão Pedro nós disputaremos a própria sombra. Se vos negardes a atender nossas súplicas, importa lembrardes que somos leprosos. Envenenaremos vossos poços. Pagareis a perversidade com a saúde e com a vida.

Nesse ínterim, não pôde continuar.

Ante a expectativa angustiosa de todos, Saulo de Tarso sentenciou ríspido:

— Cala-te, miserável! Onde estou que te pude ouvir até agora? Nem mais uma palavra.

E designando-o a um dos soldados, murmurou com desprezo:

— Sinésio, dá-lhe dez bastonadas. É indispensável castigar-lhe a língua insolente e viperina.

Ali mesmo, à vista de todos os companheiros que se retraíam amedrontados, Samônio recebeu o castigo sem balbuciar uma queixa. Pedro e João tinham os olhos úmidos. Os demais doentes encolhiam-se estarrecidos.

Terminada a tarefa, um grande silêncio dominava os corações ansiosos e doloridos. O doutor de Tarso rompeu a expectativa com a ordem de partida, a caminho do cárcere.

Duas crianças pálidas acercaram-se, então, do ex-pescador de Cafarnaum e perguntaram chorosas:

— "Pai", com quem ficaremos nós?

Pedro voltou-se, acabrunhado, e respondeu com ternura:

— As filhas de Filipe ficarão convosco... Se Jesus permitir, meus filhos, não me demorarei.

O próprio Saulo, intimamente, estava comovido; entretanto, não desejava trair-se a si mesmo, deixando-se vencer pela emoção que o quadro lhe provocava.

Pedro compreendeu que as lágrimas silenciosas de todos os tutelados humildes do "Caminho" traduziam desvelado amor, naquele momento de angustiantes despedidas.

Em seguida a esse feito, o jovem tarsense desdobrou as energias na primeira perseguição experimentada pelas expressões individuais e coletivas do Cristianismo nascente. Mais do que se poderia supor, Jerusalém regurgitava de criaturas que se interessavam pelas ideias do Messias Nazareno. Saulo prevaleceu-se dessa circunstância para fazer sentir, mais uma vez, o perigo ideológico que o Evangelho representava. Numerosas prisões foram efetuadas. Na cidade, iniciara-se um êxodo de grandes proporções. Os amigos do "Caminho", com possibilidades financeiras, preferiam encetar vida nova na Idumeia ou na Arábia, na Cilícia ou na Síria. Os que podiam, escapavam ao rigor dos inquéritos violentos, iniciados com retumbâncias de escândalo público. As personalidades mais eminentes eram metidas na prisão, incomunicáveis, mas os anônimos e humildes, os da plebe, sofriam grandes vexames nas dependências do Tribunal onde se faziam os interrogatórios. Os guardas assalariados por Saulo, para a execução do nefando trabalho, excediam-se nos abusos.

– És do "Caminho" de Cristo Jesus? – perguntava um deles a uma desventurada mulher, com risinhos de ironia.

– Eu... eu... – gaguejava a infeliz, compreendendo a delicadeza da situação.

– Depressa, dize depressa! – tornava o beleguim desrespeitoso.

A mísera criatura empalidecia a tremer, refletindo nos pesados castigos que lhe seriam impostos e retrucava com profundo temor:

– Eu... não...

– E que foste fazer nas suas assembleias sediciosas?

– Fui buscar remédio para um filhinho doente.

Em face da negativa, o preposto do Sinédrio parecia acalmar-se, mas logo exclamava para um dos auxiliares:

– Muito bem! A interrogada pode ir em paz; antes, porém, de retirar-se, manda o regulamento se lhe aplique alguns golpes de chanfalho.[26]

E era inútil resistir. Naquele tribunal singular, por longos dias seguidos, verificaram-se punições de toda espécie. Das respostas do querelado dependiam o encarceramento, os açoites, o chanfalho, as bastonadas, as macerações e os apupos.

Saulo tornara-se a mola central do movimento terrível e execrado por todos os simpatizantes do "Caminho". Multiplicando energias, visitava diariamente os núcleos do serviço a que costumava chamar "expurgo de Jerusalém", desenvolvendo atividade pasmosa, dentro da qual mantinha a vigilância constante das autoridades administrativas, encorajava os auxiliares e prepostos, instigava outros perseguidores dos princípios de Jesus, sem deixar arrefecer-se o zelo religioso do Sinédrio.

Dentro de uma semana, após as prisões efetuadas na Igreja modesta, realizava-se a memorável sessão em que Pedro, João e Filipe deveriam ser julgados. A assembleia excepcional despertara a maior curiosidade. Lá se congregavam todas as personalidades eminentes do farisaísmo dominante. Gamaliel compareceu, dando mostras de profundo abatimento.

De modo geral, comentava-se a atitude dos mendigos que, não obtendo permissão de ingresso, aglomeravam-se em longas filas na grande

---

[26] N.E.: Qualquer instrumento cortante usado como arma; facão, espada, adaga.

praça e protestavam em atroante vozerio. Debalde aplicavam-lhes bastonadas a torto e a direito, porque a turba de miseráveis assumira proporções nunca vistas. O quadro era curioso e alarmante. Tomar providências para correr com a massa parecia tarefa impossível. Os peregrinos e os doentes contavam-se por centenas numerosas. Era inútil reprimir nos pontos isolados, o que somente vinha agravar a revolta e desesperação de muitos. Em altos brados reclamavam a liberdade de Simão Pedro. Exigiam em tumulto a sua libertação, como se exigissem um legado de seu legítimo direito.

No salão nobre, não só os assistentes comentavam o fato, mas também os juízes não dissimulavam profunda impressão. O próprio Anás contava o assédio de que vinha sendo objeto, por parte dos favorecidos de Jerusalém. Alexandre alegava que à sua residência afluíram centenas de aflitos a solicitar-lhe os bons ofícios a favor dos prisioneiros. Saulo, de vez em quando, respondia a um ou outro, com rápidos monossílabos. Sua fisionomia carregada traduzia propósitos inferiores relativamente ao destino dos Apóstolos da Boa-Nova, que lá estavam à sua frente, no fundo da sala, humildes, serenos, no banco dos criminosos comuns.

Viu-se, então, que Gamaliel se detinha com o sumo sacerdote em conversação íntima, que durou alguns minutos e despertava grande curiosidade entre os colegas. Em seguida, o venerando doutor da Lei chamou o ex-discípulo para um entendimento particular, antes de iniciarem os trabalhos. Os colegas perceberam que o rabino tolerante e generoso ia advogar a causa dos continuadores do Nazareno.

– Qual a sentença a ser proposta para os prisioneiros? – interrogou o velhinho com bondoso interesse, logo que se viram distanciados dos grupos rumorosos.

– Sendo eles galileus – disse Saulo enfático da sua autoridade –, não lhes será conferido o direito da palavra no recinto; de maneira que já deliberei a punição que lhes cabe. Vou propor a morte dos três, com a de Estêvão, pelo apedrejamento.

– Que dizes? – exclamou Gamaliel surpreso.

– Não vejo outro recurso – disse o moço tarsense –, precisamos extirpar pela raiz os males que começam. Acredito que, se encararmos o movimento com tolerância, teremos o prestígio do Judaísmo abalado por nossas próprias mãos.

— Entretanto, Saulo — replicou o velho mestre com profunda bondade —, devo invocar o ascendente que tenho em tua formação espiritual, para defender estes homens da pena de morte.

O moço caprichoso fez-se lívido. Não se habituara a transigir nos seus conceitos e decisões. Sua vontade era sempre tirânica e inflexível. Mas Gamaliel fora de todos os tempos o seu melhor amigo. Aquelas mãos rugosas lhe haviam ministrado os exemplos mais santos. Delas recebera vasto potencial de socorro em todos os dias da vida. Compreendeu que defrontava um obstáculo poderoso na consecução integral de seus desejos. O venerando rabino percebeu a perplexidade e logo insistiu:

— Ninguém mais do que eu conhece a generosidade do teu coração e sou o primeiro a reconhecer que tuas resoluções obedecem ao zelo inexcedível na defesa de nossos princípios milenares, mas o "Caminho", Saulo, parece ter uma grande finalidade na renovação dos nossos valores humanos e religiosos. Quem, entre nós, havia se lembrado de amparar os infortunados com o provimento de um lar afetuoso e fraterno? Antes da tua diligência corretiva, visitei essa instituição singela e pude confortar-me na observação do seu excelente programa.

O jovem doutor estava pálido, ouvindo tais conceitos, que, a seu ver, eram positivo sinal de fraqueza.

— Mas será possível — disse admirado — que também vós tenhais lido o Evangelho dos galileus?

— Estou a lê-lo — confirmou Gamaliel sem titubear — e pretendo meditar mais demoradamente os fenômenos que ocorrem em nosso tempo. Pressinto grandes transformações em toda parte. Tenciono retirar-me da vida pública em breves dias, a fim de tomar o caminho do deserto. É claro, porém, que estas minhas palavras devem ser guardadas por ti, em penhor de mútua confiança.

Sumamente impressionado, o moço de Tarso não sabia o que responder. Presumia o mestre respeitável mentalmente prejudicado por excesso de lucubrações. O mestre, porém, como se lhe adivinhasse o pensamento, acrescentou:

— Não me suponhas mentalmente debilitado. A velhice no corpo não me apagou a capacidade de pensar e discernir por mim mesmo. Compreendo o escândalo que se levantaria em Jerusalém se um rabino do Sinédrio modificasse publicamente as convicções mais íntimas. Mas é preciso convir que estou falando a um filho espiritual. Exponho, sinceramente, o meu ponto de vista, faço-o tão só para defender homens generosos e justos de uma sentença iníqua e indevida.

— Vossa revelação — exclamou Saulo de roldão — decepciona-me profundamente!

— Conheces-me de menino e sabes que o homem sincero não se poderá preocupar com os que o elogiem ou o lamentem no cumprimento de um sagrado dever.

E, imprimindo carinhoso acento à voz, acentuou solícito:

— Não me faças ir contigo, nessa assembleia, aos debates públicos escandalosos e atentatórios da feição amorosa que toda verdade deve trazer consigo. Libertarás esses homens em atenção ao nosso passado de mútuo entendimento. É só o que te peço. Deixa-os em paz, por amor aos nossos laços afetivos. Daqui a alguns dias não precisarás conceder mais coisa alguma ao velho mestre. Serás meu substituto neste cenáculo, porquanto tenciono abandonar a cidade em breves dias.

E como Saulo hesitasse, continuou:

— Não precisarás refletir muito tempo. O sumo sacerdote está ciente de que eu pediria tua clemência para os prisioneiros.

— Mas... e a minha autoridade? — interrogou o rapaz com orgulho — Como conciliar a indulgência com a necessidade de reprimir o mal?

— Toda a autoridade é de Deus. Nós somos simples instrumentos, meu filho. Ninguém se diminuirá por ser bom e tolerante. Quanto à providência mais digna, cabível no caso, é conceder liberdade a todos eles.

— Todos? — perguntou Saulo num gesto de grande admiração.

— Como não? — confirmou o venerável doutor da Lei. — Pedro é um homem generoso, Filipe é um pai de família extremamente dedicado ao cumprimento de seus deveres, João é um moço simples, Estêvão se consagrou aos pobres.

— Sim, sim — interrompeu o moço tarsense —, concordo com a libertação dos três primeiros, com uma condição. Por serem casados, Pedro e Filipe poderão continuar em Jerusalém, restringindo suas atividades ao socorro dos doentes e necessitados; João será banido, mas Estêvão deverá sofrer a sentença decisiva. Já propus, publicamente, a lapidação, e não vejo motivos para transigir, mesmo porque, para escarmento, pelo menos um dos discípulos do carpinteiro deve morrer.

Gamaliel compreendeu a força daquela resolução pela veemência das palavras que a traduziam. Saulo deixara bem claro que não transigiria, quanto ao taumaturgo. O velho rabino não insistiu. Para evitar um escândalo, entendeu que Estêvão pagaria com o sacrifício. Aliás, considerando o temperamento voluntarioso do ex-discípulo, a quem a cidade havia conferido atribuições tão vastas, já não era pouco obter clemência para os três homens justos, consagrados ao bem comum.

Compreendendo a situação, acentuou o respeitável rabino.

– Pois bem, seja assim!

E, com um sorriso de bondade, deixou o moço algo preocupado e perplexo.

Daí a instantes, com surpresa geral da assembleia, Saulo de Tarso, da tribuna, propunha a libertação de Pedro e Filipe, o banimento de João, e reiterava o pedido de apedrejamento para Estêvão, por considerá-lo o mais perigoso dos elementos do "Caminho". As autoridades do Sinédrio apreciando os alvitres, com satisfação, por saberem que a medida agradaria à turba numerosa, afirmaram seu unânime consentimento e a morte de Estêvão foi aprazada para uma semana depois, convidando Saulo os amigos para a triste cerimônia pública a que ele próprio haveria de presidir.

VIII
A morte de Estêvão

Apesar das atividades intensas, o moço de Tarso não deixara de comparecer pontualmente em casa de Zacarias, em que, no coração de Abigail, encontrava o necessário repouso. Se as lutas em Jerusalém consumiam-lhe as forças, perto da mulher amada parecia recobrá-las, no doce encantamento com que esperava a realização das mais caras esperanças. Tinha a impressão de que o mundo era um campo de batalha, no qual lhe cabia combater pela Lei de Deus; todavia, como o Eterno era justo e generoso, concedera-lhe, na dedicação da sua eleita, um pouso de consolação.

Abigail era o seu mundo sentimental. As lutas de cada dia, as providências rigorosas que lhe impunha o cargo, a rigidez com que deveria tratar as questões confiadas ao seu foro, eram transvazadas no coração da noiva, cheio de amor, de piedade e justiça. Ela acolhia-lhe as ideias com atenção afetuosa, parecia temperá-las na ternura da alma fraterna, restituindo-as ao noivo amado em forma de sugestões carinhosas e justas.

Saulo habituara-se a esse precioso intercâmbio de cada dia. Quando lhe faltavam ao coração os brandos consolos da estrada de Jope, sentia-se perturbado pelos próprios sentimentos enérgicos e impulsivos. Abigail corrigia-lhe o espírito. Aparava as arestas do seu caráter violento e rude, cooperava para que se atenuasse o rigor das decisões autoritárias. Horas a fio o jovem tarsense embevecia-se a ouvi-la, como se os seus sentimentos de bondade fossem alimento suave para sua alma, que os raciocínios rígidos do mundo costumavam rescaldar. Ele, que não experimentara as aventuras galantes do tempo, cioso de conservar pura a consciência em face da Lei, descobrira na criatura eleita a personificação de todos os sonhos de sua mocidade esperançosa.

Na noite seguinte à memorável sessão do Sinédrio, Saulo de Tarso, abandonando todas as preocupações de ordem imediata, buscou mais ansioso a residência de Zacarias. As fadigas do dia abalavam-lhe as forças. Queria vencer rapidamente a distância, absorver-se no afeto da noiva, olvidar as preocupações que lhe ardiam na mente trabalhada pelos mais desencontrados raciocínios.

A noite já desdobrava o manto de luar sobre a Natureza, quando o jovem doutor transpôs o umbral, surpreendendo a generosa família com uma saudação delicada e afetuosa.

A presença da noiva propiciava-lhe um bálsamo de suave refrigério ao coração. Em breves momentos, parecia reconfortar-se. Tomado de bom humor, agora que as energias interiores descansavam em brandas carícias, narrou entusiasticamente os últimos sucessos. Zacarias, como observador fiel da Lei, dava-lhe razões de sobejo no caso das deliberações assumidas. A personalidade de Estêvão foi discutida minuciosamente. O ex-discípulo de Gamaliel, naturalmente, esclareceu o assunto a seu modo, retratando o pregador do "Caminho" como homem inteligente e, por isso mesmo, perigoso, em virtude das ideias revolucionárias que o seu verbo fluente propagava.

Abigail e Ruth escutavam silenciosas, enquanto os dois mantinham a palestra animada.

A certa altura, atenta a uma observação direta de Saulo, a jovem murmurou:

— Mas não haveria um meio de modificar, ao menos, a pena arbitrada?

— Que desejarias que fizéssemos? – disse o moço com ênfase. – Não é pouco havermos libertado os três cabeças mais em evidência, levando-se em conta o atrevimento de suas estranhas prédicas. Quanto a Estêvão, tudo se fez para que voltasse ao aprisco, como descendente direto das tribos de Israel. Entretanto, a rebeldia foi a sua condenação. Insultou-me publicamente no Sinédrio, espezinhou nossos princípios mais sagrados, criticou as figuras mais representativas do farisaísmo, com ilustrações mentirosas e ingratas.

E concluía:

— De mim para comigo, estou satisfeito. Considero o apedrejamento esperado um dos feitos de mais importância para o futuro da minha carreira. Atestará meu zelo na defesa do nosso patrimônio mais estimável. Precisamos considerar que Israel, nos dias mais sombrios, preferiu a emancipação religiosa à independência política. Poderíamos, porventura, expor nossos valores morais mais preciosos à influência deprimente de um aventureiro qualquer?

O jovem procurou mudar o curso da conversação, enquanto Ruth mandou servir uma taça de vinho reconfortante.

Antes de partir, o moço tarsense convidou a noiva ao passeio habitual. Nessa noite, a Natureza parecia enfeitar-se de maravilhas. O luar, que destacava todas as flores em tons pálidos, estava saturado de perfumes deliciosos. Os dois, de mãos enlaçadas, no banco rústico, contemplavam o quadro embevecidamente. Saulo experimentava suave conforto. Desafogava-se. Se Jerusalém lhe obscurecia a mente num torvelinho de preocupações, aquela mansão singela da estrada de Jope parecia descarregá-lo de todos os desgostos, prodigalizando-lhe ao espírito enorme potencial de consolação.

— Agora, minha querida, tudo está pronto — dizia solícito. — De hoje a seis dias Dalila virá buscar-te pessoalmente. Conhecerás a cidade e os meus amigos honrarão em tua alma generosa a minha feliz escolha. Estás satisfeita?

— Muito — murmurava ela com ternura.

— Já organizamos vasto programa recreativo. Quero levar-te a Jericó, onde pessoas de nossas relações nos esperam com imensa alegria. Em Jerusalém far-te-ei conhecer todos os edifícios mais importantes. Ficarás deslumbrada com o Templo e com os tesouros ali encerrados pela dedicação religiosa de nossa raça. Verás a torre dos romanos. Meus conterrâneos que frequentam a Sinagoga dos cilícios querem oferecer-te valioso mimo.

Abigail extasiava-se, ouvindo-o discorrer. Aquele moço impulsivo e rude a olhos estranhos, mas afetuoso e sensível na intimidade, era justamente o seu ideal, o homem esperado pela sua alma carinhosa.

— Ninguém poderá oferecer-me um presente mais precioso que o enviado por Deus à minha existência, com o teu coração leal e generoso — murmurou a jovem num franco sorriso.

— Ganhei muito mais — tornava o doutor de Tarso — recebendo a joia rara do teu afeto, que enriquecerá toda a minha vida. Às vezes, Abigail — continuava com o entusiasmo próprio da juventude sonhadora —, no meu idealismo de vitórias para Jerusalém sobre as grandes cidades do mundo, penso chegar à velhice como um triunfador cheio de tradições de sabedoria e de glória. Desde que te encontrei, aumentou-se-me a fé no destino; consolidei minhas esperanças, terei teu concurso na tarefa imensa que se desdobra a meus olhos. Os romanos outorgam aos triunfadores uma coroa triunfal de louros e rosas. Se um dia Jerusalém me conceder a sua coroa triunfal, não a cingirei em minha fronte, para só deixá-la a teus pés como tributo de amor eterno e único.

"Ainda hoje" — prosseguiu Saulo confiante no futuro —, "Gamaliel notificou-me que vai afastar-se em breve do Sinédrio, para que eu lhe suceda no prestigioso cargo. Aí tens, querida, nossa primeira vitória de maiores proporções. Tão logo Dalila volte de Tarso, poderemos marcar o dia jubiloso das núpcias. Presumo que, tendo-te sempre a meu lado, corrigirei meus impulsos, a tarefa ser-me-á mais leve, a existência mais fácil e mais ditosa. O lar é uma bênção. E nós teremos esse lar".

— Nunca me senti tão venturosa — exclamou a jovem com lágrimas de alegria.

Ele acariciou-lhe as mãos e, como desejava que ela compartilhasse dos seus sentimentos mais íntimos, acrescentou:

— Chegarás conosco à cidade, justamente na véspera da morte do pregador revolucionário. O ato, como de justiça, obedecerá ao cerimonial estabelecido pelos nossos costumes e eu pretendo que assistas a ele em minha companhia.

— Mas por quê? — perguntou ela estremecendo ligeiramente.

— Porque lá encontraremos nossos amigos mais eminentes e desejo valer-me da oportunidade para apresentar-te, indiretamente, a todos eles.

— Não haveria um meio de me poupares a esse espetáculo? — insistiu timidamente — A morte de meu pai, no suplício, diante da soldadesca brutal, jamais me saiu da mente.

Saulo não dissimulou a contrariedade e respondeu:

— Porventura não estarás compreendendo? O caso de Estêvão é muito diferente. Trata-se de um homem sem significação para nós outros, que se arvorou em reformador sedicioso e insolente. Sua personalidade representa, de fato, a continuidade do desrespeito e do insulto à Lei de Moisés, iniciados em movimento de vastas proporções por um carpinteiro alucinado, de Nazaré. Achas, então, que se não deve punir o ladrão que assalta uma residência? Não merecerão castigo os que blasfemam no santuário do Eterno?

A jovem, compreendendo que desagradaria ao noivo se lhe demonstrasse divergência de opinião, acrescentou:

– Vejo que tens muita razão. Não devo discutir os teus conceitos sábios e justos. Aliás, tenho mesmo a intenção de conquistar a amizade dos teus amigos do Sinédrio, pois não perco a esperança de sua proteção para o caso de Jeziel, logo que se ofereça uma oportunidade para novas pesquisas na Acaia, mas ouve Saulo, se permitires, irei quando a cerimônia estiver a findar. Está dito?

Notando a boa vontade conciliatória, o moço tarsense abriu o semblante num belo sorriso de satisfação.

– Sim, ficamos de acordo. Espero, porém, que assistas a tudo com serenidade, segura de que eu só poderia tomar encargos justos e decisões estimáveis no cumprimento do dever. É lamentável que o prisioneiro se haja mostrado recalcitrante a ponto de me compelir a providências extremas. No entanto, podes crer que tudo fiz por evitar o derradeiro recurso. Empreguei todos os processos conciliatórios para dissuadi-lo de tão perigosas ilusões, mas sua conduta foi de tal modo irritante que toda transigência se tornou praticamente impossível.

Trocaram-se ainda, por longo tempo, impressões afetuosas que a noite amiga guardava, solicitamente, sob o manto luminoso das estrelas. Eram juras cariciosas de um amor imortal, ante a bênção de Deus, tomada como objeto mais alto de seus santificados pensamentos, projetos e esperanças de futuro.

Era tarde quando Saulo se despediu, regressando a Jerusalém, de alma feliz.

Daí a dias, Abigail, em companhia do noivo e da irmã, demandou a cidade, cujo perfil interessante apresentava novos quadros para os seus olhos. A casa de Dalila, na mesma noite de sua chegada, encheu-se de amigos que iam levar à escolhida de Saulo a homenagem da sua admiração; e a jovem de Corinto a todos seduzia por seus dotes naturais, aliados à sólida e bem cuidada formação de espírito. Sua palavra, cheia de ternura, parecia distanciar-se profundamente das futilidades que caracterizavam a mocidade da época. Sabia aplicar os mais delicados conceitos, no trato de todos os assuntos a que era convocada, tirando formosas ilações da Lei e dos Escritos Sagrados, para definir a posição da mulher em face dos mais íntimos deveres na vida familiar. O doutor de Tarso sentia-se orgulhoso, ao notar a admiração geral por causa de sua personalidade vibrante e carinhosa. Abigail, sintetizando o seu maior ideal, enchia-lhe o coração de maravilhosas promessas. A surpresa dos amigos, que o felicitavam com o olhar, punha-lhe na alma ardente um júbilo novo.

O dia seguinte rompeu claro e lindo. Ao sol rútilo de Jerusalém, Saulo despediu-se da noiva amada, por atender, ainda cedo, aos trabalhos do Sinédrio.

– Então, até logo, no Templo – disse carinhosamente.

– No Templo? – perguntou Dalila admirada, abraçando-se a Abigail.

– Sim – explicou solícito –, Abigail irá assistir a parte final da punição de Estêvão.

– Mas como? – interrogou ainda a jovem senhora – Mulheres na cerimônia?

– A lapidação se dará nas proximidades do altar dos holocaustos, e não nos átrios sagrados – esclareceu. – A meu ver, não haverá impedimento de representações femininas, e ainda que isso constitua resolução de última hora, a critério dos sacerdotes, a medida não poderá atingir decisão pessoal de minha parte e eu desejo que Abigail participe do meu primeiro triunfo na defesa dos nossos princípios soberanos.

Ambas sorriram venturosas, observando-lhe as disposições excelentes.

– Em último recurso, Saulo – disse Abigail num gesto de tranquilidade e ternura –, não deixes de oferecer ao condenado uma derradeira oportunidade para salvar-se da morte. Após dois meses de cárcere, é possível que tenha refundido os sentimentos mais profundos. Pergunta-lhe, mais uma vez, se insiste em insultar a Lei.

O moço tarsense enviou-lhe um olhar satisfeito e reconhecido, jubiloso por verificar tanta grandeza de coração, e acentuou:

– Assim farei.

Nesse dia, desde muito cedo, o mais alto Tribunal de Israel apresentava desusado movimento. A execução do pregador do "Caminho" constituía objeto de largos comentários. Sobretudo os fariseus faziam questão de todos os informes. Ninguém queria perder o angustioso espetáculo. A Igreja modesta de Simão Pedro, entretanto, não ousou aproximar-se para qualquer indagação. Saulo, como perseguidor declarado e usando das prerrogativas da investidura legal, mandara anunciar que nenhum adepto do "Caminho" poderia assistir à execução a efetivar-se num dos grandes pátios do santuário. Longas filas de soldados foram dispostas na grande praça, para dispersar quaisquer grupos de mendigos que se formassem com intuitos desconhecidos e, desde as primeiras horas da manhã, numerosos pedintes de Jerusalém eram corridos das imediações a golpes de chanfalho.

Depois do meio-dia, autoridades e curiosos reuniam-se, ávidos de sensação, no recinto do Sinédrio, em abafado vozerio. Aguardava-se o sentenciado, que chegou, finalmente, cercado de escolta armada, como se fora um malfeitor comum.

Estêvão apresentava-se bastante desfigurado, embora o semblante não traísse a peculiar serenidade. O passo tardio, o cansaço extremo, as equimoses das mãos e dos pés, patenteavam os pesados tormentos físicos que lhe eram infligidos à sombra do calabouço. A barba crescida alterava-lhe o aspecto fisionômico, todavia, os olhos tinham a mesma fulgurância de cristalina bondade.

Em meio da curiosidade geral, Saulo de Tarso o encarou satisfeito. Estêvão pagaria, afinal, as incompreensões e os insultos.

No instante aprazado, o doutor inflexível fez a leitura do libelo. Antes, porém, de pronunciar a sentença última, fiel ao que prometera, mandou que os soldados empurrassem o condenado até a sua tribuna. Enfrentando o pregador do Evangelho, sem qualquer expressão de piedade, interrogou com aspereza:

– Estarias disposto, agora, a jurar contra o Carpinteiro Nazareno? Lembra-te que é a última oportunidade de conservares a vida.

Tais palavras, pronunciadas mecanicamente, soaram de modo estranho aos ouvidos do moço de Corinto, que as recebeu, na alma sensível e generosa, como novos dardos de ironia.

– Não insulteis o Salvador! – disse o arauto do Cristo com desassombro – Nada no mundo me fará renunciar à sua tutela divina! Morrer por Jesus significa uma glória, quando sabemos que Ele se imolou na cruz pela Humanidade inteira!

Mas uma torrente de impropérios cortava-lhe a palavra.

— Basta! Apedrejemo-lo quanto antes! Morte ao imundo! Abaixo o feiticeiro! Blasfemo!... Caluniador!

A gritaria tomava proporções assustadoras. Alguns fariseus mais irritados, burlando os guardas, aproximaram-se de Estêvão tentando arrastá-lo sem compaixão. Entretanto, ao primeiro puxão na gola rota, um pedaço da túnica rafada ficava-lhes nas mãos. Foi necessário a intervenção da força armada para que o moço de Corinto não fosse estraçalhado, ali mesmo, pela multidão furiosa e delirante. Saulo, em altas vozes, ordenou a intervenção dos soldados. Queria a execução do discípulo do Evangelho, mas com todo o cerimonial previsto.

Estêvão tinha agora o rosto enrubescido, envergonhado. Seminu, foi auxiliado por um legionário romano a recompor os sobejos da veste em frangalhos, acima dos rins, para não ficar inteiramente nu. Com a mão trêmula, pelos maus-tratos recebidos, procurava limpar a saliva que os mais exaltados lhe haviam esputado em pleno rosto. Forte pancada no ombro causava-lhe intensa dor no braço todo. Compreendeu que lhe chegavam os últimos instantes de vida. A humilhação doía-lhe fundo. Mas recordou as descrições de Simão a respeito de Jesus, no derradeiro transe. Em frente de Herodes Antipas, o Cristo sofrera dos israelitas idênticas ironias. Fora açoitado, ridicularizado, ferido. Quase nu, suportara todos os agravos sem uma queixa, sem uma expressão menos digna. Ele que amara os infelizes, que trabalhara por fundar uma doutrina de concórdia e de amor para todos os homens, que abençoara os mais desgraçados e os acolhera com carinho, recebera o galardão da cruz em suplícios imensuráveis. Estêvão pensou: "Quem sou eu e quem era o Cristo?" Essa íntima interrogação propiciava-lhe certo consolo. O Príncipe da Paz fora arrastado pelas ruas de Jerusalém, sob o escárnio das maiores injúrias, e era o Messias esperado, o Ungido de Deus! Por que, sendo ele homem falível, portador de numerosas fraquezas, haveria de hesitar no momento do testemunho? E, com o pranto a escorrer-lhe no rosto lacerado, escutava a voz cariciosa do Mestre no coração: "Todo aquele que desejar participar do meu Reino, negue-se a si mesmo, tome sua cruz e siga os meus passos." Era preciso negar-se para aceitar o sacrifício proveitoso. Ao fim de todos os martírios, deveria encontrar o amor glorioso de Jesus, com a beleza da sua ternura imortal. O pregador humilhado e ferido recordou o passado de trabalhos e esperanças. Parecia-lhe rever a infância saudosa, na qual o zelo materno lhe incutira os fundamentos da fé confortadora; depois, as nobres aspirações da mocidade, a dedicação paterna, o amor da irmãzinha que as circunstâncias do destino lhe haviam arrebatado. Ao pensar em Abigail, experimentou certa angústia no coração. Agora, que deveria enfrentar a morte, desejava revê-la para as últimas recomendações. Relembrou a derradeira noite em que haviam permutado tantas impressões de ternura, tantas promessas fraternais, na lôbrega prisão de Corinto. Apesar dos movimentos renovadores da fé, de cujos trabalhos compartilhava ativamente em Jerusalém, jamais pudera esquecer o dever de procurá-la, fosse onde fosse. Enquanto em derredor se multiplicavam impropérios no turbilhão de gritos e ameaças revoltantes, o sentenciado chorava com as suas recordações. Socorrendo-se das promessas do Cristo no Evangelho, experimentava brando alívio. A ideia de que a irmãzinha ficaria no mundo, entregue a Jesus, suavizava-lhe as angústias do coração.

Mal não saíra de suas dolorosas reminiscências, ouviu a voz imperiosa de Saulo dirigindo-se aos guardas:

– Algemai-o novamente, tudo está consumado, sigamos para o átrio.

O discípulo de Simão Pedro, estendendo os pulsos para receber as algemas, sofreu pancadas tão fortes de um soldado inescrupuloso, que dos pulsos feridos começou a jorrar muito sangue.

Estêvão, porém, não fez o menor gesto de resistência. De quando em quando, levantava os olhos como se implorasse os recursos do Céu para os seus minutos supremos. Não obstante os apupos e as chagas que o dilaceravam, experimentava uma paz espiritual desconhecida. Todos aqueles sofrimentos do cerimonial eram pelo Cristo. Aquela hora era a sua oportunidade divina. O Mestre de Nazaré havia convocado o seu coração fiel ao público testemunho dos valores espirituais da sua gloriosa doutrina. Confiante, raciocinava: "Se o Messias aceitara a morte infamante do Calvário para salvar todos os homens, não seria uma honra dar a vida por Ele?" Seu coração, sempre ávido de dar testemunho ao Senhor, desde que lhe conhecera o Evangelho de redenção, não deveria rejubilar-se com o ensejo de oferecer-lhe a própria vida? Entretanto, a ordem de caminhar arrancou-o dos mais elevados pensamentos.

O generoso pregador do "Caminho" hesitava nos passos cambaleantes, mas tinha sereno e firme o olhar, revelando desassombro nos derradeiros lances do testemunho.

Naquelas primeiras horas da tarde, o sol de Jerusalém era um braseiro ardente. Não obstante o calor insuportável, a massa deslocou-se com profundo interesse. Tratava-se do primeiro processo concernente às atividades do "Caminho", após a morte do seu fundador. Destacando-se de todas as correntes judaicas ali presentes, em penhor de prestígio à Lei de Moisés, os fariseus faziam grande alarde do feito. Ladeando o condenado, faziam questão de atirar-lhe no rosto as mais pesadas injúrias.

Ele, porém, embora evidenciasse profunda tristeza, caminhava seminu, sereno, imperturbável.

A sala de reuniões do Sinédrio não distava muito do átrio do Templo, onde se realizaria a macabra cerimônia. Apenas alguns metros e a caminhada terminava, justamente no local onde se erguia o enorme altar dos holocaustos.

Tudo estava preparado a caráter, como Saulo deixara perceber em seus propósitos.

Ao fundo do pátio espaçoso, Estêvão foi atado a um tronco, para que o apedrejamento se efetuasse na hora precisa.

Os executores seriam os representantes das diversas sinagogas da cidade, de vez que era função honrosa atribuída a quantos estivessem em condições de operar na defesa de Moisés e de seus princípios. Cada sinagoga indicara o seu delegado e, ao iniciar a cerimônia, como chefe do movimento, Saulo recebia um por um, junto da vítima, guardando nas mãos, de acordo com a pragmática, os mantos brilhantes, enfeitados de púrpura.

Mais uma ordem do moço tarsense e a execução começou entre gargalhadas. Cada verdugo mirava friamente o ponto preferido, esforçando-se para tirar maior partido.

Risos gerais seguiam-se a cada golpe.

— Poupemos-lhe a cabeça – dizia um dos mais exaltados –, a fim de que o espetáculo não perca a intensidade e o interesse.

Cada expressão do Judaísmo acompanhava o verdugo indicado pelos maiorais da sinagoga, com atenção e entusiasmo, aos berros de "morra o traidor! o feiticeiro!...".

— Fere no coração, em nome dos cilícios! – exclamava alguém do meio da turba.

— Separa-lhe a perna pelos idumeus! – secundava outra voz impudente.

Mais ou menos afastado da turba, seguindo de perto os movimentos do condenado, Saulo de Tarso apreciava a vibração popular, satisfeito e confortado. De qualquer maneira, a morte do pregador do Cristo representava o seu primeiro grande triunfo na conquista das atenções de Jerusalém e de suas prestigiosas corporações políticas. Naquela hora em que focalizava tantas aclamações do povo de sua raça, se orgulhava com a decisão que o levara a perseguir o "Caminho", sem consideração e sem tréguas. Aquela tranquilidade de Estêvão, no entanto, não deixava de impressioná-lo bem no imo do coração voluntarioso e inflexível. Onde poderia ele haurir tal serenidade? Sob as pedras que o alvejavam, aqueles olhos encaravam os algozes sem pestanejar, sem revelar temor nem turbação.

De fato, amarrado de joelhos ao tronco do suplício, o moço de Corinto guardava impressionante característica de paz nos olhos translúcidos, de onde as lágrimas silenciosas corriam abundantes. O peito descoberto era uma chaga sangrenta. As vestes esfrangalhadas colavam-se ao corpo, empastadas de suor e sangue.

O mártir do "Caminho" sentia-se amparado por forças poderosas e intangíveis. A cada novo golpe, sentia recrudescer os padecimentos infinitos que lhe azorragavam o corpo macerado, mas, no íntimo, guardava a impressão de uma lenidade sublime. O coração batia descompassadamente. O tórax estava coberto de feridas profundas, as costelas fraturadas.

Nessa hora suprema, recordava os mínimos laços de fé que o prendiam a uma vida mais alta. Lembrou todas as orações prediletas da infância. Fazia o possível por fixar na retina o quadro da morte do pai supliciado e incompreendido. Intimamente, repetia o *Salmo* 23 de Davi, qual o fazia junto da irmã nas situações que pareciam insuperáveis. "O Senhor é meu pastor. Nada me faltará..." As expressões dos Escritos Sagrados, como as promessas do Cristo no Evangelho, estavam-lhe no âmago do coração. O corpo quebrantava-se no tormento, mas o espírito estava tranquilo e esperançoso.

Agora, tinha a impressão de que duas mãos cariciosas passavam de leve sobre as chagas doloridas, proporcionando-lhe branda sensação de alívio. Sem qualquer receio, percebeu que lhe havia chegado o suor da agonia.

Dedicados amigos, do Plano Espiritual, rodeavam o mártir nos seus minutos supremos. No auge das dores físicas, como se houvesse transposto infinitos abismos de percepção, o moço de Corinto notou que alguma coisa se lhe havia rasgado na alma ansiosa. Seus olhos pareciam mergulhar em quadros gloriosos de outra vida. A legião de emissários de Jesus, que o cercava carinhosamente, figurou-se-lhe a corte celestial. No caminho de luz desdobrado à sua frente, reconheceu que alguém se aproximava abrindo-lhe os braços generosos. Pelas descrições que ouvira de Pedro, percebeu que contemplava o próprio Mestre em toda a resplendência de suas glórias divinas. Saulo observou que os olhos do condenado estavam estáticos e fulgurantes. Foi quando o herói cristão, movendo os lábios, exclamou em alta voz:

– Eis que vejo os céus abertos e o Cristo ressuscitado na grandeza de Deus!...

Viram, então, que duas mulheres jovens aproximavam-se do perseguidor com gestos íntimos. Dalila entregou Abigail ao irmão, despedindo-se logo para atender ao chamado de outra amiga. A noiva terna cingia uma túnica à moda grega, que mais lhe realçava o formoso rosto. Fosse pela dolorosa cena em curso, ou pela presença da mulher amada, percebia-se que Saulo estava um tanto perplexo e sensibilizado. Dir-se-ia que a coragem indomável de Estêvão o levara a considerar a tranquilidade desconhecida que deveria reinar no espírito do mártir.

Em face da gritaria que a rodeava e notando a miserável situação da vítima, a jovem mal pôde conter um grito de espanto. Que homem era aquele, atado ao tronco do suplício? Aquele peito arfante, empastado de sangue, aqueles cabelos, aquele rosto pálido que a barba crescida desfigurava, não seriam de seu irmão? Ah! como falar das ansiedades imensas na surpresa imprevista de um minuto? Abigail tremia. Seus olhos aflitos acompanhavam os menores movimentos do herói, que parecia indiferente, no êxtase que o absorvia. Embalde Saulo chamava-lhe a atenção, discretamente, de modo a poupá-la de penosas impressões. A moça parecia nada ver além do sentenciado a esvair-se no sangue do martírio. Lembrava-se agora... Afastando-se do calabouço, depois da morte do pai, foi assim mesmo que deixara Jeziel na posição do suplício. O tronco execrável, as algemas impiedosas e o pobrezinho de joelhos! Tinha ímpetos de atirar-se à frente dos algozes, esclarecer a situação, saber a identidade daquele homem.

Nesse instante, ignorando-se alvo de tão singular atenção, o pregador do "Caminho" saiu de sua impressionante imobilidade. Vendo que Jesus contemplava, melancolicamente, a figura do doutor de Tarso, como a lamentar seus condenáveis desvios, o discípulo de Simão experimentou pelo verdugo sincera amizade no coração. Ele conhecia o Cristo e Saulo

não. Assomado de fraternidade real e querendo defender o perseguidor, exclamou de modo impressionante:
— Senhor, não lhe imputes este pecado!...
Isso dito voltou os olhos para fixá-los no verdugo, amorosamente. Eis, porém, que divisou junto dele a figura da irmã, trajada como nos dias de júbilo, na casa paterna. Era ela, a irmãzinha amada, por cujo afeto tantas vezes lhe palpitara o coração, de saudade e de esperança. Como explicar sua presença? Quem sabe havia sido também levada ao Reino do Mestre e regressava com ele, em espírito, para lhe trazer as boas-vindas, de um mundo melhor? Quis bradar sua alegria infinita, atraí-la, ouvir-lhe a voz nos cânticos de Davi, morrer embalado pelo seu carinho, mas a garganta já não timbrava. A emoção dominara-o na hora extrema. Sentiu que o Mestre de Nazaré lhe acariciava a fronte, onde a última pedrada abrira uma flor de sangue. Ouvia, muito longe, vozes argentinas que cantavam hinos de amor sobre os gloriosos motivos do Sermão da Montanha. Incapaz de resistir por mais tempo ao suplício, o discípulo do Evangelho sentia-se desfalecer.

Escutando as expressões do condenado e recebendo-lhe o olhar fulgurante e límpido, Abigail não pôde dissimular a angustiosa surpresa.
— Saulo! Saulo!... é meu irmão — exclamou aterrada.
— Que dizes? — gaguejou baixinho o doutor de Tarso arregalando os olhos. — Não pode ser! Enlouqueceste?
— Não, não, é ele; é ele! — repetia tomada de extrema palidez.
— É Jeziel — insistia Abigail assombrada —, querido; concede-me um minuto, deixa-me falar ao moribundo apenas um minuto.
— Impossível! — replicou o moço contrafeito.
— Saulo, pela Lei de Moisés, pelo amor de nossos pais, atende — exclamava torcendo as mãos.

O ex-discípulo de Gamaliel não acreditava na possibilidade de semelhante coincidência. Além do mais, havia a diferença do nome. Convinha esclarecer esse ponto, antes de tudo. Certo, a falsa impressão de Abigail se desfaria ao primeiro contato direto com o agonizante. Sua índole, sensível e afetuosa, justificava o que a seu ver era um absurdo. Conjugando essas reflexões de um segundo, falou à noiva, com austeridade:
— Irei contigo identificar o moribundo, mas, até que o possamos fazer, cala as tuas impressões... Nem uma palavra, ouviste? É necessário não esquecer a respeitabilidade do local em que te encontras!

Logo após, chamava um funcionário de alta categoria, secamente:

— Manda levar o cadáver para o gabinete dos sacerdotes.

— Senhor — respondeu o outro respeitoso —, o condenado ainda não está morto.

— Não importa, vai assim mesmo, pois arrancar-lhe-ei a confissão do arrependimento na hora extrema.

A determinação foi cumprida sem mais demora, enquanto Saulo mandou servir, de modo geral, aos amigos e admiradores, várias ânforas de vinho delicioso, por comemorarem o seu primeiro triunfo. Depois, cenho carregado, apreensivo, esgueirou-se quase sorrateiramente até a sala reservada aos sacerdotes de Jerusalém, em companhia da noiva.

Atravessando os grupos que o saudavam com frenéticas aclamações, o moço tarsense parecia alheado de si mesmo. Conduzia Abigail pelo braço, delicadamente, mas não lhe dirigia palavra. A surpresa emudecera-o. E se Estêvão fosse, de fato, aquele Jeziel que aguardavam com tamanha ansiedade? Absorvidos em angustiosas reflexões, penetraram na câmara solitária. O jovem doutor ordenou a retirada dos auxiliares, fechou cuidadosamente a porta.

Abigail aproximou-se do irmão ensanguentado, com infinita ternura. E, como se sentisse chamado à vida por uma força poderosa e invencível, ambos notaram que a vítima movia a cabeça sangrenta. Evidenciando o penoso esforço da derradeira agonia, Estêvão murmurou:

— Abigail!...

Aquela voz era quase um sopro, mas o olhar estava calmo, límpido. Ouvindo-lhe a expressão vacilante e arrastada, o jovem tarsense recuou tomado de espanto. Que significava tudo aquilo? Não poderia duvidar. A vítima de sua perseguição implacável era o irmão bem-amado da mulher escolhida. Que mecanismo do destino engendrara semelhante situação, que lhe havia de amargurar toda a vida? Onde estava Deus, que não o inspirara no dédalo de circunstâncias que o levaram até àquele irremediável, cruel desfecho? Sentiu-se possuído de um pesar sem limites. Ele, que elegera Abigail o anjo tutelar da existência, seria obrigado a renunciar a esse amor para sempre. O orgulho de homem não lhe permitiria desposar a irmã do suposto inimigo, confessado e julgado reles criminoso. Aturdido, deixou-se ali ficar, como se força incoercível o chumbasse ao solo, transformando-o em objeto de insuportáveis ironias.

— Jeziel! – exclamou Abigail, osculando e regando de lágrimas a fronte do moribundo – como te vejo eu!... Parece que o suplício te durou desde o dia em que nos separamos!... – E soluçava...

— Estou bem... – disse o discípulo de Jesus –, fazendo o possível por mover a destra quebrada e deixando perceber o desejo de acariciar-lhe os cabelos, como nos dias da meninice e da primeira juventude.

— Não chores!... Eu estou com o Cristo!...

— Quem é o Cristo? – murmurou a jovem. – Por que te chamam Estêvão? Como te modificaram assim?

— Jesus... é o nosso Salvador... – explicava o agonizante, no propósito de não perder os minutos que se escoavam céleres.

— Agora, chamam-me Estêvão... porque um romano generoso me libertou... mas pediu... absoluto segredo. Perdoa-me... Foi por gratidão que obedeci ao conselho. Ninguém será reconhecido a Deus se não mostrar agradecimento aos homens...

Vendo que a irmã prosseguia em soluços, continuou:

— Sei que vou morrer... mas a alma é imortal... Sinto deixar-te... quando mal torno a ver-te, mas hei de ajudar-te do lugar em que estiver.

— Ouve, Jeziel – exclamou a irmã num desabafo –, que te ensinou esse Jesus para te levar a um fim tão doloroso? Quem assim abandona um servo leal, não será antes um senhor cruel?

O moribundo pareceu admoestá-la com o olhar.

— Não penses dessa maneira – prosseguiu com dificuldade. – Jesus é justo e misericordioso... prometeu estar conosco até a consumação dos séculos... mais tarde compreenderás; a mim, ensinou-me amar os próprios verdugos...

Ela abraçava-o carinhosa, desfeita em lágrimas abundantes. Depois de uma pausa em que a vítima se revelava nos derradeiros instantes da vida material, viu-se que Estêvão se agitava em esforços supremos.

— Com quem te deixarei?

— Este é meu noivo – esclareceu a jovem apontando o moço de Tarso, que parecia petrificado.

O moribundo contemplou-o sem ódio e acentuou:

— Cristo os abençoe... Não tenho no teu noivo um inimigo, tenho um irmão... Saulo deve ser bom e generoso; defendeu Moisés até o fim... Quando conhecer a Jesus, servi-lo-á com o mesmo fervor... Sê para ele a companheira amorosa e fiel...

A voz do pregador do "Caminho", porém, estava agora rouca e quase imperceptível. Nas vascas da morte, contemplava Abigail fraternalmente enternecido.

Ouvindo-lhe as últimas frases, o doutor de Tarso fizera-se lívido. Queria ser odiado, maldito. A compaixão de Estêvão, fruto de uma paz que ele, Saulo, jamais conhecera no fastígio das posições mundanas, impressionava-o fundamente. Entretanto, sem saber por que, a resignação e a doçura do agonizante assaltavam-lhe o coração enrijecido. Trabalhava, porém, intimamente, para não se comover com a cena dolorosa. Não se dobraria por uma questão de sentimentalismo. Abominaria aquele Cristo, que parecia requisitá-lo em toda parte, a ponto de colocar-se entre ele e a mulher adorada. O cérebro atormentado do futuro rabino suportava a pressão de mil fogos. Desprezara o orgulho de família e elegera Abigail para companheira de lutas, embora lhe não conhecesse os ascendentes familiares. Amava-a pelos laços da alma, descobrira no seu delicado coração feminino tudo quanto havia sonhado nas cogitações de ordem temporal. Ela sintetizava as suas esperanças de moço; era o penhor do seu destino, representava a resposta de Deus aos apelos da sua juventude idealista. Agora, abrira-se entre ambos um abismo profundo. Irmã de Estêvão! Ninguém ousara afrontar-lhe a autoridade na vida, a não ser aquele ardoroso pregador do "Caminho", cujas ideias jamais se poderiam casar com as suas. Detestava aquele rapaz apaixonado pelo ideal exótico de um carpinteiro, e tinha culminado nos propósitos de vingança. Se desposasse Abigail, jamais seriam felizes. Ele seria o verdugo, ela a vítima. Além disso, sua família, aferrada ao rigorismo das velhas tradições, não poderia tolerar a união, depois de conhecidas as circunstâncias.

Levou as mãos ao peito, dominado por angustioso desalento.

Em pranto, Abigail acompanhava a agonia dolorosa do irmão, cujos derradeiros minutos se escoavam lentamente. Penosa emoção apossara-se de todas as suas energias. Na dor que a dilacerava nas fibras mais sensíveis, parecia não ver o noivo que lhe seguia os menores movimentos, entre surpreso e estarrecido. Com muito cuidado, a jovem sustinha a fronte do moribundo, depois de haver sentado para conchegá-lo carinhosamente.

Observando que o irmão lhe lançava o último olhar, exclamou angustiada:
– Jeziel, não te vás... Fica conosco! Nunca mais nos separaremos!...

Ele, quase a expirar, ciciava:

— A morte não separa... os que se amam...

E, como se houvera lembrado algo de muito grato ao coração, arregalou os olhos desmesuradamente, em uma expressão de imenso júbilo:

— Como no Salmo... de Davi... — dizia arrastadamente — podemos... dizer... que o amor... e a misericórdia... seguiram... todos os dias... de nossa vida...[27]

A jovem escutava-lhe as derradeiras palavras, comovidíssima. Enxugava-lhe o suor sanguinolento do rosto, que se iluminava de uma serenidade superior.

— Abigail... — murmurava ainda como num sopro —, vou-me em paz... Quisera ouvir-te na prece... dos aflitos e agonizantes...

Ela recordou os últimos momentos do suplício do genitor, no dia inesquecível da separação nos calabouços de Corinto. De relance, compreendeu que, ali, outras forças se encontravam em jogo. Não mais Licínio Minúcio e os sequazes cruéis, mas o próprio noivo transformado em verdugo por um terrível engano. Afagou com mais carinho a cabeça sangrenta. Conchegou o moribundo ao coração como se fosse uma adorável criança. Então, embora rígido e inquebrantável na aparência, Saulo de Tarso observou, mais nitidamente, o quadro que nunca mais lhe sairia da imaginação. Guardando o moribundo no regaço fraterno, a jovem elevou o olhar para o alto, mostrando as lágrimas que lhe caíam pungentes. Não cantava, mas a oração lhe saía dos lábios como a súplica natural do seu espírito a um pai amoroso que estivesse invisível:

Senhor Deus, pai dos que choram,
Dos tristes, dos oprimidos,
Fortaleza dos vencidos,
Consolo de toda a dor,
Embora a miséria amarga
Dos prantos de nosso erro,
Deste mundo de desterro,
Clamamos por vosso amor!

Nas aflições do caminho,
Na noite mais tormentosa,

---
[27] *Salmo* 23.

*Vossa fonte generosa
É o bem que não secará...
Sois, em tudo, a luz eterna
Da alegria e da bonança
Nossa porta de esperança
Que nunca se fechará.*

*Quando tudo nos despreza
No mundo da iniquidade,
Quando vem a tempestade
Sobre as flores da ilusão!
Ó Pai, sois a luz divina,
O cântico da certeza,
Vencendo toda aspereza,
Vencendo toda aflição.*

*No dia da nossa morte,
No abandono ou no tormento,
Trazei-nos o esquecimento
Da sombra, da dor, do mal!...
Que nos últimos instantes,
Sintamos a luz da vida
Renovada e redimida
Na paz ditosa e imortal.*

Terminada a prece, Abigail tinha o rosto orvalhado de pranto. Sob a carícia suave de suas mãos, Jeziel aquietara-se. Palidez de neve caracterizava-lhe a face cadavérica, aliada à profunda serenidade fisionômica. Saulo compreendeu que ele estava morto. Enquanto a jovem de Corinto se levantava, cuidadosamente, como se o cadáver do irmão requisitasse toda a ternura do seu espírito bondoso, o moço tarsense aproximava-se de cenho carregado e falou com austeridade:

– Abigail, tudo está consumado e tudo terminou, também, entre nós.

A pobre criatura voltou-se com assombro. Então não lhe bastavam os golpes recebidos? Seria possível que o noivo amado não tivesse uma palavra de conciliação generosa naquela hora difícil da sua vida? Receberia a humilhação mais fria com a morte de Jeziel e ainda por cima o abandono? Consternada por tudo que viera encontrar em Jerusalém, entendeu que precisava utilizar todas as energias, para não cair nas provas ríspidas que lhe haviam sido reservadas. E viu logo que, no orgulho de Saulo, não encontraria consolação. Num momento, chegou às mais latas conclusões quanto ao papel que lhe competia em tão embaraçosas conjunturas. Sem recorrer à sensibilidade feminina, cobrou ânimo e falou com dignidade e nobreza:

— Tudo terminado entre nós, por quê? O sofrimento não deveria escorraçar o amor sincero.

— Não me compreendes? — replicou o orgulhoso rapaz... — Nossa união tornou-se inexequível. Não poderei desposar a irmã de um inimigo de maldita memória para mim. Fui infeliz escolhendo esta ocasião para tua visita a Jerusalém. Sinto-me envergonhado não só diante da mulher com quem nunca mais poderei unir-me pelo matrimônio, como perante os parentes e amigos pela situação amarga que as circunstâncias interpuseram no meu caminho...

Abigail estava pálida e penosamente surpreendida.

— Saulo... Saulo... não te envergonhes perante meu coração. Jeziel morreu estimando-te. Seu cadáver nos escuta — acentuava com doloroso acento. — Não posso obrigar-te a desposar-me, mas não transformes nossa afeição em ódio surdo... Sê meu amigo!... Ser-te-ei eternamente grata pelos meses de ventura que me deste. Voltarei amanhã para casa de Ruth... Não te envergonharás de mim! A ninguém direi que Estêvão era meu irmão, nem mesmo a Zacarias! Não quero que algum amigo nosso te considere um carrasco.

Observando-a naquela generosidade humilde, o moço de Tarso teve ímpetos de estreitá-la ao coração, como se o fizera a uma criança. Quis avançar, apertá-la contra o peito, cobrir-lhe de beijos a fronte bondosa e inocente. Súbito, porém, vieram-lhe à mente os seus títulos e atribuições; via Jerusalém revoltada, tisnando-lhe a reputação de amargas ironias. O futuro rabino não poderia ser vencido; o doutor da Lei rígida e implacável devia sufocar o homem para sempre.

Mostrando-se impassível, replicou em tom áspero:

— Aceito o teu silêncio em razão das lamentáveis ocorrências deste dia; voltarás amanhã para casa de Ruth, mas não deves esperar a continuação das minhas visitas, nem mesmo por cortesia injustificável, porque, na sinceridade dos de nossa raça, os que não são amigos são inimigos.

A irmã de Jeziel recebia aquelas explicações com espanto profundo.

— Então, abandonas-me inteiramente, assim? — perguntou entre lágrimas.

— Não estás desamparada — murmurou inflexivelmente —, tens os teus amigos da estrada de Jope.

— Mas, afinal, por que odiaste tanto a meu irmão? Ele foi sempre bondoso... Em Corinto nunca ofendeu a ninguém.

— Era pregador do malfadado carpinteiro de Nazaré — esclareceu contrafeito e ríspido —; além disso, humilhou-me diante da cidade inteira.

Abigail, compelida pela severidade das respostas, calou-se inteiramente. Que poder teria o Nazareno para atrair tantas dedicações e provocar tantos ódios? Até ali, não se interessara pela figura do famoso carpinteiro, que morrera na cruz, como malfeitor, mas o irmão lhe dissera ter encontrado n'Ele o Messias. Para seduzir um caráter cristalino como Jeziel, o Cristo não poderia ser um homem vulgar. Lembrava o passado do irmão para considerar que, no caso da rebeldia paterna, conseguira manter-se acima dos próprios laços do sangue para admoestar o genitor, amorosamente. Se tivera forças para analisar os atos paternos com o preciso discernimento, era preciso que aquele Jesus fosse muito grande para que a ele se consagrasse, oferecendo-lhe a própria vida ao recobrar a liberdade. Jeziel, a seu ver, não se enganaria. Conhecendo-lhe a índole, de berço, não era possível que se deixasse iludir em suas convicções religiosas. Sentia-se, agora, atraída para aquele Jesus desconhecido e odiado injustamente. Ele ensinara o irmão a bem-querer os próprios verdugos. Que lhe não reservaria, pois, ao seu coração sedento de carinho e de paz? As últimas palavras de Jeziel exerciam sobre ela uma influência profunda.

Abismada em profundas cogitações, notou que Saulo abrira a porta, chamando alguns auxiliares, que se precipitaram por cumprir-lhe as ordens. Em poucos minutos os despojos de Estêvão eram removidos, enquanto amigos numerosos cercavam o jovem par, expansivamente loquazes e satisfeitos.

— Que é isto — perguntou um deles a Abigail, ao notar-lhe a túnica manchada de sangue.

— O sentenciado era israelita — atalhou o moço tarsense, desejoso de antecipar explicações — e, como tal, amparamo-lo na hora extrema.

Um olhar mais severo deu a entender à jovem quanto devia conter as emoções próprias, longe e acima das ocorrências verídicas.

Daí a minutos, o velho Gamaliel chegava e solicitava ao ex-discípulo alguns momentos de atenção, em particular.

— Saulo — disse bondoso —, espero partir na semana próxima para além de Damasco. Vou descansar junto de meu irmão e aproveitar a noite da velhice para meditar e repousar o espírito. Já fiz a necessária notificação no Sinédrio e no Templo, e acredito que, dentro de poucos dias, serás efetivamente provido no meu cargo.

O interpelado fez um ligeiro gesto de agradecimento, cuja frieza mal disfarçava o abatimento que lhe ia na alma.

— Entretanto — prosseguia o generoso rabino, solicitamente —, tenho um último pedido a fazer-te: É que tenho Simão Pedro em conta de um amigo. Esta confissão poderá escandalizar-te, mas sinto-me bem ao fazê-la. Acabo de receber sua visita, pedindo a minha interferência para que o cadáver da vítima de hoje seja entregue à Igreja do "Caminho", onde será sepultado com muito amor. Sou o intermediário do pedido e espero não me recuses o obséquio.

— Dizeis "vítima"? — perguntou Saulo admirado. — A existência de uma vítima pressupõe um algoz e eu não sou verdugo de ninguém. Defendi a Lei até o fim.

Gamaliel compreendeu a objeção e replicou:

— Não vejas laivo de recriminação nas minhas palavras. Nem a hora nem o local, tampouco, se prestam a discussões. No entanto, para não faltar à sinceridade que em mim sempre conheceste, devo dizer-te, rapidamente, que venho chegando a profundas conclusões a respeito do chamado carpinteiro de Nazaré. Tenho refletido maduramente na sua obra entre nós; todavia, estou velho e alquebrado para iniciar qualquer movimento renovador no seio do Judaísmo. Em nossa existência chega uma fase em que não nos é lícito intervir nos problemas coletivos; todavia, em qualquer idade, podemos e devemos operar a iluminação ou o aprimoramento de nós mesmos. É o que vou fazer. O deserto, na majestade silenciosa do insulamento, constituiu sempre a sedução dos nossos antepassados. Sairei de Jerusalém, fugirei do escândalo que as minhas novas ideias e atitudes certo provocariam; buscarei a solidão para encontrar a verdade.

Saulo de Tarso estava estupefato. Também Gamaliel parecia sofrer a influenciação de estranhos sortilégios! Sem dúvida, os homens do "Caminho" o enfeitiçaram, desbaratando-lhe as últimas energias... o velho mestre acabara capitulando, em uma atitude de consequências imprevisíveis! Ia impugnar, discutir, chamá-lo à realidade, quando o venerando mentor da mocidade farisaica, deixando entrever que percebia as vibrações antagônicas do seu espírito ardoroso, sentenciou:

— Já sei o teor da tua resposta íntima. Julgas-me fraco, vencido, e cada qual analisa como pode, mas não me leves ao enfaro das controvérsias. Aqui estou somente para solicitar-te um favor e espero não mo negues. Poderei providenciar para remover os despojos de Estêvão imediatamente?

Via-se que o moço de Tarso hesitava, premido por singulares pensamentos.

— Concede, Saulo!... É o último obséquio ao velho amigo!...

— Concedo – disse afinal.

Gamaliel despediu-se com um gesto de sincero reconhecimento.

Novamente rodeado de muitos amigos, que procuravam alegrá-lo, o jovem doutor da Lei revelava-se muito alheio de si mesmo. Debalde erguia a taça das saudações. O olhar vago, cismativo, demonstrava o profundo alheamento em que se engolfara. Os inesperados acontecimentos acarretaram-lhe à mente um turbilhão de pensamentos angustiados. Queria pensar, desejava recolher-se em si mesmo para o exame necessário das novas perspectivas do seu destino, mas, até o pôr do sol, foi obrigado a manter-se no quadro das convenções sociais, atendendo aos amigos até o fim.

Alegando necessidade de trocar as vestes ensanguentadas, Abigail retirara-se logo após a entrevista de Gamaliel.

Na casa de Dalila, entretanto, a pobrezinha foi acometida de febre alta, penalizando e alarmando a todos os que lá se encontravam.

Ao cair da noite, Saulo regressava ao lar da irmã, onde lhe comunicaram o estado da enferma.

Resolvido a imprimir novos rumos à sua vida, procurou sufocar a própria emoção para encarar os fatos com a naturalidade possível.

Em lágrimas, a jovem de Corinto pediu que a reconduzissem à casa de Zacarias, receando a marcha da enfermidade. Em vão, Dalila e os parentes procuraram intervir com recursos afetuosos. A súplica de Abigail ao espírito enérgico de Saulo foi exposta comovedoramente e, dentro da severidade que lhe caracterizava as atitudes, o ex-discípulo de Gamaliel tomou todas as providências para satisfazê-la.

E à noitinha, com muito cuidado, modesta carreta saía de Jerusalém pela estrada de Jope.

Ruth recebeu a jovem nos braços, emocionada e aflita. Ela e o marido recordaram, então, que, somente com a morte do pai Abigail tivera febre tão alta, acompanhada de abatimento tão profundo. De cenho carregado, Saulo os ouvia, esforçando-se por dissimular a emoção. Enquanto os amigos da jovem procuravam assisti-la carinhosamente, o futuro rabino, sucumbido num bulcão de ideias antagônicas, dirigia-se para Jerusalém, com intenção de não mais voltar a Jope.

IX
Abigail cristã

Desde o martírio de Estêvão, agravara-se em Jerusalém o movimento de perseguição a todos os discípulos ou simpatizantes do "Caminho". Como se fora tocado de verdadeira alucinação, ao substituir Gamaliel nas funções religiosas mais importantes da cidade, Saulo de Tarso deixava-se fascinar por sugestões de fanatismo cruel.

Impiedosas devassas foram ordenadas a respeito de todas as famílias que revelassem inclinação e simpatia pelas ideias do Messias Nazareno. A Igreja modesta, onde a bondade de Pedro prosseguia socorrendo os mais desgraçados, era rigorosamente guardada por soldados, com ordem de impedir as prédicas que representavam o brando consolo dos infelizes. Obcecado pela ideia de resguardar o patrimônio farisaico, o moço tarsense entregava-se aos maiores desmandos e tiranias. Homens de bem foram expulsos da cidade por meras suspeitas. Operários honestos e até mães de família eram interpelados em escandalosos processos públicos, que o perseguidor fazia questão de movimentar. Iniciou-se um êxodo de grandes proporções, como Jerusalém de há muito não via. A cidade começou a despovoar-se de trabalhadores. O "Caminho" havia seduzido para as suas doces consolações a alma do povo, cansada na incompreensão e no sacrifício. Livre das prestigiosas advertências de Gamaliel, que se retirara para o deserto, e sem a carinhosa assistência de Abigail, que lhe facultava generosas inspirações, o futuro rabino parecia um louco, em cujo peito o coração estivesse ressequido. Debalde, mulheres indefesas suplicavam-lhe piedade; inutilmente, crianças misérrimas pediram complacência para os pais, abandonados como prisioneiros infelizes.

O moço de Tarso parecia dominado por uma indiferença criminosa. As rogativas mais sinceras encontravam no seu espírito um rochedo áspero. Incapaz de compreender as circunstâncias que lhe haviam modificado os planos e esperanças da vida, imputava o insucesso dos seus sonhos de mocidade àquele Cristo que não conseguira entender. Odiá-lo-ia o tempo que vivesse. Não sendo possível encontrá-lo para uma vingança direta, persegui-lo-ia na pessoa dos seus caudatários, por meio de todos os caminhos. A seu ver, era Ele, o carpinteiro anônimo, o causador dos seus fracassos em relação ao amor de Abigail, agora envenenado no seu coração impulsivo por sentimentos estranhos, que, dia a dia, cavavam profundos abismos entre sua figura inolvidável e as lembranças que lhe eram mais carinhosas. Não mais voltara à casa de Zacarias, e, embora os amigos da estrada de Jope instassem por suas notícias, mantinha-se irredutível no círculo do seu egoísmo sufocante. De vez em quando, sentia-se premido por uma saudade singular. Experimentava imensa falta da ternura de Abigail, cuja lembrança nunca mais se lhe havia apartado da alma enrijecida e ansiosa. Mulher alguma poderia substituí-la no carinho do seu coração. Entre angústias extremas, recordava a agonia de Estêvão, sua invejável paz de consciência, as palavras de amor e de perdão; em seguida, via a noiva genuflexa, implorando-lhe amparo com um clarão de generosidade nos olhos súplices. Jamais esqueceria aquela prece angustiada e comovedora, que ela fizera ao abraçar o irmão nos derradeiros instantes de vida. Não obstante a perseguição cruel que o transformara em mola central de todas as atividades contra a Igreja humilde do "Caminho", Saulo sentia que as necessidades espirituais se multiplicavam no espírito sedento de consolação.

Oito meses de lutas incessantes passaram sobre a morte de Estêvão, quando o moço tarsense, capitulando ante a saudade e o amor que lhe dominavam a alma, resolveu rever a paisagem florida da estrada de Jope, onde por certo reconquistaria o afeto de Abigail, de maneira a reorganizarem todos os projetos de um futuro ditoso.

Tomou o carro minúsculo com o coração opresso. Quantas hesitações não vencera para retomar à antiga situação, humilhando a vaidade de homem convencionalista e inflexível! A luz crepuscular enchia a Natureza de reflexos de ouro fulgurante. Aquele céu muito azul, a verdura agreste, as brisas cariciosas da tarde, eram os mesmos. Sentia-se reviver. Sonhos e esperanças continuavam, também, intangíveis. Refletia na melhor maneira de reaver a dedicação da mulher escolhida, sem humilhação para sua vaidade. Contar-lhe-ia sua desesperação, diria das suas insônias, da continuidade do imenso amor que nenhuma circunstância conseguira destruir. Embora mantivesse firme o propósito de omitir toda e qualquer alusão ao carpinteiro de Nazaré, falaria a Abigail do remorso por não lhe haver estendido mãos amigas no instante em que todas as esperanças de sua alma feminina se haviam abalado, ante o imprevisto da morte dolorosa do irmão, em circunstâncias tão amargas. Esclareceria os detalhes de seus sentimentos. Havia de referir-se à recordação indelével da sua prece angustiosa e ardente, quando Estêvão penetrava os umbrais da morte. Atraí-la-ia ao coração que jamais a esquecera, beijar-lhe-ia os cabelos, formularia novos projetos de amor e felicidade.

Mergulhado em tais pensamentos, atingiu a porta de entrada, identificando as roseiras em flor.

O coração batia-lhe descompassado, quando Zacarias surgiu com grande surpresa. Um abraço demorado assinalou o reencontro. Abigail foi objeto de sua primeira interrogação. Com estranheza notou que Zacarias entristeceu.

— Pensei que algum de teus amigos já te houvesse levado a desagradável notícia — começava dizendo, enquanto o jovem buscava ouvi-lo ansioso.

— Abigail, há mais de quatro meses, adoeceu dos pulmões e, para falar com franqueza, não temos qualquer esperança.

Saulo fizera-se lívido.

— Logo depois que voltou precipitadamente de Jerusalém, esteve mais de um mês entre a vida e a morte. Em vão nos esforçamos, eu e Ruth, para restituir-lhe o viço e as cores da juventude. A pobrezinha entrou a definhar e, em pouco tempo, acamou-se abatida. Solicitei tua presença, com ansiedade, a fim de resolvermos o possível em seu benefício, mas não apareceste. Parecia-me que um ambiente novo lhe proporcionaria o restabelecimento da saúde, mas, faltaram-me os recursos para uma iniciativa mais ampla, tal como se impunha.

— Mas Abigail fez alguma queixa a meu respeito? – perguntou Saulo aflito.

— De modo algum. Aliás, o regresso inesperado de Jerusalém, a enfermidade súbita e teu injustificável afastamento desta casa eram de molde a causar-nos dúvidas e receios, mas logo se verificaram melhoras positivas, após o período mais agudo da febre, e ela nos tranquilizou a respeito. Explicou a necessidade da tua ausência, disse estar ciente dos teus muitos afazeres e encargos políticos; referiu-se com gratidão ao acolhimento que lhe dispensaram teus parentes e, quando Ruth, para confortá-la, qualifica de ingrato o teu procedimento, Abigail é sempre a primeira a defender-te.

Saulo queria dizer alguma coisa, enquanto Zacarias fazia uma pausa, mas nada lhe ocorreu à mente. A emoção que lhe causava a nobreza espiritual da noiva amada paralisava-lhe as ideias.

— Apesar do seu esforço para tranquilizar-nos – continuava o marido de Ruth –, temos a impressão de que nossa filha adotiva se encontra dominada por desgostos profundos, que procura ocultar. Enquanto podia andar, visitava os pessegueiros, à mesma hora em que costumava fazê-lo contigo. A princípio, minha mulher surpreendeu-a chorando, nas sombras da noite, mas em vão procuramos sondar a causa de seus íntimos padecimentos. O único motivo que alegava era justamente o da enfermidade, que começava a minar-lhe o organismo. Mais tarde estagiou uma semana, por aqui, um pobre velho chamado Ananias. Deu-se então um fato estranho: Abigail encontrou-o em casa dos nossos rendeiros e, todas as tardes, detinha-se a ouvi-lo horas a fio, manifestando daí para cá muita fortaleza espiritual. Ao despedir-se, o pobre mendigo deu-lhe como lembrança alguns pergaminhos com os ensinamentos do famoso carpinteiro de Nazaré...

— Do carpinteiro? – atalhou Saulo evidentemente contrariado. – E depois?

— Tornou-se dedicada leitora do chamado Evangelho dos galileus. Consideramos a conveniência de afastá-la de semelhante novidade espiritual, mas Ruth ponderou ser essa, agora, a sua única distração. Com efeito, desde que começou a falar no discutido Jesus Nazareno, observamos que Abigail se enchera de profundas consolações. E o fato é que não mais a vimos chorar, embora se lhe não apagasse do semblante abatido a dolorosa expressão de amargura e melancolia. Sua conversação, daí por diante, parece haver adquirido inspirações diferentes. A dor transformou-se-lhe em confortadora expressão de alegria íntima. E fala a teu respeito com um amor cada vez mais puro. Dá impressão de haver descoberto nos misteriosos escaninhos da alma a energia de uma vida nova.

Depois de um suspiro, Zacarias terminava:

– Contudo, a mudança não alterou a marcha da enfermidade que a devora devagarinho. Dia a dia, vemo-la inclinar-se para o túmulo, como flor que tomba do hastil ao sopro do vento forte.

Saulo experimentava indisfarçável angústia. Penosa emoção revolvia-lhe a alma caprichosa e sensível. Como definir-se? Esmagavam-lhe o espírito amargurosas interrogações. Quem era, afinal, aquele Jesus que o topava em toda parte? O interesse de Abigail pelo Evangelho perseguido revelava a vitória do carpinteiro nazareno a contrastar os próprios sonhos da sua mocidade.

– Mas, Zacarias – perguntou irritadiço o doutor de Tarso –, por que não impediste semelhante contato? Esses velhos feiticeiros percorrem as estradas disseminando a confusão. Surpreende-me essa condescendência, porquanto nossa fidelidade à Lei não admite, ou, pelo menos, nunca deverá admitir transigências.

O interpelado recebeu a recriminação com serenidade e acentuou:

– Antes de tudo, importa considerar que pedi em vão o socorro da tua presença para orientar-me. E, além do mais, quem teria coragem de sonegar o remédio ao doente amado? Desde que lhe vi a resignação santificada, fiz o propósito de não me referir aos seus novos pontos de vista em matéria de crença religiosa.

Como Saulo estivesse engolfado em profundas cismas, sem saber o que responder, o bom homem rematou:

– Vem comigo, verás com os próprios olhos!...

O rapaz seguiu-lhe os passos, cambaleando. As ideias baralhavam-se-lhe no cérebro dolorido. Aquelas notícias inesperadas envenenavam-lhe o coração.

Reclinada no leito, assistida pela afeição maternal de Ruth, a moça de Corinto estampava no rosto um profundo abatimento. Muito magra, a epiderme adquirira a cor do marfim, mas o olhar lúcido denotava absoluta calma espiritual. Carinhosa serenidade estampava-se-lhe na fisionomia entristecida. De vez em quando, renovava-se a dispneia com prolongada aflição, voltando-se então para a janela aberta, como se dali esperasse remédio ao seu cansaço, pelas brisas frescas que chegavam do seio generoso da Natureza.

Ao vê-la, Saulo não dissimulou o seu espanto. A jovem, por sua vez, recebendo a jubilosa surpresa, tomou-se de sincera e transbordante alegria.

Saudações afetuosas se trocaram entre ambos, enquanto os olhos traduziram a saudade angustiosa com que haviam esperado aquele momento. O futuro rabino acariciou-lhe as mãos mimosas, que pareciam agora modeladas em cera translúcida. Falaram da esperança que os alentara, constante, antes do reencontro. Notando que eles desejavam ficar a sós para confidenciar mais à vontade, Zacarias e Ruth retiraram-se discretamente.

– Abigail! – exclamou Saulo comovidíssimo logo que se viram a sós – abdiquei o meu orgulho e a minha vaidade de homem público para vir até aqui perguntar se me perdoaste, se me não esqueceste!

– Esquecer-te? – respondeu ela de olhos úmidos. – Por mais rude e longa que seja a estação de sol ardente, a folha do deserto não poderá esquecer a chuva benéfica que lhe deu vida. Não me fales, igualmente, em perdão, pois acaso poderá alguém perdoar-se a si mesmo? E nós, Saulo, pertencemo-nos um ao outro para a eternidade. Não me disseste, muitas vezes, que eu era o coração do teu cérebro?

Ouvindo o timbre caricioso daquela voz amada, o jovem de Tarso comovia-se nas entranhas do próprio ser arrebatado e ardente. Aquela humildade e aquele tom de ternura penetravam-lhe o coração, reconquistando-lhe o discernimento para o caminho reto.

Guardando, entre as suas, as mãos pálidas da noiva, exclamou com um lampejo de alegria nos olhos:

– Por que dizes que "eras o coração", se ainda és e sê-lo-ás para sempre? Deus abençoará nossas esperanças. Realizaremos nosso ideal. Voltei para levar-te comigo. Teremos um lar, serás nele a rainha!...

Dominada por indefinível alegria, a noiva, que o contemplava com lágrimas, murmurou:

– Desconfio, Saulo, que os lares da Terra não foram feitos para nós!... Deus sabe quanto desejei, ardentemente, ser a mãe carinhosa de teus filhos; como conservei o ideal acima de todas as circunstâncias para aformosear tua existência com o meu carinho! Desde menina, em Corinto, vi mulheres que desbaratavam os tesouros do Céu, simbolizados no amor do esposo e dos filhinhos; e pensei que o Senhor me concederia o mesmo patrimônio de esperanças divinas, pois aguardava as bênçãos do santuário doméstico para glorificá-lo de todo o coração. Para exaltá-lo, idealizei a vida do homem amado, que me auxiliaria a erguer o altar da prole; e, assim que me chegaste, organizei vastos planos de uma vida santa e venturosa, na qual pudéssemos honrar a Deus.

Saulo escutava comovido. Nunca lhe observara tamanha largueza de raciocínio e lucidez naquele tom de ternura tranquila.

– Mas o Céu – prosseguiu resignada – retirou-me as possibilidades de semelhante ventura na Terra. Nos meus primeiros dias de solidão, visitava os lugares ermos, como a procurar-te, requisitando o socorro do teu afeto. Os pessegueiros de nossa predileção pareciam dizer que nunca mais voltarias; a noite amiga aconselhava-me a esquecer; o luar, que me ensinaste a bem-querer, agravava as minhas recordações e amortecia as minhas esperanças. Da peregrinação de cada noite, voltava com lágrimas nos olhos, filhas do desespero do coração. Embalde procurava tua palavra confortadora. Sentia-me profundamente só. Para lembrar e seguir tuas advertências, recordava que me chamaste a atenção, à última vez que nos encontramos para a amizade de Zacarias e de Ruth. É verdade que não tenho outros amigos mais fiéis e generosos que eles; entretanto, não lhes poderia ser mais pesada na vida, além do que sou. Evitei, então, confiar-lhes minhas angústias. Nos primeiros meses da tua ausência, amarguei sem consolo a minha grande desdita. Foi quando surgiu aqui um velhinho respeitável, chamado Ananias, que me deu a conhecer as luzes sagradas da nova revelação. Conheci a história do Cristo, o Filho de Deus Vivo; devorei o seu Evangelho de redenção, edifiquei-me nos seus exemplos. Desde essa hora, compreendi-te melhor, conhecendo a minha própria situação.

Súbito acesso de tosse cortou-lhe a narrativa.

As palavras da noiva caíam-lhe no coração como gotas de fel. Nunca experimentara dor moral tão aguda. Verificando a sinceridade natural, o carinho doce daquelas confissões, sentia-se pungido de acerbos remorsos. Como pudera abandonar, assim, a escolhida de sua alma, olvidando-lhe a fidelidade e o amor? Onde encontrara tamanha dureza de espírito para esquecer deveres tão sagrados? Agora, vinha encontrá-la exânime, desiludida de realizar na Terra os sonhos da juventude. Além de tudo, o carpinteiro odiado parecia tomar-lhe o lugar no coração da noiva adorada. Naquele momento, não experimentava apenas o desejo de lhe arrasar a doutrina e os adeptos, mas sentia ciúmes dele na alma caprichosa. De que poderes podia dispor o nazareno obscuro e martirizado na cruz, para conquistar os sentimentos mais puros da noiva carinhosa?

— Abigail — disse comovido —, abandona as ideias tristes que poderiam envenenar os sonhos de nossa mocidade. Não te entregues a ilusões. Renovemos nossas esperanças. Breve estarás restabelecida. Sei que me perdoaste a morte de teu irmão, e minha família te receberá em Tarso com júbilos sinceros! Seremos felizes, muito felizes!...

Seus olhos pareciam pairar em uma região de sonhos deliciosos, procurando reavivar no coração amado os seus projetos de felicidade terrena.

Ela, porém, misturando sorrisos e lágrimas, acrescentava:

— Francamente, querido, eu também desejaria reviver!... Ser tua, entretecer teus sonhos de juventude, inventar estrelas para o céu da tua existência; tudo isso constitui meu ideal de mulher!... Ah! se pudesse, buscaria os teus parentes com amor, haveria de conquistá-los para o meu coração, ao preço de um grande afeto, mas pressinto que os planos de Deus são diferentes no que concerne aos nossos destinos. Jesus chamou-me para a sua família espiritual...

— Ai de mim! — exclamou Saulo, cortando-lhe a palavra — em toda parte, topo expressões do carpinteiro de Nazaré! Que flagelo! Não repitas semelhante coisa. Deus não seria justo se te sequestrasse ao meu afeto. Quem poderia, então, como esse Cristo, interpor-se aos nossos votos?

Abigail, porém, fixou-o com um gesto súplice e falou:

— Saulo, de que nos valeria a desesperação? Não será melhor inclinarmo-nos com paciência aos sagrados desígnios? Não alimentemos dúvidas prejudiciais. Este leito é de meditação e de morte. O sangue, várias vezes, já me golfou, prenunciando o fim, mas nós cremos em Deus e sabemos que esse fim é apenas corporal. Nossa alma não morrerá, amar-nos-emos eternamente...

— Não concordo — respondia ele extremamente aflito —, essas presunções são fruto de ensinamentos absurdos, quais os desse fanático nazareno que morreu na cruz, entre a humilhação e a covardia. Nunca foste assim melancólica e desalentada; somente os sortilégios galileus podiam convencer-te de tais absurdos funestos, mas procura raciocinar por ti mesma! Que te deu o crucificado senão tristeza e desolação?

— Enganas-te, Saulo! Não me sinto desanimada, embora convicta da impossibilidade de minha ventura terrena. Jesus não foi um mestre vulgar de sortilégios, foi o Messias dispensador de consolação e vida. Sua influência renovou-me as forças, saturou-me de bom ânimo e verdadeira compreensão dos desígnios supremos. Seu Evangelho de perdão e amor é o tesouro divino dos sofredores e deserdados do mundo.

O jovem não conseguia dissimular a irritação que lhe vagava na alma.

— Sempre o mesmo refrão — disse confuso — invariavelmente, a afirmativa de ter vindo para os infelizes, para os doentes e infortunados, mas as tribos de Israel não se compõem apenas de criaturas dessa espécie. E os homens valorosos do povo escolhido? E as famílias de tradições respeitáveis? Estariam fora da influência do Salvador?

— Tenho lido os ensinamentos de Jesus — respondeu a moça com firmeza — e suponho compreender as tuas objeções. O Cristo, cumprindo a sagrada palavra dos profetas, revela-nos que a vida é um conjunto de nobres preocupações da alma, a fim de que marchemos para Deus pelos caminhos retos. Não podemos conceber o Criador como juiz ocioso e isolado, senão como Pai desvelado em benefício de seus filhos. Os homens valorosos a que te referes, os forros de enfermidades e sofrimentos, na posse das bênçãos reais de Deus, deviam ser filhos laboriosos, preocupados com o rendimento da tarefa que foram chamados a cumprir, em prol da felicidade de seus irmãos. Contudo, no mundo, temos contra nossas tendências superiores o inimigo que se instala em nosso próprio coração. O egoísmo ataca a saúde, o ciúme prejudica o mandato divino, como a ferrugem e a traça que inutilizam nossas vestes e instrumentos quando nos descuidamos. São poucos os que se recordam da proteção divina nos dias alegres da fartura, como raríssimos os que trabalham à revelia do aguilhão. Isso demonstra que o Cristo é um roteiro para todos, constituindo-se em consolo para os que choram e orientação para as almas criteriosas, chamadas por Deus a contribuir nas santas preocupações do bem.

Saulo estava impressionado com aquela clareza de raciocínio, mas a conversação exigira da enferma maior esforço e consequente fadiga. A respiração tornara-se difícil, e não tardou que o sangue lhe borbotasse do peito em prolongada hemoptise. Aquele sofrimento, adornado de ternura e humildade, comovia e exasperava profundamente o noivo. Compreendeu que seria impiedoso atacar perante a noiva aquele Jesus que lhe cumpria perseguir até ao fim. Não queria crer que a sua Abigail estivesse nas vésperas da morte. Preferia encarar o futuro com otimismo. Restabelecida, fá-la-ia voltar aos seus antigos pontos de vista. Não toleraria a intromissão do Cristo no santuário doméstico. No esforço introspectivo, entretanto, concluiu que precisava dar uma trégua aos seus pensamentos antagônicos para cogitar dos problemas essenciais da sua própria tranquilidade. A jovem enferma, após a crise que durara minutos longos e tristes, tinha os grandes olhos serenos e lúcidos. Contemplando-a naquela doce atitude de suprema resignação, Saulo de Tarso experimentou enternecedoras comoções íntimas. Seu temperamento arrebatado entregava-se facilmente às impressões extremadas. Aproximando-se mais da noiva amada, tinha os olhos úmidos. Desejou acariciá-la como se o fizesse a uma criança.

— Abigail — murmurou ternamente —, não falemos mais de ideias religiosas. Perdoa-me! Recordemos nosso porvir de flores, esqueçamos tudo para consolidar as melhores esperanças.

As palavras lhe borbulhavam ardentes de emoção. O carinho que evidenciavam era sintoma do arrependimento e das aspirações nobres e sinceras que lhe trabalhavam, agora, no espírito angustiado. Entretanto, como se fora presa de singular abatimento depois do esforço despendido, a jovem de Corinto estava lânguida, receando prosseguir no colóquio, em virtude dos acessos de tosse que a ameaçavam frequentemente. O noivo, preocupado, compreendeu a situação e, apertando-lhe as mãos transparentes, beijou-as enternecido.

— Precisas repousar — disse com inflexão carinhosa —, não te preocupes por minha causa. Dar-te-ei de minhas próprias forças. Breve estarás restabelecida.

E, depois de envolvê-la num olhar cheio de gratidão e infinita ternura, rematava:

— Voltarei a ver-te todas as noites que possa afastar-me de Jerusalém, e logo que puderes voltaremos a ver o luar, lá no jardim, para que a Natureza abençoe os nossos sonhos, sob as vistas de Deus.

— Sim, Saulo — disse pausadamente —, Jesus nos concederá o melhor. De qualquer modo, no entanto, estarás no meu coração, sempre, sempre...

O doutor da Lei ia despedir-se, mas refletiu que a noiva nada lhe dissera com referência ao irmão. A generosidade daquele silêncio impressionava-o. Preferia ser acusado, discutir o feito com as suas penosas circunstâncias, para que também se justificasse. No entanto, em vez de reprimendas, encontrava carícias, em vez de exprobrações, uma tranquilidade generosa, com que a meiga jovem sabia ocultar as profundas feridas que lhe iam na alma.

— Abigail — exclamou algo hesitante —, antes de partir, quisera saber francamente se me desculpaste pela morte de Estêvão. Nunca mais pude falar-te das contingências que me levaram a tão triste desfecho; no entanto, estou convicto de que tua bondade olvidou minha falta.

— Por que te recordas disso? — respondeu-lhe, esforçando-se por manter a voz firme e clara. — Minha alma está agora tranquila. Jeziel está com o Cristo e morreu legando-te um pensamento amistoso. Que poderia eu reclamar de minha parte, se Deus tem sido tão misericordioso para comigo? Ainda agora, estou agradecendo ao Pai justo, de todo o coração, a dádiva da tua presença nesta casa. Há muito vinha pedindo ao Céu não me deixasse morrer sem te rever e ouvir...

Saulo calculou a extensão daquela generosidade espontânea e teve os olhos úmidos. Despediu-se. A noite fresca estava repleta de sugestões para o seu espírito. Nunca meditara nos insondáveis desígnios do Eterno, como naquele momento em que recebera tão profundas lições de humildade e amor da mulher amada. Experimentava na alma opressa o embate de duas forças antagônicas, que lutavam entre si para a posse do seu coração generoso e impulsivo.

Não compreendia Deus senão como um senhor poderoso e inflexível. À sua vontade soberana, dobrar-se-iam todas as preocupações humanas, mas começava a perquirir o motivo de suas dolorosas inquietudes. Por que não encontrava, em parte alguma, a paz anelada ardentemente? Todavia, aquela gente miserável do "Caminho" entregava-se às algemas do cárcere, sorridente e tranquila. Homens enfermos e valetudinários, isentos de qualquer esperança do mundo, suportavam-lhe as perseguições com louvores no coração. O próprio Estêvão, cuja morte lhe servira de exemplo inesquecível, abençoara-o pelos sofrimentos recebidos por amor ao carpinteiro de Nazaré. Aquelas criaturas desamparadas gozavam de uma tranquilidade que ele desconhecia. O quadro da noiva doente não lhe saía dos olhos. Abigail era sensível e afetuosa, mas lembrava de sua ansiedade feminina, a intensidade de suas preocupações de mulher, quando, eventualmente, não conseguia comparecer com pontualidade no adorável recanto da estrada de Jope. Aquele Jesus desconhecido proporcionara-lhe forças ao coração. Se era incontesté que a enfermidade lhe extinguia a vida aos poucos, também evidente era o rejuvenescimento das suas energias espirituais. A noiva falara-lhe como que tocada de novas inspirações; aqueles olhos pareciam contemplar interiormente a paisagem de outros mundos.

Essas reflexões não lhe deram ensejo à admiração da Natureza. Reentrando em Jerusalém, guardou a impressão de que despertava de um sonho. À sua frente desenhavam-se as linhas majestosas do grande santuário. O orgulho de raça falava-lhe mais forte ao espírito. Era impossível conferir superioridade aos homens do "Caminho". Bastou a visão do templo para que encontrasse em si mesmo os esclarecimentos que desejava. A seu ver, a serenidade dos discípulos do Cristo provinha, naturalmente, da ignorância que lhes era apanágio. Geralmente, os que se afeiçoavam aos galileus eram, apenas, criaturas que o mundo desclassificara pela decadência física, pela educação falha, pelo supremo abandono. O homem de responsabilidade, por certo, não poderia encontrar a paz a preço tão vil. Figurara-se-lhe haver resolvido o problema. Continuaria a luta. Contava com o breve restabelecimento da noiva; logo que possível, desposaria Abigail e, com facilidade, dissuadi-la-ia dos fantasiosos quão perigosos engodos daqueles ensinamentos condenados. Do âmbito do seu lar, feliz, prosseguiria na perseguição de quantos esquecessem a Lei, trocando-a por outros princípios.

Esses raciocínios lhe acalmaram, de certo modo, as inquietações.

Mas, no dia seguinte, manhã alta, um mensageiro de Zacarias golpeava-lhe a alma com uma notícia grave: Abigail piorara, estava agonizante!

Incontinente, tomou o caminho de Jope, ansioso de arrebatar a bem-amada ao perigo iminente.

Ruth e o marido estavam desolados. Desde a madrugada, a enferma caíra em penosa prostração. Os vômitos de sangue sucediam-se ininterruptos. Dir-se-ia que só esperava a visita do noivo para morrer. Saulo escutou-os, lívido como cera. Mudo, dirigiu-se para o quarto, onde o ar fresco penetrava embalsamado, trazendo a mensagem das flores do pomar e do jardim, que pareciam enviar despedidas às mãos delicadas e carinhosas que lhes haviam dado a vida.

Abigail recebeu-o com um raio de infinita alegria nos olhos translúcidos. O tom de marfim do semblante abatido acentuara-se rapidamente. O peito arfava-lhe precípite, o coração batia sem ritmo. Sua expressão geral evidenciava a derradeira agonia. Saulo aproximou-se angustiado. Pela primeira vez na vida, sentia-se trêmulo diante do irremediável. Aquele olhar, aquela palidez de mármore, aquela aflição tocada de angústia, anunciavam-lhe o desenlace. Depois de inquiri-la quanto à razão daquele abatimento inesperado, tomou-lhe as mãos flácidas, banhadas do suor frio dos moribundos.

— Como foi isso, Abigail? — dizia perturbado — ainda ontem deixei-te tão esperançado... Pedi sinceramente a Deus te curasse para mim!...

Extremamente sensibilizados, Zacarias e sua mulher afastaram-se.

Vendo que a noiva tinha imensa dificuldade em expor as últimas ideias, Saulo ajoelhou-se a seu lado, cobriu-lhe as mãos de beijos ardentes. A agonia dolorosa parecia-lhe o sofrimento injustificável que o Céu houvera enviado a um anjo. Ele, que trazia o espírito ressecado pela hermenêutica das leis humanas, sentiu que chorava intensamente pela primeira vez. Lendo-lhe a sensibilidade por meio das lágrimas que lhe desciam silenciosamente dos olhos, Abigail esboçou um gesto de carinho com dificuldade infinita. Conhecia Saulo e comprovara-lhe a rigidez do caráter. Aquele pranto revelava o calvário íntimo do bem-amado, mas demonstrava, igualmente, o alvorecer de uma vida nova para o seu espírito.

— Não chores, Saulo — murmurou dificilmente —, a morte não é o fim de tudo...

— Quero-te comigo em toda a vida — replicou o rapaz desfeito em lágrimas.

— Contudo, é preciso morrer para vivermos verdadeiramente — acrescentava a agonizante, cortando as palavras com a respiração opressa. — Jesus nos ensinou que a semente caindo na terra fica só, mas se morrer dá muitos frutos!... Não te rebeles contra os desígnios supremos que me arrebatam do teu convívio material! Se nos uníssemos pelo matrimônio, talvez tivéssemos muitas alegrias; teríamos um lar com os nossos filhos, mas destruindo nossas esperanças de uma felicidade passageira na Terra, Deus nos multiplica os sonhos generosos... Enquanto esperarmos a união indissolúvel, auxiliar-te-ei de onde estiver e te consagrarás ao Eterno, em esforços sublimes e redentores...

Via-se que a agonizante movimentava recursos supremos para pronunciar as derradeiras palavras.

— Quem te deu semelhantes ideias? — perguntou o jovem ralado de angústia.

– Esta noite, depois que partiste, senti que alguém se aproximava enchendo o quarto de luz... Era Jeziel que vinha ver-me... Ao avistá-lo, lembrei-me de Jesus no inefável mistério da sua ressurreição. Anunciou-me que Deus santificava os nossos propósitos de ventura, mas que eu seria levada ainda hoje à Vida Espiritual. Ensinou-me a quebrar o egoísmo de minha alma, encheu-me de bom ânimo e trouxe-me a grata nova de que Jesus ama-te muito, tem esperanças em ti!... Refleti, então, que seria útil entregar-me jubilosa às mãos da morte, pois, quem sabe, se ficasse no mundo não iria perturbar a missão que o Salvador te destinou... Jeziel afirmou que nós te ajudaremos de um plano mais alto! Por quê, então, deixarei de ser tua companheira?... Seguirei teus passos no caminho, levar-te-ei onde se encontrem nossos irmãos do mundo, em abandono, auxiliarei teus raciocínios a descobrir sempre a verdade!... Ainda não aceitaste o Evangelho, mas Jesus é bom e terá algum meio de nos unir os pensamentos na verdadeira compreensão!...

O esforço da moribunda havia sido imenso. A voz extinguira-se-lhe na garganta. De seus olhos, profundamente lúcidos, as lágrimas corriam abundantes.

– Abigail! Abigail! – gritava Saulo desesperado.

Mas, após longos minutos de angustiosa ansiedade, ela dizia num arranco supremo:

– Jeziel já veio... buscar-me...

Instintivamente, Saulo compreendeu que era chegado o momento fatal. Em vão chamou pela moribunda, cujos olhos se empanavam; debalde lhe beijou as mãos geladas, agora cobertas de um palor de neve translúcida. Como louco, gritou por Zacarias e Ruth. Esta, soluçante, desfeita em pranto, abraçou-se a Abigail que, desde a morte do filho, resumia todo o seu tesouro maternal.

A agonizante fixou o olhar, respectivamente, em cada um, como a evidenciar amoroso agradecimento. Depois... uma só lágrima silenciosa foi o seu último adeus.

Do jardim próximo chegavam perfumes brandos; o céu crepuscular tonalizava-se de nuvens aurifulgentes, enquanto os pássaros em recolhida cruzavam os ares alegremente...

Pesada amargura abatera-se sobre a mansão da estrada de Jope. Alara-se ao céu a filha dileta, a noiva amada, a amiga carinhosa das flores e dos passarinhos.

Saulo de Tarso ali se deixava ficar mudo, estarrecido, enquanto Ruth, lavada em lágrimas, cobria de rosas a morta adorada, que parecia dormir.

X
No caminho de Damasco

Durante três dias, Saulo deixou-se ficar em companhia dos amigos generosos, recordando a noiva inesquecível. Profundamente abatido, procurava remédio para as mágoas íntimas, na contemplação da paisagem que Abigail tanto amara. Como triste consolo ao coração desesperado, buscava inteirar-se das preocupações da morta nos últimos tempos e, de olhos úmidos, ouvia as referências carinhosas de Ruth a tudo que se relacionava com a morta querida. Acusava a si próprio de não haver chegado mais cedo para arrebatá-la à enfermidade dolorosa. Pensamentos amargos o atormentavam, tomado de angustioso arrependimento. Afinal, com a rigidez das suas paixões, aniquilara todas as possibilidades de ventura. Com o rigorismo da sua perseguição implacável, Estêvão encontrara o suplício terrível; com o orgulho inflexível do coração, atirara com a noiva ao antro indevassável do túmulo. Entretanto, não podia esquecer que devia todas as coincidências penosas àquele Cristo crucificado, que não pudera compreender. Por que topava, em tudo, traços do carpinteiro humilde de Nazaré, que seu espírito voluntarioso detestava? Desde a primeira controvérsia na Igreja do "Caminho", nunca mais conseguira passar um dia sem encontrá-lo na fisionomia de algum transeunte, na admoestação dos amigos, na documentação oficial das suas diligências punitivas, na boca dos míseros prisioneiros. Estêvão expirara falando n'Ele com amor e júbilo: Abigail nos últimos instantes consolava-se em recordá-lo e o exortava a segui-lo. Por todo esse acervo de considerações que se lhe represavam na mente exausta, Saulo de Tarso galvanizara o ódio pessoal ao Messias escarnecido. Agora que se encontrava só, inteiramente liberto de preocupações particulares, de natureza afetiva, buscaria concentrar esforços na punição e corretivo de quantos encontrasse transviados da Lei. Julgando-se prejudicado pela difusão do Evangelho, renovaria os processos da perseguição infamante. Sem outras esperanças, sem novos ideais, já que lhe faltavam os fundamentos para constituir um lar, entregar-se-ia de corpo e alma à defesa da Lei de Moisés, preservando a fé e a tranquilidade dos compatrícios.

Na véspera do seu regresso a Jerusalém, vamos encontrar o jovem doutor em conversa particular com Zacarias, que procurava ouvi-lo atentamente.

— Afinal de contas — exclamava Saulo sombriamente preocupado —, quem será esse velho que conseguiu fascinar Abigail, a ponto de ela abraçar as doutrinas estranhas do Nazareno?

— Ora — replicava o outro sem maior interesse —, é um desses miseráveis eremitas que se entregam comumente a longas meditações no deserto. Zelando o patrimônio espiritual da pupila que Deus me confiou, indaguei da sua origem e das atividades de sua vida, chegando, a saber, que se trata de um homem honesto, apesar de extremamente pobre.

— Seja como for — objetava o rapaz com austeridade —, ainda não pude compreender os motivos da tua tolerância. Como não te insurgiste contra o inovador? Tenho a impressão de que as ideias tristes e absurdas dos adeptos do "Caminho" contribuíram de modo decisivo para a moléstia que vitimou a nossa pobre Abigail.

— Ponderei tudo isso, mas a atitude mental da querida morta revestiu-se de imensa consolação depois do contato com esse anacoreta honesto e humilde. Ananias tratou-a sempre com profundo respeito, atendeu-a sempre alegre, não exigiu qualquer recompensa, e assim procedeu com os próprios empregados, revelando uma bondade sem limites. Seria, então, lícito impugnar, desprezar benefícios? É verdade que, na esfera de minha compreensão, não poderei aceitar outras ideias além das que nos foram ensinadas por nossos avós respeitáveis e generosos, mas não me julguei com o direito de subtrair aos outros o objeto de suas consolações mais preciosas. Tua ausência, ademais, colocou-me em situação difícil. Abigail fizera da tua pessoa o centro de todos os seus interesses afetivos. Sem compreender as razões que te levaram a desaparecer de nossa casa, compadeci-me da sua amargura íntima, a traduzir-se em tristeza inalterável. A pobrezinha não conseguia ocultar suas mágoas aos nossos olhos amorosos. O encontro de um remédio era providencial. Desde a intervenção de Ananias, Abigail transformou-se, parecia converter toda a angústia em esperanças de uma vida melhor. Embora doente, recebia os mendigos que lhe vinham falar desse Jesus que, também, não consigo compreender. Eram amigos da vizinhança, gente simples, com quem ela parecia alegrar-se. Observando o mal irremediável que a consumia, eu e Ruth acompanhávamos tudo isso enternecidamente. Como não proceder assim, se estava em jogo a paz espiritual de uma filha dileta nos derradeiros dias da sua vida? É possível que ainda não consigas entender o sentido da minha conduta, neste particular, mas em sã consciência estou justificado, porquanto sei que cumpri meu dever, não lhe embargando os recursos que julgou necessários à sua consolação.

Saulo ouvia-o admirado. A serenidade e a ponderação de Zacarias infirmavam-lhe os estos mais fortes de repreenda e severidade. As acusações veladas ao seu afastamento da noiva, sem motivo justificado, penetravam-lhe o coração com pruridos de remorso pungente.

– Sim – revidou menos áspero –, reconsidero melhor as razões que te induziram a suportar tudo isso, mas não quero, não posso e não devo exonerar-me do compromisso que assumi em desafronta da Lei.

– Mas a que compromisso te referes? – interrogou Zacarias surpreendido.

– Quero dizer que preciso encontrar Ananias, a fim de castigá-lo devidamente.

– Que é isso, Saulo? – objetou Zacarias penosamente impressionado. – Abigail acaba de baixar ao sepulcro; seu espírito, de compleição sensibilíssima e afetuosa, sofreu profundamente por motivos que ignoramos e que talvez conheças; o conforto único que ela encontrou foi, justamente, a amizade paternal desse velhinho bom e honesto; e queres puni-lo pelo bem que nos fez e à criatura inesquecível?

– É a defesa da Lei de Moisés, porém, que está em jogo – respondeu o moço tarsense com firmeza.

– Entretanto – advertiu sensatamente Zacarias –, revistando os textos sagrados, não encontrei qualquer dispositivo que autorize a castigar os benfeitores.

O doutor da Lei esboçou um gesto de contrariedade em face da observação justa, mas, valendo-se da sua hermenêutica, considerou com sagacidade:

— Contudo, uma coisa é estudar a Lei e outra é defender a Lei. Na tarefa superior em que me encontro, sou obrigado a examinar se o bem não oculta o mal que condenamos. Aí reside a nossa divergência. Tenho de punir os transviados, como necessitas podar as árvores da tua chácara.

Fez-se prolongado silêncio. Absortos em profunda meditação, separados mental e intimamente, foi Saulo quem retomou a palavra perguntando:

— Desde quando Ananias se ausentou destas paragens?

— Há mais de dois meses.

— E chegaste a conhecer o rumo que tomou?

— Abigail disse-me que ele fora chamado a Jerusalém, a fim de confortar os doentes dos bairros pobres, dada a situação difícil que por lá se criara com a perseguição.

— Pois a sua nefasta influência será igualmente jugulada pelas forças da nossa vigilância. Regressando à cidade, amanhã, como pretendo, procurarei localizar-lhe o paradeiro. Ananias não dementará outras cabeças! Jamais chegou a pensar na reação que provocou em minha alma, embora não nos conheçamos pessoalmente.

Zacarias não conseguiu dissimular o seu desgosto e sentenciou:

— Na simplicidade da minha vida rural não posso atinar com a razão das lutas religiosas de Jerusalém, mas, enfim, trata-se de problemas inerentes aos teus misteres profissionais e não devo intrometer-me nas providências que mais convenham.

Saulo deixou-se ficar longo tempo pensativo, para, em seguida, imprimir novos rumos à conversação.

No dia seguinte, muito consternado, regressou à cidade, ansioso por encher o vácuo do coração, perdido no labirinto das horas vagas. A ninguém revelou a grande amargura que lhe ia na alma. Fechando-se em mutismo absoluto, retomou as funções religiosas, de semblante carregado.

Ao sol claro da manhã alta, vamos encontrá-lo no Sinédrio, interrogando um auxiliar de serviço, com vivacidade:

— Isaque, cumpriste minhas ordens para os informes desejados?

— Sim, senhor, encontrei entre os prisioneiros um rapaz que conhece o velho Ananias.

— Muito bem — disse o doutor de Tarso evidentemente satisfeito —, e onde mora o tal Ananias?

— Ah! lá isso ele não quis dizer, apesar do muito que insisti. Alegou que não sabia.

— Entretanto, é possível que esteja mentindo — ajuntou Saulo com ironia. — Esses homens são capazes de tudo. Providencia, já, para que ele aqui compareça quanto antes. Saberei como arrancar-lhe a verdade.

Como quem já lhe conhecia as decisões irrevogáveis, Isaque obedeceu com humildade. Daí a uma hora mais ou menos, dois soldados penetravam no gabinete, acompanhando um rapaz de fisionomia miserável. Sem trair qualquer comoção, Saulo de Tarso mandou que se recolhessem à sala de punições, onde iria ter com o prisioneiro dentro de alguns minutos.

Terminada a escrituração de alguns papiros, dirigiu-se, resoluto, ao salão dos castigos. Alinhavam-se, ali, todos os instrumentos odiosos e execráveis das perseguições político-religiosas, que envenenavam Jerusalém nos embates da época.

Depois de sentar-se enfaticamente, o moço de Tarso inquiriu o mísero encarcerado com aspereza:

— Teu nome?

— Matatias Johanan.

— Conheces o velho Ananias, pregador ambulante da Igreja do "Caminho"?

— Sim, senhor.

— Desde quando?

— Conheci-o nas vésperas de minha prisão, que se verificou há um mês.

— E onde reside esse adepto do Carpinteiro?

— Isso não sei — exclamou o interpelado em voz tímida. — Quando o conheci, morava num bairro pobre de Jerusalém, onde ensinava o Evangelho, mas Ananias não tinha pouso certo. Veio de Jope, estacionando em diversas aldeias, onde pregava as verdades de Jesus Cristo. Aqui, vivia de bairro em bairro, no seu piedoso mister.

O moço tarsense não prestou atenção naquela atitude de profunda humildade, e, franzindo o sobrolho, acrescentou ameaçadoramente:

— Achas que podes mentir a um doutor da Lei?

— Senhor, eu juro... — dizia o jovem ansiosamente.

Saulo não se dignou fixar-lhe o gesto suplicante. Dirigindo-se a um dos guardas, exclamou impassível:

– Júlio, não temos tempo a perder. Necessito da informação necessária. Aplica-lhe o tormento das unhas. Acredito que, por esse processo, não se animará a prosseguir na dissimulação da verdade.

A ordem foi logo cumprida. Aguçadas pontas de ferro foram tiradas de um grande armário cheio de pó. Em poucos instantes, Júlio e o companheiro, depois de amarrarem o pobre rapaz num tronco rústico, aplicavam-lhe os instrumentos pontiagudos na ponta dos dedos, provocando-lhe gritos lancinantes. O jovem prisioneiro clamava, em vão, suas dores atrozes. Os verdugos ouviam-no com indiferença. Quando o sangue começou a gotejar da unha arrancada violentamente, a vítima bradou em altas vozes:

– Por piedade!... Confessarei tudo, direi onde ele está!... Tende compaixão de mim!...

Saulo ordenou sustassem a punição por momentos, a fim de ouvir as novas declarações.

– Senhor! – acrescentou o infeliz entre lágrimas – Ananias não se encontra mais em Jerusalém. Em nossa última reunião, três dias antes de cairmos no cárcere, o velho discípulo do Evangelho se despediu, afirmando que ia fixar-se em Damasco.

Aquela voz lamentosa era um eco de profundas amarguras a se representarem num coração moço, mas repleto de penosas desilusões da vida. Saulo, entretanto, parecia não ter olhos de ver sofrimentos tão comovedores.

– É tudo quanto sabes? – perguntou secamente.

– Juro-o – tornou o rapaz humildemente.

Diante daquela afirmação categórica, transparente no olhar sincero e na inflexão da voz comovente e triste, o doutor da Lei deu-se por satisfeito, mandando recolher o prisioneiro ao calabouço.

Daí a dois dias, o moço tarsense convocava uma reunião no Sinédrio, à qual atribuía singular importância. Os colegas acorreram ao chamado, sem exceção. Abertos os trabalhos, o doutor de Tarso esclareceu o motivo da convocação.

– Amigos – declarou ciosamente –, há tempos nos reunimos para examinar o caráter da luta religiosa que se criara em Jerusalém com as atividades dos asseclas do carpinteiro de Nazaré. Felizmente, nossa intervenção chegou a tempo de evitar grandes males, dada a argúcia dos falsos taumaturgos exportados da Galileia. À custa de grandes esforços, a atmosfera desanuviou-se. É verdade que os cárceres da cidade transbordam, mas a medida se justifica, porquanto é indispensável reprimir o instinto revolucionário das massas ignorantes. A chamada Igreja do "Caminho" restringiu suas atividades à assistência aos enfermos desamparados. Nossos bairros mais humildes estão em paz. Voltou a serenidade aos nossos afazeres no Templo. Entretanto, não se pode afirmar o mesmo quanto às cidades vizinhas. Minhas consultas às autoridades religiosas de Jope e Cesareia dão a conhecer os distúrbios que os adeptos do Cristo vêm provocando, acintosamente, com prejuízo sério para a ordem pública. Não somente nesses núcleos precisamos desenvolver a obra saneadora, mas, ainda agora, chegam-me notícias alarmantes de Damasco, a requererem providências imediatas. Localizam-se ali perigosos elementos. Um velho, chamado Ananias, lá está perturbando a vida de quantos necessitam de paz nas sinagogas. Não é justo que o mais alto tribunal da raça se desinteresse das coletividades israelitas noutros setores. Proponho, então, estendermos o benefício dessa campanha a outras cidades. Para esse fim, ofereço todos os meus préstimos pessoais, sem ônus para a casa a que servimos. Bastar-me-á, tão só, o necessário documento de habilitação, a fim de acionar todos os recursos que me pareçam acertados, inclusive o da própria pena de morte, quando a julgue necessária e oportuna.

    A proposta de Saulo foi recebida com demonstrações de simpatia. Houve mesmo quem chegasse a propor um voto especial de louvor ao seu zelo vigilante, com aplausos unânimes da reduzida assembleia. Faltava ao cenáculo a ponderação de um Gamaliel, e o sumo sacerdote, compelido pela aprovação geral, não hesitou em conceder as cartas indispensáveis, com ampla autorização para agir discricionariamente. Os presentes abraçaram o jovem rabino com muitos encômios ao seu espírito arguto e enérgico. Francamente, aquela mentalidade moça e vigorosa constituía auspicioso penhor de um futuro maior, com a emancipação política de Israel. Alvo das referências lisonjeiras e estimuladoras dos amigos, Saulo de Tarso aguçava o orgulho de sua raça, esperançoso nos dias do porvir. Verdade é que sofria amargamente com a derrocada dos sonhos da juventude, mas empregaria a soledade da existência nas lutas que reputava sagradas, ao serviço de Deus.

    De posse das cartas de habilitação para agir convenientemente, em cooperação com as sinagogas de Damasco, aceitou a companhia de três varões respeitáveis, que se ofereceram a acompanhá-lo na qualidade de servidores muito amigos.

Ao fim de três dias, a pequena caravana se deslocou de Jerusalém para a extensa planície da Síria.

Na véspera da chegada, quase a termo da viagem difícil e penosa, o moço tarsense sentia agravarem-se as recordações amargas que lhe assomavam constantes. Forças secretas impunham-lhe profundas interrogações. Passava em revista os primeiros sonhos da juventude. Sua alma desdobrava-se em perguntas atrozes. Desde a adolescência que encarecia a paz interior: tinha sede de estabilidade para realizar a sua carreira. Onde encontrar aquela serenidade, que, tão cedo, fora objeto das suas cogitações mais íntimas? Os mestres de Israel preconizavam, para isso, a observância integral da Lei. Mais que tudo, havia ele guardado os seus princípios. Desde os impulsos iniciais da juventude, abominava o pecado. Consagrara-se ao ideal de servir a Deus com todas as suas forças. Não hesitara na execução de tudo que considerava dever, ante as ações mais violentas e rudes. Se era incontestável que tinha inúmeros admiradores e amigos, tinha igualmente poderosos adversários, graças ao seu caráter inflexível no cumprimento das obrigações que considerava sagradas. Onde, então, a paz espiritual que tanto almejava nos esforços comuns? Por mais energias que despendesse, via-se como um laboratório de inquietações dolorosas e profundas. Sua vida assinalava-se por ideias poderosas, mas, no seu íntimo, lutava com antagonismos irreconciliáveis. As noções da Lei de Moisés pareciam não lhe bastar à sede devoradora. Os enigmas do destino empolgavam-lhe a mente. O mistério da dor e dos destinos diferenciais crivava-o de enigmas insolúveis e sombrias interrogações. Entretanto, aqueles adeptos do carpinteiro crucificado ostentavam uma serenidade desconhecida! A alegação de ignorância dos problemas mais graves da vida não prevalecia no caso, pois Estêvão era uma inteligência poderosa e mostrara, ao morrer, uma paz impressionante, acompanhada de valores espirituais que infundiam assombro.

Por mais que os companheiros lhe chamassem atenção para os primeiros quadros de Damasco, que se desenhavam ao longe, Saulo não conseguia forrar-se ao solilóquio sombrio. Parecia não ver os camelos resignados, que se arrastavam pesadamente sob o sol de brasas, a pino, do meio-dia. Embalde foi convidado à refeição. Detendo-se por minutos num pequeno oásis delicioso, esperou que terminasse o leve repasto dos companheiros e prosseguiu na marcha, absorvido pela intensidade dos pensamentos íntimos.

Ele próprio não saberia explicar o que se passava. Suas reminiscências atingiam os períodos da primeira infância. Todo o seu passado laborioso aclarava-se, nitidamente, naquele exame introspectivo. Dentre todas as figuras familiares, a lembrança de Estêvão e de Abigail destacava-se, como a solicitá-lo para mais fortes interrogações. Por que haviam adquirido, os dois irmãos de Corinto, tal ascendência em todos os problemas do seu ego? Por que esperava Abigail através de todas as estradas da mocidade, na idealização de uma vida pura? Recordava os amigos mais eminentes, e em nenhum deles encontrou qualidades morais semelhantes às daquele jovem pregador do "Caminho", que afrontara a sua autoridade político-religiosa, diante de Jerusalém em peso, desdenhando a humilhação e a morte, para morrer depois, abençoando-lhe as resoluções iníquas e implacáveis. Que força os unira nos labirintos do mundo, para que o seu coração nunca mais os esquecesse? A verdade dolorosa é que se encontrava sem paz interior, não obstante a conquista e gozo de todas as prerrogativas e privilégios entre os vultos mais destacados da sua raça. Enfileirava, no pensamento, as jovens que havia conhecido no transcurso da vida, as afeiçoadas da infância, e em nenhuma podia encontrar as mesmas características de Abigail, que lhe adivinhava os mais recônditos desejos. Atormentado pelas indagações profundas que lhe assoberbavam a mente, pareceu despertar de um grande pesadelo. Devia ser meio-dia. Muito distante ainda, a paisagem de Damasco apresentava os seus contornos: pomares espessos, cúpulas cinzentas que se esboçavam ao longe. Bem montado, evidenciando o aprumo de um homem habituado aos prazeres do esporte, Saulo ia à frente, em atitude dominadora.

Em dado instante, todavia, quando mal despertara das angustiosas cogitações, sente-se envolvido por luzes diferentes da tonalidade solar. Tem a impressão de que o ar se fende como uma cortina, sob pressão invisível e poderosa. Intimamente, considera-se presa de inesperada vertigem após o esforço mental persistente e doloroso. Quer voltar-se, pedir o socorro dos companheiros, mas não os vê, apesar da possibilidade de suplicar o auxílio.

– Jacó!... Demétrio!... Socorram-me!... – grita desesperadamente.

Mas a confusão dos sentidos lhe tira a noção de equilíbrio e tomba do animal, ao desamparo, sobre a areia ardente. A visão, no entanto, parece dilatar-se ao infinito. Outra luz lhe banha os olhos deslumbrados, e no caminho, que a atmosfera rasgada lhe desvenda, vê surgir a figura de um homem de majestática beleza, dando-lhe a impressão de que descia do céu ao seu encontro. Sua túnica era feita de pontos luminosos, os cabelos tocavam nos ombros, à nazarena, os olhos magnéticos, imanados de simpatia e de amor, iluminando a fisionomia grave e terna, onde pairava uma divina tristeza.

O doutor de Tarso contemplava-o com espanto profundo, e foi quando, em uma inflexão de voz inesquecível, o desconhecido se fez ouvir:

– Saulo!... Saulo!... por que me persegues?

O moço tarsense não sabia que estava instintivamente de joelhos. Sem poder definir o que se passava, comprimiu o coração em uma atitude desesperada. Incoercível sentimento de veneração apossou-se inteiramente dele. Que significava aquilo? De quem o vulto divino que entrevia no painel do firmamento aberto e cuja presença lhe inundava o coração precípite de emoções desconhecidas?

Enquanto os companheiros cercavam o jovem genuflexo, sem nada ouvirem nem verem, não obstante haverem percebido, a princípio, uma grande luz no alto, Saulo interrogava em voz trêmula e receosa:

– Quem sois vós, Senhor?

Aureolado de uma luz balsâmica e num tom de inconcebível doçura, o Senhor respondeu:

– Eu sou Jesus!...

Então, viu-se o orgulhoso e inflexível doutor da Lei curvar-se para o solo, em pranto convulsivo. Dir-se-ia que o apaixonado rabino de Jerusalém fora ferido de morte, experimentando num momento a derrocada de todos os princípios que lhe conformaram o espírito e o nortearam, até então, na vida. Diante dos olhos tinha, agora, e assim, aquele Cristo magnânimo e incompreendido! Os pregadores do "Caminho" não estavam iludidos! A palavra de Estêvão era a verdade pura! A crença de Abigail era a senda real. Aquele era o Messias! A história maravilhosa da sua ressurreição não era um recurso lendário para fortificar as energias do povo. Sim, ele, Saulo, via-o ali no esplendor de suas glórias divinas! E que amor deveria animar-lhe o coração cheio de augusta misericórdia, para vir encontrá-lo nas estradas desertas, a ele, Saulo, que se arvorara em perseguidor implacável dos discípulos mais fiéis!... Na expressão de sinceridade da sua alma ardente, considerou tudo isso na fugacidade de um minuto. Experimentou invencível vergonha do seu passado cruel. Uma torrente de lágrimas impetuosas lavava-lhe o coração. Quis falar, penitenciar-se, clamar suas infindas desilusões, protestar fidelidade e dedicação ao Messias de Nazaré, mas a contrição sincera do espírito arrependido e dilacerado embargava-lhe a voz.

Foi quando notou que Jesus se aproximava e, contemplando-o carinhosamente, o Mestre tocou-lhe os ombros com ternura, dizendo com inflexão paternal:

– Não recalcitres contra os aguilhões!...

Saulo compreendeu. Desde o primeiro encontro com Estêvão, forças profundas o compeliam a cada momento, e em qualquer parte, à meditação dos novos ensinamentos. O Cristo chamara-o por todos os meios e de todos os modos.

Sem que pudessem entender a grandeza divina daquele instante, os companheiros de viagem viram-no chorar mais copiosamente.

O moço de Tarso soluçava. Ante a expressão doce e persuasiva do Messias Nazareno, considerava o tempo perdido em caminhos escabrosos e ingratos. Doravante necessitava reformar o patrimônio dos pensamentos mais íntimos; a visão de Jesus ressuscitado, aos seus olhos mortais, renovava-lhe integralmente as concepções religiosas. Certo, o Salvador apiedara-se do seu coração leal e sincero, consagrado ao serviço da Lei, e descera da sua glória estendendo-lhe as mãos divinas. Ele, Saulo, era a ovelha perdida no resvaladouro das teorias escaldantes e destruidoras. Jesus era o Pastor amigo que se dignava fechar os olhos para os espinheiros ingratos, a fim de salvá-lo carinhosamente. Num ápice, o jovem rabino considerou a extensão daquele gesto de amor. As lágrimas brotaram-lhe do coração amargurado, como a linfa pura, de uma fonte desconhecida. Ali mesmo, no santuário augusto do espírito, fez o protesto de entregar-se a Jesus para sempre. Recordou, de súbito, as provações rígidas e dolorosas. A ideia de um lar morrera com Abigail. Sentia-se só e acabrunhado. Doravante, porém, entregar-se-ia ao Cristo, como simples escravo do seu amor. E tudo envidaria para provar-lhe que sabia compreender o seu sacrifício, amparando-o na senda escura das iniquidades humanas, naquele instante decisivo do seu destino. Banhado em pranto, como nunca lhe acontecera na vida, fez, ali mesmo, sob o olhar assombrado dos companheiros e ao calor escaldante do meio-dia, a sua primeira profissão de fé.

— Senhor, que quereis que eu faça?

Aquela alma resoluta, mesmo no transe de uma capitulação incondicional, humilhada e ferida em seus princípios mais estimáveis, dava mostras de sua nobreza e lealdade. Encontrando a revelação maior, em face do amor que Jesus lhe demonstrava solícito, Saulo de Tarso não escolhe tarefas para servi-lo, na renovação de seus esforços de homem. Entregando-se-lhe de alma e corpo como se fora ínfimo servo, interroga com humildade o que desejava o Mestre da sua cooperação.

Foi aí que Jesus, contemplando-o mais amorosamente e dando-lhe a entender a necessidade de os homens se harmonizarem no trabalho comum da edificação de todos, no amor universal, em seu nome, esclareceu generosamente:

— Levanta-te, Saulo! Entra na cidade e lá te será dito o que te convém fazer!...

Então, o moço tarsense não mais percebeu o vulto amorável, guardando a impressão de estar mergulhado num mar de sombras. Prosternado, continuava chorando, causando piedade aos companheiros. Esfregou os olhos como se desejasse rasgar o véu que lhe obscurecia a vista, mas só conseguia tatear no seio das trevas densas. Aos poucos, começou a perceber a presença dos amigos, que pareciam comentar a situação:

— Afinal, Jacó — dizia um deles, evidenciando grande preocupação —, que faremos agora?

— Acho bom — respondia o interpelado — enviarmos Jonas a Damasco, requisitando providências imediatas.

— Mas que se teria passado? — perguntava o velho respeitável que respondia por Jonas.

— Não sei bem — esclarecia Jacó impressionado —, a princípio, notei intensa luz nos céus e, logo em seguida, ouvi que ele pedia socorro. Nem tive tempo de atender, porque, no mesmo instante, ele caiu do animal, sem poder esperar qualquer recurso.

— O que me preocupa — ponderava Demétrio — é esse diálogo com as sombras. Com quem conversará ele? Se lhe escutamos a voz e não vemos ninguém, que se passará aqui, nesta hora, sem que possamos compreender?

— Mas não percebes que o chefe está em delírio? — objetou Jacó prudentemente — as grandes viagens, com o sol causticante, costumam abater as organizações mais resistentes. Além disso, como vimos, desde a manhã, ele parece acabrunhado e doente. Não se alimentou, enfraqueceu-se com o esforço destes dias tão longos que vimos atravessando, desde Jerusalém, com grande sacrifício. A meu ver — concluía abanando a cabeça entristecido —, trata-se de um desses casos de febres que atacam repentinamente no deserto...

O velho Jonas, no entanto, de olhos arregalados, fixava o rabino soluçante, com grande admiração. Depois de ouvir a opinião dos companheiros, falou receoso, como se temesse ofender alguma entidade desconhecida:

— Tenho grande experiência destas marchas com o sol a pino. Gastei a mocidade conduzindo camelos através dos desertos da Arábia, mas nunca vi um doente, nesses lugares, com estas características — a febre dos que caem extenuados no caminho não se manifesta com delírio e com lágrimas. O enfermo cai abatido, sem reações. Aqui, porém, observamos o patrão como se estivesse a conversar com um homem invisível para nós. Reluto em aceitar essa hipótese, mas estou desconfiado de que, em tudo isso, haja sinal dos sortilégios do "Caminho". Os seguidores do carpinteiro sabem processos mágicos que estamos longe de compreender. Não ignoramos que o doutor se consagrou à tarefa de persegui-los onde se encontrem. Quem sabe planejaram contra ele alguma vingança cruel? Ofereci-me para vir a Damasco, a fim de fugir dos meus parentes, que parecem seduzidos por essas doutrinas novas. Onde já se viu curar a cegueira de alguém com a simples imposição das mãos? Entretanto, meu irmão curou-se com o famoso Simão Pedro. Só a feitiçaria, a meu ver, esclarecerá essas coisas. Vendo tantos fatos misteriosos, em minha própria casa, tive medo de Satanás e fugi.

Recolhido em si próprio, surpreendido no meio das trevas densas que o envolviam, Saulo escutou os comentários dos amigos, experimentando grande abatimento, como se voltasse exausto e cego, de uma imensa derrota.

Limpando as lágrimas, chamou um deles com profunda humildade. Acudiram todos solicitamente.

— Que aconteceu? — perguntou Jacó preocupado e ansioso. — Estamos aflitos por vossa causa. Estais doente, senhor?... Providenciaremos o que julgardes necessário...

Saulo fez um gesto triste e acrescentou:

— Estou cego.

— Mas que foi? — perguntou o outro inquieto.

— Eu vi Jesus Nazareno! — disse contrito, inteiramente modificado.

Jonas fez um sinal significativo, como a afirmar aos companheiros que tinha razão, entreolhando-se todos muito admirados. Entenderam de modo instintivo que o jovem rabino se havia perturbado. Jacó, que era pessoa de sua intimidade, tomou a iniciativa das primeiras providências e acentuou:

— Senhor, lamentamos vossa enfermidade. Precisamos resolver quanto ao destino da caravana.

O doutor de Tarso, entretanto, revelando uma humildade que jamais se coadunara com o seu feitio dominador, deixou cair uma lágrima e respondeu com profunda tristeza:

— Jacó, não te preocupes comigo... Relativamente ao que me cumpre fazer, preciso chegar a Damasco, sem demora. Quanto a vocês... — e a voz reticenciosa quebrantara-se dolorosamente, como premida de grande angústia, para concluir em tom amargo — façam como quiserem, pois, até agora, vocês eram meus servos, mas, de ora em diante, eu também sou escravo, não mais me pertenço a mim mesmo.

Ante aquela voz humilde e triste, Jacó começou a chorar. Tinha plena convicção de que Saulo enlouquecera. Chamou os dois companheiros à parte e explicou:

— Vocês voltarão para Jerusalém com a triste nova, enquanto me dirigirei à cidade próxima, com o doutor, a providenciar da melhor forma. Levá-lo-ei aos seus amigos e buscaremos o socorro de algum médico... Noto-o extremamente perturbado...

O jovem rabino cientificou-se das deliberações quase sem surpresa. Conformou-se passivamente com a resolução do servo. Naquela hora, submerso em trevas densas e profundas, tinha a imaginação repleta de conjeturas transcendentes. A cegueira súbita não o afligia. Do âmbito daquela escuridão que lhe enchia os olhos da carne, parecia emergir o vulto radioso de Jesus, aos seus olhos de Espírito. Era justo que cessassem as suas percepções visuais, a fim de conservar, para sempre, a lembrança do glorioso minuto de sua transformação para uma vida mais sublime.

Saulo recebeu as observações de Jacó, com a humildade de uma criança. Sem uma queixa, sem resistência, ouvia o trotar da caravana que regressava, enquanto o velho servidor lhe oferecia o braço amigo, tomado de infinitos receios.

Com o pranto a escorrer dos olhos inexpressivos, como perdidos em alguma visão indevassável no vácuo, o orgulhoso doutor de Tarso, guiado por Jacó, seguiu a pé, sob o sol ardente das primeiras horas da tarde.

Comovido pelas bênçãos que recebera das esferas mais elevadas da vida, Saulo chorava como nunca. Estava cego e separado dos seus. Dolorosas angústias represavam-se-lhe no coração opresso, mas a visão do Cristo redivivo, sua palavra inesquecível, sua expressão de amor lhe estavam presentes na alma transformada. Jesus era o Senhor, inacessível à morte. Ele orientaria os seus passos no caminho, dar-lhe-ia novas ordens, secaria as chagas da vaidade e do orgulho que lhe corroíam o coração; sobretudo, conceder-lhe-ia forças para reparar os erros dos seus dias de ilusão.

Impressionado e triste, Jacó guiava o chefe amigo, perguntando a si próprio a razão daquele pranto incessante e silencioso.

Envolvido na sombra da cegueira temporária, Saulo não percebeu que os mantos espessos do crepúsculo abraçavam a Natureza. Nuvens escuras precipitavam a queda da noite, enquanto ventos sufocantes sopravam da imensa planície. Dificilmente, acompanhava as passadas de Jacó, que desejava apressar a marcha, receoso da chuva. Coração resoluto e enérgico, não reparava os obstáculos que se antepunham à sua jornada dolorosa. Faltava-lhe a visão, necessitava de um guia, mas Jesus recomendara que entrasse na cidade, onde lhe seria dito o que tinha a fazer. Era preciso obedecer ao Salvador que o honrara com as supremas revelações da vida. A passos indecisos, ferindo os pés em cada movimento inseguro, caminharia de qualquer modo para executar as ordens divinas. Era indispensável não observar as dificuldades, era imprescindível não esquecer os fins. Que importava o olhar em trevas, o regresso da caravana a Jerusalém, a penosa caminhada a pé em demanda de Damasco, a falsa suposição dos companheiros a respeito da inolvidável ocorrência, a perda dos títulos honoríficos, o repúdio dos sacerdotes seus amigos, a incompreensão do mundo inteiro, diante do fato culminante do seu destino?

Saulo de Tarso, com a profunda sinceridade que lhe caracterizava as mínimas ações, só queria saber que Deus havia mudado de resolução a seu respeito. Ser-lhe-ia fiel até o fim.

Quando as sombras crepusculares se faziam mais densas, dois homens desconhecidos entravam nos subúrbios da cidade. Embora a ventania afastasse as nuvens tempestuosas na direção do deserto, grossos pingos de chuva caíam, aqui e ali, sobre a poeira ardente das ruas. As janelas das casas residenciais fechavam-se com estrépito.

Damasco podia recordar o jovem tarsense, formoso e triunfador. Conhecia-o nas suas festas mais brilhantes, costumava aplaudi-lo nas sinagogas. Mas, vendo passar na via pública aqueles dois homens cansados e tristes, jamais poderia identificá-lo naquele rapaz que caminhava cambaleante, de olhos mortos...

Fim da Primeira Parte

SEGUNDA PARTE

I
Rumo ao deserto

— Aonde iremos, senhor? — atreveu-se Jacó a perguntar, timidamente, logo que entraram nas ruas tortuosas.

O moço tarsense pareceu refletir um minuto e acentuou:

— É verdade que trago comigo algum dinheiro; entretanto, estou em situação muito difícil: sinto precisar mais de assistência moral que de repouso físico. Tenho necessidade de alguém que me ajude a compreender o que se passou. Sabes onde reside Sadoque?

— Sei — respondeu o servo compungido.

— Leva-me até lá... Depois de me avistar com algum amigo, pensarei em uma estalagem.

Não se passou muito tempo e ei-los à porta de um edifício de singular e soberba aparência. Muralhas bem delineadas cercavam extenso átrio adornado de flores e arbustos. Descansando junto ao portão de entrada, Saulo recomendou ao companheiro:

— Não convém que me aproxime assim, sem aviso. Jamais visitei Sadoque nestas condições. Entra no átrio, chama-o e conta-lhe o que se passou comigo. Esperarei aqui, mesmo porque não posso dar um passo.

O servo obedeceu prontamente. O banco de repouso distava alguns passos do largo portão de acesso, mas ficando só, ansioso de ouvir um amigo que o compreendesse, Saulo identificou o muro, tateando-o. Vacilante e trêmulo, arrastou-se dificilmente e atingiu a entrada, ali permanecendo.

Acudindo ao chamado, Sadoque procurou saber o motivo da visita inesperada. Jacó explicou, com humildade, que vinha de Jerusalém, acompanhando o doutor da Lei e desfiou os mínimos incidentes da viagem e os fins colimados, mas, quando se referiu ao episódio principal, Sadoque arregalou os olhos, estupidificado. Custava-lhe acreditar no que ouvia, mas não podia duvidar da sinceridade do narrador, que, por sua vez, mal encobria o próprio assombro. O homem falou, então, do mísero estado do chefe: da sua cegueira, das lágrimas copiosas que vertia. Saulo a chorar?! O amigo de Damasco recebia as estranhas notícias com imensa surpresa, sintetizando as primeiras impressões em uma resposta desconcertante para Jacó:

— O que me conta é quase inverossímil; entretanto, em tais circunstâncias, torna-se impossível acolhê-los aqui. Desde anteontem tenho a casa cheia de amigos importantes, recém-chegados de Citium para uma boa reunião na sinagoga, sábado próximo. Cá por mim, suponho que Saulo se perturbou, inesperadamente, e não quero expô-lo a juízos e comentários menos dignos.

— Mas, senhor, que lhe direi? – interpôs Jacó hesitante.

— Diga que não estou em casa.

— Entretanto... encontro-me só com ele, assim perturbado e enfermo e, como vedes, a noite é tempestuosa.

Sadoque refletiu um momento e acrescentou:

— Não será difícil remediar. Na próxima esquina vocês encontrarão a chamada "rua Direita" e, depois de caminhar alguns passos, encontrarão a estalagem de Judas, que tem sempre muitos cômodos disponíveis. Mais tarde, procurarei lá chegar para saber do ocorrido.

Ouvindo palavras tais, que pareciam mais uma ordem que resposta a um apelo amigo, Jacó despediu-se surpreso e desanimado.

— Senhor – disse ao rabino, regressando ao portão de entrada –, infelizmente vosso amigo Sadoque não se encontra em casa.

— Não está? – exclamou Saulo admirado – daqui lhe ouvi a voz, embora não distinguisse o que dizia. Será possível que meus ouvidos estejam igualmente perturbados?

Diante daquela observação tão expressiva e sincera, Jacó não conseguiu dissimular a verdade e contou ao rabino o acolhimento que tivera, a atitude reservada e fria de Sadoque.

Seguindo as pisadas do guia, Saulo tudo ouviu, mudo, enxugando uma lágrima. Não contava com semelhante recepção da parte de um colega que sempre considerara digno e leal em todas as circunstâncias da vida. A surpresa chocava-o. Era natural que Sadoque temesse pela renovação de suas ideias, mas não era justo abandonasse um amigo doente às intempéries da noite. No entanto, no rebojar de mágoas que começavam a intumescer-lhe o coração, recordou repentinamente a visão de Jesus e refletiu que, efetivamente, possuía agora experiências que o outro não pudera conhecer, chegando à conclusão de que talvez fizesse o mesmo se os papéis estivessem invertidos.

Concluído o relato do companheiro, comentou resignado:

– Sadoque tem razão. Não ficava bem perturbá-lo com a descrição do fato, quando tem à mesa amigos de responsabilidade na vida pública. Além disso, estou cego... Seria um estafermo, e não um hóspede.

Essas considerações comoveram o companheiro, que, aliás, deixara perceber ao jovem rabino os próprios receios. Nas palavras de Jacó, Saulo entrevira uma vaga expressão de temores injustificáveis. O procedimento de Sadoque talvez lhe houvesse aumentado as desconfianças. Suas advertências eram reticenciosas, hesitantes. Parecia intimidado, como se antevisse ameaças à sua tranquilidade pessoal. Nos conceitos mais simples evidenciava o medo de ser acusado como portador de alguma expressão do "Caminho". Na sua amplitude de senso psicológico, o moço tarsense tudo compreendia. Fora verdade que ele, Saulo, representava o chefe supremo da campanha demolidora, mas, de ora em diante, consagraria a vida a Jesus, assim comprometendo a quantos dele se aproximassem direta e ostensivamente. Sua transformação provocaria muitos protestos no ambiente farisaico. Pressentiu nas indecisões do guia o receio de ser acusado de algum sortilégio ou bruxedo.

Com efeito, depois de convenientemente instalados na modesta estalagem de Judas, o companheiro falou-lhe preocupado:

– Senhor, pesa-me alegar minhas conveniências, mas, consoante os projetos feitos, preciso regressar a Jerusalém, onde me esperam dois filhos, a fim de nos fixarmos em Cesareia.

– Perfeitamente – respondeu Saulo, respeitando-lhe os escrúpulos –, poderás partir ao amanhecer.

Aquela voz, antes agressiva e autoritária, tornara-se agora compassiva e meiga, tocando o coração do servo nas suas fibras mais sensíveis.

— Entretanto, senhor, estou hesitando – disse o velho já picado de remorso –, estais cego, necessitais de auxílio para recobrar a vista e sinto sinceramente deixar-vos ao abandono.

— Não te preocupes por minha causa – exclamou o doutor da Lei resignado –; quem te disse que ficarei abandonado? Estou convicto de que meus olhos estarão curados muito em breve. Aliás – continuou Saulo como a confortar-se a si mesmo –, Jesus mandou-me entrar na cidade, a fim de saber o que me convinha. Certo, não me deixará ignorando o que devo fazer.

Assim falando, não pôde ver a expressão de piedade com que Jacó o contemplava desconcertado e oprimido.

Entretanto, malgrado a mágoa que lhe causava o chefe em semelhante estado, e recordando os castigos infligidos aos seguidores do Cristo, em Jerusalém, não conseguiu subtrair-se aos íntimos temores e partiu aos primeiros albores da manhã.

Saulo, agora, estava só. No véu espesso das sombras, podia entregar-se às suas meditações profundas e tristes.

A bolsa farta e franca assegurou-lhe a solicitude do estalajadeiro, que, de quando em quando, vinha saber de suas necessidades, mas, em vão, o hóspede foi convidado a repastos e diversões, porque nada o demovia do seu taciturno isolamento.

Aqueles três dias de Damasco foram de rigorosa disciplina espiritual. Sua personalidade dinâmica havia estabelecido uma trégua às atividades mundanas para examinar os erros do passado, as dificuldades do presente e as realizações do futuro. Precisava ajustar-se à inelutável reforma do seu eu. Na angústia do espírito, sentia-se, de fato, desamparado de todos os amigos. A atitude de Sadoque era típica e valeria pela de todos os correligionários, que jamais se conformariam com a sua adesão aos novos ideais. Ninguém acreditaria no ascendente da conversão inesperada; entretanto, havia que lutar contra todos os céticos, de vez que Jesus, para falar-lhe ao coração, escolhera a hora mais clara e rutilante do dia, em local amplo e descampado e na só companhia de três homens muito menos cultos que ele, e, por isso mesmo, incapazes de algo compreenderem na sua pobreza mental. No apreciar os valores humanos, experimentava a insuportável angústia dos que se encontram em completo abandono, mas, no torvelinho das lembranças, destacava os vultos de Estêvão e Abigail, que lhe proporcionavam consoladoras emoções. Agora compreendia aquele Cristo que viera ao mundo principalmente para os desventurados e tristes de coração. Antes, revoltava-se contra o Messias Nazareno, em cuja ação presumia tal ou qual incompreensível volúpia de sofrimento; todavia, chegava a examinar-se melhor, agora, haurindo na própria experiência as mais proveitosas ilações. Não obstante os títulos do Sinédrio, as responsabilidades públicas, o renome que o faziam admirado em toda parte, que era ele senão um necessitado da proteção divina? As convenções mundanas e os preconceitos religiosos proporcionavam-lhe uma tranquilidade aparente, mas bastou a intervenção da dor imprevista para que ajuizasse de suas necessidades imensas. Abismalmente concentrado na cegueira que o envolvia, orou com fervor, recorreu a Deus para que o não deixasse sem socorro, pediu a Jesus lhe clareasse a mente atormentada pelas ideias de angústia e desamparo.

No terceiro dia de preces fervorosas, eis que o hoteleiro anuncia alguém que o procura. Seria Sadoque? Saulo tem sede de uma voz carinhosa e amiga. Manda entrar. Um velhinho de semblante calmo e afetuoso ali está, sem que o convertido possa ver-lhe as cãs respeitáveis e o sorriso generoso.

O mutismo do visitante indiciava o desconhecido.

– Quem sois? – pergunta o cego admirado.

– Irmão Saulo – replica o interpelado com doçura –, o Senhor, que te apareceu no caminho, enviou-me a esta casa para que tornes a ver e recebas a iluminação do Espírito Santo.

Ouvindo-o, o moço de Tarso tateou ansiosamente nas sombras. Quem seria aquele homem que sabia os feitos lá da estrada! Algum conhecido de Jacó? Mas... aquela inflexão de voz enternecida e carinhosa?

– Vosso nome? – perguntou quase aterrado.

– Ananias.

A resposta era uma revelação. A ovelha perseguida vinha buscar o lobo voraz. Saulo compreendeu a lição que o Cristo lhe ministrava. A presença de Ananias revoca-lhe à memória os apelos mais sagrados. Fora ele o iniciador de Abigail na doutrina e o motivo da viagem a Damasco, onde encontrara Jesus e a verdade renovadora. Tomado de profunda veneração, quis avançar, ajoelhar-se ante o discípulo do Senhor, que lhe chamava ternamente "irmão", oscular-lhe enternecido as mãos benfazejas, mas apenas tateou o vácuo, sem conseguir a execução do gratíssimo desejo.

– Quisera beijar vossa túnica – falou com humildade e reconhecimento –, mas, como vedes, estou cego!...

— Jesus mandou-me, justamente para que tivesses, de novo, o dom da vista.

Comovidíssimo, o velho discípulo do Senhor notou que o perseguidor cruel dos apóstolos do "Caminho" estava totalmente transformado. Ouvindo-lhe a palavra plena de fé, Saulo de Tarso deixava transparecer, no semblante, sinais de profunda alegria interior. Dos olhos ensombrados, manaram lágrimas cristalinas. O moço apaixonado e caprichoso aprendera a ser humano e humilde.

— Jesus é o Messias Eterno! Depus minha alma em suas mãos!... – disse entre compungido e esperançoso. – Penitencio-me do meu caminho!...

Banhado no pranto do arrependimento sincero, sem saber manifestar o reconhecimento daquela hora, em virtude das trevas que lhe dificultavam os passos, ajoelhou-se com humildade.

O velhinho generoso quis adiantar-se, impedir aquele gesto de renúncia suprema, considerando a sua própria condição de homem falível e imperfeito, mas, desejando estimular todos os recursos daquela alma ardente, em favor da sua completa conversão ao Cristo, aproximou-se comovido e, colocando a mão calosa naquela fronte atormentada, exclamou:

— Irmão Saulo, em nome de Deus Todo-Poderoso, eu te batizo para a nova fé em Cristo Jesus!...

Entre as lágrimas ardentes que corriam dos olhos, o moço tarsense acentuou contrito:

— Digne-se o Senhor perdoar meus pecados e iluminar meus propósitos para uma vida nova.

— Agora – disse Ananias, impondo-lhe as mãos nos olhos apagados e em um gesto amoroso –, em nome do Salvador, peço a Deus para que vejas novamente.

— Se é do agrado de Jesus que isso aconteça – advertiu Saulo compungido –, ofereço meus olhos aos seus santos serviços, para todo o sempre.

E como se entrassem em jogo forças poderosas e invisíveis, sentiu que das pálpebras doridas caíam substâncias pesadas como escamas, à proporção que a vista lhe voltava, embebendo-se de luz. Através da janela aberta, viu o céu claro de Damasco, experimentando indefinível ventura naquele oceano de claridades deslumbrantes. A aragem da manhã, como perfume do sol, vinha banhar-lhe a fronte, traduzindo para o seu coração uma bênção de Deus.

— Vejo!... Agora vejo!... Glória ao redentor de minha alma!... — exclamava, estendendo os braços em um transporte de gratidão e de amor.

Ananias também não se conteve mais; em face daquela prova inaudita da misericórdia de Jesus, o velho discípulo do Evangelho abraçou-se ao jovem de Tarso, a chorar de reconhecimento a Deus pelos favores recebidos. Trêmulo de alegria, levantou-o em seus braços generosos, amparando-lhe a alma surpreendida e perturbada de júbilo.

— Irmão Saulo — disse pressuroso —, este é o nosso grande dia; abracemo-nos na memória sacrossanta do Mestre que nos irmanou em seu grande amor!...

O convertido de Damasco não disse palavra. As lágrimas de gratidão sufocavam-no. Abraçando-se ao antigo pregador, em um gesto expressivo e mudo, fê-lo como se houvesse encontrado o pai dedicado e amoroso da sua nova existência. Por momentos, ficaram mudos, maravilhados com a intervenção divina, como dois irmãos muito queridos que se houvessem reconciliado sob as vistas de Deus.

Saulo sentia-se agora fortalecido e ágil. Em um minuto, pareceu reaver todas as energias de sua vida. Voltando a si do contentamento divino que o felicitava, tomou a mão do velho discípulo e beijou-a com veneração. Ananias tinha os olhos rasos de pranto. Ele próprio não podia prever as alegrias infinitas que o esperavam na pensão singela da "rua Direita".

— Ressuscitastes-me para Jesus — exclamou jubiloso —; serei d'Ele eternamente. Sua misericórdia suprirá minhas fraquezas, compadecer-se-á de minhas feridas, enviará auxílios à miséria de minha alma pecadora, para que a lama do meu espírito se converta em ouro do seu amor.

— Sim, somos do Cristo — ajuntou o generoso velhinho com a alegria a transbordar dos olhos.

E, como se fosse de súbito transformado em um menino ávido de ensinamentos, Saulo de Tarso, sentando-se junto do benfeitor amigo, rogou-lhe todos os informes a respeito do Cristo, dos seus postulados e atos imorredouros. Ananias contou-lhe tudo quanto sabia de Jesus, por intermédio dos Apóstolos, depois da crucificação a que ele também assistira, em Jerusalém, na tarde trágica do Calvário. Esclareceu que era sapateiro em Emaús e tinha ido à cidade santa para as comemorações do Templo, tendo acompanhado o drama pungente nas ruas regurgitantes de povo. Falou da compaixão que lhe causara o Messias coroado de espinhos e apupado pela turba furiosa e inconsciente. Profunda a emoção, ao descrever a marcha penosa com a cruz, protegido por soldados impiedosos, da fúria popular, que vociferava o crime hediondo. Curioso pelo desenrolar dos acontecimentos, seguira o condenado até o monte. Da cruz do martírio, Jesus lançara-lhe um olhar inesquecível. Para o seu espírito, aquele olhar traduzia um chamamento sagrado, que era indispensável compreender. Profundamente impressionado, a tudo assistiu até o fim. Daí a três dias, ainda sob o peso daquelas angustiosas impressões, eis que lhe chega a nova alvissareira de que o Cristo havia ressuscitado dos mortos para a glória eterna do Todo-Poderoso. Seus discípulos estavam ébrios de ventura. Então, procurou Simão Pedro para conhecer melhor a personalidade do Salvador. Tão sublime a narrativa, tão elevados os ensinamentos, tão profunda a revelação que lhe aclarava o espírito, que aceitou o Evangelho sem mais hesitação. Desejoso de compartilhar o trabalho que Jesus legara aos que lhe pertenciam, regressou a Emaús, dispôs dos bens materiais que possuía e esperou os Apóstolos galileus em Jerusalém, onde se associou a Pedro nas primeiras atividades da Igreja do "Caminho". A essência dos ensinamentos do Cristo vitalizara-lhe o espírito. Os achaques da velhice haviam desaparecido. Logo que João e Filipe chegaram a Jerusalém para cooperar com o antigo pescador de Cafarnaum na edificação evangélica, combinaram sua transferência para Jope, a fim de atender a inúmeros pedidos de irmãos desejosos de conhecer a doutrina. Ali estivera até que as perseguições intensificadas com a morte de Estêvão obrigaram-no a retirar-se.

Saulo bebia-lhe as palavras com singular enlevo, como quem franqueava um mundo novo. A referência às perseguições avivava os remorsos acerbos. Em compensação, a alma estava repleta de votos sinceros, promissores de uma vida nova.

– É verdade – dizia, enquanto o narrador fazia longa pausa –, vim a Damasco com outorga do Templo para vos levar preso a Jerusalém, mas fostes vós que chegastes com outorga de Jesus e a Ele me jungistes para sempre. Se vos algemasse, na minha ignorância, levar-vos-ia ao tormento e à morte; vós, salvando-me do pecado, transformastes-me em escravo voluntário e feliz!...

Ananias sorriu, sumamente satisfeito.

Saulo pediu-lhe, então, falasse de Estêvão, no que foi atendido com solicitude. Em seguida, pediu informes da sua viagem de Jope a Jerusalém. Com muita prudência, desejava do benfeitor qualquer alusão a Abigail.

Formulando o pedido, fê-lo com tal inflexão carinhosa, que o velho discípulo, adivinhando-lhe o intuito, falou com brandura:

– Não precisarás confessar teus anseios de moço. Leio em teus olhos o que principalmente desejas. Entre Jope e Jerusalém, descansei muito tempo na vizinhança de um compatrício que, apesar de fariseu, nunca privou os empregados de receberem as sagradas alegrias da Boa-Nova. Esse homem, Zacarias, tinha sob seu teto um verdadeiro anjo do céu. Era a jovem Abigail, que, depois de receber o batismo de minhas mãos, confessou que te amava muito. Falava do teu amor com ternura ardente e muitas vezes me convidou a orar pela tua conversão a Jesus Cristo!...

Saulo ouvia emocionado e, após ligeiro intervalo em que o amoroso velhinho parecia meditar, voltou a dizer como se falasse consigo:

– Sim, se ela ainda vivesse!...

Ananias recebeu a observação sem surpresa e acentuou:

– Desde que se aproximou de mim, notei que Abigail não ficaria muito tempo na Terra. Suas cores esmaecidas, o brilho intenso dos olhos, falavam-me da sua condição de anjo exilado, mas devemos crer que ela viva no plano imortal. E quem sabe? Talvez suas rogativas aos pés de Jesus hajam contribuído para que o Mestre te convocasse à luz do Evangelho, às portas de Damasco!...

O velho discípulo do "Caminho" estava comovido. Recebendo aquelas carinhosas evocações, Saulo chorava. Compreendia, sim, que Abigail não poderia estar morta. A visão de Jesus redivivo bastava para dissipar-lhe todas as dúvidas. Certamente, a escolhida de sua alma apiedara-se de suas misérias, rogara ao Salvador, com insistência, lhe socorresse o espírito mesquinho e, por venturosa coincidência, o mesmo Ananias que lhe havia preparado o coração para as bênçãos do Céu, estendera-lhe igualmente as mãos amigas, cheias de caridade e perdão. Agora, pertenceria para sempre àquele Cristo amoroso e justo, que era o Messias Prometido. Nas emoções extremas que lhe caracterizavam os sentimentos, passou a considerar o poder do Evangelho, examinando seus ilimitados recursos transformadores. Queria mergulhar o espírito nas suas lições iluminadas e sublimes, banhar-se naquele rio de vida, cujas águas do amor de Jesus fecundavam os corações mais áridos e desertos. Aquela meditação profunda empolgava-lhe, agora, a alma toda.

– Ananias, meu mestre – disse o ex-rabino com entusiasmo –, onde poderei obter o Evangelho sagrado?

O antigo discípulo sorriu com bondade, e observou:

— Antes de tudo, não me chames mestre. Este é e será sempre o Cristo. Nós outros, por acréscimo da Misericórdia Divina, somos discípulos, irmãos na necessidade e no trabalho redentor. Quanto à aquisição do Evangelho, somente na Igreja do "Caminho", em Jerusalém, poderíamos obter uma cópia integral das anotações de Levi.

E revolvendo o interior de surrada patrona, retirava alguns pergaminhos amarelentos, nos quais conseguira reunir alguns elementos da tradição apostólica. Apresentando essas notas dispersas, Ananias acrescentava:

— Verbalmente, tenho de cor quase todos os ensinamentos, mas, no que se refere à parte escrita, aqui tens tudo que possuo.

O moço convertido recebeu as anotações, assaz admirado. Debruçou-se imediatamente sobre os velhos rabiscos e devorava-os com indisfarçável interesse.

Depois de refletir alguns minutos, acentuava:

— Se possível, pedir-vos-ia deixar-me estes preciosos ensinamentos até amanhã. Empregarei o dia em copiá-los para meu uso particular. O estalajadeiro me comprará os pergaminhos necessários.

E como que já iluminado daquele espírito missionário que lhe assinalou as menores ações, para o resto da vida, ponderava atento:

— Precisamos estudar um meio de difundir a nova revelação com a maior amplitude possível. Jesus é um socorro do Céu. Tardar na sua mensagem é delongar o desespero dos homens. Aliás, a palavra "evangelho" significa "boas notícias". É indispensável espalhar essas notícias do plano mais elevado da vida.

Enquanto o velho pregador do "Caminho" observava-o interessado, o convertido de Damasco chamou o hoteleiro para comprar os pergaminhos. Judas surpreendeu-se ao verificar a cura insólita. Satisfazendo-lhe a curiosidade, o jovem de Tarso falou sem rebuços:

— Jesus enviou-me um médico. Ananias veio curar-me em seu nome.

E antes que o homem se recobrasse do espanto, cumulava-o de recomendações a respeito dos pergaminhos que desejava, entregando-lhe a quantia necessária.

Dando largas ao entusiasmo que lhe ia na alma, dirigiu-se novamente a Ananias, expondo-lhe seus planos:

— Até aqui, ocupava o meu tempo no estudo e na exegese da Lei de Moisés; agora, porém, encherei as horas com o espírito do Cristo.

Trabalharei nesse mister até o fim dos meus dias. Buscarei iniciar meu trabalho aqui mesmo em Damasco.

E, fazendo uma pausa, perguntava ao benfeitor que o ouvia em silêncio:

— Conheceis na cidade um rapaz fariseu de nome Sadoque?

— Sim, é quem tem chefiado as perseguições nesta cidade.

— Pois bem — continuava o jovem tarsense atencioso —, amanhã é sábado e haverá preleção na sinagoga. Pretendo procurar os amigos e falar-lhes publicamente do apelo que o Cristo me endereçou. Quero estudar vossas anotações ainda hoje, porque me darão assunto para a primeira prédica do Evangelho.

— Para ser sincero — disse Ananias com a sua experiência dos homens —, acho que deves ser muito prudente nesta nova fase religiosa. É possível que teus amigos da sinagoga não estejam preparados para receber a luz da verdade toda. A má-fé tem sempre caminhos para tentar a confusão do que é puro.

— Mas se eu vi Jesus, não tenho o direito de ocultar uma revelação incontestável — exclamou o neófito, como a salientar, antes de tudo, a boa intenção que o animava.

— Sim, não digo que fujas do testemunho — explicou calmo o velho discípulo —, mas devo encarecer a maior prudência nas atitudes, não pela doutrina do Cristo, superior e invulnerável a quaisquer ataques dos homens, mas por ti mesmo.

— Por mim nada posso temer. Se Jesus me restituiu a luz dos olhos, não deixará de iluminar meus caminhos. Quero comunicar a Sadoque a ocorrência que deu novos rumos ao meu destino. E o ensejo não poderia ser mais oportuno, porque sei que hospeda em sua casa, ainda agora, alguns levitas de renome, recém-chegados de Chipre.

— Que o Mestre te abençoe os bons propósitos — disse o velho sorridente.

Saulo sentia-se feliz. A presença de Ananias confortava-o sobremodo. Como velhos e fiéis amigos, almoçaram juntos. Em seguida e sempre satisfeito, o generoso enviado do Cristo retirou-se, deixando o ex-rabino todo entregue à meticulosa cópia dos textos.

No dia seguinte, Saulo de Tarso levantou-se lépido e bem-disposto. Sentia-se revigorado para uma vida nova. As recordações amargas lhe desertaram da memória. A influência de Jesus enchia-o de alegrias substanciosas e duradouras. Tinha a impressão de haver aberto uma porta nova em sua alma, por onde sopravam céleres as inspirações de um mundo maior.

Depois da primeira refeição, não obstante o dissabor que a atitude de Sadoque lhe causara, procurou avistar-se com o amigo, levado pela sinceridade que lhe pautava os mínimos atos da vida. Não o encontrou, contudo, na residência particular. Um servo informou que o amo saíra com alguns hóspedes em direção à sinagoga.

Saulo foi até lá. Os trabalhos do dia estavam iniciados. Fora feita a leitura dos textos de Moisés. Um dos levitas de Citium havia tomado a palavra para os respectivos comentários.

A entrada do ex-rabino provocou curiosidade geral. A maioria dos presentes tinha conhecimento da sua importância pessoal, bem como do seu verbo ardoroso e seguro. Sadoque, porém, ao vê-lo, fez-se pálido, e mais ainda quando o jovem de Tarso lhe pediu uma palavra em particular. Embora contrafeito, foi-lhe ao encontro. Cumprimentaram-se sem dissimular a nova impressão que, já agora, mantinham entre si.

Em face das primeiras observações do novel evangelista, formuladas em tom amável, o amigo de Damasco explicou, evidenciando o seu orgulho ofendido:

— De fato, sabia que estavas na cidade e cheguei mesmo a procurar-te na pensão de Judas; tais foram, porém, as informações do hoteleiro, que me abstive de ir ao teu aposento. E cheguei até a pedir-lhe segredo da minha visita. Com efeito, parece incrível que te rendesses, também tu, passivamente, aos sortilégios do "Caminho"! Não posso compreender semelhante transmutação em tua robusta mentalidade.

— Mas Sadoque — replicou o jovem tarsense muito calmo —, eu vi Jesus ressuscitado...

O outro fez grande esforço para conter uma ruidosa gargalhada.

— Será possível — objetou com zombaria — que tua índole sentimental, tão contrária a manifestações de misticismo, tenha capitulado nesse terreno? Acreditarias mesmo em tais visões? Não poderias imaginar-te vítima de algum desfaçado adepto do carpinteiro? Tuas atitudes de agora nos causarão profunda vergonha. Que dirão os homens irresponsáveis, que nada conhecem da Lei de Moisés? E a nossa posição no partido dominante da raça? Os colegas do farisaísmo hão de arregalar os olhos, quando souberem da tua clamorosa defecção. Quando aceitei o encargo de perseguir os companheiros do operário de Nazaré, reprimindo-lhes as atividades perigosas, fi-lo pela amizade que te consagrava; e não te doerá a traição dos votos anteriores? Considera como se dificultará nosso escopo, quando se espalhar a notícia de que capitulaste perante esses homens sem cultura e sem consciência.

Saulo fitou o amigo, revelando imensa preocupação no olhar ansioso. Aquelas acusações eram as premissas do acolhimento que o aguardava no cenáculo dos velhos companheiros de lutas e edificações religiosas.

— Não — disse ele sentindo fundamente cada palavra —, não posso aceitar as tuas arguições. Repito que vi Jesus de Nazaré e devo proclamar que n'Ele reconheço o Messias Prometido pelos nossos profetas mais eminentes.

Enquanto o outro fazia largo gesto admirativo ao observar aquela inflexão de certeza e sinceridade, Saulo continuava convicto:

— Quanto ao mais, considero que, a todo tempo, devemos e podemos reparar os erros do passado. E é com esse ardor de fé, que me proponho regenerar minhas próprias estradas. Trabalharei, doravante, pela minha certeza em Cristo Jesus. Não é justo que me perca em ponderações sentimentalistas, olvidando a verdade; e assim procederei em benefício dos meus próprios amigos. Os amantes das realidades da vida sempre foram os mais detestados, ao tempo em que viveram. Que fazer? Até aqui, minhas pregações nasciam dos textos recebidos dos antepassados veneráveis, mas, hoje, minhas asserções se baseiam não somente nos repositórios da tradição, senão também na prova testemunhal.

Sadoque não conseguiu ocultar a surpresa.

— Mas... a tua posição? E os teus parentes? E o nome? E tudo que recebeste dos que rodeiam tua personalidade com fervorosos compromissos? — perguntou Sadoque, revocando-o ao passado.

— Agora, estou com o Cristo e todos nós lhe pertencemos. Sua palavra divina convocou-me a esforços mais ardentes e ativos. Aos que me compreenderem devo, naturalmente, a gratidão mais sagrada; entretanto, para os que não possam entender guardarei a melhor atitude de serenidade, considerando que o próprio Messias foi levado à cruz.

— Também tu com a mania do martírio?

O interpelado guardou uma bela expressão de dignidade pessoal e concluiu:

— Não posso perder-me em opiniões levianas. Esperarei que o teu amigo de Chipre termine a preleção, para relatar minha experiência diante de todos.

— Falar nisso aqui?

— Por que não?

— Seria mais razoável descansares da viagem e da enfermidade, meditando melhor no assunto, mesmo porque tenho esperança nas tuas reconsiderações, relativamente ao acontecido.

— Sabes, porém, que não sou nenhuma criança e cumpre-me esclarecer a verdade, em qualquer circunstância.

— E se te apuparem? E se fores considerado traidor?

— A fidelidade a Deus deve ser maior que tudo isso, aos nossos olhos.

— É possível, no entanto, que não te concedam a palavra – ponderou Sadoque após esbarrar com a força daquelas profundas convicções.

— Minha condição é bastante para que ninguém se atreva a negar-me o que é de justiça.

— Então, seja. Responderás pelas consequências – concluiu Sadoque constrangido.

Naquele momento, ambos compreenderam a imensidão da linha divisória que os extremava. Saulo percebeu que a amizade que Sadoque sempre lhe testemunhara baseava-se nos interesses puramente humanos. Abandonando a falsa carreira que lhe dava prestígio e brilho, via esfumar-se a cordialidade do outro. No entanto, de tal cogitação, logo lhe veio à mente que, também ele, assim procederia, provavelmente, se não tivesse Jesus no coração.

Sereno e desassombrado, evitou aproximar-se do local onde se acomodavam os visitantes ilustres, buscando aproximar-se do largo estrado em que se improvisara uma nova tribuna. Terminada a dissertação do levita de Citium, Saulo surgiu à vista de todos os presentes, que o saudaram com olhares ansiosos. Cumprimentou, afável, os diretores da reunião e pediu vênia para expor suas ideias.

Sadoque não tivera coragem de criar um ambiente antipático, para deixar que tudo corresse à feição das circunstâncias, e foi por isso que os sacerdotes apertaram a mão de Saulo com a simpatia de sempre, acolhendo com imensa alegria o seu alvitre.

Com a palavra, o ex-rabino ergueu a fronte, nobremente, como costumava fazer nos seus dias triunfais.

— Varões de Israel! – começou em tom solene – em nome do Todo-Poderoso, venho anunciar-vos hoje, pela primeira vez, as verdades da nova revelação. Temos ignorado, até agora, o fato culminante da vida da Humanidade. O Messias Prometido já veio, consoante o afirmaram os profetas que se glorificaram na virtude e no sofrimento. Jesus de Nazaré é o Salvador dos pecadores.

Uma bomba que estourasse no recinto não causaria maior espanto. Todos fixavam o orador, atônitos. A assembleia estava obstúpida. Saulo, contudo, prosseguia intrépido, depois de uma pausa:

— Não vos assombreis com o que vos digo. Conheceis minha consciência pela retidão de minha vida, pela minha fidelidade às Leis Divinas. Pois bem: é com este patrimônio do passado que vos falo hoje, reparando as faltas involuntárias que cometi nos impulsos sinceros de uma perseguição cruel e injusta. Em Jerusalém, fui o primeiro a condenar os apóstolos do "Caminho"; provoquei a união de romanos e israelitas para a repressão, sem tréguas, a todas as atividades que se prendessem ao Nazareno; varejei lares sagrados, encarcerei mulheres e crianças, submeti alguns à pena de morte, ocasionei um vasto êxodo das massas operárias que trabalhavam pacificamente na cidade para seu progresso; criei para todos os espíritos mais sinceros um regime de sombras e terrores. Fiz tudo isso, na falsa suposição de defender a Deus, como se o Pai supremo necessitasse de míseros defensores!... mas, de viagem para esta cidade, autorizado pelo Sinédrio e pela Corte provincial, para invadir os lares alheios e perseguir criaturas inofensivas e inocentes, eis que Jesus me aparece às vossas portas e me pergunta, em pleno meio-dia, na paisagem desolada e deserta: 'Saulo, Saulo, por que me persegues?'

A essa evocação, a voz eloquente se enternecia e as lágrimas lhe corriam copiosas. Interrompera-se ao recordar a ocorrência decisiva do seu destino. Os ouvintes contemplavam-no assombrados.

— Que é isso? – diziam alguns.

— O doutor de Tarso graceja!... – afirmavam outros sorrindo, convictos de que o jovem tribuno estivesse buscando maior efeito oratório.

— Não, amigos – exclamou com veemência –, jamais gracejei convosco nas tribunas sagradas. O Deus justo não permitiu que minha violência criminosa fosse até o fim, em detrimento da verdade, e consentiu, por misericórdia de acréscimo, que o mísero servo não encontrasse a morte sem vos trazer a luz da crença nova!...

Não obstante o ardor da pregação, que deixava em todos os ouvidos ressonâncias emocionais, rompeu no recinto estranho vozerio. Alguns fariseus mais exaltados interpelaram Sadoque, em voz baixa, quanto ao inesperado daquela surpresa, obtendo a confirmação de que Saulo, de fato, parecia extremamente perturbado, alegando ter visto o Carpinteiro de Nazaré nas vizinhanças de Damasco. Imediatamente estabeleceu-se enorme confusão em toda a sala, porque havia quem visse no caso perigosa defecção do rabino, e quem opinasse por enfermidade súbita, que o houvesse dementado.

– Varões de minha antiga fé – trovejou a voz do moço tarsense mais incisiva –, é inútil tentardes empanar a verdade. Não sou traidor nem estou doente. Estamos defrontando uma era nova, em face da qual todos os nossos caprichos religiosos são insignificantes.

Uma chuva de impropérios cortou-lhe repentinamente a palavra.

– Covarde! Blasfemo! Cão do "Caminho"!... Fora o traidor de Moisés!...

Os apodos partiam de todos os lados. Os mais afeiçoados ao ex-rabino, que se inclinavam a supô-lo vítima de graves perturbações mentais, entraram em conflito com os fariseus mais rudes e rigorosos. Algumas bengalas foram atiradas à tribuna com extrema violência. Os grupos, que se haviam atracado em luta, espalhavam forte celeuma na sinagoga, percebendo o orador que se encontravam na iminência de irreparáveis desastres.

Foi quando um dos levitas mais idosos assomou ao grande estrado, levantando a voz com toda a energia de que era capaz e rogando aos presentes acompanhá-lo na recitação de um dos Salmos de Davi. O convite foi aceito por todos. Os mais exaltados repetiram a prece, tomados de vergonha.

Saulo acompanhava a cena com profundo interesse.

Terminada a oração, disse o sacerdote com ênfase irritante:

– Lamentemos este episódio, mas evitemos a confusão que em nada aproveita. Até ontem, Saulo de Tarso honrava as nossas fileiras como paradigma de triunfo; hoje, sua palavra é para nós um galho de espinhos. Com um passado respeitável, esta atitude de agora só nos merece condenação. Perjúrio? Demência? Não o sabemos com certeza. Outro fora o tribuno e apedrejá-lo-íamos sem pestanejar, mas com um antigo colega os processos devem ser outros. Se está doente, só merece compaixão; se traidor, só poderá merecer absoluto desprezo. Que Jerusalém o julgue como seu embaixador. Quanto a nós, encerremos as pregações da sinagoga e recolhamo-nos à paz dos fiéis cumpridores da Lei.

O ex-rabino suportou a increpação com grande serenidade a lhe transparecer dos olhos. Intimamente, sentia-se ferido no seu amor-próprio. Os remanescentes do "homem velho" exigiam revide e reparação imediata, ali mesmo, à vista de todos. Quis falar novamente, exigir a palavra, obrigar os companheiros a ouvi-lo, mas sentia-se presa de emoções incoercíveis, que lhe infirmavam os ímpetos explosivos. Imóvel, notou que velhos afeiçoados de Damasco abandonavam o recinto calmamente, sem lhe fazer sequer uma ligeira saudação. Observou, também, que os levitas de Citium pareciam entendê-lo, por um olhar de simpatia, ao mesmo tempo em que Sadoque fixava-o com ironia e risinhos de triunfo. Era o repúdio que chegava. Acostumado aos aplausos onde quer que aparecesse, fora vítima da própria ilusão, acreditando que, para falar com êxito, sobre Jesus, bastavam os louros efêmeros já conquistados ao mundo. Enganara-se. Seus cômpares punham-no à margem, como inútil. Nada lhe doía mais que ser assim desaproveitado, quando lhe ardia na alma a devoção sacerdotal. Preferia que o esbofeteassem, que o prendessem, que o flagelassem, mas não lhe tirassem o ensejo de discutir sem peias, a todos vencendo e convencendo com a lógica de suas definições. Aquele abandono feria-o fundo, porque, antes de qualquer consideração, reconhecia não laborar em benefício pessoal, por vaidade ou egoísmo, mas pelos próprios correligionários atidos às concepções rígidas e inflexíveis da Lei. Aos poucos a sinagoga ficara deserta, sob o calor ardente das primeiras horas da tarde. Saulo sentou-se em um banco tosco e chorou. Era a luta entre a vaidade de outros tempos e a renúncia de si mesmo que começava. Para conforto da alma opressa, recordou a narrativa de Ananias, no capítulo em que Jesus dissera ao velho discípulo que lhe mostraria quanto importava sofrer por amor ao seu nome.

Acabrunhado, retirou-se do Templo, em busca do benfeitor, a fim de reconfortar-se com a sua palavra.

Ananias não se mostrou surpreendido com a exposição das ocorrências.

— Vejo-me cercado de enormes dificuldades — dizia Saulo um tanto perturbado. — Sinto-me no dever de espalhar a nova doutrina, felicitando os nossos semelhantes; Jesus encheu-me o coração de energias inesperadas, mas a secura dos homens é de amedrontar os mais fortes.

— Sim — explicava o ancião paciente —, o Senhor conferiu-te a tarefa do semeador; tens muito boa vontade, mas que faz um homem recebendo encargos dessa natureza? Antes de tudo, procura ajuntar as sementes no seu mealheiro particular, para que o esforço seja profícuo.

O neófito percebeu o alcance da comparação e perguntou:

Que desejais dizer com isso?

— Quero dizer que um homem de vida pura e reta, sem os erros da própria boa intenção, está sempre pronto a plantar o bem e a justiça no roteiro que perlustra, mas aquele que já se enganou, ou que guarda alguma culpa, tem necessidade de testemunhar no sofrimento próprio, antes de ensinar. Os que não forem integralmente puros, ou nada sofreram no caminho, jamais são bem compreendidos por quem lhes ouve simplesmente a palavra. Contra os seus ensinos estão suas próprias vidas. Além do mais, tudo que é de Deus reclama grande paz e profunda compreensão. No teu caso, deves pensar na lição de Jesus permanecendo trinta anos entre nós, preparando-se para suportar nossa presença durante apenas três. Para receber uma tarefa do Céu, Davi conviveu com a Natureza, apascentando rebanhos; para desbravar as estradas do Salvador, João Batista meditou muito tempo nos ásperos desertos da Judeia.

As ponderações carinhosas de Ananias caíam-lhe na alma opressa como bálsamo vitalizante.

— Quando hajas sofrido mais — continuava o benfeitor e amigo sincero —, terás apurado a compreensão dos homens e das coisas. Só a dor nos ensina a ser humanos. Quando a criatura entra no período mais perigoso da existência, depois da matinal infância e antes da noite da velhice; quando a vida exubera energias, Deus lhe envia os filhos, para que, com os trabalhos, se lhe enterneça o coração. Pelo que me hás confessado, é possível não venhas a ser pai, mas terás os filhos do Calvário em toda parte. Não viste Simão Pedro, em Jerusalém, rodeado de infelizes? Naturalmente, encontrarás um lar maior na Terra, onde serás chamado a exercer a fraternidade, o amor, o perdão... É preciso morrer para o mundo, para que o Cristo viva em nós...

Aquelas observações tão sadias e tão mansas penetraram o espírito do ex-rabino como bálsamo de consolação de horizontes mais vastos. Suas palavras carinhosas fizeram-no recordar alguém que o amava muito. De cérebro cansado pelos embates do dia, Saulo esforçava-se por fixar melhor as ideias. Ah!... agora se lembrava perfeitamente. Esse alguém era Gamaliel. Veio-lhe de súbito o desejo de se avistar com o velho mestre. Compreendia a razão daquela lembrança. É que, também ele, pela última vez, lhe falara da necessidade que sentia dos lugares ermos, para meditar as sublimes verdades novas. Sabia-o em Palmira, na companhia de um irmão. Como não se recordara ainda do antigo mestre, que lhe fora quase um pai? Certamente, Gamaliel recebê-lo-ia de braços abertos, regozijar-se-ia com as suas conquistas recentes, dar-lhe-ia conselhos generosos quanto aos rumos a seguir.

Engolfado em recordações cariciosas, agradeceu a Ananias com um olhar significativo, acrescentando sensibilizado:

– Tendes razão... Buscarei o deserto em vez de voltar a Jerusalém precipitadamente, sem forças, talvez, para enfrentar a incompreensão dos meus confrades. Tenho um velho amigo em Palmira, que me acolherá de bom grado. Ali repousarei algum tempo, até que possa internar-me pelas regiões ermas, a fim de meditar as lições recebidas.

Ananias aprovou a ideia com um sorriso. Ainda ficaram conversando longo tempo, até que a noite mergulhou a alma das coisas no seu velário de sombras espessas.

O velho pregador conduziu, então, o novo adepto para a humilde reunião que se realizava nesse sábado de grandes desilusões para o ex-rabino.

Damasco não tinha propriamente uma Igreja; entretanto, contava numerosos crentes irmanados pelo ideal religioso do "Caminho". O núcleo de orações era em casa de uma lavadeira humilde, companheira de fé, que alugava a sala para poder acudir a um filho paralítico. Profundamente admirado, o moço tarsense enxergou ali a miniatura do quadro observado pela primeira vez, quando tivera a curiosidade invencível de assistir às célebres pregações de Estêvão em Jerusalém. Em torno da mesa rústica, juntavam-se míseras criaturas da plebe, que ele sempre mantivera separada da sua esfera social. Mulheres analfabetas com crianças ao colo, velhos pedreiros rudes, lavadeiras que não conseguiam conjugar duas palavras certas. Anciães de mãos trêmulas, amparando-se a cajados fortes, doentes misérrimos que exibiam a marca de enfermidades dolorosas. A cerimônia parecia ainda mais simples que as de Simão Pedro e seus companheiros galileus. Ananias chefiava e presidia o ato. Sentando-se à mesa, qual patriarca no seio da família, rogou as bênçãos de Jesus para a boa vontade de todos. Em seguida, fez a leitura dos ensinos de Jesus, respigando algumas sentenças do Mestre divino nos pergaminhos esparsos. Depois de comentar a página lida, ilustrando-a com a exposição de fatos significativos, do seu conhecimento ou da sua experiência pessoal, o velho discípulo do Evangelho deixava o lugar, percorria as filas de bancos e impunha as mãos sobre os doentes e necessitados. Comumente, segundo o hábito das primeiras células cristãs do primeiro século, ao memorar as alegrias de Jesus quando servia o repasto aos discípulos, fazia-se modesta distribuição de pão e água pura, em nome do Senhor. Saulo serviu-se do bolo simples, enternecidamente. Para sua alma, o cibo mesquinho tinha o sabor divino da fraternidade universal. A água clara e fresca da bilha grosseira soube-lhe a fluido de amor que partia de Jesus, comunicando-se a todos os seres. Ao fim da reunião, Ananias orava fervorosamente. Depois de contar a visão de Saulo e a sua própria, nos comentários singelos daquela noite, pedia ao Salvador protegesse o novo servo em demanda a Palmira, a fim de meditar mais demoradamente na imensidão de suas misericórdias. Ouvindo-lhe a rogativa que o calor da amizade revestia de amavio singular, Saulo chorou de reconhecimento e gratidão, comparando as emoções do rabino que fora, com as do servo de Jesus que agora queria ser. Nas reuniões suntuosas do Sinédrio, jamais ouvira um companheiro exorar ao Céu com aquela sinceridade superior. Entre os mais afeiçoados só encontrara elogios vãos, prontos a se transformarem em calúnias torpes, quando lhes não podia conceder favores materiais. Em toda parte, admiração superficial, filha do jogo dos interesses inferiores. Ali, a situação era outra. Nenhuma daquelas criaturas desfavorecidas da sorte viera pedir-lhe facilidades; todos pareciam satisfeitos ao serviço de Deus, que assim os congregava a termo de trabalhos exaustivos e penosos. E, por fim, ainda rogavam a Jesus lhe concedesse paz de espírito para o seu empreendimento.

Terminada a reunião, Saulo de Tarso tinha lágrimas nos olhos. Na Igreja do "Caminho", em Jerusalém, os Apóstolos galileus o trataram com especial deferência, atentos à sua posição social e política, senhor das regalias que as convenções do mundo lhe conferiam, mas os cristãos de Damasco impressionaram-no mais vivamente, arrebataram-lhe a alma, conquistando-a para uma afeição imorredoura, com aquele gesto de confiança e carinho, tratando-o como irmão.

Um a um, apertaram-lhe a mão com votos de feliz viagem. Alguns velhos mais humildes beijaram-lhe as mãos. Tais provas de afeto davam-lhe novas forças. Se os amigos do Judaísmo lhe desprezavam a palavra, acintosos e hostis, começava agora a encontrar no seu caminho os filhos do Calvário. Trabalharia por eles, consagraria ao seu consolo as energias da mocidade. Pela primeira vez na vida, revelou interesse pelo sorriso das criancinhas. Como se desejasse retribuir as demonstrações de carinho recebidas, tomou nos braços um menino doente. Diante da pobre mãe sorridente e agradecida, fez-lhe festas, acariciou-lhe os cabelos desajeitadamente. Entre os acúleos agressivos de sua alma apaixonada, começavam a desabrochar as flores de ternura e gratidão.

Ananias estava satisfeito. Junto dos irmãos de mais confiança, acompanhou o neófito até a pensão de Judas. Aquele modesto grupo desconhecido percorreu as ruas banhadas de luar, estreitamente unido e reconfortando-se em comentários cristãos. Saulo admirava-se de haver encontrado tão depressa aquela chave de harmonia que lhe proporcionava segura confiança em todos. Teve a impressão de que nas genuínas comunidades do Cristo a amizade era diferente de tudo que lhe dava expressão nos agrupamentos mundanos. Na diversidade das lutas sociais o traço dominante das relações cifrava-se agora, a seus olhos, nas vantagens do interesse individual; ao passo que, na unidade de esforços da tarefa do Mestre, havia um cunho divino de confiança, como se os compromissos tivessem o ascendente divino, original. Todos falavam, como nascidos no mesmo lar. Se expunham uma ideia digna de maior ponderação, faziam-no com serenidade e geral compreensão do dever; se versavam assuntos leves e simples, os comentários timbravam franca e confortadora alegria. Em nenhum deles notava a preocupação de parecer menos sincero na defesa dos seus pontos de vista, mas, ao invés, lhaneza de trato sem laivos de hipocrisia, porque, em regra, sentiam-se sob a tutela do Cristo, que, para a consciência de cada um, era o amigo invisível e presente, a quem ninguém deveria enganar.

Consolado e satisfeito de haver encontrado amigos na verdadeira acepção da palavra, Saulo chegou à estalagem de Judas, despedindo-se de todos profundamente comovido. Ele próprio surpreendia-se com o sabor de intimidade com que as expressões lhe afloravam aos lábios. Agora compreendia que a palavra "irmão", largamente usada entre os adeptos do

"Caminho", não era fútil e vã. Os companheiros de Ananias conquistaram-lhe o coração. Nunca mais esqueceria os irmãos de Damasco.

No dia imediato, contratando um serviçal indicado pelo estalajadeiro, Saulo de Tarso, ao amanhecer, embora surpreendesse o dono da casa com o seu ânimo resoluto, pôs-se a caminho da cidade famosa, situada em um oásis em pleno deserto.

Nas primeiras horas da manhã, saíam das portas de Damasco dois homens modestamente trajados, à frente de pequeno camelo carregado das necessárias provisões.

Saulo fizera questão de partir assim, a pé, de modo a iniciar a vida com rigores que lhe seriam sumamente benéficos mais tarde. Não viajaria mais na qualidade de doutor da Lei, rodeado de servos, mas sim como discípulo de Jesus, adstrito aos seus programas. Por esse motivo, considerou preferível viajar como beduíno, para aprender a contar, sempre, com as próprias forças. Sob o calor calcinante do dia, sob as bênçãos refrigeradoras do crepúsculo, seu pensamento estava fixo naquele que o chamara do mundo para uma vida nova. As noites do deserto, quando o luar enche de sonho a desolação da paisagem morta, são tocadas de misteriosa beleza. Sob as frondes de alguma tamareira solitária, o convertido de Damasco aproveitava o silêncio para profundas meditações. O firmamento estrelado tinha, agora, para seu espírito, confortadoras e permanentes mensagens. Estava convicto de que sua alma havia sido arrebatada a novos horizontes, porque, por meio de todas as coisas da Natureza, parecia receber o pensamento do Cristo que lhe falava cariciosamente ao coração.

II
O tecelão

Apesar de acostumados ao espetáculo permanente da chegada de estrangeiros à cidade, dada a sua privilegiada situação no deserto, os transeuntes de Palmira notaram, com profundo interesse, a passagem daquele beduíno seguido de humilde serviçal a puxar um mísero camelo arquejante de cansaço. Sem dúvida, reconheceram-lhe o perfil de judeu nos traços característicos do rosto, na energia serena que lhe transparecia do olhar.

Saulo, por sua vez, transitava com ar indiferente, como se convivesse naquele cenário, de há muito tempo.

Ciente de que o irmão do antigo mestre era ali negociante dos mais conhecidos e abastados, não teve dificuldade em obter informações de um compatrício, que lhe indicou a residência.

Acomodando-se em uma estalagem comum para refazer-se das fadigas da viagem, consultou a bolsa para regular o seu programa. O dinheiro esgotava-se, mal chegaria para remunerar o companheiro dedicado que lhe fora amigo fiel em toda a penosa viagem. Depois de informado do *quantum* a pagar, verificando a insuficiência dos recursos, falou-lhe com humildade:

— Judá, de momento não tenho o bastante para compensar melhor o serviço que me prestaste. Entretanto, dou-te metade da importância e mais o camelo em pagamento do restante.

O próprio servo comoveu-se com o tom humilde da proposta.

— Não precisa tanto, senhor — respondeu confuso —, o valor do animal basta e sobra. Desse modo, não ficará desprevenido. Contento-me com algumas moedas, apenas o necessário para custear a volta.

Saulo teve para ele um olhar de reconhecimento e, alegando a impossibilidade de retê-lo por mais tempo, despediu-o com expressões de conforto e votos de feliz regresso a Damasco.

Depois, recolhendo-se ao quarto pobre que tomara, entrou a meditar, acuradamente, nos últimos acontecimentos da sua vida.

Estava só, sem parentes, sem amigos, sem dinheiro.

Pouco antes daquela resolução de partir no encalço de Ananias, não vacilaria em decretar a morte de quem profetizasse o futuro que o esperava. Sua existência, seus planos estavam transformados nos detalhes mais íntimos. Que fazer agora? E se não encontrasse em Palmira o socorro de Gamaliel, conforme aguardava em suas esperanças secretas? Considerou a extensão das dificuldades que se desdobravam a seus olhos. Tudo difícil. Estava como o homem que houvesse perdido a família, a pátria e o lar. Profunda amargura ameaçava invadir-lhe o coração. Repentinamente, porém, recordou-se do Cristo e a lembrança da visão gloriosa encheu-lhe de conforto o espírito desolado. Confiando muito mais naquele que lhe estendera as mãos, do que em suas próprias forças, procurou acalmar os sobressaltos íntimos, dando repouso ao corpo fatigado.

No dia seguinte, manhã alta, saiu à rua preocupado e ansioso. Obedecendo aos informes recolhidos, parou à porta de confortável edifício, à frente do qual funcionavam grandes lojas comerciais.

Procurando Ezequias, foi logo atendido por um homem idoso, de semblante risonho e respeitável, que o saudou com muita simpatia. Tratava-se do irmão de Gamaliel, que, logo se familiarizando com o patrício recém-chegado de longe, proporcionou-lhe confortadora palestra, buscando informar-se, delicadamente, a respeito do venerável rabino de Jerusalém, Saulo obtinha de Ezequias os esclarecimentos necessários, tomado de profundo interesse:

— Meu irmão — dizia ele preocupado — desde que chegou a Palmira parece-me muito diferente. É possível que a mudança de Jerusalém tenha influído para essa profunda transformação. A diferença de ambiente social, a alteração de hábitos, o clima, a ausência dos trabalhos usuais, tudo isso pode ter-lhe prejudicado a saúde.

— Como assim? — perguntou o moço sem dissimular a estranheza.

— Passa dias e dias em uma cabana abandonada que possuo, à sombra de algumas tamareiras, em um dos muitos oásis que nos rodeiam; e isso, veja, tão só para ler e meditar um manuscrito sem importância, que não consegui compreender. Além disso, parece-me completamente desinteressado de nossas práticas religiosas, vive como que alheio ao mundo. Fala em visões do Céu, refere-se constantemente a um carpinteiro que se transformou em Messias do povo e alimentava-se de coisas imaginárias, de sonhos irreais. Às vezes, é com profundo pesar que lhe observo a decadência mental. Minha mulher, porém, tudo atribui à idade avançada e eu quero crer seja antes, ou pelo menos em grande parte, devido à intensidade do estudo, das meditações prolongadas.

Ezequias fez uma pausa enquanto Saulo fixou nele o olhar percuciente e significativo, compreendendo a condição do velho mestre.

A uma nova observação do moço tarsense, continuava o outro loquaz:

— No seio de minha família, Gamaliel é tratado como se fora o nosso pai. Aliás, devo meu início de vida às suas imensas dedicações fraternais. Por isso mesmo, eu e minha mulher combinamos com os filhinhos, relativamente à atmosfera de paz que deverá cercar aqui o prezado e nobre enfermo. Quando ele discorre sobre as ilusões religiosas que o empolgam no seu desequilíbrio mental, ninguém nesta casa o contradiz. Já sabemos que não fala mais por si. A mentalidade poderosa esmaeceu, a estrela se apagou. Considerando essas penosas circunstâncias, ainda rendo graças a Deus que mo trouxe aqui, para terminar seus dias aquecido pelo nosso afeto familiar, e indene do escárnio de que talvez pudesse ser objeto em Jerusalém, onde nem todos estão à altura de lhe compreender e honrar o passado ilustre.

— Mas a cidade sempre venerou nele um mestre inesquecível — ajuntou o rapaz como se quisesse defender seus próprios sentimentos de amizade e admiração.

— Sim — esclareceu o negociante convicto —, um homem do seu nível intelectual estaria preparado a entender tudo, mas os outros? O senhor não ignora, naturalmente, a perseguição implacável, movida pelas autoridades do Sinédrio e do Templo, contra os simpatizantes do famoso Carpinteiro nazareno. Palmira teve notícias dos fatos, por intermédio de inúmeros patrícios pobres, que deixaram Jerusalém à pressa, ameaçados de prisão e morte. Ora, foi justamente com a personalidade desse homem que Gamaliel deu as primeiras demonstrações de fraqueza mental. Se estivesse por lá, que seria da sua velhice desamparada? Naturalmente muitos amigos, como o senhor, estariam a postos para a defesa, mas o caso podia tomar aspectos mais graves, surgirem inimigos políticos reclamando medidas ingratas. E de nossa parte nada poderíamos tentar para restabelecer a situação, porque, na verdade, a sua loucura é pacífica, quase imperceptível e de maneira alguma conseguiríamos suportar sua apologia ao celerado que o Sinédrio mandou à cruz dos ladrões.

Saulo sentia extremo mal-estar ouvindo aquelas observações, agora tão injustas e superficiais a seu ver. Compreendia a delicadeza do momento e a natureza dos recursos psicológicos a empregar, para não se comprometer, agravando, ainda mais, a posição do mestre ilustre.

Desejando imprimir novo rumo à conversa, perguntou com serenidade:
— E os médicos? Qual a opinião dos entendidos?
— No último exame a que se submeteu, por insistência nossa, descobriram que o estimado doente, além de perturbado, padece de singular astenia orgânica,[28] que lhe vai consumindo as últimas forças vitais.

Saulo fez ainda algumas observações, contristado, e, depois de reconsiderar as primeiras impressões relativamente à amável hospitalidade de Ezequias, auxiliado por um pequeno servo da casa, demandou o local, onde o antigo mentor o recebeu com surpresa e alegria.

O ex-discípulo notou que Gamaliel, com efeito, apresentava sintomas de profundo abatimento. Foi com infinito júbilo que o apertou afetuosamente nos braços, osculando-lhe, amoroso, as mãos encarquilhadas e trêmulas. Seus cabelos pareciam mais brancos; a epiderme sulcada de rugas veneráveis dava impressão do alabastro: uma palidez indefinível.

Falaram longamente das saudades, dos sucessos de Jerusalém, dos amigos distantes. Depois dos preâmbulos afetuosos, o moço tarsense relatou ao mestre venerando as graças recolhidas às portas de Damasco. A voz de Saulo tinha a inflexão vibrante da paixão e da sinceridade que costumava imprimir às emoções próprias. O velhinho ouviu-lhe a narrativa com indizível espanto; nos olhos vivos e serenos, rorejavam lágrimas de emoção, que não chegavam a cair. Aquela prova enchia-o de profundo consolo. Não havia aceitado, em vão, aquele Cristo sábio e amoroso,

---

[28] N.E.: Perda ou diminuição da força física.

incompreendido dos colegas. Ao término da exposição, Saulo de Tarso tinha o olhar velado em pranto. O bondoso ancião abraçou-o comovidamente, atraindo-o ao coração.

— Saulo, meu filho — disse exultante —, bem sabia que me não enganava a respeito do Salvador, que tão profundamente me falou à velhice exausta, por intermédio da luz espiritual do seu Evangelho de redenção. Jesus dignou-se estender as mãos amorosas ao teu espírito dedicado. A visão de Damasco bastará para a consagração de tua existência inteira ao amor do Messias. É verdade que muito trabalhaste pela Lei de Moisés, sem hesitar na adoção de medidas extremas na sua defesa. Entretanto, é chegado o momento de trabalhares por quem é maior que Moisés.

— Sinto-me, porém, grandemente desorientado e confundido — murmurou o jovem de Tarso, cheio de confiança. — Desde a ocorrência noto que estou sendo objeto de singulares e radicais transformações. Obediente ao meu feitio absolutamente sincero, quis começar meu esforço pelo Cristo, em Damasco, e, no entanto, recebi dos nossos amigos, dali, as maiores manifestações de desprezo e ridículo, que muito me fizeram sofrer. Repentinamente, vi-me sem companheiros, sem ninguém. Alguns componentes da reunião do "Caminho" consolaram minha alma abatida com as suas expressões de fraternidade, mas não foram bastantes para ressarcir as amargas desilusões experimentadas. O próprio Sadoque, que, na infância, foi pupilo de meu pai, cobriu-me de recriminações e zombarias. Desejei voltar a Jerusalém, mas, pelo quadro da sinagoga de Damasco, compreendi o que me esperava em grande escala junto às autoridades do Sinédrio e do Templo. Naturalmente, a profissão de rabino não me poderá interessar o espírito sincero, porque, de outro modo, seria mentir a mim mesmo. Sem trabalho, sem dinheiro, acho-me em um labirinto de questões insolúveis, sem o auxílio de um coração mais experiente que o meu. Resolvi, então, demandar o deserto e procurar-vos para o socorro necessário.

E concluindo a rogativa, com os olhos súplices, revelando as ansiedades tormentosas que lhe povoavam a alma, exclamou:

— Mestre amado, sempre enxergastes as soluções do bem, nas quais minha imperfeição não devassava senão sombras amargurosas!... Amparai meu coração mergulhado em dolorosos pesadelos. Preciso servir Àquele que se dignou arrancar-me das trevas do mal, não posso dispensar vosso auxílio neste transe difícil da minha vida!...

Essas palavras eram ditas com inflexão profundamente comovedora. Olhos firmes, embora iluminados de intensa ternura, o generoso velhinho acariciou-lhe as mãos e começou a falar comovidamente:

— Examinemos tuas dúvidas, de maneira particular, a fim de estudarmos uma solução adequada a todos os problemas, à luz dos ensinamentos que hoje nos iluminam.

E, após uma pausa em que parecia catalogar os assuntos, continuava:

— Falas do desprezo experimentado na sinagoga de Damasco, mas os exemplos são claros e convincentes. Também eu, atualmente, sou considerado como louco pacífico, no ambiente dos meus. Em Jerusalém, viste Simão Pedro vilipendiado por amar os pobres de Deus e dar-lhes acolhida; viste Estêvão morrer sob pedradas e que mais? O próprio Cristo, redentor dos homens, não se furtou aos martírios de uma cruz infamante, entre malfeitores condenados pela justiça do mundo. A lição do Mestre é grande demais para que seus discípulos estejam à espera de dominações políticas ou de altas expressões financeiras, em seu nome. Se Ele, que era puro, e inimitável por excelência, andou entre sofrimentos e incompreensões neste mundo, não é justo aguardarmos repouso e vida fácil em nossa miserável condição de pecadores.

O moço tarsense ouvia aquelas palavras mansas e enérgicas, com a alma dolorida, mormente no que se referia às perseguições infligidas a Pedro e no capítulo das lembranças de Estêvão, às quais o velho amigo tinha a delicadeza de não aludir nominalmente ao verdugo.

— A respeito das dificuldades que dizes experimentar depois dos sucessos de Damasco — prosseguia Gamaliel serenamente —, nada mais justo e natural a meus olhos experimentados nos problemas do mundo. Nossos avós, antes de receber o maná do céu, atravessaram tempos sombrios de miséria, escravidão e sofrimento. Sem as angústias do deserto, Moisés jamais encontraria na rocha estéril a fonte de água viva. E talvez ainda não tenhas meditado melhor nas revelações da Terra Prometida. Que região seria essa, se, guardando a compreensão mais vasta de Deus, descobrimos em todos os pontos do mundo mananciais de sua proteção? Há tamareiras, frondosas e amigas, medrando nos areais ardentes. Essas árvores generosas não transformam o próprio deserto em caminhos abençoados, cheios do pão divino para matar nossa fome? Nas minhas reflexões solitárias, cheguei à conclusão de que a Terra Prometida pelas divinas revelações é o

Evangelho do Cristo Jesus. E a meditação nos sugere comparações mais profundas. Quando nossos ascendentes mais corajosos trabalhavam por conquistar a região privilegiada, numerosas pessoas tentavam desanimar os mais pertinazes, asseverando que o terreno era inóspito, que os ares eram insalubres e portadores de febres mortais, que os habitantes eram intratáveis, devoradores de carne humana, mas Josué e Calebe, num esforço heroico, penetraram a terra desconhecida, venceram os primeiros obstáculos e voltaram dizendo que dentro da região manavam leite e mel. Não temos aí um símbolo perfeito? A revelação divina deve referir-se a uma região bendita, cujo clima espiritual seja feito de paz e luz. Adaptarmo-nos ao Evangelho é descobrir outro país, cuja grandeza se perde no infinito da alma. A nosso lado permanecem aqueles que tudo fazem por nos desanimar na empresa conquistada. Acusam a lição do Cristo de criminosa e revolucionária, enxergam no seu exemplo intuitos de desorganização e de morte; qualificam um Apóstolo, como Simão Pedro, de pescador presunçoso e ignorante, mas pensando naquela estupenda serenidade com que Estêvão entregou a alma a Deus, vi nele a figura do companheiro corajoso e digno, que voltava das lições do "Caminho" para nos afirmar que na terra do Evangelho há fontes do leite da sabedoria e do mel do amor divino. É preciso, pois, marchar sem repouso e sem contar os obstáculos da viagem. Procuremos a mansão infinita que nos seduz o coração.

Gamaliel fizera uma pausa em suas expressões amigas e altamente consoladoras. Saulo estava admirado. Aquelas comparações tão simples, aquelas deduções preciosas do estudo da Antiga Lei, com relação a Jesus, deixavam-no perplexo. A sabedoria do ancião renovava-lhe as forças.

– Alegas tua estranheza – continuava o venerando amigo, enquanto o jovem o fixava com interesse crescente – com a mudança de profissão e a falta de dinheiro para as necessidades mais imediatas... Entretanto, Saulo, basta meditar um pouco na realidade dos fatos, para que vejas claramente. Um velho, como eu, está na situação de Moisés contemplando a Terra Prometida, sem poder alcançá-la, mas, quanto a ti, é preciso convir que estás ainda muito moço. Podes multiplicar as energias com o adestramento de tuas forças e penetrar o terreno das aspirações do Salvador, a nosso respeito. Para isso, é indispensável simplificar a vida, recomeçar a luta. Josué não poderia ter vencido os óbices do caminho tão só com a leitura dos textos sagrados, ou com os favores de quantos o estimavam.

Certamente, manipulou instrumentos rudes, aplainou estradas onde havia abismos, à custa de esforços sobre-humanos.

– E que me aconselhais neste sentido? – interrogava o rapaz com profunda atenção, enquanto o velho mestre fazia longa pausa.

– Quero dizer que conheço teu pai, bem como sua situação de abastança. Naturalmente, nas suas expressões de afeto, não se negaria a te prestar todo o auxílio, nesta emergência, mas teu pai é humano e pode ser chamado amanhã à Vida Espiritual. Seu amparo, portanto, seria valioso, mas não deixaria de ser precário, se não cooperasses com teu esforço próprio na solução dos teus problemas. E vives uma fase em que todo trabalho enérgico se faz indispensável. Examinada a questão de família, vejamos tua condição profissional. Até agora foste rabino da Lei, preocupado com os erros alheios, com as discussões da casuística, com a situação de evidência entre os doutores; ganhavas dinheiro na vigilância dos outros, mas Deus te chamou à verificação dos teus próprios desvios, como chamou a mim mesmo. A Terra Prometida desenha-se aos nossos olhos. É preciso vencer os obstáculos e marchar. Como doutor da Lei, isso não mais te seria possível. Então é necessário recomeçar a tarefa como o homem que procurava inutilmente o ouro no lugar onde ele não existia. O problema é de trabalho, de esforço pessoal.

O moço de Tarso demorou o olhar úmido de emoção no velho generoso e exclamou:

– Sim, agora compreendo...

– Que aprendeste na infância, antes da posição conquistada? – perguntou o ancião previdente.

– Consoante os costumes da nossa raça, meu pai mandou-me aprender o ofício de tecelão, como sabeis.

– Não podias receber das mãos paternas dádiva mais generosa – acrescentou Gamaliel com um sorriso sereno –; teu pai foi previdente, como todos os chefes de família do povo de Deus, procurando afeiçoar tuas mãos ao trabalho, antes que o cérebro se povoasse de muitas ideias. Está escrito que devemos comer o pão com o suor do rosto. O trabalho é o movimento sagrado da vida.

Fazendo um intervalo, como que procurando refletir mais profundamente, o velho mentor da mocidade farisaica voltou a dizer:

– Foste humilde tecelão antes de conquistares os títulos honoríficos de Jerusalém... Agora que te candidatas a servir ao Messias na Jerusalém da Humanidade, é bom que voltes a ser modesto tecelão. As tarefas apagadas são grandes mestras do espírito de submissão. Não te sintas humilhado regressando ao tear que nos surge, presentemente, qual amigo generoso. Estás sem dinheiro, sem recursos materiais... À primeira vista, considerando tua situação de realce no mundo, seria justo recorrer a parentes ou amigos, mas não estás doente, nem envelhecido. Tens a saúde e a força. Não será mais nobre convertê-las em elemento de socorro a ti mesmo? Todo trabalho honesto está selado com a bênção de Deus. Ser tecelão, depois de ter sido rabino, é para mim mais honroso que descansar sobre os títulos ilusórios, conquistados em um mundo onde a maioria dos homens ignora o bem e a verdade.

Saulo compreendeu a grandeza dos conceitos e, tomando-lhe a mão, beijou-a com profundo respeito, murmurando:

— Não esperava de vós senão esta franqueza e esta sinceridade que iluminam meu espírito. Aprenderei, de novo, o caminho da vida, encontrarei no ruído do tear os estímulos brandos e amigos do trabalho santificante. Conviverei com os mais desfavorecidos da sorte, penetrarei mais intimamente nas suas amarguras de cada dia; em contato com as dores alheias hei de saber dominar meus próprios impulsos inferiores, tornando-me mais paciente e mais humano!...

Tomado de grande alegria, o sábio velhinho acariciou-lhe os cabelos, exclamando emocionado:

— Deus abençoará tuas esperanças!...

Longo tempo ficaram em silêncio, como desejosos de prolongar, indefinidamente, aquele instante glorioso de compreensão e harmonia.

Foi Saulo quem, denotando no olhar as muitas preocupações íntimas, quebrou o silêncio, dizendo receoso:

— Pretendo retomar o ofício da primeira idade, mas estou sem dinheiro para a viagem. Se fosse possível, exerceria a profissão aqui mesmo, em Palmira...

Falava hesitante, deixando perceber ao venerável amigo a vergonha que experimentava com o fazer-lhe essa confissão.

— Como não? — obtemperou Gamaliel solícito. — Considero que as dificuldades da volta não seriam pequenas. Entretanto, não incluo nos obstáculos os problemas do dinheiro, porque, de qualquer forma, poderíamos obtê-lo para as despesas mais urgentes. Refiro-me simplesmente aos perigos da situação que passou. Acho justo que regresses a Jerusalém ou a Tarso, plenamente integrado nos teus novos deveres. Toda planta é frágil quando começa a crescer. As tricas do farisaísmo, a falsa ciência dos doutores, as vaidades familiares poderiam abafar a semente gloriosa que Jesus te lançou no coração ardente. O rebento mais promissor não se desenvolverá se o cobrirmos de detritos e lama. É bom que voltes ao berço, aos nossos companheiros e à família, como árvore frondejante, honrando a dedicação do Divino Cultivador.

— Mas que fazer? — tornou Saulo preocupado.

O antigo mestre refletiu um instante e esclareceu:

— Sabes que as zonas do deserto são grandes mercados dos artigos de couro. O serviço de transportes depende inteiramente dos tecelões mais hábeis e dedicados. Assim o compreendendo, meu irmão estabeleceu diversas tendas de trabalho nos oásis mais distantes, para atender às necessidades do seu comércio. Conversarei com Ezequias a teu respeito. Não direi que se trata de um grande chefe de Jerusalém, que pretende exilar-se por algum tempo, não pelo receio de envergonhar teu nome ou tua origem, mas por julgar útil que proves a humildade e a solidão no teu novo caminho. As considerações convencionais poderiam perturbar-te, agora que necessitas exterminar o "homem velho" a golpes de sacrifício e disciplina.

— Compreendo e obedeço em meu próprio benefício — murmurou Saulo com atenção.

— Aliás, Jesus exemplificou tudo isso, permanecendo em nosso meio, sem que o percebêssemos.

O moço tarsense pôs-se a meditar na elevação dos alvitres recebidos. Iniciaria uma existência nova. Tomaria o tear com humildade. Alegrava-se, ao recordar que o Mestre não desdenhara, por sua vez, o banco de carpinteiro. O deserto lhe proporcionaria consolação, trabalho, silêncio. Ganharia não mais o dinheiro fácil da admiração indevida, mas os recursos necessários à existência, com o subido valor dos obstáculos vencidos. Gamaliel tinha razão. Não era lícito rogar o favor dos homens quando Deus lhe havia feito o maior de todos os favores, iluminando-lhe a consciência para sempre. É verdade que em Jerusalém havia sido cruel verdugo, mas contava apenas 30 anos. Buscaria reconciliar-se com todos a quem havia ofendido no seu rigorismo sectário. Sentia-se jovem, trabalharia para Jesus durante o tempo em que lhe restassem energias.

A palavra carinhosa do ancião veio arrancá-lo das profundas cismas.

– Tens o Evangelho? – perguntou o velhinho com bondoso interesse.

Saulo mostrou-lhe a parte fragmentária que trazia, explicando-lhe o trabalho que teve, em Damasco, para copiá-la dos manuscritos do generoso pregador que lhe curara a cegueira repentina. Gamaliel examinou-a com atenção e, depois de concentrar-se longo tempo, acrescentou:

– Tenho uma cópia integral das anotações de Levi, cobrador de impostos em Cafarnaum, que se fez Apóstolo do Messias – lembrança generosa de Simão Pedro à minha pobre amizade –; presentemente não necessito mais desses pergaminhos, que considero sagrados. Para gravar na memória as lições do Mestre, procurei copiar todos os ensinos, fixando-os na retentiva para sempre. Já possuo três exemplares completos do Evangelho, sem a cooperação de escriba algum. Desse modo, por considerar a dádiva de Pedro como santificada relíquia de nobre afeição, quero depô-la em tuas mãos. Levarás contigo as páginas escritas na Igreja do "Caminho", como fiéis companheiras do teu novo trabalho.

O ex-rabino escutava-lhe as declarações afetuosas, tomado de profunda emoção.

– Mas por que desfazer-vos de uma lembrança carinhosa, por minha causa? – perguntou sensibilizado. – Ficaria muito contente com uma das cópias feitas por vossas mãos!...

O velho mestre fixou o olhar tranquilo na paisagem e murmurou com voz profética:

– Cheguei ao fim da carreira, devo esperar a morte do corpo. Se hei de abandonar a dádiva de Pedro a pessoas que lhe não podem reconhecer o valor que lhe atribuímos, é justo entregá-la a um amigo fiel, que pode ajuizar do seu caráter sagrado. Além disso, tenho a convicção de que não mais poderei voltar a Jerusalém; neste mundo, não me será possível qualquer entendimento direto com os Apóstolos galileus, a respeito das luzes que o Salvador derramou em meu espírito. E temo que os adeptos de Jesus te não possam compreender de pronto, quando regressares à cidade santa. Terás, então, esta lembrança para te apresentares a Pedro em meu nome.

Aquele tom profético impressionava o moço tarsense, que baixou a cabeça, de olhos úmidos.

Depois de longo intervalo, como que procurando recompor as ideias com perfeita sabedoria, Gamaliel continuava solícito:

— Vejo-te, no futuro, dedicado a Jesus, com o mesmo zelo ardente com que te conheci consagrado a Moisés! Se o Mestre te chamou ao serviço é porque confia na tua compreensão de servo fiel. Quando o esforço das mãos te haja granjeado a liberdade para escolheres o novo caminho a seguir, Deus há de abençoar-te o coração, para difundires a luz do Evangelho entre os homens, até o último dia de vida aqui na Terra. Nesse labor, meu filho, se topares incompreensão e luta em Jerusalém, não desesperes nem esmoreças. Semeaste por lá certa confusão nos espíritos, é justo recolhas os resultados. Em toda tarefa, porém, lembra-te do Cristo e passa adiante com o teu esforço sincero. Não te perturbem as desconfianças, a calúnia e a má-fé, atento a que Jesus venceu galhardamente tudo isso!...

Saulo sentia profundo descanso naquela exortação amorosa, terna, leal. Ouvindo-a, deixou-se ficar, longo tempo, entre lágrimas ardentes que testemunhavam o arrependimento do passado e as esperanças do futuro.

Naquela tarde, Gamaliel deixou a rústica choupana, dirigindo-se com o ex-discípulo à casa do irmão, que acolheu, desde então, o jovem tarsense sob o seu teto, com indisfarçável contentamento.

A inteligência fulgurante e a juventude comunicativa do ex-doutor da Lei conquistaram Ezequias e os seus, em uma bela expressão de amizade espontânea.

Nessa mesma noite, concluídas as cerimônias domésticas da última colação habitual, o velho rabino de Jerusalém expôs ao negociante a situação do seu protegido. Explicou-lhe que Saulo fora seu discípulo, desde menino, exaltando-lhe o valor pessoal e concluindo com a exposição de suas necessidades econômicas, verdadeiramente críticas. E diante do próprio interessado, que acentuava sua admiração por aquele velhinho sábio e generoso, esclareceu que ele tencionava trabalhar como tecelão nas tendas do deserto, rogando a Ezequias auxiliasse, com sua bondade, tão nobres aspirações de trabalho e esforço próprios.

O comerciante de Palmira admirou-se.

— Mas o rapaz, de modo algum — advertiu atencioso — necessitará insular-se para ganhar a vida. Tenho meios de localizá-lo aqui mesmo, na cidade, onde ficará em contato permanente conosco.

— Entretanto, preferiria vosso amparo generoso lá no deserto — acentuou Saulo em tom significativo.

— Por quê? — indagou Ezequias interessado. — Não compreendo mocidades como a tua exiladas nos estendais de areia intermináveis. Os imigrantes do êxodo de Jerusalém, na condição de solteiros, não toleraram os elementos que lhes ofereci nos oásis distantes. Apenas alguns casais aceitaram as propostas e partiram. Quanto a ti, com os teus dotes intelectuais, não compreendo como preferes ser tecelão humilde, segregado de todos...

Gamaliel compreendeu que a estranheza do irmão poderia levá-lo a suposições errôneas acerca do jovem amigo, e, antes que alguma suspeita injusta se lhe esboçasse ao espírito indagador, ponderou com prudência:

— Tua pergunta, Ezequias, é natural, pois as resoluções de Saulo inspiram estranheza a qualquer homem prático. Trata-se de um moço cheio de talento, credor de belas promessas e, ademais, muito instruído. Os menos avisados poderão chegar ao extremo de presumirem na sua atitude o desejo de fugir a consequências de algum crime, mas não há tal. Para ser mais franco, devo dizer que meu antigo discípulo quer consagrar-se, mais tarde, à difusão da palavra de Deus. Achas, então, que Saulo se elegesse a carreira da mocidade triunfante, da nossa época, preferiria Palmira a Jerusalém? A situação, portanto, não é apenas de necessidade pecuniária, é também de carência de meditação nos problemas mais graves da vida. Bem sabemos que os profetas e homens de Deus foram aos lugares ermos, a fim de sentirem as reais inspirações do Altíssimo, antes de ministrarem, com êxito, a santidade da palavra.

— Se é assim... — replicou o outro vencido.

E após meditar alguns momentos, o negociante voltou a dizer:

— Na região que conhecemos por "oásis de Dã", daqui distante mais de cinquenta milhas, precisamente, instalei há cerca de um mês um jovem casal de tecelões que chegou na última leva de refugiados. Trata-se de Áquila, cuja mulher, de nome Prisca, foi serva de minha esposa, quando menina e órfã desamparada. Esses bons operários são, atualmente, os únicos habitantes do oásis. Saulo poderá fazer-lhes companhia. Ali há tendas próprias, casa confortável e teares indispensáveis ao serviço.

— E qual o sistema do trabalho? — interrogou o jovem tarsense interessado pela nova tarefa.

— A especialidade desse posto avançado — esclareceu Ezequias com certo orgulho — é a preparação de tapetes de lã e dos tecidos resistentes de pelo caprino, destinados a barracas de viagem. Esses artigos são fornecidos por nossa casa comercial, em grande escala, mas, situando a manufatura desse trabalho tão distante, tive em vista as necessidades urgentes dos grupos de camelos de minha propriedade, empregados no meu tráfico comercial com toda a Síria e pontos outros mais florescentes, do comércio em geral.

— Tudo farei por corresponder à vossa confiança — confirmou o ex-rabino confortado.

A palestra prosseguiu ainda, longo tempo, no comentário das perspectivas, das condições e vantagens do negócio.

Daí a três dias, Saulo despedia-se do mestre, debaixo de profunda comoção. Figurava-se-lhe que aquele abraço afetuoso era o último e, até que os camelos da caravana largassem em direção da imensa planície, o jovem envolveu o venerando ancião nas vibrações cariciosas do angustioso adeus.

No dia imediato, os serviçais de Ezequias, ladeando a extensa fila de camelos resignados, deixavam-no com vultosa carga de couros, na companhia de Áquila e sua mulher, no grande oásis que florescia em pleno deserto.

Os dois operários da pequena oficina receberam-no com as melhores mostras de fraternidade e simpatia. Saulo reconheceu neles, de relance, as mais nobres qualidades espirituais. A mocidade do generoso casal expandia-se em formosas expressões de trabalho e bom ânimo. Prisca desdobrava-se em atividades para assinalar em tudo as preciosidades do seu carinho. Suas velhas canções hebraicas ressoavam no grande silêncio como notas de soberana e harmoniosa beleza. Terminados os serviços domésticos, ei-la junto do companheiro, nas lides do tear, até as horas mais avançadas do crepúsculo. O marido, por sua vez, parecia um temperamento privilegiado, desses que se movimentam sem a presença do aguilhão. Plenamente integrado nas responsabilidades que lhe competiam, Áquila trabalhava sem descanso, à sombra das árvores acolhedoras e amigas.

Saulo compreendeu a bênção que havia recebido. Tinha a impressão de encontrar naquelas duas almas fraternas, que nunca mais se haviam de separar espiritualmente da grandeza de sua missão, dois habitantes de um mundo diferente que, até então, não lhe fora dado conhecer na vida.

Áquila e Prisca, antes que esposos, pareciam verdadeiros irmãos. No primeiro dia de esforço conjunto, o ex-doutor da Lei observou-lhes o respeito mútuo, a perfeita conformidade de ideias, a elevada noção de deveres que lhes caracterizava as menores atitudes e, sobretudo, a alegria sã que irradiava dos seus menores gestos. Seus costumes puros e generosos encantavam-lhe a alma desiludida das hipocrisias humanas. As refeições eram simples; cada objeto tinha o seu aproveitamento e lugar adequado, e as palavras, quando saíam do círculo da alegria comum, jamais incidiam em maledicência ou frivolidade.

O primeiro dia correu com agradabilíssimas surpresas para o ex-rabino, sequioso de paz e solidão para os seus novos estudos e meditações. O companheiro de trabalho desfazia-se em gentilezas para atender-lhe às pequeninas dificuldades no mister que há longo tempo deixara de praticar. Áquila estranhou, naturalmente, as mãos delicadas, as maneiras diferentes, em nada semelhantes às de um tecelão comum, mas, com a nobreza que o caracterizava, nada perguntou relativamente aos motivos do seu insulamento.

Naquela mesma tarde, cessada a tarefa, o casal acomodou-se ao pé de frondosa palmeira, não sem lançar ao novo companheiro olhares indagadores, que traduziam indisfarçável inquietude. Silenciosos, desenrolaram uns velhos pergaminhos e começaram a ler com muita atenção.

Saulo percebeu aquela atitude receosa e aproximou-se.

– De fato – disse carinhoso –, a tarde no deserto convida à meditação... o lençol infinito de areia parece um oceano parado... a aragem branda representa a mensagem das cidades distantes. Tenho a impressão de estarmos em um templo de paz imperturbável, fora do mundo...

Áquila admirou-se daquelas imagens evocativas e experimentou maior simpatia por aquele rapaz anônimo, segregado talvez dos afetos mais caros, a contemplar a planície sem-fim, com imensa tristeza.

– É verdade – respondeu atencioso –, sempre acreditei que a Natureza conservou o deserto como altar de silêncio divino, para que os filhos de Deus tenham na Terra um local de perfeito repouso. Aproveitemos, pois, nosso estágio na solidão, para pensar no Pai justo e santo, considerando sua magnanimidade e grandeza.

A esse tempo, Prisca debruçava-se sobre a primeira parte do rolo de pergaminhos, absorvida na leitura.

Lendo casualmente, de longe, o nome de Jesus, Saulo aproximou-se ainda mais e, sem conseguir ocultar seu grande interesse, perguntou:

— Áquila, tenho tanto amor ao Profeta nazareno que me permito indagar se tua leitura sobre a grandeza do Pai celestial é feita pelos ensinamentos do Evangelho.

O jovem casal experimentou profunda surpresa em face do inesperado de semelhante pergunta.

— Sim... — esclareceu o interpelado hesitante —, mas, se vens da cidade, não ignoras as perseguições movidas a quantos se encontram em ligação com o "Caminho" do Cristo Jesus...

Saulo não dissimulou sua alegria, verificando que os companheiros, amantes da leitura, estavam em condições de permutar mais elevadas ideias do novo aprendizado.

Animado pela confissão do outro, sentou-se nas pedras rústicas e, tomando os pergaminhos com interesse, perguntava:

— Anotações de Levi?

— Sim — esclareceu Áquila, mais senhor de si e certo de se encontrar em face de um irmão de ideal —, copiei-as na Igreja de Jerusalém, antes de partir.

Em um instante, Saulo buscou a cópia do Evangelho que constituía para seu coração uma das mais preciosas lembranças da vida. Conferiram, satisfeitos, os textos e os ensinos.

Tomado de sincero interesse fraternal, o ex-rabino interrogou com solicitude:

— Quando saíram de Jerusalém? Folgo imenso quando encontro irmãos que conhecem de perto nossa cidade santa. Quando saí de Damasco, não previa que Jesus me reservasse tão gratas surpresas.

— Faz meses que de lá saímos — explicou Áquila, agora cheio de confiança na espontaneidade das palavras ouvidas. — Fomos compelidos a isso pelo movimento das perseguições.

Aquela referência brusca e indireta ao seu passado, perturbava o jovem tarsense no mais recôndito do coração.

— Chegaste a conhecer Saulo de Tarso? — perguntou o tecelão com uma grande ingenuidade a transparecer-lhe dos olhos. — Aliás — continuava, enquanto o interpelado buscava o que responder —, o célebre inimigo de Jesus tem nome igual ao teu.

O ex-rabino considerou que seria melhor seguir à risca o conselho de Gamaliel. Era preferível ocultar-se, experimentar a reprovação justa do seu passado condenável, humilhar-se ante o juízo dos outros, por mais implacáveis que fossem, até que os irmãos do "Caminho" lhe comprovassem plenamente a fidelidade do testemunho.

— Conheci-o — replicou vagamente.

— Pois bem — prosseguia Áquila, iniciando a narração das suas vicissitudes —, é bem possível que, pela tua passagem em Damasco e Palmira, não tivesses conhecimento perfeito dos martírios que o famoso doutor da Lei nos impôs, muitas vezes, arbitrariamente. Talvez o próprio Saulo, segundo creio, não pudesse saber as atrocidades cometidas pelos homens inescrupulosos que tinha às suas ordens, porque as perseguições foram de tal natureza que, como irmão do "Caminho", não posso admitir que um rabino educado pudesse assumir a responsabilidade pessoal de tantos feitos iníquos.

Enquanto o ex-doutor procurava, em vão, uma resposta adequada, Prisca entrava na conversa, exclamando com simplicidade:

— É claro que o rabino de Tarso não podia conhecer todos os crimes cometidos em seu nome. O próprio Simão Pedro, na véspera de partirmos, ocultamente, à noite, nos afirmou que ninguém devia odiá-lo, porque, não obstante o papel que representou na morte de Estêvão, era impossível fosse o mandante de tantas medidas odiosas e perversas.

Saulo compreendia, agora que ouvia os mais humildes, a extensão da campanha criminosa que desencadeara, dando ensanchas a tantos abusos de subalternos e apaniguados.

— Mas — perguntou admirado — sofreste tanto assim? Foste condenado a alguma pena?

— Não foram poucos os que sofreram vexames iguais aos que experimentei — murmurou Áquila explicando-se —, dado o condenável procedimento de uns tantos energúmenos fanáticos, escolhidos como auxiliares prestimosos do movimento.

— Como assim? — inquiriu Saulo sumamente interessado.

— Dar-te-ei um exemplo. Imagina que um patrício de nome Jochaí, várias vezes interpelou meu pai relativamente à possibilidade da compra de uma padaria em Jerusalém. Eu cuidava de minha tenda; meu velho genitor, de seus serviços. Vivíamos felizes e, considerando nossa paz, apesar das investidas do ambicioso, meu pai jamais pensou em alienar a fonte dos seus recursos. Jochaí, entretanto, logo no início das perseguições, logrou posição de realce. Em tais feitos, os caracteres mesquinhos sempre levam a palma. Bastou lhe dessem um pouco de autoridade e o invejoso logo expandiu seus criminosos desejos. É verdade que eu e Prisca fomos dos primeiros a frequentar a Igreja do "Caminho", não só por afinidade de sentimento, como por dever a Simão Pedro a cura de antigos males que me vinham da infância. Meu pai, no entanto, apesar da simpatia pelo Salvador, sempre alegava estar bastante idoso para mudar de ideias religiosas. Aferrado à Lei de Moisés, não podia compreender uma renovação geral de princípios em matéria de fé. Isso, todavia, não invalidou os instintos perversos do ambicioso. Certo dia, Jochaí nos bateu à porta acompanhado de escolta armada, com ordem de prisão para os três. Era inútil resistir. O doutor de Tarso lançara um édito em que toda resistência significava morte. Lá nos fomos à prisão. Em vão meu pai jurou fidelidade à Lei. Depois do interrogatório, eu e Prisca recebemos ordem de regressar a casa, mas o velho foi encarcerado sem compaixão. Os bens modestos foram-lhe imediatamente confiscados. Depois de muitas providências de nossa parte, conseguimos voltasse ele à nossa companhia e o valoroso velhinho, cujo único arrimo era a minha dedicação filial, na sua senectude e viuvez, expirou em nossos braços no dia imediato ao livramento por nós ansiosamente esperado. Quando nos reveio parecia um fantasma. Guardas caridosos trouxeram-no quase agonizante. Ainda lhe pude ver os ossos quebrados, as feridas abertas, a epiderme lanhada de açoites. Em palavras titubeantes, descreveu as cenas lamentáveis do cárcere. O próprio Jochaí, rodeado de sequazes, foi o autor dos últimos suplícios. Não podendo resistir aos sofrimentos, entregou a alma a Deus!

Áquila estava profundamente comovido. Furtiva lágrima viera associar-se às penosas recordações.

— E a autoridade do movimento? — perguntou Saulo emocionado ao extremo. — Estaria alheia a esse crime?

— Creio que sim. A crueldade foi demasiada para que se lhe atribuísse tão só a punição por motivos religiosos.

— Mas não te valeste de alguma petição de justiça?

— Quem se atreveria a fazê-lo? — perguntou o empregado de Ezequias com admiração. — Tenho amigos que chegaram a recorrer, mas pagaram com castigos mais violentos o desejo de justiça.

O ex-rabino compreendeu a justeza dos conceitos. Somente agora tinha bastante largueza de vistas espirituais para avaliar a velha cegueira que lhe negrejara a alma. Áquila tinha razão. Muitas vezes fora surdo às rogativas mais comovedoras. Invariavelmente, mantinha as decisões mais absurdas dos seus prepostos inconscientes. Recordava-se do próprio Jochaí, que lhe parecia tão prestimoso nos dias de ignorância.

— E que pensas de Saulo? — perguntou bruscamente.

Longe de saber com quem permutava as ideias mais íntimas, Áquila respondeu sem titubear:

— O Evangelho manda considerá-lo irmão extremamente necessitado da luz de Jesus Cristo. Nunca o vi, mas, temendo as iniquidades praticadas em Jerusalém, aqui vim parar em fuga precipitada, e tenho orado a Deus por ele, esperando que um raio do céu o esclareça, não tanto por mim, que nada valho, mas por causa de Pedro, que considero um segundo pai muito querido. Acredito que se operariam maravilhas se a Igreja do "Caminho" pudesse trabalhar livremente. Julgo que os Apóstolos galileus são dignos de um campo sem espinhos para a sementeira de Jesus.

Dirigindo-se à esposa, enquanto o moço de Tarso silenciava, o tecelão exclamava com interesse:

— Lembras-te, Prisca, como se exorava pelo perseguidor nas preces íntimas da Igreja? Muitas vezes, para esclarecer nosso espírito fraco no perdão, Pedro nos ensinava a considerar o implacável rabino como a um irmão que as violências obscureciam. Para que nossos ressentimentos mais vivos se desfizessem, historiava o seu passado, dizendo que, também ele, por ignorância, chegara a negar o Mestre, mais de uma vez. Salientava nossas fraquezas humanas, induzia-nos a melhor compreensão. Certo dia chegou a declarar que toda a perseguição de Saulo era útil, porque nos levava a pensar em nossas próprias misérias, a fim de estarmos vigilantes nas responsabilidades com Jesus.

O ex-discípulo de Gamaliel tinha os olhos úmidos.

— Sem dúvida, o famoso pescador de Cafarnaum é um dos grandes irmãos dos infelizes — murmurou convictamente.

A palestra desviou-se para outros comentários, depois da intervenção de Prisca nas derradeiras notas do assunto, revelando conhecer muitas mulheres de Jerusalém, que, tendo marido e filhos encarcerados, pediam sinceramente a Jesus pela iluminação do célebre perseguidor do "Caminho". Em seguida, falaram do Evangelho. O manto de estrelas cobria suas grandiosas esperanças, enquanto Saulo bebia a longos haustos a água pura da amizade sincera, naquele novo mundo tão reduzido.

Nessas palestras carinhosas e fraternais, os dias se foram passando rápidos. De quando em quando, chegavam de Palmira reforços de abastecimentos e outros recursos. Os três habitantes do oásis silencioso entrelaçavam aspirações e pensamentos a respeito do Evangelho de Jesus, o único livro de suas meditações naquelas paragens tão remotas.

O ex-rabino modificara o próprio aspecto, ao contato direto das forças agressivas da Natureza. A epiderme queimada pelo Sol dava a impressão de um homem acostumado à inclemência do deserto. A barba crescida transformara-lhe o semblante. As mãos afeitas ao trato dos livros tornaram-se calosas e rudes. Entretanto, a solidão, as disciplinas austeras, o tear laborioso lhe haviam enriquecido a alma de luz e serenidade. Os olhos calmos e profundos atestavam os novos valores do espírito. Entendera, finalmente, aquela paz desconhecida que Jesus desejara aos discípulos; sabia, agora, interpretar a dedicação de Pedro, a tranquilidade de Estêvão no instante da morte ignominiosa, o fervor de Abigail, as virtudes morais dos frequentadores do "Caminho", que perseguira em Jerusalém. A autoeducação, na ausência dos recursos da época, ensinara-lhe à alma ansiosa o segredo sublime de se entregar ao Cristo, para repousar em seus braços misericordiosos e invisíveis. Desde que se consagrara ao Mestre, de alma e coração, os remorsos, as dores, as dificuldades como que se afastaram do seu espírito. Recebia todo trabalho como um bem, toda necessidade como elemento de ensino. Sem esforço, afeiçoou-se a Áquila e sua mulher, como se houvessem nascido juntos. Certa vez, o companheiro adoeceu e esteve à morte, prostrado por violenta febre. A situação dolorosa, a multiplicação das tempestades de areia abateram igualmente o ânimo de Prisca, que se recolheu ao leito com poucas esperanças de vida. Saulo, porém, mostrou-se de uma coragem e desvelo inauditos. Tomado de sincera confiança em Deus, esperou a restauração da calma e da alegria. Jubiloso, viu o regresso de Áquila ao tear e a volta da companheira aos labores domésticos, cheios de novas expressões de paz e confiança.

Quando mais de um ano havia corrido sobre aquela soledade, uma caravana vinda de Palmira trazia-lhe um bilhete lacônico. O negociante comunicava-lhe a morte súbita do irmão, aliás, de há muito esperada.

A partida de Gamaliel para os reinos da morte não deixou de ser uma dolorosa surpresa. O velho mestre, depois do pai, foi o maior amigo que encontrou na vida. Meditou seus últimos conselhos, ponderou-lhe a profunda sabedoria. Ao seu influxo, conseguira a paz desejada para ajustar-se à situação espiritual necessária, de maneira a reorganizar a existência. Nesse dia, pensamentos de profunda saudade martirizaram-lhe a alma sensível.

À tarde, após a refeição e na hora das meditações costumeiras, o ex-rabino contemplou o casal com ternura maior a transparecer dos olhos francos.

Cada qual se engolfava na meditação do Evangelho divino, quando o moço tarsense falou com certa timidez, em desacordo com seus gestos resolutos:

— Áquila, muita vez, na solidão do nosso trabalho, tenho pensado na enormidade do mal que te causou o doutor de Tarso. Que farias se um dia te visses repentinamente em face do verdugo?

— Procuraria estimar nele um irmão.

— E tu, Prisca? — perguntou à mulher que o fixava curiosa.

— Seria ótima ocasião para testemunhar o amor que Jesus exemplificou em suas lições divinas.

O ex-doutor da Lei recobrou a serenidade e, alteando a voz, exclamou convictamente:

— Sempre considerei que um homem, chamado a administrar, responde por todos os erros de seus prepostos no que toca ao plano geral dos serviços. Portanto, no meu modo de pensar, não culparei tanto a Jochaí que se arvorou em criminoso vulgar, abusando de uma prerrogativa que lhe foi conferida para execução de tantas vinganças torpes.

— A quem imputarias, então, o assassínio de meu pai? — perguntava Áquila impressionado, enquanto o amigo fazia ligeira pausa.

— Julgo que Saulo de Tarso deveria responder pelo processo. É verdade que ele não autorizou o feito cruel, mas tornou-se culpado pela indiferença pessoal quanto aos detalhes da tarefa que competia ao seu tirocínio.

Os cônjuges entraram a meditar no motivo de tais perguntas, enquanto o moço se calara retraído.

Por fim, com voz humilde e comovedora, recomeçou a falar:

— Meus amigos, sob a inspiração do Senhor, é justo confessarmo-nos uns aos outros. Minhas mãos calejadas no trabalho, meu esforço por bem aprender as virtudes da fé que ambos têm exemplificado a meus olhos, devem ser um atestado da minha renovação espiritual. Sou Saulo de Tarso, o sanhoso perseguidor, transformado em servo penitente. Se muito errei, hoje muito necessito. Na sua misericórdia, Jesus rasgou a túnica miserável das minhas ilusões. Os sofrimentos regeneradores chegaram-me ao coração, lavando-o com lágrimas dolorosas. Perdi tudo que significava honrarias e valores do mundo, por tomar a cruz salvadora e seguir o Mestre na trilha da redenção espiritual. É verdade que ainda não pude abraçar-me ao madeiro das lutas construtivas e santificantes, mas persevero no esforço de negar-me a mim mesmo, desprezando o passado de iniquidades para merecer a cruz da minha ascese para Deus.

Áquila e a mulher contemplavam-no com assombro.

– Não duvideis da minha palavra – continuou de olhos úmidos. – Assumo a responsabilidade dos meus tristes feitos. Perdoem-me, porém, levando em conta a minha ignorância criminosa!...

O tecelão e a esposa compreenderam que as lágrimas lhe sufocavam a voz. Como que tolhido por singular emoção, Saulo começou a chorar convulsivamente. Áquila aproximou-se e abraçou-o. Aquela atitude carinhosa parecia agravar a contrição penosa, porque o pranto jorrou mais abundante. Recordou o momento em que encontrara a afetividade sincera de Ananias, e, sentindo-se ali, nos braços de um irmão, deixou que as lágrimas lhe lavassem plenamente o coração. Sentia necessidade de expandir sentimentos afetuosos. A velha vida de Jerusalém era convencionalismo e secura. Como doutor destacado, tivera muitos admiradores, mas em nenhum chegara a sentir afinidades fraternas. Naquele recanto do deserto, porém, o quadro era outro. Tinha à frente um homem digno e honesto, companheiro dedicado e trabalhador, antiga vítima das suas perseguições inflexíveis e cruéis. Quantos, como Áquila e sua mulher, não estariam dispersos no mundo, comendo o pão amargo do exílio por sua causa? Os grandes sentimentos nunca povoam a alma de uma só vez, em sua beleza integral. A criatura envenenada no mal é qual recipiente de vinagre, que necessita ser esvaziado pouco a pouco. A visão de Jesus constituía um acontecimento vivo, imorredouro, mas para que pudesse compreender toda a extensão dos seus novos deveres, impunha-se-lhe o caminho estreito das provas ríspidas e amargosas. Vira o Cristo, mas para ir ter com Ele, era indispensável voltar atrás e transpor abismos. As desilusões da sinagoga de Damasco, o reconforto junto dos irmãos humildes sob a direção de Ananias, a falta de recursos financeiros, os conselhos austeros de Gamaliel, o anonimato, a solidão, o abandono dos entes mais caros, o tear pesado sob o Sol ardente, a penúria de todo e qualquer conforto material, a meditação diária nas ilusões da vida – tudo isso representara auxílio precioso para sua decisão vitoriosa. O Evangelho funcionara como lâmpada na jornada difícil, para o descobrimento de si mesmo, a fim de ajuizar as necessidades mais prementes.

Abraçando-se estreitamente ao amigo, que buscava enxugar-lhe as lágrimas, recordava-se de que em Damasco, após a grande visão do Messias, talvez ainda guardasse no íntimo o orgulho de saber ensinar, o amor à cátedra de mestre em Israel, a tendência despótica de obrigar o semelhante a pensar com ele; ao passo que agora podia examinar o passado culposo e sentir o júbilo da reconciliação, dirigindo-se com humildade à sua vítima. Naquele instante, teve a impressão de que Áquila representava a comunidade de todos os ofendidos por seus desmandos cruéis. Serenidade branda enchia-lhe o coração. Sentia-se mais distanciado do orgulho, do amor-próprio, das ideias amargas, dos remorsos terríveis. Cada gota de pranto era um pouco de fel que expungia da alma, renovando-lhe as sensações de tranquilidade e de alívio.

– Irmão Saulo – disse o tecelão sem ocultar seu júbilo –, regozijemo-nos no Senhor, porque, como irmãos, estávamos separados e agora nos encontramos juntos novamente. Não falemos do passado, comentemos o poder de Jesus, que nos transforma por seu amor.

Prisca, que também chorava, interveio com ternura:

– Se Jerusalém conhecesse esta vitória do Mestre, renderia graças a Deus!...

Sentados os três sobre a relva rala do oásis, ao sopro do vento que abrandava os rigores da tarde quente, irmanados na sublimidade da fé comum, o moço tarsense narrou-lhes o sucesso inolvidável da jornada de Damasco, revelando as profundas transformações da sua vida.

O casal chorou de emoção e alegria ouvindo o feito da misericórdia de Jesus, que, a seus olhos piedosos, não representava apenas um gesto de carinho ao servo desviado, mas uma bênção de amor para a Humanidade inteira.

Daí por diante, a tarefa lhes parecia mais leve, as dificuldades menos penosas. Nunca mais passou um crepúsculo sem que comentassem a dádiva gloriosa do Cristo às portas de Damasco.

– Agora que o Mestre nos reuniu – exclamava Áquila satisfeito –, saiamos do deserto, proclamemos os favores de Jesus pelo mundo inteiro. Eu e Prisca não temos muitas obrigações de família. Com a morte de meu pai, estamos sós no tocante aos deveres mais pesados e é razoável não perdermos o ensejo de auxiliar a difusão da Boa-Nova. Além das lições de Levi, temos agora a visão de Jesus ressuscitado, para ilustrar nossa palavra.

Depois de muito tempo, às vésperas de retornarem à luta nos grandes centros populosos, ouvindo-lhes os apelos entusiásticos, Saulo indagou dos projetos que acalentavam.

– Desde a tua revelação – exclamou o tecelão confiante e esperançoso –, alimento um grande ideal. Parece incrível à primeira vista, mas, antes de morrer, sonho ir a Roma e anunciar o Cristo aos irmãos da velha Lei. Tua visão no caminho de Damasco enche-me de coragem! Narrarei o fato aos mais indiferentes e darei um pouco de luz aos mais insensatos. Como servidor humilde dos homens, saberei dedicar-me aos interesses do Salvador.

– Quando pretendes partir?

– Quando o Mestre rasgar o caminho com o primeiro ensejo. Isto posto, abandonaremos Palmira.

Depois de uma pausa em que Saulo se conservava pensativo, o outro murmurou:

– Por que não vais conosco a Roma?

– Ah! se eu pudesse!... – disse o ex-rabino, dando a entender o seu desejo. – Julgo que Jesus desejará ver-me, antes de tudo, inteiramente reconciliado com quantos ofendi em Jerusalém. Além disso, preciso rever meus pais, matando as saudades do coração.

Com efeito, depois da passagem da grande caravana que lhes trazia os substitutos, servidos de um camelo, os três irmãos do "Caminho" deixaram o oásis em direção a Palmira, onde a família de Gamaliel os acolheu com desvelado carinho.

Áquila e a mulher ali ficariam algum tempo ao serviço de Ezequias, até que pudessem realizar o formoso ideal de trabalho na poderosa Roma dos césares, mas Saulo de Tarso, agora resistente como um beduíno, depois de agradecer a generosidade do benfeitor e despedir-se dos amigos com lágrimas nos olhos, tomou novamente o rumo de Damasco, radicalmente transformado pelas meditações de três anos consecutivos passados no deserto.

III
Lutas e humilhações

A jornada se fez sem incidentes. Entretanto, em sua nova soledade, o moço tarsense reconhecia que forças invisíveis proviam-lhe a mente de grandiosas e consoladoras inspirações. Dentro da noite cheia de estrelas, tinha a impressão de ouvir uma voz carinhosa e sábia, a traduzir-se por apelos de infinito amor e de infinita esperança. Desde o instante em que se desligara da companhia amorável de Áquila e sua mulher, quando se sentiu absolutamente só para os grandes empreendimentos do seu novo destino, encontrou energias interiores até então imprevistas, por desconhecidas.

Não podia definir aquele estado espiritual, mas o caso é que dali por diante, sob a direção de Jesus, Estêvão conservava-se a seu lado como companheiro fiel.

Aquelas exortações, aquelas vozes brandas e amigas que o assistiram em todo o curso apostolar e atribuídas diretamente ao Salvador, provinham do generoso mártir do "Caminho", que o seguiu espiritualmente durante trinta anos, renovando-lhe constantemente as forças para execução das tarefas redentoras do Evangelho.

Jesus quis, dessarte, que a primeira vítima das perseguições de Jerusalém ficasse para sempre irmanada ao primeiro algoz dos prosélitos de sua doutrina de vida e redenção.

Em vez dos sentimentos de remorso e perplexidade em face do passado culposo; da saudade e desalento que, às vezes, lhe ameaçavam o coração, sentia agora radiosas promessas no espírito renovado, sem poder explicar a sagrada origem de tão profundas esperanças. Não obstante as singulares alterações fisionômicas que a vida, o regime e o clima do deserto lhe produziram, entrou em Damasco com alegria sincera na alma agora devotada, absolutamente, ao serviço de Jesus.

Com júbilo indefinível abraçou o velho Ananias, pondo-o ao corrente de suas edificações espirituais. O respeitável ancião retribuiu-lhe o carinho com imensa bondade. Dessa vez, o ex-rabino não precisou insular-se em uma pensão entre desconhecidos, porque os irmãos do "Caminho" lhe ofereceram franca e amorosa hospitalidade. Diariamente, repetia a emoção confortadora da primeira reunião a que comparecera, antes de recolher-se ao deserto. A pequena assembleia fraternal congregava-se todas as noites, trocando ideias novas sobre os ensinamentos do Cristo, comentando os acontecimentos mundanos à luz do Evangelho, permutando objetivos e conclusões. Saulo foi informado de todas as novidades atinentes à doutrina, experimentando os primeiros efeitos do choque entre os judeus e os amigos do Cristo, a propósito da circuncisão. Seu temperamento apaixonado percebeu a extensão da tarefa que lhe estava reservada. Os fariseus formalistas da sinagoga, não mais se insurgiam contra as atividades do "Caminho", desde que o seguidor de Jesus fosse, antes de tudo, fiel observador dos princípios de Moisés. Somente Ananias e alguns poucos perceberam a sutileza dos casuístas que provocavam deliberadamente a confusão em todos os setores, atrasando a marcha vitoriosa da Boa-Nova redentora. O ex-doutor da Lei reconheceu que, na sua ausência, o processo de perseguição tornara-se mais perigoso e mais imperceptível, porquanto, às características cruéis, mas francas, do movimento inicial, sucediam as manifestações de hipocrisia farisaica, que, a pretexto de contemporização e benignidade, mergulhariam a personalidade de Jesus e a grandeza de suas lições divinas em criminoso e deliberado olvido. Coerente com as novas disposições do foro íntimo, não pretendia voltar à sinagoga de Damasco, para não parecer um mestre pretensioso a pugnar pela salvação de outrem, antes de cuidar do aperfeiçoamento próprio, mas, diante do que via e coligia com alto senso psicológico, compreendeu que era útil arrostar todas as consequências e demonstrar as disparidades do formalismo farisaico com o Evangelho: o que era a circuncisão e o que era a nova fé. Expondo a Ananias o projeto de fomentar a discussão a respeito do assunto, o velhinho generoso estimulou-lhe os propósitos de restabelecer a verdade em seus legítimos fundamentos.

Para esse fim, no segundo sábado de sua permanência na cidade, o vigoroso pregador compareceu à sinagoga. Ninguém reconheceu o rabino de Tarso na sua túnica rafada, na epiderme tostada de Sol, no rosto descarnado, no brilho mais vivo dos olhos profundos.

Terminada a leitura e a exposição regulamentares, franqueada a palavra aos sinceros estudiosos da religião, eis que o desconhecido galga a tribuna dos mestres de Israel e, buscando interessar a numerosa assistência, falou primeiramente do caráter sagrado da Lei de Moisés, detendo-se, apaixonado, nas promessas maravilhosas e sábias de Isaías, até que penetrou o estudo dos profetas. Os presentes escutavam-no com profunda atenção. Alguns se esforçavam por identificar aquela voz que lhes não parecia estranha. A pregação vibrante suscitava ilações de grande alcance e beleza. Imensa luz espiritual transbordava dos raptos altiloquentes.

Foi aí que o ex-rabino, conhecendo o poder magnético já exercido sobre o vultoso auditório, começou a falar do Messias Nazareno comparando sua vida, feitos e ensinamentos, com os textos que o anunciavam nas sagradas escrituras.

Quando abordava o problema da circuncisão, eis que a assembleia rompe em furiosa gritaria.

– É ele!... É o traidor!... – clamavam os mais audaciosos, depois de identificar o ex-doutor de Jerusalém. – Pedra ao blasfemo!... É o bandido da seita do "Caminho"!...

Os chefes do serviço religioso, por sua vez, reconheceram o antigo companheiro, agora considerado trânsfuga da Lei, a quem se deviam impor castigos rudes e cruéis.

Saulo assistia à repetição da mesma cena de quando se fazia ouvir na seleta reunião, com a presença dos levitas de Chipre. Enfrentou impassível a situação, até que as autoridades religiosas conseguissem acalmar os ânimos turbulentos.

Após as fases mais agudas do tumulto, o arquissinagogo, tomando posição, determinou que o orador descesse da tribuna para responder ao seu interrogatório.

O convertido de Damasco compreendeu de relance toda a calma de que necessitava para sair-se com êxito daquela difícil aventura, e obedeceu de pronto, sem protestar.

— Sois Saulo de Tarso, antigo rabino em Jerusalém? – perguntou a autoridade com ênfase.

— Sim, pela graça do Cristo Jesus! – respondeu em tom firme e resoluto.

— Não vem ao caso referências quaisquer ao Carpinteiro de Nazaré! Interessa-nos, tão só, a vossa prisão imediata, de acordo com as instruções recebidas do Templo – explicou o judeu em atitude solene.

— Minha prisão? – interrogou Saulo admirado.

— Sim.

— Não vos reconheço o direito de efetuá-la – esclareceu o pregador.

Diante daquela atitude enérgica, houve um movimento de admiração geral.

— Por que relutais? O que só vos cumpre é obedecer.

Saulo de Tarso fixou-o com decisão, explicando:

— Nego-me porque, não obstante haver modificado minha concepção religiosa, sou doutor da Lei e, além disso, quanto à situação política, sou cidadão romano e não posso atender a ordens verbais de prisão.

— Mas estais preso em nome do Sinédrio.

— Onde o mandado?

A pergunta imprevista desnorteou a autoridade. Havia mais de dois anos, chegara de Jerusalém o documento oficial, mas ninguém podia prever aquela eventualidade. A ordem fora arquivada cuidadosamente, mas não podia ser exibida de pronto, como exigiam as circunstâncias.

— O pergaminho será apresentado dentro de poucas horas – acrescentou o chefe da sinagoga um tanto indeciso.

E, como a justificar-se, acrescentava:

— Desde o escândalo da vossa última pregação em Damasco, temos ordem de Jerusalém para vos prender.

Saulo fixou-o com energia, e, voltando-se para a assembleia, que lhe observava a coragem moral, tomada de pasmo e admiração, disse alto e bom som:

— Varões de Israel, trouxe ao vosso coração o que possuía de melhor, mas rejeitais a verdade, trocando-a pelas formalidades exteriores. Não vos condeno. Lastimo-vos, porque também fui assim como vós outros. Entretanto, chegada a minha hora, não recusei o auxílio generoso que o Céu me oferecia. Lançais-me acusações, vituperais minhas atuais convicções religiosas, mas qual de vós estaria disposto a discutir comigo? Onde o sincero lutador do campo espiritual que deseje sondar, em minha companhia, as santas escrituras?

Profundo silêncio seguiu-se ao repto.

– Ninguém? – perguntou o ardoroso artífice da nova fé, com um sorriso de triunfo. – Conheço-vos, porque também palmilhei esses caminhos. Entretanto, convenhamos em que o farisaísmo nos perdeu, atirando nossas esperanças mais sagradas num oceano de hipocrisias. Venerais Moisés na sinagoga; tendes excessivo cuidado com as fórmulas exteriores, mas qual a feição da vossa vida doméstica? Quantas dores ocultais sob a túnica brilhante! Quantas feridas dissimulais com palavras falaciosas! Como eu, devíeis sentir imenso tédio de tantas máscaras ignóbeis! Se fôssemos apontar os feitos criminosos que se praticam à sombra da Lei, não teríamos açoites para castigar os culpados; nem o número exato das maldições indispensáveis à pintura de semelhantes abominações! Padeci de vossas úlceras, envenenei-me também nas vossas trevas e vinha trazer-vos o remédio imprescindível. Recusais-me a cooperação fraterna; entretanto, em vão recalcitrais perante os processos regeneradores, porque somente Jesus poderá salvar-nos! Trouxe-vos o Evangelho, ofereço-vos a porta de redenção para nossas velhas mazelas e ainda quereis compensar meus esforços com o cárcere e a maldição? Recuso-me a receber semelhantes valores em troca de minha iniciativa espontânea!... Não podereis prender-me, porque a palavra de Deus não está algemada. Se a rejeitais, outros me compreenderão. Não é justo abandonar-me aos vossos caprichos, quando o serviço, a fazer, me pede dedicação e boa vontade.

Os próprios diretores da reunião pareciam dominados por forças magnéticas, poderosas e indefiníveis.

O moço tarsense passeou o olhar dominador sobre todos os presentes, revelando a rigidez do seu ânimo poderoso.

– Vosso silêncio fala mais que as palavras – concluiu quase com audácia. – Jesus não vos permite a prisão do servo humilde e fiel. Que a sua bênção vos ilumine o espírito na verdadeira compreensão das realidades da vida.

Assim dizendo, caminhou resoluto para a porta de saída, enquanto o olhar assombrado da assembleia lhe acompanhou o vulto, até que, a passo firme, desapareceu em uma das ruas estreitas que desembocavam na grande praça.

Como se despertasse, após o audacioso desafio, a reunião degenerou em acaloradas discussões. O arquissinagogo, que parecia sumamente impressionado com as declarações do ex-rabino, não ocultava a indecisão, relutando entre as verdades amargas de Saulo e a ordem de prisão imediata. Os companheiros mais enérgicos procuraram levantar-lhe o espírito de autoridade. Era preciso prender o atrevido orador a qualquer preço. Os mais decididos puseram-se à procura imediata do pergaminho de Jerusalém e, logo que o encontraram, resolveram pedir auxílio às autoridades civis, promovendo diligências. Daí a três horas, todas as medidas para a prisão do audacioso pregador estavam assentadas. Os primeiros contingentes foram movimentados às portas da cidade. Em cada uma postou-se pequeno grupo de fariseus, secundados por dois soldados, a fim de burlarem qualquer tentativa de evasão.

Em seguida, iniciaram a devassa em bloco, na residência de todas as pessoas suspeitas de simpatia e relações com os discípulos do Nazareno.

Saulo, por sua vez, afastando-se da sinagoga, procurou avistar-se com Ananias, ansioso da sua palavra amorosa e conselheira.

O sábio velhinho ouviu a narração do acontecido, aprovando-lhe as atitudes.

– Sei que o Mestre – dizia o moço por fim – condenou as contendas e jamais andou entre os discutidores, mas também jamais contemporizou com o mal. Estou pronto a reparar meu passado de culpas. Afrontarei as incompreensões de Jerusalém, a fim de patentear minha transformação radical. Pedirei perdão aos ofendidos pela insensatez da minha ignorância, mas de modo algum poderei fugir ao ensejo de afirmar-me sincero e verdadeiro. Acaso serviria ao Mestre, humilhando-me diante das explorações inferiores? Jesus lutou quanto possível e seus discípulos não poderão proceder de outro modo.

O bondoso ancião acompanhava-lhe as palavras com sinais afirmativos. Depois de confortá-lo com a sua aprovação, recomendou-lhe a maior prudência. Seria razoável afastar-se quanto antes dali, do seu tugúrio. Os judeus de Damasco conheciam a parte que tivera na sua cura. Por causa disso, muita vez lhes suportara as injúrias e remoques. Certo, procurá-lo-iam, ali, para prendê-lo. Assim, era de opinião que se recolhesse à casa da consóror lavadeira, onde costumavam orar e estudar o Evangelho. Ela saberia acolhê-lo com bondade.

Saulo atendeu ao conselho sem hesitar.

Daí a três horas, o velho Ananias era procurado e interpelado. Atenta a sua conduta discreta, foi recolhido ao cárcere para ulteriores averiguações.

O fato é que, inquirido pela autoridade religiosa, apenas respondia:

– Saulo deve estar com Jesus.

Nos seus escrúpulos de consciência, o generoso velhinho entendia que, desse modo, não mentia aos homens nem comprometia um amigo fiel. Depois de preso e incomunicável 24 horas, deram-lhe liberdade após receber castigos dolorosos. A aplicação de vinte bastonadas deixara-lhe o rosto e as mãos gravemente feridos. Contudo, logo que se viu livre, esperou a noite e, cautamente, encaminhou-se à choupana humilde onde se realizavam as prédicas do "Caminho". Reencontrando-se com o amigo, expôs-lhe o plano que vinha remediar a situação.

– Quando criança – exclamou Ananias prazeroso –, assisti à fuga de um homem sobre os muros de Jerusalém.

E como se recapitulasse os pormenores do fato, na memória cansada, perguntou:

– Saulo, terias medo de fugir em um cesto de vime?

– Por quê? – disse o moço sorridente. – Moisés não começou a vida em um cesto sobre as águas?

O velho achou graça na alusão e esclareceu o projeto. Não muito longe dali, havia grandes árvores junto dos muros da cidade. Alçariam o fugitivo em um grande cesto, e depois, com insignificantes movimentos, ele poderia descer do outro lado, em condições de encetar a viagem para Jerusalém, conforme pretendia. O ex-rabino experimentou imensa alegria. Na mesma hora, a dona da casa foi buscar o concurso dos três irmãos de mais confiança. E quando o céu se fez mais sombrio, depois das primeiras horas da meia-noite, um pequeno grupo se reunia junto à muralha, em ponto mais distante do centro da cidade. Saulo beijou as mãos de Ananias, quase com lágrimas. Despedia-se em voz baixa dos amigos, enquanto um lhe entregava volumoso pacote de bolos de cevada. Na copa da árvore frondosa e escura, o mais jovem esperava o sinal. O moço tarsense entrou na sua embarcação improvisada e a evasão se deu no âmbito silencioso da noite.

Do outro lado, saiu lesto do cesto, deixando-se empolgar por estranhos pensamentos. Seria justo fugir assim? Não havia cometido crime algum. Não seria covarde deixar de comparecer perante a autoridade civil para os esclarecimentos necessários? Ao mesmo tempo, considerava que sua conduta não provinha de sentimentos pueris e inferiores, pois ia a Jerusalém desassombrado, buscaria avistar-se com os antigos companheiros, falar-lhes-ia abertamente, concluindo que também não seria razoável entregar-se inerme ao fanatismo tirânico da sinagoga de Damasco.

Aos primeiros raios de sol, o fugitivo ia longe. Levava consigo os bolos de cevada como única provisão, e o Evangelho presenteado por Gamaliel como lembrança de tanto tempo de solidão e de luta.

A jornada foi assaz difícil e penosa. O cansaço obrigava-o a paradas constantes. Mais de uma vez recorreu à caridade alheia no trajeto penoso. Com auxílio de camelos, cavalos ou dromedários, a viagem de Damasco a Jerusalém não exigia menos de uma semana de marchas exaustivas. Saulo, porém, ia a pé. Poderia talvez valer-se do concurso definitivo de alguma caravana, na qual conseguisse os recursos imprescindíveis, mas preferiu familiarizar a vontade poderosa com os obstáculos mais duros. Quando a fadiga lhe sugeria o desejo de aguardar a cooperação eventual de outrem, buscava vencer o desânimo, punha-se novamente de pé, apoiava-se em cajados improvisados.

Depois de suaves recordações no local em que tivera a visão gloriosa do Messias ressuscitado, voltou a experimentar carinhosas emoções ao penetrar na Palestina, atravessando vagarosamente extensas regiões da Galileia. Fazia questão de conhecer o teatro das primeiras lutas do Mestre, identificar-se com as paisagens mais queridas, visitar Cafarnaum e Nazaré, ouvir a palavra dos filhos da região. Naquele tempo, já o ardoroso Apóstolo dos Gentios desejava inteirar-se de todos os fatos referentes à vida de Jesus, ansiava por coordená-los com segurança, de maneira a legar aos irmãos em Humanidade o melhor repositório de informações sobre o Emissário divino.

Quando chegou a Cafarnaum, um crepúsculo de ouro entornava maravilhas de luz na bucólica paisagem. O ex-rabino desceu religiosamente às margens do lago. Embebeu-se na contemplação das águas marulhosas. Pensando em Jesus, no poder do seu amor, chorou, dominado por singular emoção. Queria ter sido pescador humilde para captar os ensinamentos sublimes na fonte de suas palavras generosas e imortais.

Por dois dias ali permaneceu em suave embevecimento. Sem revelar-se, procurou Levi, que o recebeu de boa vontade. Mostrou-lhe sua dedicação e conhecimento do Evangelho, falou da oportunidade de suas anotações. O filho de Alfeu alegrou-se ao contágio daquela palavra inteligente e confortadora. Saulo viveu em Cafarnaum horas deliciosas para o seu espírito emotivo. Ali era o local das pregações do Mestre; mais adiante, a casinha de Simão Pedro; além, a coletoria onde o Mestre fora chamar Levi para o desempenho de importante papel entre os Apóstolos. Abraçou homens fortes, da localidade, que tinham sido cegos e leprosos, curados pelas mãos misericordiosas do Messias; foi a Dalmanuta, onde conheceu Madalena. Enriqueceu o mundo impressivo de suas observações, colhendo informes inéditos.

Daí a dias, depois de repousar em Nazaré, ei-lo às portas da cidade santa dos israelitas, extenuado de fadiga, das caminhadas penosas, das noites de vigília cujos sofrimentos muita vez lhe pareceram sem-fim.

Em Jerusalém, todavia, aguardavam-no outras surpresas não menos dolorosas.

Estava empolgado por ansiosas interrogações. Não mais tivera notícia dos pais, dos amigos, da irmã carinhosa, dos familiares sempre vivos na sua retentiva. Como o receberiam os companheiros mais sinceros? Não poderia esperar amáveis recepções do Sinédrio. O episódio de Damasco dava-lhe a perceber o estado de ânimo dos membros do Tribunal. Certo, fora sumariamente expulso do cenáculo mais conspícuo da raça. Em compensação, fora admitido pelo Cristo no cenáculo infinito das verdades eternas.

Dominado por essas reflexões, atravessou a porta da cidade, recordando o tempo em que, em uma biga veloz, saía em outro local, buscando a casa de Zacarias, na direção de Jope. As reminiscências das horas mais venturosas da mocidade encheram-lhe os olhos de pranto. Os transeuntes de Jerusalém estavam longe de imaginar quem era aquele homem magro e pálido, barba grande e olhos encovados, que passava arrastando-se de fadiga.

Após grande esforço, atingiu um prédio residencial do seu conhecimento. O coração palpitou-lhe apressado. Como simples mendigo, bateu à porta, em ansiosa expectativa.

Um homem de semblante severo atendeu secamente.

— Podeis informar, por favor — disse com humildade —, se ainda aqui reside uma senhora chamada Dalila?

— Não – respondeu o outro ríspido.

Aquele olhar duro não ensejava novas perguntas, mas, ainda assim, aventurou:

— Poderíeis dizer, por obséquio, para onde se mudou?

— Ora esta! – replicou o dono da casa irritadiço. – Dar-se-á que tenha de prestar contas a um mendigo? Daqui a pouco o senhor me perguntará se comprei esta casa; depois me pedirá o preço, exigirá datas, reclamará novas informações sobre os antigos moradores, tomará meu tempo com mil interrogações ociosas.

E, fixando em Saulo os olhos impassíveis, rematou de chofre:

— Nada sei, está ouvindo? Ponha-se na rua!...

O fugitivo de Damasco voltou serenamente para a via pública, enquanto o homenzinho deu expansão aos nervos doentes, batendo a porta com estrondo.

O ex-discípulo de Gamaliel refletiu na realidade amarga daquela primeira recepção simbólica. Jerusalém, certamente, nunca mais poderia conhecê-lo. Não obstante a impressão dolorosa, não se deixaria empolgar pelo desânimo. Resolveu procurar Alexandre, parente de Caifás e seu companheiro de atividades no Sinédrio e no Templo. Cansadíssimo, bateu-lhe à porta, com minguadas esperanças. Um servo da casa, depois da primeira pergunta, vinha trazer-lhe a alvissareira notícia de que o amo não se demoraria a atender.

Com efeito, daí a pouco, Alexandre recebia o desconhecido com indisfarçável surpresa.

Satisfeito por conseguir a atenção de um velho amigo, Saulo adiantou-se, cumprimentando-o com efusão.

O israelita ilustre não conseguiu ocultar o desapontamento e sentenciou com alguma generosidade nas palavras:

— Amigo, a que vindes a esta casa?

— Será possível que me não reconheças? – interrogou bem-humorado, apesar da imensa fadiga.

— Vossa fisionomia não me é de todo estranha, entretanto...

— Alexandre! – exclamou por fim, prazenteiro – não te recordas mais de Saulo?

Um grande abraço foi a resposta do amigo, que perguntava solícito, modificando o tratamento:

— Muito bem! Até que enfim! Graças a Deus vejo que estás curado! Não me enganei esperando que voltasses! Grande é o poder do Deus de Moisés!

Saulo compreendeu de pronto a ambiguidade daquelas expressões. Sentindo dificuldade em fazer-se entendido, procurava o melhor meio de explicar-se com êxito, enquanto o amigo prosseguia:

— Mas que aspecto é este? Olha que mais pareces um beduíno do deserto... Dize-me: quanto tempo durou a enfermidade pertinaz?

Saulo encheu-se de coragem e acentuou:

— Mas há engano com certeza, ou estarás mal informado, porque nunca estive doente.

— Impossível! – disse Alexandre visivelmente desapontado depois de tantas demonstrações afetuosas. – Jerusalém anda repleta de lendas a teu respeito. Sadoque veio até aqui, há três anos, pedir providências enérgicas do Sinédrio para que se esclarecesse tua situação e, depois de longos debates, levou uma ordem de prisão contra ti. Desde essa época, lutei desesperadamente para que se modificassem as disposições da peça condenatória. Provei que, se havias adotado uma atitude simpática para com a gente do "Caminho", certo, essa decisão obedecia a fins que não estávamos habilitados a compreender de pronto, como, por exemplo, o de sondar melhor a extensão de suas atividades revolucionárias.

Saulo não pôde conter-se e revidou, antes que o amigo continuasse:

— Mas, nesse caso, seria um hipócrita refalsado e indigno do cargo e de mim mesmo.

O outro, contrafeito, carregou o sobrolho.

— Aliás, ponderei todas as hipóteses e como não podia tomar-te por hipócrita – acentuou Alexandre procurando emendar a mão –, consegui provar que tua atitude em Damasco provinha de transitória demência. Não era justo pensar de outro modo, mesmo porque, do contrário, serias também insincero, conosco, na esfera do farisaísmo.

O ex-rabino sentiu a delicadeza do impasse. Havia renovado as concepções religiosas, mas estava diante de um amigo. Quando muitos o abandonavam, aquele o recebia fraternalmente. Era necessário não magoá-lo. Todavia, era impossível mascarar a verdade. Sentiu os olhos úmidos. Impunha-se-lhe testemunhar o Cristo, a qualquer preço, embora tivesse de perder as maiores afeições do mundo.

— Alexandre — disse humildemente —, é verdade que iniciei o grande movimento de perseguição ao "Caminho" mas agora é indispensável confessar que me enganei. Os Apóstolos galileus têm razão. Estamos no limiar de grandes transformações. Às portas de Damasco, Jesus me apareceu na sua gloriosa ressurreição e exortou-me ao serviço do seu Evangelho de amor.

A palavra saía-lhe tímida, lavada no desejo de não ferir as crenças do amigo, que, não obstante, deixava transparecer profunda decepção no rosto lívido.

— Não digas tais absurdos! — exclamou irônico e sorridente — desgraçadamente, vejo que o mal continua minando-te as forças físicas e mentais. A sinagoga de Damasco tinha razão. Se não te conhecesse da infância, dar-te-ia agora o título de blasfemo e desertor.

O moço tarsense, não obstante a energia viril, estava desapontado.

— Aliás — prosseguiu o outro, assumindo ares de protetor —, desde o início de tua viagem não concordei com o mísero cortejo que levavas. Jonas e Demétrio são quase boçais, e Jacó vive de caduquices. Com semelhante companhia, qualquer perturbação da tua parte haveria de acarretar grandes desastres morais para a nossa posição.

— No entanto, Alexandre — dizia o ex-rabino um tanto humilhado —, devo insistir na verdade. Vi com estes olhos o Messias de Nazaré; ouvi-lhe a palavra de viva voz. Compreendendo os erros em que vivia, na minha defeituosa concepção da fé, demandei o deserto. Lá estive três anos em serviço rude e longas meditações. Minha convicção não é superficial. Creio, hoje, que Jesus é o Salvador, o Filho do Deus Vivo.

— Pois tua enfermidade — repetia Alexandre altaneiro, modificando o diapasão da intimidade — transtornou a vida de toda a tua família. Envergonhados com as notícias chegadas da Síria, Jaques e Dalila mudaram-se de Jerusalém para a Cilícia. Quando soube da ordem de prisão lavrada pelo Sinédrio contra a tua pessoa, tua mãe faleceu em Tarso. Teu pai, que te educou com esmero, esperando da tua inteligência os maiores galardões de nossa raça, vive acabrunhado e infeliz. Teus amigos, cansados de suportar as ironias do povo, em Jerusalém, vivem esquivos e humilhados depois de te procurarem em vão. Não te doerá a visão deste quadro? Uma dor como esta não bastará para refazer-te o equilíbrio mental?

O ex-doutor da Lei tinha o coração ralado de angústia. Tantos dias ansiosos, tantas amarguras vividas no intuito de lograr alguma compreensão e repouso junto dos seus, via, agora, era tudo ilusão e ruinaria. A família desorganizada, a mãe morta, o pai infeliz; os amigos execravam-no; Jerusalém lançava-lhe ironias.

Vendo-o em tal atitude, o amigo regozijava-se intimamente, esperando ansioso o efeito de suas palavras.

Depois de concentrar-se um minuto, Saulo acentuou:

— Lamento ocorrências tão tristes e tomo a Deus por testemunha de que não cooperei intencionalmente para isso. No entanto, mesmo aqueles que ainda não aceitaram o Evangelho deveriam compreender, segundo a Antiga Lei, que não devemos ser orgulhosos. Moisés, nada obstante a energia das recomendações, ensinou a bondade. Os profetas, que lhe sucederam, foram emissários de mensagens profundas para o nosso coração, que se perdia na iniquidade. Amós nos concitou a buscar Jeová para conseguirmos viver. Lastimo que os meus afeiçoados se julguem ofendidos, mas é preciso considerar que, antes de ouvir qualquer julgamento ocioso do mundo, devemos buscar os juízos de Deus.

— Quer dizer que persistes nos teus erros? — perguntou Alexandre quase hostil.

— Não me sinto enganado. Dada a incompreensão geral — comentou o ex-rabino dignamente —, também me encontro em penosa situação, mas o Mestre não me faltará com o seu auxílio. Lembro-me d'Ele e experimento grande conforto. Os afetos da família e a consideração dos amigos eram no mundo minha única riqueza. Contudo, encontrei nas anotações de Levi o caso de um moço rico, que me ensina a proceder nesta hora.[29] Desde a infância procurei cumprir rigorosamente meus deveres, mas se é preciso lançar mão da riqueza que me resta, para alcançar a iluminação de Jesus, renunciarei à própria estima deste mundo!...

Alexandre pareceu comover-se com o tom melancólico das últimas palavras. Saulo dava a impressão de alguém que estivesse prestes a chorar.

— Estás fundamente transtornado — objetou Alexandre —, só um demente poderia proceder assim.

— Gamaliel não era um louco e aceitou Jesus como o Messias Prometido — acrescentou o ex-doutor, invocando a venerável memória do grande rabino.

— Não creio! — disse o outro com ar superior.

---

[29] *Mateus*, 19:16 a 23.

Saulo baixou a fronte, silencioso. Grande a humilhação daquela hora. Depois de havido como demente, era tido por mentiroso. Apesar disso, no auge da perplexidade, considerou que o amigo não estava em condições de compreendê-lo integralmente. Refletia na situação embaraçosa, quando Alexandre voltou a dizer:

– Infelizmente, preciso convencer-me do estado precário do teu cérebro. Por enquanto, poderás ficar em Jerusalém à vontade, mas será justo não multiplicar o escândalo da tua enfermidade, com falsos panegíricos do Carpinteiro de Nazaré. A decisão do Sinédrio, que consegui com tantos sacrifícios, poderia modificar-se. Quanto ao mais – terminava como a despedi-lo –, sabes que continuo às tuas ordens para uma retificação definitiva de atitudes, a qualquer tempo.

Saulo compreendeu a advertência; não era preciso dilatar a entrevista. O amigo expulsava-o com boas maneiras.

Em dois minutos achou-se novamente na via pública. Era quase meio-dia, um dia quente. Sentiu sede e fome. Consultou a bolsa, estava quase vazia. Um resto do que recebera das mãos generosas do irmão de Gamaliel ao deixar Palmira definitivamente. Procurou a pensão mais modesta de uma das zonas mais pobres da cidade. Em seguida a frugal refeição e antes que caíssem as sombras cariciosas da tarde, encaminhou-se esperançado para o velho casarão reformado, onde Simão Pedro e companheiros desenvolviam toda a atividade em prol da causa de Jesus.

No trajeto, recordou-se de quando fora ouvir Estêvão em companhia de Sadoque. Como tudo, agora, se passava inversamente! O crítico, de outrora, voltava para ser criticado. O juiz, transformado em réu, mergulhava o coração em singulares ansiedades. Como o receberiam na Igreja do "Caminho"?

Parou à frente da habitação humilde. Pensava em Estêvão, mergulhado no passado, de alma opressa. Ante os colegas do Sinédrio, entestando as autoridades do Judaísmo, outra era a sua atitude. Conhecia-lhes as fraquezas peculiares, passara também pelas máscaras farisaicas e podia aquilatar de seus erros clamorosos. No entanto, defrontando os Apóstolos galileus, sagrada veneração se lhe impunha à consciência. Aqueles homens poderiam ser rudes e simples, podiam viver distanciados dos valores intelectuais da época, mas tinham sido os primeiros colaboradores de Jesus. Além disso, não poderia aproximar-se deles sem experimentar profundo remorso. Todos haviam sofrido vexames e humilhações por sua causa. Não fosse Gamaliel, talvez o próprio Pedro tivesse sido lapidado... Precisava consolidar as noções de humildade para manifestar seus desejos ardentes de cooperação sagrada com o Cristo. Em Damasco, lutara na sinagoga contra a hipocrisia de antigos companheiros; em Jerusalém, enfrentara Alexandre com todo o desassombro; entretanto, parecia-lhe que outra deveria ser sua atitude ali, onde tinha necessidade de renúncia para alcançar a reconciliação com aqueles a quem havia ferido.

Assomado de profundas reflexões, bateu à porta, quase trêmulo.

Um dos auxiliares do serviço interno, de nome Prócoro, veio atender solicitamente.

– Irmão – disse o moço tarsense em tom humilde –, podeis informar se Pedro está?

– Vou saber – respondeu o interpelado amistoso.

– Caso esteja – acrescentou Saulo algo indeciso –, dizei-lhe que Saulo de Tarso deseja falar-lhe em nome de Jesus.

Prócoro gaguejou um "sim", com extrema palidez, fixou no visitante os olhos assombrados e afastou-se com dificuldade, sem dissimular a enorme surpresa. Era o perseguidor que voltava, depois de três anos. Lembrava-se, agora, daquela primeira discussão com Estêvão, em que o grande pregador do Evangelho sofrera tantos insultos. Em poucos momentos alcançava a câmara, onde Pedro e João confabulavam sobre os problemas internos. A notícia caiu entre ambos como uma bomba. Ninguém poderia prever tal coisa. Não acreditavam na lenda que Jerusalém enfeitava com detalhes desconhecidos em cada comentário. Impossível que o algoz implacável dos discípulos do Senhor estivesse convertido à causa do seu Evangelho de amor e redenção.

O ex-pescador do "Caminho", antes de recambiar o portador ao inesperado visitante, mandou chamar Tiago para resolverem os três a decisão a tomar.

O filho de Alfeu, transformado em rígido asceta, arregalou os olhos.

Depois das primeiras opiniões que traduziam receios justos e emitidas precipitadamente, Simão exclamou com grande prudência:

– Em verdade, ele nos fez o mal que pôde; entretanto, não é por nós que devemos temer, e sim pela obra do Cristo que nos está confiada.

— Aposto em que toda essa história da conversão se resume numa farsa, a fim de que venhamos a cair em novas ciladas – replicou Tiago um tanto displicente.

— Por mim – disse João –, peço a Jesus nos esclareça, embora me recorde dos açoites que Saulo mandou-me aplicar no cárcere. Antes de tudo, é indispensável saber se o Cristo, de fato, lhe apareceu às portas de Damasco.

— Mas saber como? – dizia Pedro com profunda compreensão. – Nosso material de reconhecimento é o próprio Saulo. Ele é o campo que revelará ou não a planta sagrada do Mestre. A meu ver, tendo a zelar um patrimônio que nos não pertence, somos obrigados a proceder como aconselha a prudência humana. Não é justo abrirmos as portas, quando não lhe conhecemos o intuito. Da primeira vez que aqui esteve, Saulo de Tarso foi tratado com o respeito que o mundo lhe consagrava. Busquei-lhe o melhor lugar para que ouvisse a palavra de Estêvão. Infelizmente, sua atitude desrespeitosa e irônica provocou escândalo, que culminou na prisão e morte do companheiro. Veio espontaneamente e voltou para prender-nos. Ao carinho fraternal que lhe oferecemos, retribuiu com algemas e cordas. Assim me externando, também não devo esquecer a lição do Mestre, relativamente ao perdão, e por isso reafirmo que não penso por nós, mas pelas responsabilidades que nos foram conferidas.

Ante considerações tão justas, os outros calavam, enquanto o ex--pescador acrescentava:

— Por conseguinte, não me é permitido recebê-lo nesta casa, sem maior exame, ainda que me não falte sincera boa vontade para isso. Resolvendo o assunto por essa forma, convocarei uma reunião para hoje à noite. O assunto é muito grave. Saulo de Tarso foi o primeiro perseguidor do Evangelho. Quero que todos cooperem comigo nas decisões a tomar, pois, de mim mesmo, não quero parecer nem injusto nem imprevidente.

E depois de longa pausa, dizia para o emissário:

— Vai, Prócoro. Dize-lhe que volte depois, que não posso deixar os quefazeres mais urgentes.

— E se ele insistir? – perguntou o diácono preocupado.

— Se ele de fato aqui vem em nome de Jesus, saberá compreender e esperar.

Saulo aguardava ansiosamente o mensageiro. Era-lhe preciso encontrar alguém que o entendesse e lhe sentisse a transformação. Estava exausto. A Igreja do "Caminho" era a derradeira esperança.

Prócoro transmitiu-lhe o recado com grande indecisão. Não era preciso mais para que tudo compreendesse. Os Apóstolos galileus não acreditavam na sua palavra. Agora examinava a situação com mais clareza. Percebia a indefinível e grandiosa misericórdia do Cristo visitando-o, inesperadamente, no auge do seu abismo espiritual às portas de Damasco. Pelas dificuldades para ir ter com Jesus, avaliava quanta bondade e compaixão seriam necessárias para que o Mestre o acolhesse, endereçando-lhe sagradas exortações no encontro inesquecível.

O diácono fixou-o com simpatia. Saulo recebera a resposta altamente desapontado. Ficou pálido e trêmulo, como que envergonhado de si mesmo. Além disso, tinha aspecto doentio, olhos encovados, era pele e osso.

– Compreendo, irmão – disse de olhos molhados. – Pedro tem motivos justos...

Aquelas palavras comoveram a Prócoro no mais íntimo da alma e, evidenciando seu bom desejo de ampará-lo, exclamou a demonstrar perfeito conhecimento dos fatos:

– Não trazeis de Damasco alguma apresentação de Ananias?

– Já tenho comigo as do Mestre.

– Como assim? – perguntou o diácono admirado.

– Jesus disse em Damasco – falou o visitante com serenidade – que mostraria quanto me compete sofrer por amor ao seu nome.

Intimamente, o ex-doutor da Lei sentia imensa saudade dos irmãos de Damasco, que o haviam tratado com a maior simplicidade. Entretanto, considerou, simultaneamente, que semelhante proceder era justo, porquanto dera provas na sinagoga e junto de Ananias, de que sua atitude não comportava simulação. Ao refletir que Jerusalém o recebia, em toda a parte, como vulgar mentiroso, sentiu lágrimas quentes lhe afluírem aos olhos. Todavia, para que o outro não lhe visse a sensibilidade ferida, exclamou justificando-se:

– Tenho os olhos cansados pelo sol do deserto! Podereis fornecer-me um pouco de água fresca?

O diácono atendeu prontamente.

Daí a instantes, Saulo mergulhava as mãos em um grande jarro, lavando os olhos em água pura.

– Voltarei depois – disse em seguida, estendendo a mão ao auxiliar dos Apóstolos, que se afastou impressionado.

Amargando a fraqueza orgânica, o cansaço, o abandono dos amigos, as desilusões mais acerbas, o moço de Tarso retirou-se cambaleante.

À noite, consoante deliberara, Simão Pedro, evidenciando admirável bom senso, reuniu os companheiros de mais responsabilidade para considerar o assunto. Além dos Apóstolos galileus, estavam presentes os irmãos Nicanor, Próacoro, Parmenas, Timão, Nicolau e Barnabé, este último incorporado ao grupo de auxiliares mais diretos da Igreja, por suas elevadas qualidades de coração.

Com permissão de Pedro, Tiago iniciou as conversações, manifestando-se contrário a qualquer espécie de auxílio imediato ao convertido da última hora. João ponderou que Jesus tinha poder para transformar os espíritos mais perversos, como para levantar os mais infortunados da sorte. Próacoro relatou suas impressões a respeito do pertinaz perseguidor do Evangelho, ressaltando a compaixão que seu estado de saúde despertava nos corações mais insensíveis. Chegada a sua vez, Barnabé esclareceu que, ainda em Chipre, antes de transferir-se definitivamente para Jerusalém, ouvira alguns levitas descreverem a coragem com que o convertido falara na sinagoga de Damasco, logo após a visão de Jesus.

O ex-pescador de Cafarnaum solicitou pormenores do companheiro, impressionado com a sua opinião. Barnabé explicou quanto sabia, manifestando o desejo de que resolvessem a questão com a maior benevolência.

Nicolau, percebendo a atmosfera de boa vontade que se formava em torno da figura do ex-rabino, objetava com a sua rigidez de princípios:

— Convenhamos que não é justo esquecer os aleijados que se encontram nesta casa, vítimas da odiosa truculência dos asseclas de Saulo. É das escrituras que se exija cuidado com os lobos que penetram no redil sob a pele das ovelhas. O doutor da Lei, que nos fez tanto mal, sempre deu preferência às grandes expressões espetaculares contra o Evangelho no Sinédrio. Quem sabe nos prepara atualmente nova armadilha de grande efeito?

A tal pergunta, o bondoso Barnabé curvou a fronte, em silêncio. Pedro notou que a reunião se dividia em dois grupos. De um lado estavam ele e João chefiando os pareceres favoráveis; do outro, Tiago e Filipe encabeçavam o movimento contrário. Acolhendo a admoestação de Nicolau, exprimiu-se com brandura:

— Amigos, antes da enunciação de qualquer ponto de vista pessoal, conviria refletirmos na bondade infinita do Mestre. Nos trabalhos de minha vida, anteriores ao Pentecostes, confesso que as faltas de toda sorte aparecem no meu caminho de homem frágil e pecador. Não hesitava em apedrejar os mais infelizes e cheguei, mesmo, a advertir o Cristo para fazê-lo! Como sabeis, fui dos que negaram o Senhor na hora extrema. Entretanto, depois que nos chegou o conhecimento pela inspiração celeste, não será justo olvidarmos o Cristo em qualquer iniciativa. Precisamos pensar que, se Saulo de Tarso procura valer-se de semelhantes expedientes para desferir novos golpes nos servidores do Evangelho, então ele é ainda mais desgraçado que antes, quando nos atormentava abertamente. Sendo, pois, um necessitado, de qualquer modo não vejo razões para lhe recusarmos mãos fraternas.

Percebendo que Tiago preparava-se para defender o parecer de Nicolau, Simão Pedro continuou, depois de ligeira pausa:

— Nosso irmão acaba de referir-se ao símbolo do lobo que surge no redil com a pele das ovelhas generosas e humildes. Concordo com essa expressão de zelo. Também eu não pude acolher Saulo, quando hoje nos bateu à porta, atento à responsabilidade que me foi confiada. Nada quis decidir sem o vosso concurso. O Mestre nos ensinou que nenhuma obra útil se poderá fazer na Terra sem a cooperação fraternal, mas, aproveitando o parecer enunciado, examinemos, com sinceridade, o problema imprevisto. Em verdade, Jesus recomendou nos acautelássemos contra o fermento dos fariseus, esclarecendo que o discípulo deverá possuir consigo a doçura das pombas e a prudência das serpentes. Convenhamos em que, de fato, Saulo de Tarso possa ser o lobo simbólico. Ainda aí, após esse conhecimento hipotético, teríamos profunda questão a resolver. Se estamos em uma tarefa de paz e de amor, que fazer com o lobo, depois da necessária identificação? Matar? Sabemos que isso não entra em nossa linha de conta. Não seria mais razoável refletir nas possibilidades da domesticação? Conhecemos homens rudes que conseguem dominar cães ferozes. Onde estaria, pois, o espírito que Jesus nos legou como sagrado patrimônio, se por temores mesquinhos deixássemos de praticar o bem?

A palavra concisa do Apóstolo tivera efeito singular. O próprio Tiago parecia desapontado pelas anteriores reflexões. Em vão, Nicolau procurou argumentos novos para formular outras objeções. Observando o pesado silêncio que se fizera, Pedro sentenciou serenamente:

— Desse modo, amigos, proponho convidarmos Barnabé para visitar pessoalmente o doutor de Tarso, em nome desta casa. Ele e Saulo não se conhecem, valorizando-se melhor semelhante oportunidade, porque, ao vê-lo, o moço tarsense nada terá que recordar do seu passado em Jerusalém. Se fosse visitado, pela primeira vez, por um de nós, talvez se perturbasse, julgando nossas palavras como de alguém que lhe fosse pedir contas.

João aplaudiu a ideia calorosamente. Em face do bom senso que as expressões de Pedro revelavam, Tiago e Filipe mostravam-se satisfeitos e tranquilos. Combinou-se a diligência de Barnabé para o dia seguinte. Aguardariam Saulo de Tarso com interesse. Se, de fato, sua conversão fosse real, tanto melhor.

O diácono de Chipre destacava-se por sua grande bondade. Sua expressão carinhosa e humilde, seu espírito conciliador contribuíam, na Igreja, para a solução pacífica de todos os assuntos.

Com um sorriso generoso, Barnabé abraçou o ex-rabino, pela manhã, na pensão em que ele se hospedara. Nenhum traço da sua nova personalidade indiciava aquele perseguidor famoso, que fizera Simão Pedro decidir a convocação dos amigos para resolver o seu acolhimento. O ex-doutor da Lei era todo humildade e estava doente. Indisfarçável fadiga transparecia-lhe nos mínimos gestos. A fisionomia não iludia um grande sofrimento. Correspondia às palavras afetuosas do visitante com um sorriso triste e acanhado. Via-se-lhe, entretanto, a satisfação que a visita lhe causava. O gesto espontâneo de Barnabé sensibilizava-o. A seu pedido, Saulo contou-lhe a viagem a Damasco e a gloriosa visão do Mestre, que constituía o marco inolvidável da sua vida. O ouvinte não dissimulou simpatias. Em poucas horas sentia-se tão identificado com o novo amigo, quais se fossem conhecidos de longos anos. Após a conversação, Barnabé pretextou qualquer coisa para dirigir-se ao dono da hospedaria, a quem pagou as despesas da hospedagem. Em seguida, convidou-o a acompanhá-lo à Igreja do "Caminho". Saulo não deixou de hesitar, enquanto o outro insistiu.

— Receio – disse o moço tarsense um tanto indeciso –, pois já ofendi muito a Simão Pedro e demais companheiros. Só por acréscimo de misericórdia do Cristo, consegui uma réstia de luz, para não perder totalmente meus dias.

— Ora essa! – exclamou Barnabé, batendo-lhe no ombro com bonomia. – Quem não terá errado na vida? Se Jesus nos tem valido a todos, não é porque o mereçamos, mas pela necessidade de nossa condição de pecadores.

Em poucos minutos, encontravam-se a caminho, notando o emissário de Pedro o penoso estado de saúde do antigo rabino. Muito pálido e abatido, parecia caminhar com esforço; tremiam-lhe as mãos, sentia-se febril. Deixava-se levar como alguém que conhecesse a necessidade de amparo. Sua humildade comovia o outro, que, a seu respeito, ouvira tantas referências desairosas.

Chegados a casa, Próscoro lhes abriu a porta, mas, desta vez, Saulo não ficaria a esperar indefinidamente, Barnabé tomou-lhe a mão afetuoso, e dirigiram-se para o vasto salão, onde Pedro e Timão os esperavam. Saudaram-se em nome de Jesus. O antigo perseguidor empalidecera mais. Por sua vez, ao vê-lo, Simão não ocultou um movimento de espanto ao notar-lhe a diferença física.

Aqueles olhos encovados, a extrema fraqueza orgânica, falavam aos Apóstolos galileus de profundos sofrimentos.

— Irmão Saulo — disse Pedro comovido —, Jesus quer que sejas bem-vindo a esta casa.

— Assim seja — respondeu o recém-chegado, de olhos úmidos.

Timão abraçou-o com palavras afetuosas, em lugar de João que se ausentara ao amanhecer, a serviço da confraria de Jope.

Em breves momentos, vencendo o constrangimento do primeiro contato com os amigos pessoais do Mestre, depois de tão longa ausência, o moço tarsense, atendendo-lhes o pedido, relatava a jornada de Damasco com todos os pormenores do grande acontecimento, evidenciando singular emotividade nas lágrimas que lhe banhavam o rosto. Sensibilizara-se, sobremaneira, ao relembrar tamanhas graças. Pedro e Timão já não tinham dúvidas. A visão do ex-rabino tinha sido real. Ambos, em companhia de Barnabé, seguiram a descrição até o fim, com olhos cheios de pranto. Efetivamente, o Mestre voltara, a fim de converter o grande perseguidor da sua doutrina. Requisitando Saulo de Tarso para o redil do seu amor, revelara, mais uma vez, a lição imortal do perdão e da misericórdia.

Terminada a narrativa, o ex-doutor da Lei estava cansado e abatido. Instado a explanar suas novas esperanças, seus projetos de trabalho espiritual, bem como o que pretendia fazer em Jerusalém, confessou-se desde logo profundamente reconhecido por tanto interesse afetuoso e falou com certa timidez:

— Necessito entrar numa fase ativa de trabalho com que possa desfazer meu passado culposo. É verdade que fiz todo o mal à Igreja de Jesus, em Jerusalém, mas se a misericórdia de Jesus dilatar minha permanência no mundo, empregarei o tempo em estender esta casa de amor e paz a outros lugares da Terra.

– Sim – replicou Simão ponderadamente –, certo que o Messias renovará tuas forças, de modo a poderes atender a tão nobre cometimento, na época oportuna.

Saulo parecia confortar-se com a palavra de encorajamento; deixando perceber que desejava consolidar a confiança dos ouvintes, arrancou das dobras da túnica rafada um rolo de pergaminhos e, apresentando-o ao ex-pescador de Cafarnaum, disse sensibilizado:

– Aqui está uma relíquia da amizade de Gamaliel, que trago invariavelmente comigo. Pouco antes de morrer, ele me deu a cópia das anotações de Levi, concernentes à vida e feitos do Salvador. Tinha em grande conta estas notas, porque as recebeu desta casa, na primeira visita que lhe fez.

Simão Pedro, evocando gratas recordações, tomou os pergaminhos com vivo interesse. Saulo verificava que o presente de Gamaliel tivera a finalidade prevista pelo generoso doador. Desde esse instante, os olhos do antigo pescador fixaram-se nele com mais confiança. Pedro falou da bondade do generoso rabino, informando-se da sua vida em Palmira, dos seus últimos dias, do seu traspasse. O discípulo atendia satisfeito.

Voltando ao assunto das suas novas perspectivas, explicou-se mais amplamente, sempre humilde:

– Tenho muitos planos de trabalho para o futuro, mas sinto-me combalido e doente. O esforço da última viagem, sem recursos de qualquer natureza, agravou-me a saúde. Sinto-me febril, o corpo dolorido, a alma exausta.

– Tens falta de dinheiro? – interrogou Simão bondosamente.

– Sim... – respondeu hesitante.

– Essas necessidades – esclareceu Pedro – já foram providas em parte. Não te preocupes em demasia. Recomendei a Barnabé que pagasse as primeiras despesas da hospedaria e, quanto ao mais, convidamos-te a repousar conosco o tempo que quiseres. Esta casa é também tua. Usa de nossas possibilidades como te aprouver.

O hóspede sensibilizou-se. Recordando o passado, sentia-se ferido no seu amor-próprio, mas, ao mesmo tempo, rogava a Jesus o auxiliasse para não desprezar as oportunidades de aprendizado.

– Aceito... – respondeu em voz reticenciosa, revelando acanhamento –, ficarei convosco enquanto minha saúde necessitar de tratamento...

E como se tivesse extrema dificuldade em acrescentar um pedido ao favor que aceitava, depois de longa pausa em que se lhe notava o esforço para falar, solicitou comovedoramente:

— Caso fosse possível, desejaria ocupar o mesmo leito em que Estêvão foi recolhido, generosamente, nesta casa.

Barnabé e Pedro ficaram altamente emocionados. Todos haviam combinado não fazer alusão ao pregador massacrado sob apupos e pedradas. Não queriam relembrar o passado perante o convertido de Damasco, ainda mesmo que sua atitude não fosse essencialmente sincera.

Ouvindo-o, o antigo pescador de Cafarnaum chegou quase a chorar. Com extrema dedicação, satisfez-lhe o pedido e, assim, foi ele conduzido ao interior, onde se acomodou entre lençóis muito alvos. Pedro fez mais: compreendendo a profunda significação daquele desejo, trouxe ao convertido de Damasco os singelos pergaminhos que o mártir utilizava diariamente no estudo e meditação da Lei, dos profetas e do Evangelho. Apesar da febre, Saulo regozijou-se. Tomado de profunda comoção, nas passagens prediletas dos pergaminhos sagrados, leu o nome de "Abigail", grafado diversas vezes. Ali estavam frases peculiares à dialética da noiva amada, datas que coincidiam, perfeitamente, com as suas revelações íntimas, quando ambos se entretinham a falar do passado, no pomar de Zacarias. A palavra "Corinto" era repetida muitas vezes. Aqueles documentos pareciam ter uma voz. Falavam-lhe ao coração, de um grande e santo amor fraternal. Ouvia-a em silêncio e guardou as conclusões avaramente. Não revelaria a ninguém suas íntimas dores. Bastavam aos outros os grandes erros da sua vida pública, os remorsos, as retificações que, apesar de verificadas em campo aberto, raros amigos conseguiam compreender. Observando-lhe a atitude de constante meditação, Pedro desdobrou-se na tarefa de assistência fraternal. Eram as palavras amigas, os comentários acerca do poder de Jesus, os caldos suculentos, as frutas substanciosas, a palavra de bom ânimo. Por tudo isso, sensibilizava-se o doente, sem saber como traduzir sua gratidão imperecível.

Entretanto, notou que Tiago, filho de Alfeu, receoso, talvez, dos seus antecedentes, não se dignava dirigir-lhe uma palavra. Arvorado em rígido cumpridor da Lei de Moisés, dentro da Igreja do "Caminho", era percebido, de vez em quando, pelo moço tarsense, qual sombra impassível a deslizar, balbuciando preces silenciosas, entre os enfermos. A princípio, sentiu quanto lhe doía aquele desinteresse, mas logo considerou a necessidade de humilhar-se diante de todos. Nada fizera, ainda, que pudesse positivar suas novas convicções. Quando dominava no Sinédrio, também não perdoava as adesões de última hora.

Logo que entrou a convalescer, já plenamente identificado com a afeição de Pedro, pediu-lhe conselhos sobre os planos que tinha em mente, encarecendo a máxima franqueza, para que pudesse enfrentar a situação, por mais duras que lhe fossem as circunstâncias.

– De minha parte – disse o Apóstolo ponderadamente –, não me parece razoável permaneceres em Jerusalém, por enquanto, neste período de renovação. Para falar com sinceridade, há que considerar teu novo estado d'alma como a planta preciosa que começa a germinar. É necessário dar liberdade ao germe divino da fé. Na hipótese da tua permanência aqui, encontrarias, diariamente, de um lado os sacerdotes intransigentes em guerra contra o teu coração; e de outro, as pessoas incompreensíveis, que falam nas extremas dificuldades do perdão, embora conheçam, de sobra, as lições do Mestre nesse sentido. Não deves ignorar que a perseguição aos simpatizantes do "Caminho" deixou traços muito profundos na alma popular. Não raro, aqui chegam pessoas mutiladas, que amaldiçoam o movimento. Isso para nós, Saulo, está num passado que jamais voltará; contudo, essas criaturas não o poderão compreender assim, de pronto. Em Jerusalém estarias mal colocado. O germe de tuas novas convicções encontraria mil elementos hostis e talvez ficasses à mercê da exasperação.

O rapaz ouviu as advertências ralado de angústia, sem protestar. O Apóstolo tinha razão. Em toda a cidade encontraria críticas soezes e destruidoras.

– Voltarei a Tarso... – disse com humildade – é possível que meu velho pai compreenda a situação e ajude meus passos. Sei que Jesus abençoará meus esforços. Se é preciso recomeçar a existência, recomeçá-la-ei no lar de onde provim...

Simão contemplou-o com ternura, admirado daquela transformação espiritual.

Diariamente, ambos reatavam as palestras amistosas. O convertido de Damasco, inteligência fulgurante, revelava curiosidade insaciável a respeito da personalidade do Cristo, dos seus mínimos feitos e mais sutis ensinamentos. Outras vezes, solicitava ao ex-pescador todos os informes possíveis sobre Estêvão, regozijando-se com as lembranças de Abigail, embora guardasse avaramente os pormenores do seu romance da mocidade. Inteirou-se, então, dos pesados trabalhos do pregador do Evangelho quando no cativeiro; da sua dedicação a um patrício de nome Sérgio Paulo; da fuga em miserável estado de saúde no porto palestinense; do ingresso na Igreja do "Caminho" como indigente; das primeiras noções do Evangelho e consequente iluminação em Cristo Jesus. Encantava-se, ouvindo as narrativas simples e amorosas de Pedro, que revelava sua veneração ao mártir, evitando melindrá-lo na sua condição de verdugo repeso.

Logo que pôde levantar-se da cama, foi ouvir as pregações naquele mesmo recinto onde insultara o irmão de Abigail, pela primeira vez. Os expositores do Evangelho eram, mais frequentemente, Pedro e Tiago. O primeiro falava com profunda prudência, embora se valesse de maravilhosas expressões simbólicas. O segundo, entretanto, parecia torturado pela influência judaizante. Tiago dava a impressão de reingresso, na maioria dos ouvintes, nos regulamentos farisaicos. Suas preleções fugiam ao padrão de liberdade e de amor em Jesus Cristo. Revelava-se encarcerado nas concepções estreitas do Judaísmo dominante. Longos períodos de seus discursos referiam-se às carnes impuras, às obrigações para com a Lei, aos imperativos da circuncisão. A assembleia também parecia completamente modificada. A Igreja assemelhava-se muito mais a uma sinagoga comum. Israelitas, em atitude solene, consultavam pergaminhos e papiros que continham as prescrições de Moisés. Saulo procurou, em vão, a figura impressionante dos sofredores e aleijados que vira no recinto, quando ali esteve pela primeira vez. Curiosíssimo, notou que Simão Pedro atendia-os em uma sala contígua, com grande bondade. Aproximou-se mais e pôde observar que, enquanto a pregação reproduzia a cena exata das sinagogas, os aflitos se sucediam ininterruptamente na sala humilde do ex-pescador de Cafarnaum. Alguns saíam conduzindo bilhas de remédio, outros levavam azeite e pão.

Saulo impressionou-se. A Igreja do "Caminho" parecia muito mudada. Faltava-lhe alguma coisa. O ambiente geral era de asfixia de todas as ideias do Nazareno. Não mais encontrou ali a grande vibração de fraternidade e de unificação de princípios pela independência espiritual. Depois de aturadas reflexões, tudo atribuía à falta de Estêvão. Morto este, extinguira-se o esforço do Evangelho livre; pois fora ele o fermento divino da renovação. Somente agora se capacitava da grandeza da sua elevada tarefa.

Quis pedir a palavra, falar como em Damasco, zurzir os erros de interpretação, sacudir a poeira que se adensava sobre o imenso e sagrado idealismo do Cristo, mas lembrou as ponderações de Pedro e calou-se. Não era justo, por enquanto, verberar o procedimento de outrem, quando não dera obras de si mesmo, por testemunhar a própria renovação. Se tentasse falar, podia ouvir, talvez, reprimendas justas. Além disso, notava que os conhecidos de outros tempos, frequentadores agora da Igreja do "Caminho", sem abandonar, de modo algum, seus princípios errôneos, olhavam-no de soslaio, sem dissimular desprezo, considerando-o em perturbação mental. No entanto, era com esforço supremo que sopitava o desejo de terçar armas, mesmo ali, para restauração da verdade pura.

Após a primeira reunião, procurou oportunidade de estar a sós com o ex-pescador de Cafarnaum, a fim de se inteirar das inovações observadas.

— A tempestade que desabou sobre nós — explicou Pedro generosamente, sem qualquer alusão ao seu procedimento de outrora — levou-me a sérias meditações. Desde a primeira diligência do Sinédrio nesta casa, notei que Tiago sofrera profundas transformações. Entregou-se a uma vida de grande ascetismo e rigoroso cumprimento da Lei de Moisés. Pensei muito na mudança das suas atitudes, mas, por outro lado, considerei que ele não é mau. É companheiro zeloso, dedicado e leal. Calei-me para mais tarde concluir que tudo tem uma razão de ser. Quando as perseguições apertaram o cerco, a atitude de Tiago, embora pouco louvável, quanto à liberdade do Evangelho, teve seu lado benéfico. Os delegados mais truculentos respeitaram-lhe o devocionismo moisaico e suas amizades sinceras no Judaísmo nos permitiram a manutenção do patrimônio do Cristo. Eu e João tivemos horas angustiosas na consideração desses problemas. Estaríamos sendo insinceros, falsearíamos a verdade? Ansiosamente rogamos a inspiração do Mestre. Com o auxílio de sua divina luz, chegamos a criteriosas conclusões. Seria justo lutar a videira ainda tenra com a figueira brava? Se fôssemos atender ao impulso pessoal de combater os inimigos da independência do Evangelho, esqueceríamos, fatalmente, a obra coletiva. Não é lícito que o timoneiro, por testemunhar a excelência de conhecimentos náuticos, atire o barco contra os rochedos, com prejuízo de vida para quantos confiaram no seu esforço. Consideramos, assim, que as dificuldades eram muitas e precisávamos, enquanto mínima fosse a nossa possibilidade de ação, conservar a árvore do Evangelho ainda tenra, para aqueles que viessem depois de nós. Além do mais, Jesus ensinou que só conseguimos elevados objetivos, neste mundo, cedendo alguma coisa de nós mesmos. Por intermédio de Tiago, o farisaísmo acede em caminhar conosco. Pois bem: consoante os ensinamentos do Mestre, caminharemos as milhas possíveis. E julgo mesmo que, se Jesus assim nos ensinou, é porque na marcha temos a oportunidade de ensinar alguma coisa e revelar quem somos.

Enquanto Saulo o contemplava com redobrada admiração pelos judiciosos conceitos emitidos, o Apóstolo rematava:

— Isso passa! A obra é do Cristo. Se fosse nossa, falharia por certo, mas nós não passamos de simples e imperfeitos cooperadores.

Saulo guardou a lição e recolheu-se pensativo. Pedro parecia-lhe muito maior agora, no seu foro íntimo. Aquela serenidade, aquele poder de compreensão dos fatos mínimos davam-lhe ideia da sua profunda iluminação espiritual.

De saúde refeita, antes de qualquer deliberação sobre o novo caminho a tomar, o moço tarsense desejou rever Jerusalém num impulso natural de afeição aos lugares que lhe sugeriam tantas lembranças cariciosas. Visitou o Templo, experimentando o contraste das emoções. Não se animou a penetrar no Sinédrio, mas procurou, ansioso, a sinagoga dos cilicianos, onde presumia reencontrar as amizades nobres e afáveis de outros tempos. Entretanto, mesmo ali, onde se reuniam os conterrâneos residentes em Jerusalém, foi recebido friamente. Ninguém o convidou ao labor da palavra. Apenas alguns conhecidos de sua família apertaram-lhe a mão secamente, evitando-lhe a companhia, de modo ostensivo. Os mais irônicos, terminados os serviços religiosos, dirigiram-lhe perguntas, com sorrisos escarninhos. Sua conversão às portas de Damasco era glosada com ditérios acerados e deprimentes.

— Não seria algum sortilégio dos feiticeiros do "Caminho"? – diziam uns. – Não seria Demétrio que se vestira de Cristo e lhe deslumbrara os olhos doentes e fatigados? – interrogavam outros.

Percebeu as ironias de que era objeto. Tratavam-no como demente. Foi aí que, sem sopitar a impulsividade do coração honesto, subiu ousadamente em um estrado e falou com orgulho:

— Irmãos da Cilícia, estais enganados. Não estou louco. Não buscais arguir-me porque eu vos conheço e sei medir a hipocrisia farisaica.

Estabeleceu-se luta imediata. Velhos amigos vociferavam impropérios. Os mais ponderados cercaram-no como se o fizessem a um doente e pediram-lhe que se calasse. Saulo precisou fazer um esforço heroico para conter a indignação. A custo, conseguiu dominar-se e retirou-se. Em plena via pública, sentia-se assaltado por ideias escaldantes. Não seria melhor combater abertamente, pregar a verdade sem consideração pelas máscaras religiosas que enchiam a cidade? A seus olhos, era justo refletir na guerra declarada aos erros farisaicos. E se, ao contrário das ponderações de Pedro, assumisse em Jerusalém a chefia de um movimento mais vasto, a favor do Nazareno? Não tivera a coragem de perseguir-lhe os discípulos, quando os doutores do Sinédrio eram todos complacentes? Por que não assumir, agora, a atitude da reparação, encabeçando um movimento em contrário? Havia de encontrar alguns amigos que se lhe associassem ao esforço ardente. Com esse gesto, auxiliaria o próprio irmão na sua tarefa dignificante em prol dos necessitados.

Fascinado com tais perspectivas, penetrou no Templo famoso. Recordou os dias mais recuados da infância e da primeira juventude. O movimento popular no recinto já lhe não despertava o interesse de outrora. Instintivamente, aproximou-se do local onde Estêvão sucumbira. Lembrou a cena dolorosa, detalhe por detalhe. Penosa angústia assomava-lhe ao coração. Orou com fervor ao Cristo. Entrou na sala onde estivera a sós com Abigail, a ouvir as últimas palavras do mártir do Evangelho. Compreendia, enfim, a grandeza daquela alma que o perdoara *in extremis*. Cada palavra do moribundo ressoava-lhe agora, estranhamente, nos ouvidos. A elevação de Estêvão fascinava-o. O pregador do "Caminho" havia-se imolado por Jesus! Por que não fazê-lo também?... Era justo ficar em Jerusalém, seguir-lhe os passos heroicos, para que a lição do Mestre fosse compreendida. Na recordação do passado, o moço tarsense mergulhava-se em preces fervorosas. Suplicava a inspiração do Cristo para seus novos caminhos. Foi aí que o convertido de Damasco, exteriorizando as faculdades espirituais, fruto das penosas disciplinas, observou que um vulto luminoso surgia inopinadamente a seu lado, falando-lhe com inefável ternura:

— Retira-te de Jerusalém, porque os antigos companheiros não aceitarão, por enquanto, o testemunho!

Sob o pálio de Jesus, Estêvão seguia-lhe os passos na senda do discipulado, embora a posição transcendental de sua assistência invisível. Saulo, naturalmente, cuidou que era o próprio Cristo o autor da carinhosa advertência e, fundamente impressionado, demandou a Igreja do "Caminho", informando a Simão Pedro o que ocorrera.

— Entretanto — acabou dizendo ao generoso Apóstolo que o ouvia admirado —, não devo ocultar que tencionava agitar a opinião religiosa da cidade, defender a causa do Mestre, restabelecer a verdade em sua feição integral.

Enquanto o ex-pescador escutava em silêncio, como a reforçar a resposta, o novo discípulo continuava:

— Estêvão não se entregou ao sacrifício? Sinto que nos falta aqui uma coragem igual à do mártir, sucumbido às pedradas da minha ignorância.

— Não, Saulo — replicou Pedro com firmeza —, não seria razoável pensar assim. Tenho maior experiência da vida, embora não tenha cabedais de inteligência semelhantes aos teus. Está escrito que o discípulo não poderá ser maior que o mestre. Aqui mesmo, em Jerusalém, vimos Judas cair numa cilada igual a esta. Nos dias angustiosos do Calvário, em que o Senhor provou a excelência e a divindade do seu amor e, nós, o amargo testemunho da exígua fé, condenamos o infortunado companheiro. Alguns irmãos nossos mantêm, até o presente, a opinião dos primeiros dias, mas, em contato com a realidade do mundo, cheguei à conclusão de que Judas foi mais infeliz que perverso. Ele não acreditava na validade das obras sem dinheiro, não aceitava outro poder que não fosse o dos príncipes do mundo. Estava sempre inquieto pelo triunfo imediato das ideias do Cristo. Muitas vezes, vimo-lo altercar, impaciente, pela construção do Reino de Jesus, adstrito aos princípios políticos do mundo. O Mestre sorria e fingia não entender as insinuações, como quem estava senhor do seu divino programa. Judas, antes do apostolado, era negociante. Estava habituado a vender a mercadoria e receber o pagamento imediato. Julgo, nas meditações de agora, que ele não pôde compreender o Evangelho de outra forma, ignorando que Deus é um credor cheio de misericórdia, que espera generosamente a todos nós, que não passamos de míseros devedores. Talvez amasse profundamente o Messias, contudo, a inquietação fê-lo perder a oportunidade sagrada. Tão só pelo desejo de apressar a vitória, engendrou a tragédia da cruz, com a sua falta de vigilância.

Saulo ouvia assombrado aquelas considerações justas e o bondoso Apóstolo continuava:

— Deus é a Providência de todos. Ninguém está esquecido. Para que ajuízes melhor da situação, admitamos que fosses mais feliz que Judas. Figuremos tua vitória pessoal no feito. Concedamos que pudesses atrair para o Mestre toda a cidade. E depois? Deverias e poderias responder por todos os que aderissem ao teu esforço? A verdade é que poderias atrair; nunca, porém, converter. Como não te fosse possível atender a todos, em particular, acabarias execrado pela mesma forma. Se Jesus, que tudo pode neste mundo sob a égide do Pai, espera com paciência a conversão do mundo, por que não poderemos esperar, de nossa parte? A melhor posição da vida é a do equilíbrio. Não é justo desejar fazer nem menos, nem mais do que nos compete, mesmo porque o Mestre sentenciou que a cada dia bastam os seus trabalhos.

O convertido de Damasco estava surpreso a mais não poder. Simão apresentava argumentos irretorquíveis. Sua inspiração assombrava-o.

— À vista do que ocorreu — prosseguiu o ex-pescador serenamente —, importa que te vás logo que caia a noite. A luta iniciada na sinagoga dos cilícios é muito mais importante que os atritos de Damasco. É possível que amanhã procurem encarcerar-te. Além disso, a advertência recebida no Templo não é de molde a procrastinarmos providências indispensáveis.

Saulo concordou de boa mente com o alvitre. Poucas vezes na vida escutara observações tão sensatas.

— Pretendes voltar à Cilícia? — disse Pedro com inflexão paternal.

— Já não tenho mais aonde ir — respondeu com resignado sorriso.

— Pois bem, partirás para Cesareia. Temos ali amigos sinceros que te poderão auxiliar.

O programa de Simão Pedro foi rigorosamente cumprido. À noite, quando Jerusalém se envolvia em grande silêncio, um cavaleiro humilde transpunha as portas da cidade, na direção dos caminhos que conduziam ao grande porto palestinense.

Torturado pelas apreensões constantes da sua nova vida, chegou a Cesareia decidido a não se deter ali muito tempo. Entregou as cartas de Pedro que o recomendavam aos amigos fiéis. Recebido com simpatia por todos, não teve dificuldades em retomar o caminho da cidade natal.

Dirigindo-se agora para o cenário da infância, sentia-se extremamente comovido com as mínimas recordações. Aqui, um acidente do caminho a sugerir cariciosas lembranças; ali, um grupo de árvores envelhecidas a despertarem especial atenção. Várias vezes, passou por caravanas de camelos que lhe faziam relembrar as iniciativas paternas. Tão intensa lhe fora a Vida Espiritual nos últimos anos, tão grandes as transformações, que a vida do lar se lhe figurava um sonho bom, de há muito desvanecido. Por meio de Alexandre, recebera as primeiras notícias de casa. Lamentava a partida de sua mãe, justamente quando tinha maior necessidade da sua compreensão afetuosa, mas entregava a Jesus os seus cuidados nesse particular. Do velho pai não era razoável esperar um entendimento mais justo. Espírito formalista, radicado ao farisaísmo de maneira integral, certo não aprovaria a sua conduta.

Atingiu as primeiras ruas de Tarso de alma opressa. As recordações sucediam-se ininterruptas.

Batendo à porta do lar paterno, pela fisionomia indiferente dos servos compreendeu como voltava transformado. Os dois criados mais antigos não o reconheceram. Guardou silêncio e esperou. Ao fim de longa espera, o genitor foi recebê-lo. O velho Isaque amparando-se ao cajado, nas adiantadas expressões de um reumatismo pertinaz, não dissimulou um gesto largo de espanto. É que reconhecera de pronto o filho.

– Meu filho!... – disse com voz enérgica, procurando dominar a emoção. – Será possível que os olhos me enganem?

Saulo abraçou-o afetuosamente, dirigindo-se ambos para o interior.

Isaque sentou-se e, buscando penetrar o íntimo do filho, com o olhar percuciente interrogou em tom de censura:

– Será que estás mesmo curado?

Para o rapaz, tal pergunta era mais um golpe desferido na sua sensibilidade afetiva. Sentia-se cansado, derrotado, desiludido; necessitava de alento para recomeçar a existência em um idealismo maior e até o pai o reprovava com perguntas absurdas! Ansioso de compreensão, retrucou de maneira comovedora:

— Meu pai, por piedade, acolhei-me!... Não estive doente, mas sou agora necessitado pelo espírito! Sinto que não poderei reiniciar minha carreira na vida sem algum repouso!... Estendei-me vossas mãos!...

Conhecendo a austeridade paterna e a extensão das próprias necessidades naquela hora difícil do seu caminho, o ex-doutor de Jerusalém humilhou-se inteiramente, pondo na voz toda a fadiga que se lhe represava no coração.

O ancião israelita contemplou-o firme, solene, e sentenciou sem compaixão:

— Não estiveste doente? Que significa então a triste comédia de Damasco? Os filhos podem ser ingratos e conseguem esquecer, mas os pais, se nunca os retiram do pensamento, sabem sentir melhor a crueldade do seu proceder... Não te doeria ver-nos vencidos e humilhados com a vergonha que lançaste sobre nossa casa? Ralada de desgostos, tua mãe encontrou lenitivo na morte, mas eu? Acreditas-me insensível à tua deserção? Se resisti, foi porque guardava a esperança de buscar Jeová, supondo que tudo não passasse de mal-entendido, que uma perturbação mental houvesse atirado contigo na incompreensão e nas críticas injustificáveis do mundo!... Criei-te com todo o desvelo que um pai, da nossa raça, costuma dedicar ao único filho varão... Sintetizavas gloriosas promessas para nossa estirpe. Sacrifiquei-me por ti, cumulei-te de afagos, não poupei esforços para que pudesses contar com os mestres mais sábios, cuidei da tua mocidade, enchi-te com a ternura do coração e é desse modo que retribuis as dedicações e os carinhos do lar?

Saulo podia enfrentar muitos homens armados, sem abdicar a coragem desassombrada que lhe assinalava as atitudes. Podia verberar o procedimento condenável dos outros, ocupar a mais perigosa tribuna para o exame das hipocrisias humanas, mas, diante daquele velhinho que não mais podia renovar a fé, e considerando a amplitude dos seus sagrados sentimentos paternais, não reagiu e começou a chorar.

— Choras? — continuou o ancião com grande secura. — Mas eu nunca te dei exemplos de covardia! Lutei com heroísmo nos dias mais difíceis, para que nada te faltasse. Tua fraqueza moral é filha do perjúrio, da traição. Tuas lágrimas vêm do remorso inelutável! Como enveredaste, assim, pelo caminho da mentira execrável? Com que fim engendraste a cena de Damasco para repudiar os princípios que te alimentaram do berço? Como abandonar a situação brilhante do rabino de quem tanto esperávamos, para arvorar-se em companheiro de homens desclassificados, que nunca tiveram a tradição amorosa de um lar?

Ante as acusações injustas, o moço tarsense soluçava, talvez pela primeira vez na vida.

– Quando soube que ias desposar uma jovem sem pais conhecidos – prosseguia o velho implacável –, surpreendi-me e esperei que te pronunciasses diretamente. Mais tarde, Dalila e o marido eram compelidos a deixar Jerusalém precipitadamente, ralados de vergonha com a ordem de prisão que a sinagoga de Damasco requisitava contra ti. Várias vezes, conjeturei se não seria essa criatura inferior, que elegeste, a causa de tamanhos desastres morais. Há mais de três anos levanto-me diariamente para refletir no teu criminoso proceder em detrimento dos mais sagrados deveres!

Ao ouvir aqueles conceitos injustos à pessoa de Abigail, o rapaz cobrou ânimo e murmurou com humildade:

– Meu pai, essa criatura era uma santa! Deus não a quis neste mundo! Talvez, se ela ainda vivesse, teria eu o cérebro mais equilibrado para harmonizar a minha nova vida.

O pai não gostou da resposta, embora a objeção fosse feita em tom de obediência e carinho.

– Nova vida? – glosou irritado. – Que queres com isso dizer?

Saulo enxugou as lágrimas e respondeu resignado:

– Quero dizer que o episódio de Damasco não foi ilusão e que Jesus reformou minha vida.

– Não poderias ver em tudo isso rematada loucura? – continuou o pai com espanto. – Impossível! como abandonar o amor da família, as tradições veneráveis do teu nome, as esperanças sagradas dos teus, para seguir um Carpinteiro desconhecido?

Saulo compreendeu o sofrimento moral do genitor quando assim se exprimia. Teve ímpetos de atirar-se-lhe nos braços amorosos; falar-lhe do Cristo, proporcionar-lhe entendimento real da situação. Todavia, prevendo simultaneamente a dificuldade de se fazer compreendido, observava-o resignado, enquanto ele prosseguia de olhos úmidos, revelando a mágoa e a cólera que o dominavam.

– Como pode ser isso? Se a doutrina malfadada do carpinteiro de Nazaré impõe criminosa indiferença pelos laços mais santos da vida, como negar-lhe nocividade e bastardia? Será justo preferir um aventureiro, que morreu entre malfeitores, ao pai digno e trabalhador que envelheceu no serviço honesto de Deus?!...

— Mas, pai — dizia o moço em voz súplice —, o Cristo é o Salvador prometido!...

Isaque pareceu agravar a própria fúria.

— Blasfemas? gritou. — Não temes insultar a Providência Divina? As esperanças de Israel não poderiam repousar numa fronte que se esvaiu no sangue do castigo, entre ladrões!... Estás louco! Exijo a reconsideração de tuas atitudes.

Enquanto fez uma pausa, o convertido objetou:

— É certo que meu passado está cheio de culpas quando não hesitei em perseguir as expressões da verdade, mas, de três anos a esta parte, não me recordo de ato algum que necessite de reconsideração.

O ancião pareceu atingir o auge da cólera e exclamou áspero:

— Sinto que as palavras generosas não quadram à tua razão perturbada. Vejo que tenho esperado em vão, para não morrer odiando alguém. Infelizmente, sou obrigado a reconhecer nas tuas atuais decisões um louco ou um criminoso vulgar. Portanto, para que nossas atitudes se definam, peço-te que escolhas em definitivo, entre mim e o desprezível Carpinteiro!...

A voz paternal, ao enunciar semelhante intimativa, era abafada, vacilante, evidenciando profundo sofrimento. Saulo compreendeu e, em vão, procurava um argumento conciliador. A incompreensão do pai angustiava-o. Nunca refletiu tanto e tão intensamente no ensino de Jesus sobre os laços de família. Sentia-se estreitamente ligado ao generoso velhinho, queria ampará-lo na sua rigidez intelectual, abrandar-lhe a feição tirânica, mas compreendia as barreiras que se antepunham aos seus desejos sinceros. Sabia com que severidade fora formado o seu próprio caráter. Prejulgando a inutilidade dos apelos afetivos, murmurou entre humilde e ansioso:

— Meu pai, ambos precisamos de Jesus!...

O velho inflexível endereçou-lhe um olhar austero e retrucou com aspereza:

— Tua escolha está feita! Nada tens a fazer nesta casa!...

O velhinho estava trêmulo. Via-se-lhe o esforço espiritual para tomar aquela decisão. Criado nas concepções intransigentes da Lei de Moisés, Isaque sofria como pai; entretanto, expulsava o filho depositário de tantas esperanças, como se cumprisse um dever. O coração amoroso sugeria-lhe piedade, mas o raciocínio do homem, encarcerado nos dogmas implacáveis da raça, abafava-lhe o impulso natural.

Saulo contemplou-o em atitude silenciosa e suplicante. O lar era a derradeira esperança que ainda lhe restava. Não queria crer na última perda. Cravou no ancião os olhos quase lacrimosos e, depois de longo minuto de expectação, implorou num gesto comovedor que lhe não era habitual:

— Falta-me tudo, meu pai. Estou cansado e doente! Não tenho dinheiro algum, necessito da piedade alheia.

E acentuando a queixa dolorosa:

— Também vós me expulsais?!...

Isaque sentiu que a rogativa lhe vibrava no mais íntimo do coração. No entanto, julgando talvez que a energia era mais eficiente que a ternura, no caso, respondeu secamente:

— Corrige as tuas impressões, porque ninguém te expulsou. Foste tu que votaste os amigos e os afetos mais puros ao supremo abandono!... Tens necessidades? É justo que peças ao Carpinteiro as providências acertadas... Ele que fez tamanhos absurdos, terá poder bastante para valer-te.

Imensa dor represou-se no espírito do ex-rabino. As alusões ao Cristo doíam-lhe muito mais que as reprimendas diretas que recebera. Sem conseguir refrear a própria angústia, sentiu que lágrimas ardentes rolavam-lhe nas faces queimadas pelo sol do deserto. Nunca experimentara pranto assim amargo. Nem mesmo na cegueira angustiosa, consequente à visão de Jesus, chorara tão penosamente. Não obstante esquecido em uma pensão sem nome, cego e acabrunhado, sentia a proteção do Mestre que o convocara ao seu divino serviço. Guardava a impressão de estar mais perto do Cristo. Regozijava-se nas dores mais acerbas, pelo fato de haver recebido, às portas de Damasco, o seu apelo glorioso e direto. Todavia, depois de tudo, procurava, em vão, apoio nos homens para iniciar a sagrada tarefa. Os mais amigos recomendavam-lhe a distância. Por último, ali estava o pai, velho e abastado, a recusar-lhe a mão no instante mais doloroso da vida. Expulsava-o. Manifestava aversão por suas ideias regeneradoras. Não lhe tolerava a condição de amigo do Cristo. No pranto que lhe borbulhava dos olhos, recordou-se, porém, de Ananias. Quando todos o abandonavam em Damasco, surgira o mensageiro do Mestre, restituindo-lhe o bom ânimo. Seu pai falara-lhe, ironicamente, dos poderes do Senhor. Sim, Jesus não lhe faltaria com os recursos indispensáveis. Lançando ao genitor um olhar inolvidável, disse humildemente:

— Então, adeus, meu pai!... Dizeis bem, porque estou certo de que o Messias não me abandonará!...

A passos indecisos, aproximou-se da porta de saída. Vagou o olhar nevoado de pranto pelos antigos adornos da sala. A poltrona de sua mãe estava na posição habitual. Recordou o tempo em que os olhos maternos liam para ele as primeiras noções da Lei. Julgou divisar-lhe a sombra a lhe acenar com amoroso sorriso. Jamais experimentara tamanho vácuo no coração. Estava só. Teve receio de si mesmo, porquanto, jamais se vira em tais conjunturas.

Depois da meditação dolorosa, retirou-se em silêncio. Olhou, indiferente, o movimento da rua, como alguém que houvesse perdido todo o interesse de viver.

Não dera ainda muitos passos, no seu incerto destino, quando ouviu chamarem-no com insistência.

Deteve-se à espera e verificou tratar-se de velho servidor do pai, que corria ao seu encalço.

Em poucos instantes, o criado entregava-lhe uma bolsa pesada, exclamando em tom amistoso:

— Vosso pai manda este dinheiro como lembrança.

Saulo experimentou no íntimo a revolta do "homem velho". Imaginou invocar a própria dignidade para devolver a dádiva humilhante. Assim procedendo ensinaria ao pai que era filho, e não mendigo. Dar-lhe-ia uma lição, mostraria o valor próprio, mas considerou, ao mesmo tempo, que as provações rigorosas talvez se verificassem com assentimento de Jesus, para que seu coração ainda voluntarioso aprendesse a verdadeira humildade. Sentiu que havia vencido muitos tropeços; que se havia mostrado superior em Damasco e em Jerusalém; que dominara as hostilidades do deserto; que suportara a ingratidão dos climas e as canseiras dolorosas, mas que o Mestre agora lhe sugeria a luta consigo mesmo, para que o "homem do mundo" deixasse de existir, ensejando o renascimento do coração enérgico, mas amoroso e terno, do discípulo. Seria, talvez, a maior de todas as batalhas. Assim compreendeu, em um relance, e buscando vencer-se a si mesmo, tomou a bolsa com resignado sorriso, guardou-a humildemente entre as dobras da túnica, saudou o servo com expressões de agradecimento e disse, esforçando-se por evidenciar alegria:

– Sinésio, conte a meu pai o contentamento que me causou com a sua carinhosa oferta e diga-lhe que rogo a Deus que o ajude.

Seguindo o curso incerto de sua nova situação, viu na atitude paterna o reflexo dos antigos hábitos do Judaísmo. Como pai, Isaque não queria parecer ingrato e inflexível, procurando ampará-lo, mas como fariseu nunca lhe suportaria a renovação das ideias.

Com ar indiferente, tomou leve refeição em modesta locanda. Entretanto, não conseguia tolerar o movimento das ruas. Tinha sede de meditação e silêncio. Precisava ouvir a consciência e o coração, antes de assentar os novos planos de vida. Procurou afastar-se da cidade. Como eremita anônimo, buscou o campo agreste. Depois de muito caminhar sem destino, atingiu os arredores do Tauro. Começava o cortejo das sombras tristes da tarde. Exausto de fadiga, descansou junto de uma das inumeráveis cavernas abandonadas. Muito ao longe, Tarso repousava entre arvoredos. As auras vespertinas vibravam no ambiente, sem perturbar a placidez das coisas. Mergulhado na quietude da Natureza, Saulo recuou mentalmente ao dia da sua radical transformação. Lembrou o abandono na pensão de Judas, a indiferença de Sadoque à sua amizade. Rememorou a primeira reunião de Damasco, na qual suportara tantos apupos, ironias e sarcasmos. Demandara Palmira, ansioso pela assistência de Gamaliel, a fim de penetrar a causa do Cristo, mas o nobre mestre lhe aconselhara o insulamento no deserto. Recordou as duras dificuldades do tear e a carência de recursos de toda a espécie no oásis solitário. Naqueles dias silenciosos e longos, jamais pudera esquecer a noiva morta, lutando por erguer-se, espiritualmente, acima dos sonhos desmoronados. Por mais que estudasse o Evangelho, intimamente experimentava singular remorso pelo sacrifício de Estêvão, que, a seu ver, fora a pedra tumular do seu noivado futuroso. Suas noites estavam cheias de infinitas angústias. Às vezes, em pesadelos dolorosos, sentia-se de novo em Jerusalém, assinando sentenças iníquas. As vítimas da grande perseguição acusavam-no, olhando-o assustadas, como se a sua fisionomia fosse a de um monstro. A esperança no Cristo reanimava-lhe o espírito resoluto. Depois de provas ásperas, deixara a solidão para regressar à vida social. Novamente em Damasco, a sinagoga o recebeu com ameaças. Os amigos de outros tempos, com profunda ironia, lançavam-lhe epítetos cruéis. Foi-lhe necessário fugir como criminoso comum, saltando muros pela calada da noite. Depois, buscara Jerusalém, na esperança de fazer-se compreendido. Contudo, Alexandre, em cujo espírito culto pretendia encontrar melhor entendimento, recebera-o como visionário e mentiroso. Extremamente fatigado, batera à porta da Igreja do "Caminho", mas fora obrigado a recolher-se a uma reles hospedaria, por força das suspeitas justas dos Apóstolos da Galileia. Doente e abatido, fora levado à presença de Simão Pedro, que lhe ministrara lições de alta prudência e excessiva bondade, mas, a exemplo de Gamaliel, aconselhara-lhe prévio recolhimento, discrição, aprendizado em suma. Embalde procurava um meio de harmonizar as circunstâncias, de maneira a cooperar na obra do Evangelho e todas as portas pareciam fechadas ao seu esforço. Afinal, dirigira-se a Tarso, ansioso do amparo familiar para reiniciar a vida. A atitude paterna só lhe agravara as desilusões. Repelindo-o, o genitor lançava-o num abismo. Agora começava a compreender que, reencetar a existência, não era volver à atividade do ninho antigo, mas principiar, do fundo da alma, o esforço interior, alijar o passado nos mínimos resquícios, ser outro homem enfim.

Compreendia a nova situação, mas não pôde impedir as lágrimas que lhe afloravam copiosas.

Quando deu acordo de si, a noite havia fechado de todo. O céu oriental resplandecia de estrelas. Ventos suaves sopravam de longe, refrescando-lhe a fronte incandescida. Acomodou-se como pôde, entre as pedras agrestes, sem coragem de eximir-se ao silêncio da Natureza amiga. Não obstante prosseguir no curso de suas amargas reflexões, sentia-se mais calmo. Confiou ao Mestre as preocupações acerbas, pediu o remédio da sua misericórdia e procurou manter-se em repouso. Após a prece ardente, cessou de chorar, figurando-se-lhe que uma força superior e invisível lhe balsamizava as chagas da alma opressa.

Breve, em doce quietude do cérebro dolorido, sentiu que o sono começava a empolgá-lo. Suavíssima sensação de repouso proporcionava-lhe grande alívio. Estaria dormindo? Tinha a impressão de haver penetrado uma região de sonhos deliciosos. Sentia-se ágil e feliz. Tinha a impressão de que fora arrebatado a uma campina tocada de luz primaveril, isenta e longe deste mundo. Flores brilhantes, como feitas de névoa colorida, desabrochavam ao longo de estradas maravilhosas, rasgadas na região banhada de claridades indefiníveis. Tudo lhe falava de um mundo diferente. Aos seus ouvidos toavam harmonias suaves, dando ideia de cavatinas executadas ao longe, em harpas e alaúdes divinos. Desejava identificar a paisagem, definir-lhe os contornos, enriquecer observações, mas um sentimento profundo de paz deslumbrava-o inteiramente. Devia ter penetrado um reino maravilhoso, porquanto os portentos espirituais que se patenteavam a seus olhos excediam todo entendimento.[30]

Mal não havia despertado desse deslumbramento, quando se sentiu presa de novas surpresas com a aproximação de alguém que pisava de leve, acercando-se de mansinho. Mais alguns instantes, viu Estêvão e Abigail à sua frente, jovens e formosos, envergando vestes tão brilhantes e tão alvas que mais se assemelhavam peplos de neve translúcida.

Incapaz de traduzir as sagradas comoções de sua alma, Saulo de Tarso ajoelhou-se e começou a chorar.

Os dois irmãos, que voltavam a encorajá-lo, aproximaram-se com generoso sorriso.

— Levanta-te, Saulo! — disse Estêvão com profunda bondade.

— Que é isso? Choras? — perguntou Abigail em tom blandicioso. — Estarias desalentado quando a tarefa apenas começa?

O moço tarsense, agora de pé, desatou em pranto convulsivo. Aquelas lágrimas não eram somente um desabafo do coração abandonado no mundo. Traduziam um júbilo infinito, uma gratidão imensa a Jesus, sempre pródigo de proteção e benefícios. Quis aproximar-se, oscular as mãos de Estêvão, rogar perdão para o nefando passado, mas foi o mártir do "Caminho" que, na luz de sua ressurreição gloriosa, aproximou-se do ex-rabino e o abraçou efusivamente, como se o fizesse a um irmão amado. Depois, beijando-lhe a fronte, murmurou com ternura:

— Saulo, não te detenhas no passado! Quem haverá, no mundo, isento de erros?! Só Jesus foi puro!...

O ex-discípulo de Gamaliel sentia-se mergulhado em verdadeiro oceano de venturas. Queria falar das suas alegrias infindas, agradecer tamanhas dádivas, mas indômita emoção lhe selava os lábios e confundia o coração. Amparado por Estêvão, que lhe sorria em silêncio, viu Abigail mais formosa que nunca, recordando-lhe as flores da primavera na casa humilde do caminho de Jope. Não pôde furtar-se às reflexões do homem, esquecer os sonhos desfeitos, lembrando-os, acima de tudo, naquele glorioso minuto

---

[30] Nota do autor espiritual: Mais tarde na *II Epístola aos coríntios* (12:2 a 4), Saulo afirmava: "Conheço um homem em Cristo que, há catorze anos (se no corpo, não sei; se fora do corpo, não sei; Deus o sabe), foi arrebatado até o terceiro céu. E sei que o tal homem foi arrebatado ao paraíso e ouviu palavras inefáveis, de que ao homem não é lícito falar." Dessa gloriosa experiência o Apóstolo dos Gentios extraiu novas conclusões sobre suas ideias notáveis, referentemente ao corpo espiritual.

da sua vida. Pensou no lar que poderia ter constituído; no carinho com que a jovem de Corinto lhe cuidaria dos filhos afetuosos; no amor insubstituível que sua dedicação lhe poderia dar. Compreendendo-lhe, porém, os mais íntimos pensamentos, a noiva espiritual aproximou-se, tomou-lhe a destra calejada nos labores rudes do deserto e falou comovidamente:

— Nunca nos faltará um lar... Tê-lo-emos no coração de quantos vierem à nossa estrada. Quanto aos filhos, temos a família imensa que Jesus nos legou em sua misericórdia... Os filhos do Calvário são nossos também... Eles estão em toda a parte, esperando a herança do Salvador.

O moço tarsense entendeu a carinhosa advertência, arquivando-a no imo do coração.

— Não te entregues ao desalento — continuou Abigail generosa e solícita —; nossos antepassados conheceram o Deus dos Exércitos, que era o dono dos triunfos sangrentos, do ouro e da prata do mundo; nós, porém, conhecemos o Pai, que é o Senhor de nosso coração. A Lei nos destacava a fé, pela riqueza das dádivas materiais nos sacrifícios, mas o Evangelho nos conhece pela confiança inesgotável e pela fé ativa ao serviço do Todo-Poderoso. É preciso ser fiel a Deus, Saulo! Ainda que o mundo inteiro se voltasse contra ti, possuirias o tesouro inesgotável do coração fiel. A paz triunfante do Cristo é a da alma laboriosa, que obedece e confia... Não tornes a recalcitrar contra os aguilhões. Esvazia-te dos pensamentos do mundo. Quando hajas esgotado a derradeira gota da posca[31] dos enganos terrenos, Jesus encherá teu espírito de claridades imortais!...

Experimentando infindo consolo, Saulo chegava a perturbar-se pela incapacidade de articular uma frase. As exortações de Abigail calar-lhe-iam para sempre. Nunca mais permitiria que o desânimo se apossasse dele. Enorme esperança represava-se, agora, em seu íntimo. Trabalharia para o Cristo em todos os lugares e circunstâncias. O Mestre sacrificara-se por todos os homens. Dedicar-lhe a existência representava um nobre dever. Enquanto formulava estes pensamentos, recordava a dificuldade de harmonizar-se com as criaturas. Encontraria lutas. Lembrou a promessa de Jesus, de que estaria presente onde houvesse irmãos reunidos em seu nome, mas tudo lhe pareceu subitamente difícil naquela rápida operação intelectual. As sinagogas combatiam-se entre si. A própria Igreja de Jerusalém

---

[31] N.E.: Mistura de água e vinagre que usavam os antigos romanos como refresco. Esta bebida dava-se aos crucificados, na Judeia.

tendia, novamente, às influências judaizantes. Foi aí que Abigail respondeu, de novo, aos seus apelos íntimos, exclamando com infinito carinho:
— Reclamas companheiros concordes contigo nas edificações evangélicas. No entanto, é preciso lembrar que Jesus não os teve. Os Apóstolos não puderam concordar com o Mestre senão com o auxílio do Céu, depois da Ressurreição e do Pentecostes. Os mais amados dormiam, enquanto Ele, agoniado, orava no horto. Uns negaram-no, outros fugiram na hora decisiva. Concorda com Jesus e trabalha. O caminho para Deus está subdividido em verdadeira infinidade de planos. O espírito passará sozinho de uma esfera para outra. Toda elevação é difícil, mas somente aí encontramos a vitória real. Recorda a "porta estreita" das lições evangélicas e caminha. Quando seja oportuno, Jesus chamará ao teu labor os que possam concordar contigo, em seu nome. Dedica-te ao Mestre em todos os instantes de tua vida. Serve-o com energia e ternura, como quem sabe que a realização espiritual reclama o concurso de todos os sentimentos que enobreçam a alma.

Saulo estava enlevado. Não poderia traduzir as sensações cariciosas que lhe represavam no coração tomado de inefável contentamento. Esperanças novas bafejavam-lhe a alma. Em sua retina espiritual desdobrava-se radioso futuro. Quis mover-se, agradecer a dádiva sublime, mas a emoção privava-o de qualquer manifestação afetiva. Entretanto, pairava-lhe no espírito uma grande interrogação. Que fazer, doravante, para triunfar? Como completar as noções sagradas que lhe competia exemplificar praticamente, sem anotação de sacrifícios? Deixando perceber que lhe ouvia as mais secretas interpelações, Abigail adiantou-se, sempre carinhosa:

— Saulo, para certeza da vitória no escabroso caminho, lembra-te de que é preciso dar: Jesus deu ao mundo quanto possuía e, acima de tudo, deu-nos a compreensão intuitiva das nossas fraquezas, para tolerarmos as misérias humanas...

O moço tarsense notou que Estêvão, nesse ínterim, se despedia, endereçando-lhe um olhar fraterno.

Abigail, por sua vez, apertava-lhe as mãos com imensa ternura. O ex-rabino desejaria prolongar a deliciosa visão para o resto da vida, manter-se junto dela para sempre; contudo, a Entidade querida esboçava um gesto de amoroso adeus. Esforçou-se, então, por catalogar apressadamente suas necessidades espirituais, desejoso de ouvi-la relativamente aos problemas que o defrontavam. Ansioso de aproveitar as mínimas parcelas daquele glorioso, fugaz minuto, Saulo alinhava mentalmente grande número de perguntas. Que fazer para adquirir a compreensão perfeita dos desígnios do Cristo?

— Ama! — respondeu Abigail espontaneamente.

Todavia, como proceder de modo a enriquecermos na virtude divina? Jesus aconselha o amor aos próprios inimigos. Entretanto, considerava quão difícil devia ser semelhante realização. Penoso testemunhar dedicação, sem o real entendimento dos outros. Como fazer para que a alma alcançasse tão elevada expressão de esforço com Jesus Cristo?

— Trabalha! — esclareceu a noiva amada, sorrindo bondosamente.

Abigail tinha razão. Era necessário realizar a obra de aperfeiçoamento interior. Desejava ardentemente fazê-lo. Para isso insulara-se no deserto, por mais de mil dias consecutivos. Todavia, voltando ao ambiente do esforço coletivo, em cooperação com antigos companheiros, acalentava sadias esperanças que se converteram em dolorosas perplexidades. Que providências adotar contra o desânimo destruidor?

— Espera! — disse ela ainda, em um gesto de terna solicitude, como quem desejava esclarecer que a alma deve estar pronta a atender ao programa divino, em qualquer circunstância, livre de caprichos pessoais.

Ouvindo-a, Saulo considerou que a esperança fora sempre a companheira dos seus dias mais ásperos. Saberia aguardar o porvir com as bênçãos do Altíssimo. Confiaria na sua misericórdia. Não desdenharia as oportunidades do serviço redentor, mas... os homens? Em toda a parte medrava a confusão nos espíritos. Reconhecia que, de fato, a concordância geral a respeito dos ensinamentos do Mestre Divino representava uma das realizações mais difíceis, no desdobramento do Evangelho, mas, além disso, as criaturas pareciam igualmente desinteressadas da verdade e da luz. Os israelitas agarravam-se à Lei de Moisés, intensificando o regime das hipocrisias farisaicas; os seguidores do "Caminho" aproximavam-se novamente das sinagogas, fugiam dos gentios, submetiam-se, rigorosamente, aos processos da circuncisão. Onde a liberdade do Cristo? Onde as vastas esperanças que o seu amor trouxera à Humanidade inteira, sem exclusão dos filhos de outras raças? Concordavam em que se fazia indispensável amar, trabalhar, esperar; entretanto, como agir no âmbito de forças tão heterogêneas? Como conciliar as grandiosas lições do Evangelho com a indiferença dos homens?

Abigail apertou-lhe as mãos com mais ternura, a indicar as despedidas, e acentuou docemente:

– Perdoa!...

Em seguida, seu vulto luminoso pareceu diluir-se como se fosse feito de fragmentos de aurora.

Empolgado pela maravilhosa revelação, Saulo viu-se só, sem saber como coordenar as expressões do próprio deslumbramento. Na região, que se coroava de claridades infinitas, sentiam-se vibrações de misteriosa beleza. Aos seus ouvidos continuavam chegando ecos longínquos de sublimes harmonias siderais, que pareciam traduzir mensagens de amor, oriundas de sóis distantes... Ajoelhou-se e orou! Agradeceu ao Senhor a maravilha das suas bênçãos. Daí a instantes, como se energias imponderáveis o reconduzissem ao ambiente da Terra, sentiu-se no leito rústico, improvisado entre as pedras. Incapaz de esclarecer o prodigioso fenômeno, Saulo de Tarso contemplou os céus, embevecido.

O infinito azul do firmamento não era um abismo em cujo fundo brilhavam estrelas... A seus olhos, o espaço adquiria nova significação; devia estar cheio de expressões de vida, que ao homem comum não era dado compreender. Haveria corpos celestes, como os havia terrestres. A criatura não estava abandonada, em particular, pelos poderes supremos da Criação. A bondade de Deus excedia a toda a inteligência humana. Os que se haviam libertado da carne voltavam do Plano Espiritual por confortar os que permaneciam a distância. Para Estêvão, ele fora verdugo cruel; para Abigail, noivo ingrato. Entretanto, permitia o Senhor que ambos regressassem à paisagem caliginosa do mundo, reanimando-lhe o coração. A existência planetária alcançava novo sentido nas suas elucubrações profundas. Ninguém estaria abandonado. Os homens mais miseráveis teriam no Céu quem os acompanhasse com desvelada dedicação. Por mais duras que fossem as experiências humanas, a vida, agora, assumia nova feição de harmonia e beleza eternas.

A Natureza estava calma. O luar esplendia no alto em vibrações de encanto indefinível. De quando em quando, o vento sussurrava de leve, espalhando mensagens misteriosas. Lufadas cariciosas acalmavam a fronte do pensador, que se embevecia na recordação imediata de suas maravilhosas visões do Mundo Invisível.

Experimentando uma paz até então desconhecida, acreditou que renascia naquele momento para uma existência muito diversa. Singular serenidade tocava-lhe o espírito. Uma compreensão diferente felicitava-o para o reinício da jornada no mundo. Guardaria o lema de Abigail, para sempre. O amor, o trabalho, a esperança e o perdão seriam seus companheiros inseparáveis. Cheio de dedicação por todos os seres, aguardaria as oportunidades que Jesus lhe concedesse, abstendo-se de provocar situações, e, nesse passo, saberia tolerar a ignorância ou a fraqueza alheias, ciente de que também ele carregava um passado condenável, que, nada obstante, merecera a compaixão do Cristo.

Somente muito depois, quando as brisas leves da madrugada anunciavam o dia, o ex-doutor da Lei conseguiu conciliar o sono. Quando despertou, era manhã alta. Muito ao longe, Tarso havia retomado o seu movimento habitual.

Ergueu-se encorajado como nunca. O colóquio espiritual com Estêvão e Abigail renovara-lhe as energias. Lembrou, instintivamente, a bolsa que o pai lhe havia mandado. Retirou-a para calcular as possibilidades financeiras de que podia dispor para novos cometimentos. A dádiva paterna fora abundante e generosa. Contudo, não conseguia atinar, de pronto, com a decisão preferível.

Depois de muito refletir, decidiu adquirir um tear. Seria o recomeço da luta. A fim de consolidar as novas disposições interiores, julgou útil exercer em Tarso o mister de tecelão, visto que ali, na terra do seu berço, se ostentara como intelectual de valor e aplaudido atleta.

Dentro em pouco, era reconhecido pelos conterrâneos como humilde tapeceiro.

A notícia teve desagradável repercussão no lar antigo, motivando a mudança do velho Isaque, que, após deserdá-lo ostensivamente, transferiu-se para uma de suas propriedades à margem do Eufrates,[32] onde esperou a morte junto de uma filha, incapaz de compreender o primogênito muito amado.

Assim, durante três anos, o solitário tecelão das vizinhanças do Tauro exemplificou a humildade e o trabalho, esperando devotadamente que Jesus o convocasse ao testemunho.

---

[32] N.E.: Um dos rios que forma a Mesopotâmia, atual Iraque.

IV
Primeiros labores apostólicos

Transformado em rude operário, Saulo de Tarso apresentava notável diferença fisionômica. Acentuara-se-lhe a feição de asceta. Os olhos, contudo, denunciando o homem ponderado e resoluto, revelavam igualmente uma paz profunda e indefinível.

Compreendendo que a situação não lhe permitia idealizar grandes projetos de trabalho, contentava-se em fazer o que fosse possível. Sentia prazer em testemunhar a mudança de conduta aos antigos camaradas de triunfo, por ocasião das festividades tarsenses. Orgulhava-se, quase, de viver do modesto rendimento do seu árduo labor. Vezes várias, ele próprio atravessava as praças mais frequentadas, carregando pesados fardos de pelo caprino. Os conterrâneos admiravam a atitude humilde, que era agora o seu traço dominante. As famílias ilustres contemplavam-no com piedade. Todos os que o conheceram na fase áurea da juventude, não se cansavam de lamentar aquela transformação. A maioria tratava-o como alienado pacífico. Por isso, nunca faltavam encomendas ao tecelão das proximidades do Tauro. A simpatia dos seus concidadãos, que jamais lhe compreenderiam integralmente as ideias novas, tinha a virtude de amplificar seu esforço, aumentando-lhe os parcos recursos. Ele, por sua vez, vivia tranquilo e satisfeito. O programa de Abigail constituía permanente mensagem ao seu coração. Levantava-se, todos os dias, procurando amar a tudo e a todos; para prosseguir nos caminhos retos, trabalhava ativamente. Se lhe chegavam desejos ansiosos, inquietações para intensificar suas atividades fora do tempo apropriado, bastava esperar; se alguém dele se compadecia, se outros o apelidavam de louco, desertor ou fantasista, procurava esquecer a incompreensão alheia com o perdão sincero, refletindo nas vezes muitas que, também ele, ofendera os outros, por ignorância. Estava sem amigos, sem afetos, suportando os desencantos da soledade que, se não tinha companheiros carinhosos, também não necessitava temer os sofrimentos oriundos das amizades infiéis. Procurava encontrar no dia o colaborador valioso que não lhe subtraía as oportunidades. Com ele tecia tapetes complicados, barracas e tendas, exercitando-se na paciência indispensável aos trabalhos outros que ainda o esperavam nas encruzilhadas da vida. A noite era a bênção do espírito. A existência corria sem outros pormenores de maior importância, quando, um dia, foi surpreendido com a visita inesperada de Barnabé.

O ex-levita de Chipre encontrava-se em Antioquia, a braços com sérias responsabilidades. A Igreja ali fundada reclamava a cooperação de servos inteligentes. Inúmeras dificuldades espirituais a serem resolvidas, intensos serviços a fazer. A instituição fora iniciada por discípulos de Jerusalém, sob os alvitres generosos de Simão Pedro. O ex-pescador de Cafarnaum ponderou que deveriam aproveitar o período de calma, no capítulo das perseguições, para que os laços do Cristo fossem dilatados. Antioquia era dos maiores centros operários. Não faltavam contribuintes para o custeio das obras, porque o empreendimento grandioso tivera repercussão nos ambientes de trabalho mais humildes; entretanto, escasseavam os legítimos trabalhadores do pensamento. Ainda, aí, entrou a compreensão de Pedro para que não faltasse ao tecelão de Tarso o ensejo devido. Observando as dificuldades, depois de indicar Barnabé para a direção do núcleo do "Caminho", aconselhou-o a procurar o convertido de Damasco, a fim de que sua capacidade alcançasse um campo novo de exercício espiritual.

Saulo recebeu o amigo com imensa alegria.

Vendo-se lembrado pelos irmãos distantes, tinha a impressão de receber um novo alento.

O companheiro expôs o elevado plano da Igreja que lhe reclamava o concurso fraterno, o desdobramento dos serviços, a colaboração constante de que poderiam dispor para a construção das obras de Jesus Cristo. Barnabé exaltou a dedicação dos homens humildes que cooperavam com ele. A instituição, todavia, reclamava irmãos dedicados que conhecessem profundamente a Lei de Moisés e o Evangelho do Mestre, a fim de não ser prejudicada a tarefa da iluminação intelectual.

O ex-rabino edificou-se com a narração do outro e não teve dúvidas em atender ao apelo. Apenas apresentava uma condição, qual a de prosseguir no seu ofício, de maneira a não ser pesado aos seus confrades de Antioquia. Inútil qualquer objeção de Barnabé, nesse sentido.

Pressuroso e prestativo, Saulo de Tarso em breve se instalava em Antioquia, onde passou a cooperar ativamente com os amigos do Evangelho. Durante largas horas do dia, consertava tapetes ou se entretinha no trabalho de tecelagem. Destarte, ganhava o necessário para viver, tornando-se um modelo no seio da nova Igreja. Utilizando o grande cabedal de experiências já adquirido nas refregas e padecimentos do mundo, jamais o viam ocupar os primeiros lugares. Nos *Atos dos apóstolos*, vemos-lhe o nome citado sempre por último, quando se referem aos colaboradores de Barnabé. Saulo havia aprendido a esperar. Na comunidade, preferia os labores mais simples. Sentia-se bem, atendendo aos doentes numerosos. Recordava Simão Pedro e procurava cumprir os novos deveres na pauta da bondade despretensiosa, embora imprimisse em tudo o traço da sua sinceridade e franqueza, quase ásperas.

A Igreja não era rica, mas a boa vontade dos componentes parecia provê-la de graças abundantes.

Antioquia, cidade cosmopolita, tornara-se um foco de grandes devassidões. Na sua paisagem enfeitada de mármores preciosos, que deixavam entrever a opulência dos habitantes, proliferava toda a espécie de abusos. Os fortunosos entregavam-se aos prazeres licenciosos, desenfreadamente. Os bosques artificiais reuniam assembleias galantes, nas quais criminosa tolerância caracterizava todos os propósitos. A riqueza pública ensejava grandes possibilidades às extravagâncias. A cidade estava cheia de mercadores que se guerreavam sem tréguas, de ambições inferiores, de dramas passionais. Todavia, diariamente, à noite, se reuniam, na casa singela onde funcionava a célula do "Caminho", grandes grupos de pedreiros, de soldados paupérrimos, de lavradores pobres, ansiosos todos pela mensagem de um mundo melhor. As mulheres de condição humilde compareciam, igualmente, em grande número. A maioria dos frequentadores interessava-se por conselhos e consolações, remédios para as chagas do corpo e do espírito.

Geralmente, eram Barnabé e Manaém os pregadores mais destacados, ministrando o Evangelho às assembleias heterogêneas. Saulo de Tarso limitava-se a cooperar. Ele mesmo notara que Jesus, por certo, recomendara absoluto recomeço em suas experiências. Certa feita, fez o possível por conduzir as pregações gerais, mas nada conseguiu. A palavra, tão fácil em outros tempos, parecia retrair-se-lhe na garganta. Compreendeu que era justo padecer as torturas do reinício, em virtude da oportunidade que não soubera valorizar. Não obstante as barreiras que se antepunham às suas atividades, jamais se deixou avassalar pelo desânimo. Se ocupava a tribuna, tinha extrema dificuldade na interpretação das ideias mais simples. Por vezes, chegava a corar de vergonha ante o público que lhe aguardava as conclusões com ardente interesse, dada a fama de pregador de Moisés, no Templo de Jerusalém. Além disso, o sublime acontecimento de Damasco cercava-o de nobre e justa curiosidade. O próprio Barnabé, várias vezes, surpreendera-se com a sua dialética confusa na interpretação dos Evangelhos e refletia na tradição do seu passado como rabino, que não chegara a conhecer pessoalmente, e na timidez que o assomava, justo no momento de conquistar o público. Por esse motivo, foi afastado discretamente da pregação e aproveitado em outros misteres. Saulo, porém, compreendia e não desanimava. Se não era possível regressar, de pronto, ao labor da pregação, preparar-se-ia, de novo, para isso. Nesse intuito, retinha irmãos humildes na sua tenda de trabalho e, enquanto as mãos teciam com segurança, entabulava conversas sobre a missão do Cristo. À noite, promovia palestras na Igreja com a cooperação de todos os presentes. Enquanto não se organizava a direção superior para o trabalho das assembleias, sentava-se com os operários e soldados que compareciam em grande número. Interessava a atenção das lavadeiras, das jovens doentes, das mães humildes. Lia, às vezes, trechos da Lei e do Evangelho, estabelecia comparações, provocava pareceres novos. Dentro daquelas atividades constantes, a lição do Mestre parecia sempre tocada de luzes progressivas. Em breve, o ex-discípulo de Gamaliel tornava-se um amigo amado de todos. Saulo sentia-se imensamente feliz. Tinha enorme satisfação sempre que via a tenda pobre repleta de irmãos que o procuravam, tomados de simpatia. As encomendas não faltavam. Havia sempre trabalho suficiente para não se tornar pesado a ninguém. Ali conheceu Trófimo, que lhe seria companheiro fiel em muitos transes difíceis; ali abraçou Tito, pela primeira vez, quando esse abnegado colaborador mal saía da infância.

A existência, para o ex-rabino, não podia ser mais tranquila nem mais bela. Era-lhe o dia cheio das notas harmoniosas do trabalho digno e construtivo; à noite, recolhia-se à Igreja em companhia dos irmãos, entregando-se prazenteiro às lides sublimes do Evangelho.

A instituição de Antioquia era, então, muito mais sedutora que a própria Igreja de Jerusalém. Vivia-se ali num ambiente de simplicidade pura, sem qualquer preocupação com as disposições rigoristas do Judaísmo. Havia riqueza, porque não faltava trabalho. Todos amavam as obrigações diuturnas, aguardando o repouso da noite nas reuniões da Igreja, qual uma bênção de Deus. Os israelitas, distantes do foco das exigências farisaicas, cooperavam com os gentios, sentindo-se todos unidos por soberanos laços fraternais. Raríssimos os que falavam na circuncisão e que, por constituírem fraca minoria, eram contidos pelo convite amoroso à fraternidade e à união. As assembleias eram dominadas por ascendentes profundos do amor espiritual. A solidariedade estabelecera-se com fundamentos divinos. As dores e os júbilos de um pertenciam a todos. A união de pensamentos em torno de um só objetivo dava ensejo a formosas manifestações de espiritualidade. Em noites determinadas, havia fenômenos de "vozes diretas". A instituição de Antioquia foi um dos raros centros apostólicos, onde semelhantes manifestações chegaram a atingir culminância indefinível. A fraternidade reinante justificava essa concessão do Céu. Nos dias de repouso, a pequena comunidade organizava estudos evangélicos no campo. A interpretação dos ensinos de Jesus era levada a efeito em algum recanto ameno e solitário da Natureza, quase sempre às margens do Orontes.[33]

Saulo encontrara em tudo isso um mundo diferente. A permanência em Antioquia era interpretada como um auxílio de Deus. A confiança recíproca, os amigos dedicados, a boa compreensão constituem alimento sagrado da alma. Procurava valer-se da oportunidade, a fim de enriquecer o celeiro íntimo.

---

[33] N.E.: Rio que corre nos territórios do Líbano, da Síria e da Turquia.

A cidade estava repleta de paisagens morais menos dignas, mas o grupo humilde dos discípulos anônimos aumentava sempre em legítimos valores espirituais.

A Igreja tornou-se venerável por suas obras de caridade e pelos fenômenos de que se constituíra organismo central.

Viajantes ilustres visitavam-na cheios de interesse. Os mais generosos faziam questão de lhe amparar os encargos de benemerência social. Foi aí que surgiu, certa vez, um médico muito jovem, de nome Lucas. De passagem pela cidade, aproximou-se da Igreja animado por sincero desejo de aprender algo de novo. Sua atenção fixou-se, de modo especial, naquele homem de aparência quase rude, que fermentava as opiniões, antes que Barnabé empreendesse a abertura dos trabalhos. Aquelas atitudes de Saulo, evidenciando a preocupação generosa de ensinar e aprender simultaneamente, impressionaram-no a ponto de apresentar-se ao ex-rabino, desejoso de ouvi-lo com mais frequência.

— Pois não – disse o Apóstolo satisfeito –, minha tenda está às suas ordens.

E enquanto permaneceu na cidade, ambos se empenharam diariamente em proveitosas palestras, concernentes ao ensino de Jesus. Retomando aos poucos seu poder de argumentação, Saulo de Tarso não tardou a incutir no espírito de Lucas as mais sadias convicções. Desde a primeira entrevista, o hóspede de Antioquia não mais perdeu uma só daquelas assembleias simples e construtivas. Na véspera de partir, fez uma observação que modificaria para sempre a denominação dos discípulos do Evangelho.

Barnabé havia terminado os comentários da noite, quando o médico tomou a palavra para despedir-se. Falava emocionado e, por fim, considerou acertadamente:

— Irmãos, afastando-me de vós, levo o propósito de trabalhar pelo Mestre, empregando nisso todo o cabedal de minhas fracas forças. Não tenho dúvida alguma quanto à extensão deste movimento espiritual. Para mim, ele transformará o mundo inteiro. Entretanto, pondero a necessidade de imprimirmos a melhor expressão de unidade às suas manifestações. Quero referir-me aos títulos que nos identificam a comunidade. Não vejo na palavra "caminho" uma designação perfeita, que traduza o nosso esforço. Os discípulos do Cristo são chamados "viajores", "peregrinos", "caminheiros", mas há viandantes e estradas de todos os matizes. O mal tem, igualmente, os seus caminhos. Não seria mais justo chamarmo-nos

— cristãos — uns aos outros? Este título nos recordará a presença do Mestre, nos dará energia em seu nome e caracterizará, de modo perfeito, as nossas atividades em concordância com os seus ensinos.

A sugestão de Lucas foi aprovada com geral alegria. O próprio Barnabé abraçou-o, enternecidamente, agradecendo o acertado alvitre que vinha satisfazer a certas aspirações da comunidade inteira. Saulo consolidou suas impressões excelentes, a respeito daquela vocação superior que começava a exteriorizar-se.

No dia seguinte, o novo convertido despediu-se do ex-rabino com lágrimas de reconhecimento. Partiria para a Grécia, mas fazia questão de lembrá-lo em todos os pormenores da nova tarefa. Da porta de sua tenda rústica, o ex-doutor da Lei contemplou o vulto de Lucas até que desaparecesse ao longe, voltando ao tear, de olhos úmidos. Gratamente emocionado reconhecia que, no trato do Evangelho, aprendera a ser amigo fiel e dedicado. Cotejava os sentimentos de agora com as concepções mais antigas e verificava profundas diferenças. Outrora, suas relações se prendiam a conveniências sociais, os afeiçoados vinham e seguiam sem deixar grandes sinais em sua alma vibrátil; agora, o coração renovara-se em Jesus Cristo, tornara-se mais sensível em contato com o divino, as dedicações sinceras insculpiam-se nele para sempre.

O alvitre de Lucas estendeu-se rapidamente a todos os núcleos evangélicos, inclusive Jerusalém, que o recebeu com especial simpatia. Dentro de breve tempo, em toda parte, a palavra "cristianismo" substituía a palavra "caminho".

A Igreja de Antioquia continuava oferecendo as mais belas expressões evolutivas. De todas as grandes cidades afluíam colaboradores sinceros. As assembleias estavam sempre cheias de revelações. Numerosos irmãos profetizavam, animados do Espírito Santo.[34] Foi aí que Ágabo, grande inspirado pelas forças do plano superior, recebeu a mensagem referente às tristes provações de que Jerusalém seria vítima. Os orientadores da instituição ficaram sobremaneira impressionados. Por insistência de Saulo, Barnabé expediu um mensageiro a Simão Pedro, enviando notícias e exortando-o à vigilância. O emissário regressou, trazendo a impressão de surpresa do ex--pescador, que agradecia os apelos generosos.

---

[34] Nota do autor espiritual: Ninguém deverá ignorar que Espírito Santo designa a legião dos Espíritos santificados na luz e no amor, que cooperam com o Cristo desde os primeiros tempos da Humanidade.

Com efeito, daí a meses, um portador da Igreja de Jerusalém chegava apressadamente a Antioquia, trazendo notícias alarmantes e dolorosas. Em longa missiva, Pedro relatava a Barnabé os últimos fatos que o acabrunhavam. Escrevia na data em que Tiago, filho de Zebedeu, sofrera a pena de morte, em grande espetáculo público. Herodes Agripa[35] não lhe tolerara as pregações cheias de sinceridade e apelos justos. O irmão de João vinha da Galileia com a primitiva franqueza dos anúncios do novo reino. Inadaptado ao convencionalismo farisaico, levara muito longe o sentido de suas exortações profundas. Verificou-se perfeita repetição dos acontecimentos que assinalaram a morte de Estêvão. Os judeus exasperaram-se contra as noções de liberdade religiosa. Sua atitude, sincera e simples, foi levada à conta de rebeldia. Tremendas perseguições irromperam sem tréguas. A mensagem de Pedro relatava também as penosas dificuldades da Igreja. A cidade sofria fome e epidemias. Enquanto a perseguição cruel apertava o cerco, inumeráveis filas de famintos e doentes batiam-lhe às portas. O ex-pescador solicitava de Antioquia os socorros possíveis.

Barnabé apresentou as notícias, de alma confrangida. A laboriosa comunidade solidarizou-se, de bom grado, para atender a Jerusalém.

Recolhidas as cotas de auxílio, o ex-levita de Chipre prontificou-se a ser o portador da resposta da Igreja; Barnabé, porém, não poderia partir só. Surgiram dificuldades na escolha do companheiro necessário. Sem hesitar, Saulo de Tarso ofereceu-se para lhe fazer companhia. Trabalhava por conta própria – explicou aos amigos – e desse modo poderia tomar a iniciativa de acompanhar Barnabé, sem esquecer as obrigações que ficavam à sua espera.

O discípulo de Simão Pedro alegrou-se. Aceitou, jubiloso, o oferecimento.

Daí a dois dias, ambos demandavam Jerusalém corajosamente. A jornada era assaz difícil, mas os dois venceram os caminhos no menor prazo de tempo.

Imensas surpresas aguardavam os emissários de Antioquia, que já não encontraram Simão Pedro em Jerusalém. As autoridades haviam efetuado a prisão do ex-pescador de Cafarnaum, logo após a dolorosa execução do filho de Zebedeu. Amargas provações haviam caído sobre a Igreja e seus discípulos. Saulo e Barnabé foram recebidos especialmente

---

[35] N.E.: Herodes Agripa (10 a.C. a 44 d.C.), rei da Judeia (41 a 44 d.C.).

por Prócoro, que os informou de todos os sucessos. Por haver solicitado pessoalmente o cadáver de Tiago para dar-lhe sepultura, Simão Pedro fora preso, sem compaixão e com todo o desrespeito, pelos criminosos sequazes de Herodes. No entanto, dias depois, um anjo visitara o cárcere do Apóstolo, restituindo-o à liberdade. O narrador referiu-se ao feito, com os olhos fulgurantes de fé. Contou o júbilo dos irmãos quando Pedro surgiu à noite com o relato da sua libertação. Os companheiros mais ponderados induziram-no, então, a sair de Jerusalém e esperar na Igreja incipiente de Jope a normalidade da situação. Prócoro contou como o Apóstolo relutara em aquiescer a esse alvitre dos mais prudentes. João e Filipe haviam partido. As autoridades apenas toleravam a Igreja em consideração à personalidade de Tiago, que, pelas suas atitudes de profundo ascetismo, impressionava a mentalidade popular, criando em torno dele uma atmosfera de respeito intangível. Na mesma noite da libertação, por atender-lhe a insistência, Pedro fora conduzido à Igreja pelos amigos. Desejava ficar, despreocupado das consequências, mas, quando viu a casa cheia de enfermos, de famintos, de mendigos andrajosos, houve de ceder a Tiago a direção da comunidade e partir para Jope, a fim de que os pobrezinhos não tivessem a situação agravada por sua causa.

Saulo mostrava-se grandemente impressionado com tudo aquilo. Junto de Barnabé, tratou logo de ouvir a palavra de Tiago, o filho de Alfeu. O Apóstolo recebeu-os de bom grado, mas podiam-se-lhe notar desde logo os receios e inquietações. Repetiu as informações de Prócoro, em voz baixa, como se temesse a presença de delatores; alegou a necessidade de transigência com as autoridades; invocou o precedente da morte do filho de Zebedeu; referiu-se às modificações essenciais que introduzira na Igreja. Na ausência de Pedro, criara novas disciplinas. Ninguém poderia falar do Evangelho sem referir-se à Lei de Moisés. As pregações só poderiam ser ouvidas pelos circuncisos. A Igreja estava equiparada às sinagogas. Saulo e o companheiro ouviram-no com grande surpresa. Entregaram-lhe em silêncio o auxílio financeiro de Antioquia.

A ausência eventual de Simão transformara a estrutura da obra evangélica. Aos dois recém-chegados tudo parecia inferior e diferente. Barnabé, sobretudo, notara algo, em particular. É que o filho de Alfeu, elevado à chefia provisória, não os convidou para se hospedarem na Igreja. À vista disso, o discípulo de Pedro foi procurar a casa de sua irmã Maria

Marcos, mãe do futuro evangelista, que os recebeu com grande júbilo. Saulo sentiu-se bem no ambiente de fraternidade pura e simples. Barnabé, por sua vez, reconheceu que a casa da irmã se tornara o ponto predileto dos irmãos mais dedicados ao Evangelho. Ali se reuniam, à noite, às ocultas, como se a verdadeira Igreja de Jerusalém houvesse transferido sua sede para um reduzido círculo familiar. Observando as assembleias íntimas do santuário doméstico, o ex-rabino recordou a primeira reunião de Damasco. Tudo era afabilidade, carinho, acolhimento. A mãe de João Marcos era uma das discípulas mais desassombradas e generosas. Reconhecendo as dificuldades dos irmãos de Jerusalém, não vacilara em colocar seus bens à disposição de todos os necessitados, nem hesitou em abrir as portas para que as reuniões evangélicas, em sua feição mais pura, não sofressem solução de continuidade.

A palestra de Saulo impressionou-a vivamente. Seduziam-na, sobretudo, as descrições do ambiente fraternal da igreja antioquiana, cujas virtudes Barnabé não cessava de glosar instantemente.

Maria expôs ao irmão o seu grande sonho. Queria dar o filho, ainda muito jovem, a Jesus. De há muito vinha preparando o menino para o apostolado. Todavia, Jerusalém afogava-se em lutas religiosas, sem tréguas. As perseguições surgiam e ressurgiam. A organização cristã da cidade experimentava profundas alternativas. Só a paciência de Pedro conseguia manter a continuidade do ideal divino. Não seria melhor que João Marcos se transferisse para Antioquia, junto do tio? Barnabé não se opôs ao plano da irmã entusiasmada. O jovem, a seu turno, seguia as conversações, mostrando-se satisfeito. Chamado a opinar, Saulo percebeu que os irmãos deliberavam sem consultar o interessado. O rapaz acompanhava os projetos, sempre jovial e sorridente. Foi aí que o ex-doutor da Lei, profundo conhecedor da alma humana, desviou a palavra, procurando interessá-lo mais diretamente.

— João — disse bondosamente —, sentes, de fato, verdadeira vocação para o ministério?

— Sem dúvida! — confirmou o adolescente algo perturbado.

— Como defines teus propósitos? — tornou a perguntar o ex-rabino.

— Penso que o ministério de Jesus é uma glória — respondeu um tanto acanhado sob o exame daquele olhar ardente e inquiridor.

Saulo refletiu um instante e sentenciou:

— Teus intuitos são louváveis, mas é preciso não esqueceres que a mínima expressão de glória mundana apenas chega após o serviço. Se assim acontece no mundo, que não será com o trabalho para o Reino do Cristo? Mesmo porque, na Terra, todas as glórias passam e a de Jesus é eterna!...

O jovem anotou a observação e, embora desconcertado pela profundez dos conceitos, acrescentou:

— Sinto-me preparado para os labores do Evangelho e, além disso, mamãe faz muito gosto que eu aprenda os melhores ensinamentos nesse sentido, a fim de tornar-me um pregador das verdades de Deus.

Maria Marcos olhou o filho cheia de maternal orgulho. Saulo percebeu a situação, teve um dito alegre e depois acentuou:

— Sim, as mães sempre nos desejam todas as glórias deste e do outro mundo. Por elas, nunca haveria homens perversos. No que nos diz respeito, convém lembrar as tradições evangélicas. Ainda ontem, lembrei a generosa inquietação da esposa de Zebedeu, ansiosa pela glorificação dos filhinhos!... Jesus lhe recebeu os anseios maternais, mas não deixou de lhe perguntar se os candidatos ao Reino estavam devidamente preparados para beber do seu cálice... E, ainda agora, vimos que o cálice reservado a Tiago continha vinagre tão amargo quanto o da cruz do Messias!...

Todos silenciaram, mas Saulo continuou em tom prazenteiro, modificando a impressão geral:

— Isto não quer dizer que devamos desanimar ante as dificuldades para aliciar as glórias legítimas do Reino de Jesus. Os obstáculos renovam as forças. A finalidade divina deve representar nosso objetivo supremo. Se assim pensares, João, não duvido de teus futuros triunfos.

Mãe e filho sorriram tranquilos.

Ali mesmo, combinaram a partida do jovem, em companhia de Barnabé. O tio discorreu ainda sobre as disciplinas indispensáveis, o espírito de sacrifício reclamado pela nobre missão. Naturalmente, se Antioquia representava um ambiente de profunda paz, era também um núcleo de trabalhos ativos e constantes. João precisaria esquecer qualquer expressão de esmorecimento, para entregar-se, de alma e corpo, ao serviço do Mestre, com absoluta compreensão dos deveres mais justos.

O rapaz não hesitou nos compromissos, sob o olhar amorável de sua mãe, que lhe buscava amparar as decisões com a coragem sincera do coração devotado a Jesus.

Dentro de poucos dias, os três demandavam a formosa cidade do Orontes.

Enquanto João Marcos extasiava-se na contemplação das paisagens, Saulo e Barnabé entretinham-se em longas palestras, relativamente aos interesses gerais do Evangelho. O ex-rabino voltava sumamente impressionado com a situação da Igreja de Jerusalém. Desejaria sinceramente ir até Jope para avistar-se com Simão Pedro. No entanto, os irmãos dissuadiram-no de fazê-lo. As autoridades mantinham-se vigilantes. A morte do Apóstolo chegara a ser reclamada por vários membros do Sinédrio e do Templo. Qualquer movimento mais importante, no caminho de Jope, poderia dar azo à tirania dos prepostos herodianos.

— Francamente — dizia Saulo a Barnabé, mostrando-se apreensivo —, regresso de ânimo quase abatido aos nossos serviços de Antioquia. Jerusalém dá impressão de profundo desmantelo e acentuada indiferença pelas lições do Cristo. As altas qualidades de Simão Pedro, na chefia do movimento, não me deixam dúvidas, mas precisamos cerrar fileiras em torno dele. Mais que nunca me convenço da sublime realidade de que Jesus veio ao que era seu, mas não foi compreendido.

— Sim — obtemperava o ex-levita de Chipre, desejoso de dissipar as apreensões do companheiro —, confio, antes de tudo, no Cristo; depois, espero muito de Pedro...

— Entretanto — insinuava o outro sem vacilar —, precisamos considerar que em tudo deve existir uma pauta de equilíbrio perfeito. Nada poderemos fazer sem o Mestre, mas não é lícito esquecer que Jesus instituiu no mundo uma obra eterna e, para iniciá-la, escolheu doze companheiros. Certo, estes nem sempre corresponderam à expectativa do Senhor; contudo, não deixaram de ser os escolhidos. Assim, também precisamos examinar a situação de Pedro. Ele é, sem contestação, o chefe legítimo do colégio apostólico, por seu espírito superior afinado com o pensamento do Cristo em todas as circunstâncias, mas de modo algum poderá operar sozinho. Como sabemos, dos doze amigos de Jesus, quatro ficaram em Jerusalém, com residência fixa. João foi obrigado a retirar-se; Filipe compelido a abandonar a cidade com a família; Tiago volta aos poucos para as comunidades farisaicas. Que será de Pedro se lhe faltar a cooperação devida?

Barnabé pareceu meditar seriamente.

— Tenho uma ideia que parece vir de mais alto — disse o ex-doutor da Lei sinceramente comovido.

E continuou:

— Suponho que o Cristianismo não atingirá seus fins, se esperarmos tão só dos israelitas ancilosados no orgulho da Lei. Jesus afirmou que seus discípulos viriam do Oriente e do Ocidente. Nós, que pressentimos a tempestade, e eu, principalmente, que a conheço nos seus paroxismos, por haver desempenhado o papel de verdugo, precisamos atrair esses discípulos. Quero dizer, Barnabé, que temos necessidade de buscar os gentios onde quer que se encontrem. Só assim reintegrar-se-á o movimento em função de universalidade.

O discípulo de Simão Pedro fez um movimento de espanto.

O ex-rabino percebeu o gesto de estranheza e ponderou de modo conciso:

— É natural prever com isso muitos protestos e lutas enormes; no entanto, não consigo vislumbrar outros recursos. Não é justo esquecer os grandes serviços da Igreja de Jerusalém aos pobres e necessitados, e creio mesmo que a assistência piedosa dos seus trabalhos tem sido, muitas vezes, sua tábua de salvação. Existem, porém, outros setores de atividade, outros horizontes essenciais. Poderemos atender a muitos doentes, ofertar um leito de repouso aos mais infelizes, mas sempre houve e haverá corpos enfermos e cansados, na Terra. Na tarefa cristã, semelhante esforço não poderá ser esquecido, mas a iluminação do espírito deve estar em primeiro lugar. Se o homem trouxesse o Cristo no íntimo, o quadro das necessidades seria completamente modificado. A compreensão do Evangelho e da exemplificação do Mestre renovaria as noções de dor e sofrimento. O necessitado encontraria recursos no próprio esforço, o doente sentiria, na enfermidade mais longa, um escoadouro das imperfeições; ninguém seria mendigo, porque todos teriam luz cristã para o auxílio mútuo, e, por fim, os obstáculos da vida seriam amados como corrigendas benditas de Pai amoroso a filhos inquietos.

Barnabé pareceu entusiasmar-se com a ideia, mas depois de pensar um minuto, acrescentou:

— Entretanto, esse empreendimento não deveria partir de Jerusalém?

— Penso que não — sentenciou Saulo, de pronto. — Seria absurdo agravar as preocupações de Pedro. Excede a tudo esse movimento de pessoas necessitadas e abatidas, convergentes de todas as províncias, a lhe baterem às portas. Simão está impossibilitado para o desdobramento dessa tarefa.

— E os outros companheiros? — inquiriu Barnabé, revelando espírito de solidariedade.

— Os outros, certo, hão de protestar. Principalmente agora que o Judaísmo vai absorvendo os esforços apostólicos, é justo prever muitos clamores. Contudo, a própria Natureza dá lições neste sentido. Não clamamos tanto contra a dor? E quem nos traz maiores benefícios? Às vezes, nossa redenção está naquilo mesmo que antes nos parecia verdadeira calamidade. É indispensável sacudir o marasmo da instituição de Jerusalém, chamando os incircuncisos, os pecadores, os que estejam fora da Lei. De outro modo, dentro de alguns poucos anos, Jesus será apresentado como aventureiro vulgar. Naturalmente, depois da morte de Simão, os adversários dos princípios ensinados pelo Mestre acharão grande facilidade em deturpar as anotações de Levi. A Boa-Nova será aviltada e, se alguém perguntar pelo Cristo, daqui a cinquenta anos, terá como resposta que o Mestre foi um criminoso comum, a expiar na cruz os desvios da vida. Restringir o Evangelho a Jerusalém será condená-lo à extinção, no foco de tantos dissídios religiosos, sob a política mesquinha dos homens. Necessitamos levar a notícia de Jesus a outras gentes, ligar as zonas de entendimento cristão, abrir estradas novas... Será mesmo justo que também façamos anotações do que sabemos de Jesus e de sua divina exemplificação. Outros discípulos, por exemplo, poderiam escrever o que viram e ouviram, pois, com a prática, vou reconhecendo que Levi não anotou mais amplamente o que se sabe do Mestre. Há situações e fatos que não foram por ele registrados. Não conviria também que Pedro e João anotassem suas observações mais íntimas? Não hesito em afirmar que os pósteros hão de rebuscar muitas vezes a tarefa que nos foi confiada.

Barnabé rejubilava-se com perspectivas tão sedutoras. As advertências de Saulo eram mais que justas. Haveria que prestar informações amplas ao mundo.

— Tens razão – disse admirado –, precisamos pensar nesses serviços, mas como?

— Ora – esclareceu Saulo, tentando aplainar as dificuldades –, se quiseres chefiar qualquer esforço neste sentido, podes contar com a minha cooperação incondicional. Nosso plano seria desenvolvido na organização de missões abnegadas, sem outro fito que servir, de forma absoluta, à difusão da Boa-Nova do Cristo. Começaríamos, por exemplo, em regiões não de todo desconhecidas, formaríamos o hábito de ensinar as verdades evangélicas aos mais vários agrupamentos; em seguida, terminada essa experiência, demandaríamos outras zonas, levaríamos a lição do Mestre a outras gentes...

O companheiro ouvia-o, afagando sinceras esperanças. Tomado de novo ânimo, disse ao convertido de Damasco, esboçando o primeiro número do programa:

— De há muito, Saulo, tenho necessidade de voltar à minha terra, a fim de resolver certos problemas de família. Quem sabe poderíamos iniciar o serviço apostólico pelas aldeias e cidades de Chipre? Conforme o resultado, prosseguiríamos por outras zonas. Estou informado de que a região em que demora Antioquia da Pisídia é habitada por gente simples e generosa, e suponho que colheríamos belos resultados no empreendimento.

— Poderás contar comigo — respondeu Saulo de Tarso resoluto. — A situação requer o concurso de irmãos corajosos e a Igreja do Cristo não poderá vencer com o comodismo. Comparo o Evangelho a um campo infinito, que o Senhor nos deu a cultivar. Alguns trabalhadores devem ficar ao pé dos mananciais, velando-lhes a pureza, outros revolvem a terra em zonas determinadas, mas não há dispensar a cooperação dos que precisam empunhar instrumentos rudes, desfazer cipoais intensos, cortar espinheiros para iluminar os caminhos.

Barnabé reconheceu a excelência do projeto, mas considerou:

— Todavia, temos ainda a examinar a questão do dinheiro. Tenho alguns recursos, mas insuficientes para atender a todas as despesas. Por outro lado, não seria possível sobrecarregar as igrejas...

— Absolutamente! — adiantou o ex-rabino — onde estacionarmos, poderei exercer o meu ofício. Por que não? Qualquer aldeia paupérrima tem sempre teares de aluguel. Montarei, então, uma tenda móvel!

Barnabé achou graça no expediente e ponderou:

— Teus sacrifícios não serão pequenos. Não receias as dificuldades imprevisíveis?

— Por quê? — interrogou Saulo com firmeza. — Certo, se Deus não me permitiu a vida em família foi para que me dedicasse exclusivamente ao seu serviço. Por onde passarmos, montaremos a tenda singela. E onde não houver tapetes a consertar e a tecer, haverá sandálias.

O discípulo de Simão Pedro entusiasmou-se. O resto da viagem foi dedicado aos projetos da futura excursão. Havia, entretanto, uma coisa a considerar. Além da necessidade de submeter o plano à aprovação da Igreja de Antioquia, era indispensável pensar no jovem João Marcos. Barnabé procurou interessar o sobrinho nas conversações. Em breve, o rapaz convenceu-se de que deveria incorporar-se à missão, caso a assembleia antioquiana não a desaprovasse. Interessou-se por todas as minúcias do programa traçado. Seguiria o trabalho de Jesus, fosse onde fosse.

— E se houver muitos obstáculos? — perguntou Saulo avisadamente.

— Saberei vencê-los — respondeu João convicto.

— É possível venhamos a experimentar dificuldades sem conta — continuava o ex-rabino, preparando-lhe o espírito. — Se o Cristo, que era sem pecado, encontrou uma cruz entre apodos e flagelos quando ensinava as verdades de Deus, que não devemos esperar em nossa condição de almas frágeis e indigentes?

— Hei de encontrar as forças necessárias.

Saulo contemplou-o, admirado da firme resolução que suas palavras deixaram transparecer, e observou:

— Se deres um testemunho tão grande como a coragem que revelas, não tenho dúvidas quanto à grandeza de tua missão.

Entre confortadoras esperanças, o projeto terminou com formosas perspectivas de trabalho para os três.

Na primeira reunião, depois de relatar as observações pessoais concernentes à Igreja de Jerusalém, Barnabé expôs o plano à assembleia, que o ouviu atentamente. Alguns anciães falaram da lacuna que se abriria na Igreja, expuseram o desejo de que se não quebrasse o conjunto harmonioso e fraternal. No entanto, o orador voltou a explicar as necessidades novas do Evangelho. Pintou os quadros de Jerusalém com a fidelidade possível, fez a súmula de suas conversações com Saulo de Tarso e salientou a conveniência de chamar novos trabalhadores ao serviço do Mestre.

Quando tratou o problema com toda a gravidade que lhe era devida, os chefes da comunidade mudaram de atitude. Estabeleceu-se o acordo geral. De fato, a situação explanada por Barnabé era muito séria. Seus pareceres veementes eram mais que justos. Se perseverasse o marasmo nas igrejas, o Cristianismo estava destinado a perecer. Ali mesmo, o discípulo de Simão recebeu a aquiescência irrestrita e, no instante das preces, a voz do Espírito Santo se fez ouvir no ambiente de simplicidade pura, inculcando fossem Barnabé e Saulo destacados para a evangelização dos gentios.

Aquela recomendação superior, aquela voz que provinha dos arcanos celestes, ecoou no coração do ex-rabino como um cântico de vitória espiritual. Sentia que acabava de atravessar imenso deserto para encontrar de novo a mensagem doce e eterna do Cristo. Por conquistar a dignidade espiritual, só experimentara padecimentos, desde a cegueira dolorosa de Damasco. Ansiara por Jesus. Tivera sede abrasadora e terrível. Pedira em vão a compreensão dos amigos, debalde buscara o terno aconchego da família. Agora, porém, que a palavra mais alta o chamava ao serviço, deixava-se empolgar por júbilos infinitos. Era o sinal de que havia sido considerado digno dos esforços confiados aos discípulos. Refletindo como as dores passadas lhe pareciam pequeninas e infantis, comparadas à alegria imensa que lhe inundava a alma, Saulo de Tarso chorou copiosamente, experimentando maravilhosas sensações. Nenhum dos irmãos presentes, nem mesmo Barnabé, poderia avaliar a grandiosidade dos sentimentos que aquelas lágrimas revelavam. Tomado de profunda emoção, o ex-doutor da Lei reconhecia que Jesus se dignava de aceitar suas oblatas de boa vontade, suas lutas e sacrifícios. O Mestre chamava-o e, para responder ao apelo, iria aos confins do mundo.

Numerosos companheiros colaboraram nas providências iniciais, em favor do empreendimento.

Dentro em pouco, cheios de confiança em Deus, Saulo e Barnabé, seguidos por João Marcos, despediam-se dos irmãos, a caminho de Selêucia.[36] A viagem para o litoral decorreu em ambiente de muita alegria. De quando a quando, repousavam à margem do Orontes, para a merenda salutar. À sombra dos carvalhos, na paz dos bosques enfeitados de flores, os missionários comentaram as primeiras esperanças.

Em Selêucia não foi demorada a espera de embarcação. A cidade estava sempre cheia de peregrinos que demandavam o Ocidente, sendo frequentada por elevado número de navios de toda ordem. Entusiasmados com o acolhimento dos irmãos de fé, Barnabé e Saulo embarcaram para Chipre, sob a impressão de comovente e carinhosa despedida.

Chegaram à ilha, com o jovem João Marcos, sem incidentes dignos de menção. Estacionados em Citium por muitos dias, aí solucionou Barnabé vários assuntos de seu interesse familiar.

---

[36] N.E.: Foi uma importante cidade portuária do Mar Mediterrâneo, localizava-se perto da foz do rio Orontes. Saulo e Barnabé iniciaram sua jornada por este porto quando efetuavam a primeira viagem missionária.

Antes de se retirarem, visitaram a sinagoga, num sábado, com o propósito de iniciar o movimento. Como chefe da missão, Barnabé tomou a palavra, procurou conjugar o texto da Lei, examinado naquele dia, às lições do Evangelho, para destacar a superioridade da missão do Cristo. Saulo notou que o companheiro explanava o assunto com respeito algo excessivo às tradições judaicas. Via-se claramente que desejava, antes de tudo, conquistar as simpatias do auditório; em alguns pontos, demonstrava o temor de encetar o trabalho, abrindo as lutas tão em desacordo com o seu temperamento. Os israelitas mostraram-se surpreendidos, mas satisfeitos. Observando o quadro, Saulo não se sentiu plenamente confortado. Fazer reparos a Barnabé seria ingratidão e indisciplina; concordar com o sorriso dos compatrícios perseverantes nos erros do fingimento farisaico seria negar fidelidade ao Evangelho.

Procurou resignar-se e esperou.

A missão percorreu numerosas localidades, entre vibrações de largas simpatias. Em Amatonte,[37] os mensageiros da Boa-Nova demoraram mais de uma semana. A palavra de Barnabé era profundamente contemporizadora. Caracterizava-se, em tudo, pelo grande cuidado de não ofender os melindres judaicos.

Depois de grandes esforços, chegaram a Nea-Pafos, onde residia o procônsul. A sede do Governo provincial era uma formosa cidade cheia de encantos naturais e que se assinalava por sólidas expressões de cultura. O discípulo de Pedro, porém, estava exausto. Nunca tivera labores apostólicos tão intensos. Conhecendo a deficiência do verbo de Saulo nos serviços da Igreja de Antioquia, temia confiar ao ex-rabino as responsabilidades diretas do ensinamento. Não obstante sentir-se cansadíssimo, fez a pregação na sinagoga, no sábado imediato à chegada. Nesse dia, entretanto, ele estava divinamente inspirado. A apresentação do Evangelho foi feita com raro brilhantismo. O próprio Saulo comoveu-se profundamente. O êxito foi inexcedível. A segunda assembleia reuniu os elementos mais finos; judeus e romanos aglomeravam-se ansiosos. O ex-levita fez nova apologia do Cristo, bordando conceitos de maravilhosa beleza espiritual. O ex-doutor da Lei, com os trabalhos informativos da missão, atendia prazerosamente a todas as consultas, pedidos, informações. Nenhuma cidade manifestara

---

[37] N.E.: Cidade da ilha de Chipre consagrada a Vênus, que aí tem um templo.

tamanho interesse quanto aquela; os romanos, em grande número, iam solicitar esclarecimentos quanto aos objetivos dos mensageiros, recebiam notícias do Cristo, revelando júbilos e esperanças; desfaziam-se em gestos de espontânea bondade. Entusiasmados com o êxito, Saulo e Barnabé organizaram reuniões em casas particulares, especialmente cedidas para esse fim pelos simpatizantes da doutrina de Jesus, onde encetaram formoso movimento de curas. Com alegria infinita, o tecelão de Tarso viu chegar a extensa fileira dos "filhos do Calvário". Eram mães atormentadas, doentes desiludidos, anciães sem nenhuma esperança, órfãos sofredores, que agora procuravam a missão. A notícia das curas julgadas impossíveis encheu Nea-Pafos de grande assombro. Os missionários impunham as mãos, fazendo preces fervorosas ao Messias Nazareno; de outras vezes, distribuíam água pura em seu nome. Extremamente cansado e achando que o novo auditório não requeria maior erudição, Barnabé encarregou o companheiro das pregações da Boa-Nova, mas, com grande surpresa, verificou que Saulo se modificara radicalmente. Seu verbo parecia inflamado de nova luz; tirava do Evangelho ilações tão profundas que o ex-levita o escutava agora sem dissimular o próprio espanto. Notava, particularmente, o carinho do ex-doutor no apresentar os ensinamentos do Cristo aos mendigos e sofredores. Falava como alguém que houvesse convivido com o Senhor por largos anos. Referia-se a certos lances das lições do Mestre com um manancial de lágrimas nos olhos. Prodigiosas consolações derramavam-se no espírito das turbas. Dia e noite, havia operários e estudiosos copiando as anotações de Levi.

Os acontecimentos abalaram a opinião da cidade em peso. Os resultados eram os mais confortadores. Foi quando enorme surpresa chegou ao espírito dos missionários.

A manhã ia alta. Saulo atendia a numerosos necessitados quando um legionário romano se fez anunciar.

Barnabé e o companheiro deixaram os serviços entregues a João Marcos e foram atender.

– O procônsul Sérgio Paulo – disse o mensageiro solene – manda convidar-vos a visitá-lo em palácio.

A mensagem era muito mais uma ordem que simples convite. O discípulo de Simão compreendeu de pronto e respondeu:

– Agradecemos de coração e iremos ainda hoje.

O ex-rabino estava confuso. Não só o conteúdo político do fato surpreendia-o, sobremaneira. Em vão, procurava recordar-se de alguma coisa. Sérgio Paulo? Não conheceria alguém com esse nome? Buscou relembrar os jovens de origem romana do seu conhecimento. Afinal, veio-lhe à memória a palestra de Pedro sobre a personalidade de Estêvão e concluiu que o procônsul não podia ser outro senão o salvador do irmão de Abigail.

Sem comunicar as íntimas impressões a Barnabé, examinou a situação em sua companhia. Quais os objetivos da delicada intimação? Segundo a voz pública, o chefe político vinha sofrendo pertinaz enfermidade. Desejaria curar-se ou, quem sabe, provocar um meio de expulsá-los da ilha, induzido pelos judeus? A situação, entretanto, não se resolveria por conjeturas.

Incumbindo João Marcos de atender a quantos se interessassem pela doutrina, no referentemente a informes necessários, os dois amigos puseram-se a caminho, resolutamente.

Conduzidos através de galerias extensas, foram dar com um homem relativamente moço, deitado em largo divã e deixando perceber extremo abatimento. Magro, pálido, revelando singular desencanto da vida, o procônsul entremostrava, todavia, uma bondade imensa na suave irradiação do olhar humilde e melancólico.

Recebeu os missionários com muita simpatia, apresentando-lhes um mago judeu de nome Barjesus, que de longa data o vinha tratando. Sérgio Paulo, prudentemente, mandou que os guardas e servos se retirassem. Apenas os quatro se viram a sós, em círculo muito íntimo, falou o enfermo com amarga serenidade:

— Senhores, diversos amigos me deram notícia dos vossos êxitos nesta cidade de Nea-Pafos. Tendes curado moléstias perigosas, devolvido a fé a inúmeros descrentes, consolado míseros sofredores... Há mais de um ano venho cuidando de minha saúde arruinada. Nestas condições, estou quase inutilizado para a vida pública.

Apontando Barjesus que, por sua vez, fixava o olhar malicioso nos visitantes, o chefe romano prosseguiu:

— Há muito contratei os serviços deste vosso conterrâneo, ansioso e confiante na ciência de nossa época, mas os resultados têm sido insignificantes. Mandei chamar-vos, desejoso de experimentar os vossos conhecimentos. Não estranheis minha atitude. Se pudesse, teria ido procurar-vos em pessoa, pois conheço o limite de minhas prerrogativas; como vedes, porém, sou antes de tudo um necessitado.

Saulo ouviu aquelas declarações, profundamente comovido pela bondade natural do ilustre enfermo. Barnabé estava atônito, sem saber o que dizer. O ex-doutor da Lei, entretanto, senhor da situação e quase certo de que a personagem era a mesma que figurava na existência do mártir vitorioso, tomou a palavra e disse convictamente:

— Nobre procônsul, temos conosco, de fato, o poder de um grande médico. Podemos curar, quando os enfermos estejam dispostos a compreendê-lo e segui-lo.

— Mas quem é ele? — perguntou o enfermo.

— Chama-se Cristo Jesus. Sua fórmula é sagrada — continuava o tecelão com ênfase — e destina-se a medicar, antes de tudo, a causa de todos os males. Como sabemos, todos os corpos da Terra terão de morrer. Assim, por força de leis naturais inelutáveis, jamais teremos, neste mundo, absoluta saúde física. Nosso organismo sofre a ação de todos os processos ambientes. O calor incomoda, o frio nos faz tremer, a alimentação nos modifica, os atos da vida determinam a mudança dos hábitos, mas o Salvador nos ensina a procurar uma saúde mais real e preciosa, que é a do espírito. Possuindo-a, teremos transformado as causas de preocupação de nossa vida, e habilitamo-nos a gozar a relativa saúde física que o mundo pode oferecer nas suas expressões transitórias.

Enquanto Barjesus, irônico e sorridente, escutava o introito, Sérgio Paulo acompanhava a palavra do ex-rabino, atento e comovido:

— Contudo, como encontrar esse médico? — perguntou o procônsul, mais preocupado com a cura do que com o elevado sentido metafísico das observações ouvidas.

— Ele é a bondade perfeita — esclareceu Saulo de Tarso — e sua ação consoladora está em toda parte. Antes mesmo que o compreendamos, cerca-nos com a expressão do seu amor infinito!...

Observando o entusiasmo com que o missionário tarsense falava, o chefe político de Nea-Pafos buscou a aprovação de Barjesus com olhar indagador.

O mago judeu, evidenciando profundo desprezo, exclamou:

— Julgávamos que estivésseis aparelhados de alguma ciência nova... Não quero acreditar no que ouço. Acaso me supondes um ignorante, relativamente ao falso profeta de Nazaré? Ousais franquear o palácio de um governador, em nome de um miserável carpinteiro?

Saulo mediu toda a extensão daquelas ironias, respondendo sem se intimidar:

— Amigo, quando eu afivelava a máscara farisaica, também assim pensava, mas, agora, conheço a gloriosa luz do Mestre, o Filho do Deus vivo!...

Essas palavras eram ditas num tom de convicção tão ardente que o próprio charlatão israelita se fizera lívido. Barnabé também empalidecera, enquanto o nobre patrício observava o ardoroso pregador com visível interesse. Depois de angustiosa expectativa, Sérgio Paulo voltou a dizer:

— Não tenho o direito de duvidar de ninguém, enquanto as provas concludentes não me levam a fazê-lo.

E procurando fixar a fisionomia de Saulo, que lhe enfrentava o olhar perquiridor, serenamente continuou:

— Falais desse Cristo Jesus, enchendo-me de assombro. Alegais que sua bondade nos assiste antes mesmo de o conhecermos. Como obter uma prova concreta de vossa afirmativa? Se não entendo o Messias de que sois mensageiros, como saber se sua assistência me influenciou algum dia?

Saulo lembrou repentinamente as palestras de Simão Pedro, ao lhe narrar os antecedentes do mártir do Cristianismo. Em um instante alinhou os mínimos episódios. E valendo-se de todas as oportunidades para destacar o amor infinito de Jesus, como aconteceu nos menores fatos da sua carreira apostólica, sentenciou com singular entono:

— Procônsul, ouvi-me! Para revelar-vos, ou melhor, a fim de lembrar-vos a misericórdia de Jesus de Nazaré, o nosso Salvador, chamarei vossa atenção para um acontecimento importante.

Enquanto Barnabé manifestava profunda surpresa, em face da desassombrada atitude do companheiro, o político aguçava a curiosidade.

— Não é a primeira vez que experimentais uma grave enfermidade. Há quase dez anos, ao tentardes os primeiros passos na vida pública, embarcastes no porto de Cefalônia em demanda desta ilha. Viajáveis para Citium, mas, antes que o navio aportasse em Corinto, fostes acometido de febre terrível, o corpo aberto em feridas venenosas...

Brancura de cera estampava-se no semblante do chefe de Nea-Pafos. Colocando a mão no peito, como a conter as pulsações aceleradas do coração, ergueu-se extremamente perturbado.

— Como sabeis tudo isso? — murmurou aterrado.

— Não é só — disse o missionário sereno —, esperai o resto. Vários dias permanecestes entre a vida e a morte. Debalde os médicos de bordo comentaram vossa enfermidade. Vossos amigos fugiram. Quando ficastes de todo abandonado, não obstante o prestígio político do vosso cargo, o Messias Nazareno vos mandou alguém, no silêncio de sua misericórdia divina.

O procônsul, com o despertar das velhas reminiscências, sentia-se profundamente comovido.

— Quem teria sido o mensageiro do Salvador? — prosseguia Saulo, enquanto Barnabé o contemplava com inaudito assombro. — Um de vossos íntimos? Um amigo eminente? Um dos colegas ilustres que presenciavam vossas dores? Não! Apenas um escravo humilde, um serviçal anônimo dos remos homicidas. Jeziel velou por vós, dia e noite! E o que a Ciência do mundo não conseguiu fazer, fê-lo o coração empossado pelo amor do Cristo! Compreendeis agora? Vosso amigo Barjesus fala de um carpinteiro sem-nome, de um Messias que preferiu a condição da humildade suprema para nos trazer as torrentes preciosas de suas graças!... Sim, Jesus também, como aquele escravo que vos restabeleceu a saúde perdida, fez-se servo do homem para conduzi-lo a uma vida melhor!... Quando todos nos abandonam, Ele está conosco; quando os amigos fogem, sua bondade mais se aproxima. Para forrarmo-nos das míseras contingências desta vida mortal, é preciso crer n'Ele e segui-lo sem descanso!...

Ante as lágrimas convulsivas do procônsul, Barnabé, aturdido, considerava: Onde fora o companheiro colher tão profundas revelações? A seu ver, naquele instante, Saulo de Tarso estaria iluminado pelo dom maravilhoso das profecias.

— Senhores, tudo isso é a verdade pura! Trouxestes-me a santa notícia de um Salvador!... — exclamou Sérgio Paulo.

Reconhecendo a capitulação do generoso patrício que lhe recheava a bolsa de fartos recursos, o mago israelita, apesar de muito surpreso, exclamou com energia:

— Mentira!... São mentirosos! Tudo isso é obra de Satanás! Estes homens são portadores de sortilégios infames do "Caminho"! Abaixo a exploração vil!...

A boca lhe espumava, os olhos rebrilhavam de cólera. Saulo mantinha-se calmo, impassível, quase sorridente. Depois, timbrando forte:

— Acalmai-vos, amigo! A fúria não é amiga da verdade e quase sempre esconde inconfessáveis interesses. Acusai-nos de mentirosos, mas nossas palavras não se desviaram uma linha da realidade dos acontecimentos. Alegais que nosso esforço procede de Satanás, no entanto, onde já se viu maior incoerência? Onde encontraríamos um adversário trabalhando contra si mesmo? Afirmais que somos portadores de sortilégios; se o amor constitui esse talismã, nós o trazemos no coração, ansiosos por comunicar a todos os seres sua benéfica influência. Finalmente, lançais a nós outros a pecha de exploradores salazes, quando aqui viemos chamados por alguém que nos honrou com sinceridade e confiança e, de modo algum, poderíamos oferecer as graças do Salvador a título mercatório.

Seguiu-se acalorada discussão: Barjesus fazia empenho em demonstrar a inferioridade dos intuitos de Saulo, enquanto este se esforçava em timbrar nobreza e cordialidade.

Embalde o procônsul tentava dissuadir o judeu de continuar na requesta e naquele diapasão. Barnabé, por sua vez, confiando muito mais nos poderes espirituais do amigo, acompanhava o discrime sem ocultar admiração pelos infinitos recursos que o missionário tarsense estava revelando.

A polêmica já durava mais de hora, quando o mago fez uma alusão mais ferina à personalidade e feitos de Jesus Cristo.

Em atitude mais enérgica, o Apóstolo sentenciou:

— Tudo fiz por convencer-vos sem demonstrações mais diretas, de maneira a não ferir a parte respeitável de vossas convicções; todavia, estais cego e é nessa condição que podereis enxergar a luz. Como vós, também já vivi em trevas e, no instante do meu encontro pessoal com o Messias, foi necessário que as trevas se adensassem em meu espírito, a fim de que a luz ressurgisse mais brilhante. Tereis igualmente esse benefício. A visão do corpo fechar-se-vos-á, para que possais divisar a verdade em espírito!...

Nesse comenos, Barjesus deu um grito.

— Estou cego!

Estabeleceu-se alguma confusão no recinto. Barnabé adiantou-se, amparando o israelita que tateava aflito. O tecelão e o governador aproximaram-se surpreendidos. Foram chamados alguns servos que atenderam as necessidades do momento, carinhosos e solícitos. Por quatro longas horas, Barjesus chorou, mergulhado na sombra espessa que lhe invadira os olhos cansados. Ao fim desse tempo, os missionários oraram de joelhos... Branda serenidade estabeleceu-se no vasto aposento. Em seguida, Saulo impôs-lhe as mãos na fronte e, com um suspiro de alívio, o velho israelita recobrou a vista, retirando-se confuso e sucumbido.

O procônsul, porém, vivamente interessado nos fatos intensos daquele dia, chamou os missionários em particular e falou sensibilizado:

— Amigos, creio nas verdades divinas que anunciais e desejo sinceramente compartilhar do Reino esperado. Nada obstante, conviria inteirar-me dos vossos objetivos de trabalho, dos vossos planos enfim. Estou ciente de que não mercadejais os dons espirituais de que sois portadores, e proponho-me auxiliar-vos com os meus préstimos em tudo que me for possível. Poderia saber os projetos que vos animam?

Os dois missionários entreolharam-se surpresos. Barnabé ainda não havia saído do espanto que o companheiro lhe causara. Saulo, por sua vez, mal dissimulava o próprio assombro pelo auxílio espiritual que obtivera no afã de confundir os maliciosos intuitos de Barjesus.

Reconhecendo, contudo, o elevado e sincero interesse do chefe político da província, esclareceu com jubilosos conceitos:

— O Salvador fundou a religião do amor e da verdade, instituição invisível e universal, na qual se acolhem todos os homens de boa vontade. Nosso fim é dar feição visível à obra divina, estabelecendo templos que se irmanem nos mesmos princípios, em seu nome. Avaliamos a delicadeza de semelhante tentame e estamos crentes de que as maiores dificuldades vão surgir em nosso caminho. É quase impossível encontrar o cabedal humano indispensável ao cometimento, mas é forçoso movimentar o plano. Quando falhem os elementos da instituição visível, esperaremos na igreja infinita, onde, nas luzes da universalidade, Jesus será o chefe supremo de todas as forças que se consagrem ao bem.

— Trata-se de sublime iniciativa — aparteou o procônsul, evidenciando nobre interesse. — Onde encetastes a construção dos santuários?

— Nossa missão está começando precisamente agora. Os discípulos do Messias fundaram as Igrejas de Jerusalém e Antioquia. Por enquanto, não temos outros núcleos educativos, além desses. Há muitos cristãos em toda a parte, mas suas reuniões se fazem em domicílios particulares. Não possuem templos, propriamente, que os habilitem a mais eficiente esforço de assistência e propaganda.

— Nea-Pafos terá, então, a primeira igreja, filha do vosso trabalho direto.

Saulo não sabia como traduzir sua gratidão por aquele gesto de generosidade espontânea. Profundamente comovido, adiantou-se, então, e, com o cidadão cíprio, agradeceu a dádiva que vinha prestigiar e facilitar a obra apostolar.

Os três falaram ainda largo tempo sobre os empreendimentos em perspectiva. Sérgio Paulo pedia-lhes indicassem as pessoas capazes de construir o novo templo, enquanto Barnabé e o companheiro expunham suas esperanças.

Somente à noite os missionários puderam voltar à tenda humilde das pregações.

— Estou impressionado! — dizia Barnabé, recordando o ocorrido. — Que fizeste? Tenho para mim que hoje é o dia maior da tua existência. Tua palavra tinha um timbre sagrado e diferente; anima-te, agora, o dom das profecias... Além disso, o Mestre agraciou-te com o poder de dominar as ideias malignas. Viste como o charlatão sentiu a influência de energias poderosas quando fizeste o teu apelo?

Saulo ouviu atento e com a maior simplicidade acentuou:

— Também não sei como traduzir meu espanto pelas graças obtidas. Foi pelo Cristo que nos tornamos instrumentos da conversão do procônsul, pois a verdade é que de nós mesmos nada valemos.

— Nunca esquecerei os acontecimentos de hoje — tornou o ex-levita admirado.

E depois de uma pausa:

— Saulo, quando Ananias te batizou não chegou a sugerir a mudança do teu nome?

— Não me lembrei disso.

— Pois suponho que, doravante, deves considerar tua vida como nova. Foste iluminado pela graça do Mestre, tiveste o teu Pentecostes, foste sagrado Apóstolo para os labores divinos da redenção.

O ex-doutor da Lei não dissimulou a própria admiração e concluiu:

— É muito significativo para mim que um chefe político seja atraído para Jesus, por nosso intermédio, mesmo porque, nossa tarefa conclama os gentios ao Sol divino do Evangelho de salvação.

Intimamente, recordou os laços sublimes que o ligavam à memória de Estêvão, a generosa influência do patrício romano que o libertara dos trabalhos duros da escravidão e, invocando a memória do mártir, em um apelo silencioso, falou comovido:

— Sei, Barnabé, que muitos dos nossos companheiros trocaram de nome quando se converteram ao amor de Jesus; quiseram assinalar desse modo sua separação dos enganos fatais do mundo. Não quis valer-me do recurso, de qualquer modo, mas a transformação do governador, a luz da graça que nos acompanhou no curso dos acontecimentos de hoje, levam-me, igualmente, a procurar um motivo de perenes lembranças.

Depois de longa pausa, dando a entender quanto refletira para tomar aquela resolução, falou:

— Razões íntimas, absolutamente respeitáveis, obrigam-me a reconhecer, doravante, um benfeitor no chefe político desta ilha. Sem trocar formalmente meu nome, passarei a assinar-me à romana.

— Muito bem — respondeu o companheiro —, entre Saulo e Paulo nenhuma diferença existe, a não ser a do hábito de grafia ou de pronúncia. A decisão será uma formosa homenagem ao nosso primeiro triunfo missionário junto dos gentios, ao mesmo tempo em que constituirá agradável lembrança de um espírito tão generoso.

Nesse fato baseou-se a mudança de uma letra no nome do ex-discípulo de Gamaliel. Caráter íntegro e enérgico, o rabino de Jerusalém, nem mesmo transformado em modesto tecelão, quis modificar, portas adentro do Cristianismo, a sua fidelidade inata. Se servira a Moisés como Saulo, com o mesmo nome haveria de servir igualmente a Jesus Cristo. Se errara e fora perverso, na primeira condição, aproveitaria a oportunidade dos Céus, corrigiria a existência e seria um homem bom e justo na segunda. Nesse particular, não chegou a considerar qualquer sugestão dos amigos. Fora o primeiro perseguidor da instituição cristã, verdugo inflexível do proselitismo alvorecente, mas fazia questão de continuar como Saulo, para lembrar-se de todo o mal e envidar esforços para fazer todo o bem ao seu alcance. Naquele instante, porém, a lembrança de Estêvão falava-lhe brandamente ao coração. Ele fora o seu maior exemplo para a marcha espiritual. Era o Jeziel bem-amado de Abigail. Para procurá-lo, ambos se haviam prometido ir, sem vacilações, fosse aonde fosse. Os dois irmãos de Corinto estavam vivos, de tal modo, em sua alma sensível, que não era possível apagar na memória os mínimos fatos de sua vida. A mão de Jesus o encaminhara ao procônsul, o libertador de Jeziel dos grilhões do cativeiro; o ex-escravo demandara Jerusalém para tornar-se discípulo do Cristo! O ex-rabino sentia-se ditoso, por ter sido auxiliado pelas forças divinas, tornando-se por sua vez libertador de Sérgio Paulo, escravizado ao sofrimento e às ilusões perigosas do mundo. Era justo gravar na memória uma lembrança indelével daquele que, vítima dele em Jerusalém, era agora irmão abençoado, o qual não conseguia esquecer nos mais fugazes instantes da vida e do seu ministério.

Daí por diante o convertido de Damasco, em memória do inolvidável pregador do Evangelho, que sucumbira a pedradas, passou a assinar-se Paulo, até o fim de seus dias.

A notícia da cura e da conversão do procônsul encheu Nea-Pafos de grande assombro. Os missionários não mais tiveram descanso. Embora o protesto quase apagado dos israelitas, a comunidade cresceu extraordinariamente. Integrado nos bens da saúde, o chefe provincial forneceu o necessário à construção da Igreja. O movimento era extraordinário. E os dois mensageiros do Evangelho não cessavam de render graças a Deus.

O triunfo cercava-os de profunda consideração, quando Paulo foi procurado por Barjesus que lhe solicitava uma palavra confidencial. O ex-rabino não hesitou. Era uma boa ocasião para provar ao velho israelita os seus propósitos generosos e sinceros. Recebeu-o, pois, com toda a afabilidade.

Barjesus parecia tomado de grande acanhamento. Após cumprimentar o missionário, atencioso, exprimiu-se com certo embaraço:

— Afinal, precisava desfazer o mal-entendido, no caso do procônsul. Ninguém, mais do que eu, desejava tanto a saúde do enfermo, e, por conseguinte, ninguém mais agradecido à vossa intervenção, libertando-o de enfermidade tão dolorosa.

— Sou muito grato ao vosso parecer e regozijo-me com a vossa compreensão – disse Paulo com gentileza.

— Entretanto...

O visitante vacilava se devia ou não expor seus objetivos mais íntimos. Atento às reticências sem presumir-lhes a causa, o ex-rabino adiantou-se benévolo.

— Que desejais dizer? Com franqueza. Nada de cerimônias!

— Acontece – retrucou mais animado – que venho afagando a ideia de consultar-vos a respeito dos vossos dons espirituais. Penso que não haverá maior tesouro para triunfar na vida...

Paulo estava confundido, sem saber que rumo tomaria a conversação. Todavia, focando o ponto mais delicado da pretensão, Barjesus continuou:

— Quanto ganhais no vosso ministério?

— Ganho a misericórdia de Deus — disse o missionário, compreendendo, então, todo o alcance daquela visita inesperada —, vivo do meu trabalho de tecelagem e não seria lícito mercadejar com o que pertence ao Pai que está nos Céus.

— É quase incrível! — murmurou o mago arregalando os olhos. — Eu estava convicto de que trazíeis convosco certos talismãs, que me dispunha a comprar por qualquer preço.

E enquanto o ex-rabino o contemplava cheio de comiseração pela sua ignorância, o visitante prosseguia:

— Será crível que façais semelhantes obras sem contribuição de sortilégios?

O missionário fixou-o mais atento e murmurou:

— Só conheço um sortilégio eficiente.

— Qual é? — interrogou o mago de olhar faiscante e cobiçoso.

— É o da fé em Deus com sacrifício de nós mesmos.

O velho israelita demonstrou não entender toda a significação daquelas palavras, objetando:

— Sim, mas a vida tem suas necessidades urgentes. É indispensável prever e amealhar recursos.

Paulo pensou um minuto e disse:

— De mim mesmo, nada tenho com que vos esclarecer, mas Deus tem sempre uma resposta para nossas preocupações mais simples. Consultemos suas eternas verdades. Vejamos qual a mensagem destinada ao vosso coração.

Ia abrir o Evangelho, conforme seu costume, quando o visitante observou:

— Nada conheço desse livro. Para mim, portanto, não poderá trazer advertência alguma.

O missionário compreendeu a relutância e acentuou:

— Que conheceis então?

— Moisés e os profetas.

Tomou do rolo de pergaminhos no qual se podia ler a Lei Antiga e o deu ao velho malicioso, para que o abrisse em alguma sentença, ao acaso, segundo os hábitos da época. No entanto, Barjesus, com evidente má vontade, acrescentou:

— Só leio os profetas de joelhos.

— Podeis ler como quiserdes, porque o ato de compreender é o que nos interessa, antes de tudo.

Assinalando suas presunções farisaicas, o charlatão ajoelhou-se e abriu solenemente o texto, sob o olhar sereno e perquiridor do ex-rabino. O velho israelita fez-se pálido. Esboçou um gesto para se abstrair da leitura, mas Paulo percebeu o movimento sutil e, aproximando-se, falou com alguma veemência:

— Leiamos a mensagem permanente dos emissários de Deus.

Tratava-se de um fragmento dos *Provérbios*, que Barjesus pronunciou em voz alta, com enorme desapontamento:

Duas coisas te pedi; não mas negues, antes que eu morra: afasta de mim as vaidades e as mentiras; não me dês nem a pobreza, nem a riqueza; concede-me apenas o alimento de que necessito, para não acontecer que, estando farto, eu te negue e pergunte: — Quem é Jeová? — ou que, estando pobre, me ponha a furtar e profane o nome de meu Deus.[38]

O mago levantou-se atarantado. O próprio missionário estava surpreso.

— Vistes, amigo? — interrogou Paulo — a palavra da verdade é muito eloquente. Será grande talismã, na existência, o sabermos viver com os nossos próprios recursos, sem exorbitar do necessário ao nosso enriquecimento espiritual.

— Efetivamente — respondeu o charlatão — este processo de consultas é muito interessante. Vou meditar seriamente na experiência de hoje.

Logo em seguida se despedia, depois de mastigar alguns monossílabos que mal disfarçavam a perturbação que todo o empolgara.

Impressionado, o tecelão consagrado ao Cristo anotou as profundas exortações, para consolidar o seu programa de atividades espirituais, isento de interesses inferiores.

A missão permaneceu em Nea-Pafos ainda alguns dias, sobrecarregada de muito trabalho. João Marcos colaborava com os recursos ao seu alcance; todavia, de vez em quando, Barnabé surpreendia-o entristecido e queixoso. Não esperava encontrar tão vultosa cota de trabalho.

— Mas assim é melhor — acentuava Paulo —, o serviço do bem é a muralha defensiva das tentações.

---

[38] *Provérbios*, 30:7 a 9.

O rapaz conformava-se; contudo, sua contrariedade era evidente.

Além disso, fiel observador do Judaísmo, não obstante a paixão pelo Evangelho, o filho de Maria Marcos sentia grandes escrúpulos com a largueza de vistas do tio e do missionário, relativamente aos gentios. Desejava servir a Jesus, sim, de todo o coração, mas não podia distanciar o Mestre das tradições do berço.

Enquanto as sementes lançadas em Chipre começavam a germinar na terra dos corações, os trabalhadores do Messias abandonavam Nea-Pafos, absorvidos em vastas esperanças.

Depois de muito confabularem, Paulo e Barnabé resolveram estender a missão aos povos da Panfília,[39] com grande escândalo para João Marcos, que se admirava de semelhante alvitre.

– Mas que fazermos com essa gente tão estranha? – perguntou o rapaz contrariado. – Sabemos, em Jerusalém, que essa província é povoada por criaturas supinamente ignorantes. E, ademais, que ali existem ladrões por toda parte.

– No entanto – obtemperou Paulo convicto –, penso que devemos procurar a região, justamente por isso. Para outros, uma viagem a Alexandria pode oferecer maior interesse, mas todos esses grandes centros estão cheios de mestres da palavra. Possuem sinagogas importantes, conhecimentos elevados, grandes expoentes de ciência e riqueza. Se não servem a Deus é por má vontade ou endurecimento de coração. A Panfília, ao contrário, é muito pobre, rudimentar e carecente de luz espiritual. Antes de ensinar em Jerusalém, o Mestre preferiu manifestar-se em Cafarnaum e em outras aldeias quase anônimas da Galileia.

Ante o argumento irretorquível, João absteve-se de insistir.

Dentro de poucos dias, singela embarcação deixava-os em Atália, onde Paulo e Barnabé encontraram singular encanto nas paisagens que circundavam o Cestro.

Nessa localidade muito pobre, pregaram a Boa-Nova ao ar livre, com êxito imenso. Observando no companheiro um traço superior, Barnabé como que entregara a chefia do movimento ao ex-rabino, cuja palavra, então, sabia despertar encantadores arrebatamentos. O povo simples acolheu a pregação de Paulo, com profundo interesse. Ele falava de Jesus, como de

---

[39] N.E.: Pequena província romana situada na costa sul da Ásia Menor.

um príncipe celestial, que visitara o mundo e fora esperar os súditos amados na esfera da glorificação espiritual. Via-se a atenção que os habitantes de Atália dispensaram ao assunto. Alguns pediram cópias das lições do Evangelho, outros procuravam obsequiar os mensageiros do Mestre com o que possuíam de melhor. Muito comovidos, os Apóstolos recebiam as carinhosas dádivas dos novos amigos, que, quase sempre, se constituíam em pratos de pão, laranjas ou peixe.

A permanência na localidade trouxera novos problemas. Era indispensável alguma atividade culinária. Barnabé, delicadamente, designou o sobrinho para o mister, mas o rapaz não conseguia disfarçar a contrariedade. Notando-lhe o constrangimento, Paulo adiantou-se pressuroso:

— Não nos impressionemos com os problemas naturais. Procuremos restringir, doravante, as necessidades e gostos alimentares. Comeremos apenas pão, frutas, mel e peixe. Destarte, o trabalho de cozinha ficará simplificado e reduzido à preparação dos peixes assados, no que tenho grande prática, desde o meu retiro lá no Tauro. Que João não se amofine com o problema, pois é justo que essa parte fique a meu cargo.

Não obstante a atitude generosa de Paulo, o rapaz continuou acabrunhado.

Em breve a missão alugava um barco, largando-se para Perge. Nesta cidade, de regular importância para a região em que se localizava, anunciaram o Evangelho com imensa dedicação. Na pequena sinagoga, encheram o sábado de grande movimento. Alguns judeus e numerosos gentios, na maioria gente pobre e simples, acolheram os missionários, cheios de júbilo. As notícias do Cristo despertaram singular curiosidade e encantamento. O modesto pardieiro, alugado por Barnabé, ficava repleto de criaturas ansiosas por obter cópia das anotações de Levi. Paulo regozijava-se. Experimentava alegria indefinível ao contato daqueles corações humildes e simples, que lhe davam ao espírito cansado de casuística a doce impressão de virgindade espiritual. Alguns indagavam da posição de Jesus na hierarquia dos deuses do paganismo; outros desejavam saber a razão por que haviam crucificado o Messias, sem consideração aos seus elevados títulos, como mensageiro do Eterno. A região estava cheia de superstições e crendices. A cultura judaica restringia-se ao ambiente fechado das sinagogas. A missão, não obstante consagrar seu maior esforço aos israelitas, pregando no círculo dos que seguiam a Lei de Moisés, interessara às camadas mais obscuras do povo, em razão das curas e do convite amoroso ao Evangelho, movimento esse no qual os trabalhadores de Jesus punham todo o seu empenho.

Plenamente satisfeitos, Paulo e Barnabé resolveram seguir dali mesmo para Antioquia da Pisídia. Informado a esse respeito, João Marcos não conseguiu sopitar os íntimos receios, por mais tempo, e perguntou:

— Supunha que não iríamos além da Panfília. Como, pois, chegar até Antioquia? Não temos recursos para atravessar tamanhos precipícios. As florestas estão infestadas de bandidos, o rio encachoeirado não faculta o trânsito de barcas. E as noites? Como dormir? Essa viagem não se pode tentar sem animais e servos, coisa que não temos.

Paulo refletiu um minuto e exclamou:

— Ora, João, quando trabalhamos para alguém, devemos fazê-lo com amor. Julgo que anunciar o Cristo àqueles que não o conhecem, em vista de suas numerosas dificuldades naturais, representa uma glória para nós. O espírito de serviço nunca atira a parte mais difícil para os outros. O Mestre não transferiu sua cruz aos companheiros. Em nosso caso, se tivéssemos muitos escravos e cavalos, não seriam eles os carregadores das responsabilidades mais pesadas, no que se refere às questões propriamente materiais? O trabalho de Jesus, entretanto, é tão grande aos nossos olhos que devemos disputar aos outros qualquer parte de sua execução, em benefício próprio.

O rapaz pareceu mais angustiado. A energia de Paulo era desconcertante.

— Mas não seria mais prudente — continuou muito pálido — demandarmos Alexandria e organizar pelo menos alguns recursos mais fáceis?

Enquanto Barnabé acompanhava o diálogo com a serenidade que lhe era peculiar, o ex-rabino continuava:

— Dás demasiada importância aos obstáculos. Já pensaste nas dificuldades que o Senhor certamente venceu para vir ter conosco? Ainda que pudesse atravessar livremente os abismos espirituais para chegar ao nosso círculo de perversidade e ignorância, temos de considerar a muralha de lodo de nossas viscerais misérias... E tu te espantas apenas com os palmos de caminho que nos separam da Pisídia?

O jovem calou-se, evidentemente contrariado. A argumentação era forte demais, a seus olhos, e não lhe ensejava qualquer nova objeção.

À noite, Barnabé, visivelmente preocupado, aproximou-se do companheiro, expondo-lhe as intenções do sobrinho. O rapaz resolvera regressar a Jerusalém, de qualquer modo. Paulo ouviu calmamente as explicações, como quem não podia opor qualquer embargo à decisão.

— Não poderíamos acompanhá-lo, pelo menos, até algum ponto mais próximo do destino? — perguntou o ex-levita de Chipre, como tio solícito.

— Destino? — perguntou Paulo admirado. — Mas já temos o nosso. Desde o primeiro entendimento, planejamos a excursão a Antioquia. Não posso impedir que faças companhia ao rapaz; por mim, contudo, não devo modificar o roteiro traçado. Caso resolvas regressar, seguirei sozinho. Julgo que as empresas de Jesus têm seu momento justo de atuação. É preciso aproveitá-lo. Se deixarmos a visita à Pisídia para o mês próximo, talvez seja tarde.

Barnabé refletiu alguns minutos, retrucando convictamente:

— Tua observação é incontestável. Não posso quebrar os compromissos. Além do mais, João está homem e poderá voltar só. Tem o dinheiro indispensável a esse fim, em virtude dos cuidados maternos.

— O dinheiro quando não bem aproveitado — rematou Paulo tranquilamente — sempre dissolve os laços e as responsabilidades mais santas.

A conversação terminou, enquanto Barnabé voltou a aconselhar o sobrinho, altamente impressionado.

Daí a dois dias, antes de tomar a barca que o levaria à foz do Cestro, o filho de Maria Marcos despedia-se do ex-doutor de Jerusalém com um sorriso contrafeito.

Paulo abraçou-o sem alegria e falou em tom de serena advertência:

— Deus te abençoe e te proteja. Não te esqueças de que a marcha para o Cristo é feita igualmente por fileiras. Todos devemos chegar bem; entretanto, os que se desgarram têm de chegar bem por conta própria.

— Sim — disse o jovem envergonhado —, procurarei trabalhar e servir a Deus, de toda a minha alma.

— Fazes bem e cumprirás teu dever assim procedendo — exclamou o ex-rabino convicto. — Lembra sempre que Davi, enquanto esteve ocupado, foi fiel ao Todo-Poderoso, mas, quando descansou, entregou-se ao adultério; Salomão, durante os serviços pesados da construção do Templo, foi puro na fé, mas, quando chegou ao repouso, foi vencido pela devassidão; Judas começou bem e foi discípulo direto do Senhor, mas bastou a impressão da triunfal entrada do Mestre em Jerusalém para que cedesse à traição e à morte. Com tantos exemplos expostos aos nossos olhos, será útil não venhamos nunca a descansar.

O sobrinho de Barnabé partiu, sinceramente tocado por essas palavras, que o seguiriam, de futuro, como apelo constante.

Logo após o incidente, os dois missionários demandaram as estradas impérvias. Pela primeira vez, foram obrigados a pernoitar ao relento, no seio da Natureza. Vencendo precipícios, encontraram uma gruta rochosa, na qual se ocultaram, para repousar o corpo mortificado e dorido. O segundo dia da marcha escoou-se-lhes com a coragem indômita de sempre. A alimentação constituía-se de alguns pães trazidos de Perge e frutas silvestres, colhidas ali e acolá. Resolutos e bem-humorados, enfrentavam e venciam todos os óbices. De vez em quando, era indispensável ganhar a outra margem do rio, ao toparem barreiras intransponíveis. Ei-los então apalpando o álveo das torrentes, cautelosos, com longas varas verdes, ou desbravando os caminhos perigosos e ignorados.

A solidão lhes sugeria belos pensamentos. Sagrado otimismo extravasava dos menores conceitos. Ambos afagavam carinhosas lembranças do passado afetivo e esperançoso. Como homens experimentavam todas as necessidades humanas, mas era profundamente comovedora a fidelidade com que se entregavam ao Cristo, confiando ao seu amor a realização dos santificados desejos de uma vida mais alta.

Na segunda noite acomodaram-se em pequena caverna, algo distante do trilho estreito, logo após os derradeiros tons do crepúsculo. Depois de frugalíssima refeição, passaram a comentar animadamente os feitos da Igreja de Jerusalém. Noite fechada e ainda suas vozes quebravam o grande silêncio. Desdobrando os assuntos, passaram a falar das excelências do Evangelho, exaltando a grandeza da missão de Jesus Cristo.

— Se os homens soubessem... — dizia Barnabé fazendo comparações.

— Todos se reuniriam em torno do Senhor e descansariam — rematava Paulo cheio de convicção.

— Ele é o Príncipe que reinará sobre todos.

— Ninguém trouxe a este mundo riqueza maior.

— Ah! — comentava o discípulo de Simão Pedro — o tesouro de que foi mensageiro engrandecerá a Terra para sempre.

E assim prosseguiam, valendo-se de preciosas imagens da vida comum para simbolizar os bens eternos, quando singular movimento lhes despertou atenção. Dois homens armados precipitaram-se sobre ambos, à fraca luz de uma tocha acesa em resinas.

— A bolsa! – gritou um dos malfeitores.

Barnabé empalideceu ligeiramente, mas Paulo estava sereno e impassível.

— Entreguem o que têm ou morrem – exclamou o outro bandido, alçando o punhal.

Olhando fixamente o companheiro, o ex-rabino ordenou:

— Dá-lhes o dinheiro que resta, Deus suprirá nossas necessidades de outro modo.

Barnabé esvaziou a bolsa que trazia entre as dobras da túnica, enquanto os malfeitores recolheram, ávidos, a pequena quantia.

Reparando nos pergaminhos do Evangelho que os missionários consultavam à luz da tocha improvisada, um dos ladrões interrogou desconfiado e irônico:

— Que documentos são esses? Faláveis de um príncipe opulento... Ouvimos referências a um tesouro... Que significa tudo isso?

Com admirável presença de espírito, Paulo explicou:

— Sim, de fato estes pergaminhos são o roteiro do imenso tesouro que nos trouxe o Cristo Jesus, que há de reinar sobre os príncipes da Terra.

Um dos bandidos, grandemente interessado, examinou o rolo das anotações de Levi.

— Quem encontrar esse tesouro – prosseguia Paulo resoluto –, nunca mais sentirá necessidades.

Os ladrões guardaram o Evangelho cuidadosamente.

— Agradecei a Deus não vos tirarmos a vida – disse um deles.

E, apagando a tocha bruxuleante, desapareceram na escuridão da noite. Quando se viram a sós, Barnabé não conseguiu dissimular o assombro.

— E agora? – perguntou com voz trêmula.

— A missão continua bem – glosou Paulo cheio de bom ânimo –, não contávamos com a excelente oportunidade de transmitir a Boa-Nova aos ladrões.

O discípulo de Pedro, admirando-se de tamanha serenidade, voltou a dizer:

— Mas, levaram-nos, também, os derradeiros pães de cevada, bem como as capas...

— Haverá sempre alguma fruta na estrada – esclarecia Paulo decidido – e, quanto às coberturas, não tenhamos maior cuidado, pois não nos faltará o musgo das árvores.

E, desejoso de tranquilizar o companheiro, acrescentava:

— De fato, não temos mais dinheiro, mas julgo não será difícil conseguir trabalho com os tapeceiros de Antioquia da Pisídia. Além disso, a região está muito distante dos grandes centros e posso levar certas novidades aos colegas do ofício. Esta circunstância será vantajosa para nós.

Depois de tecerem esperanças novas, dormiram ao relento, sonhando com as alegrias do Reino de Deus.

No dia seguinte, Barnabé continuava preocupado. Interpelado pelo companheiro, confessou compungido:

— Estou resignado com a carência absoluta de recursos materiais, mas não posso esquecer que nos subtraíram também as anotações evangélicas que possuíamos. Como recomeçar nossa tarefa? Se temos de cor grande parte dos ensinamentos, não poderemos conferir todas as expressões...

Paulo, todavia, fez um gesto significativo e, desabotoando a túnica, retirou alguma coisa que guardava junto do coração.

— Enganas-te, Barnabé — disse com um sorriso otimista —, tenho aqui o Evangelho que me recorda a bondade de Gamaliel. Foi um presente de Simão Pedro ao meu velho mentor, que, por sua vez, mo deu pouco antes de morrer.

O missionário de Chipre apertou nas mãos o tesouro do Cristo. O júbilo voltou a iluminar-lhe o coração. Poderiam dispensar todo o conforto do mundo, mas a palavra de Jesus era imprescindível. Vencendo obstáculos de toda sorte, chegaram a Antioquia fundamente abatidos. Paulo, principalmente, em determinados momentos da noite, sentia-se cansado e febril. Barnabé tinha frequentes acessos de tosse. O primeiro contato com a natureza hostil acarretara aos dois mensageiros do Evangelho fortes desequilíbrios orgânicos.

Não obstante a precária saúde, o tecelão de Tarso procurou informar-se, logo na manhã da chegada, sobre as tendas de artefatos de couro existentes na cidade.

Antioquia de Pisídia contava grande número de israelitas. Seu movimento comercial era mais que regular. As vias públicas ostentavam lojas bem sortidas e pequenas indústrias variadas.

Confiando na Providência Divina, alugaram um quarto muito simples, e, enquanto Barnabé repousava da fadiga extrema, Paulo procurava uma das tendas indicadas por um negociante de frutas.

Um judeu de bom aspecto, cercado de três auxiliares, entre numerosas prateleiras com sandálias, tapetes e outras utilidades numerosas, atinentes à sua profissão, dirigia extensa banca de serviço. Ciente do seu nome, dado o interesse de sua indagação junto ao comerciante referido, o ex-doutor de Jerusalém chamou pelo senhor Ibrahim, sendo atendido com enorme curiosidade.

– Amigo – explicou Paulo, sem rodeios –, sou vosso colega de ofício e, premido por necessidades urgentes, venho solicitar-vos o imenso obséquio de admitir-me nas atividades da vossa tenda. Tenho de fazer longa viagem e, não possuindo recurso algum, apelo para vossa generosidade, esperando favorável acolhimento.

O tapeceiro contemplava-o com simpatia, mas um tanto desconfiado. Espantava-se e agradava-se, simultaneamente, da sua franqueza e desembaraço. Depois de refletir algum tempo, respondeu algo vagamente:

– Nosso trabalho é muito escasso e, para usar de sinceridade, não disponho de capital para remunerar a muitos empregados. Nem todos compram sandálias; os arreamentos de tropa ficam à espera das caravanas que somente passam de tempos em tempos; poucos tapetes vendemos, e se não fossem os tecidos de couro para tendas improvisadas, suponho que não teríamos o necessário para manter o negócio. Como vedes, não seria fácil arranjar-vos trabalho.

– Entretanto – tornou o ex-rabino, comovido com a sinceridade do interlocutor –, ouso insistir no pedido. Será tão só por alguns dias... Além do mais, ficaria satisfeito em trabalhar a troco de pão e teto, para mim e um companheiro enfermo.

O bondoso Ibrahim sensibilizou-se com aquela confissão. Depois de uma pausa longa, em que o tapeceiro de Antioquia ainda hesitava entre o "sim" e o "não", Paulo rematou:

– Tão grande é a minha necessidade que insisto convosco, em nome de Deus.

– Entrai – disse o negociante, vencido pela argumentação.

Embora doente, o emissário do Cristo atirou-se ao trabalho com afã. Um velho tear foi instalado apressadamente, junto à banca cheia de facas, martelos e peças de couro.

Paulo entrou a trabalhar, tendo um olhar amigo e uma boa palavra para cada companheiro. Longe de se impor pelos conhecimentos superiores que possuía, observava o sistema de trabalho dos auxiliares de Ibrahim e sugeria novas providências favoráveis ao serviço, com bondade, sem afetação.

Comovido pelas suas declarações sinceras, o dono da casa mandava a refeição a Barnabé, enquanto o ex-rabino vencia galhardamente as primeiras dificuldades, experimentando o júbilo de um grande triunfo.

Naquela noite, junto do companheiro de lutas, elevou a Jesus a prece do mais entranhado agradecimento. Ambos comentaram a nova situação. Tudo ia bem, mas era necessário pensar no dinheiro indispensável, com que atender ao aluguel do quarto.

Edificado na exemplificação do amigo, agora era Barnabé que procurava confortá-lo:

— Não importa, Jesus levará em conta a nossa boa vontade, não nos deixará ao desamparo.

No dia seguinte, quando Paulo regressou da oficina, teve de esperar o companheiro, com alguma ansiedade. O mensageiro de Ibrahim, que levara a refeição de Barnabé, não o havia encontrado. Após alguma inquietação, o ex-rabino abriu-lhe a porta com inexcedível surpresa. O discípulo de Pedro parecia extremamente abatido, mas profunda alegria lhe transbordava do olhar. Explicou que também ele conseguira trabalho remunerador. Empregara-se com um oleiro necessitado de operários para aproveitar o bom tempo. Abraçaram-se comovidos. Se houvessem alcançado o domínio do mundo, com a fortuna fácil, não experimentariam tanto júbilo. Pequena fração de serviço honesto lhes bastava ao coração iluminado por Jesus Cristo.

No primeiro sábado de permanência em Antioquia, os arautos do Evangelho dirigiram-se à sinagoga local. Ibrahim, satisfeitíssimo com a cooperação do novo empregado, dera-lhe duas túnicas usadas, que Paulo e Barnabé envergaram com alegria.

Toda a população "temente a Deus" comprimia-se no recinto. Sentaram-se os dois no local reservado aos visitantes ou desconhecidos. Terminado o estudo e comentários da Lei e dos profetas, o diretor dos serviços religiosos perguntou-lhes, em voz alta, se desejariam dizer algumas palavras aos presentes.

De pronto, Paulo levantou-se e aceitou o convite. Dirigiu-se à modesta tribuna em atitude nobre e começou a discorrer sobre a Lei, tomado de eloquência sublime. O auditório, não afeito a raciocínios tão altos, seguia-lhe a palavra fluente como se houvera encontrado um profeta autêntico, a espalhar maravilhas. Os israelitas não cabiam em si de contentes. Quem era aquele homem de quem se poderia orgulhar o próprio Templo de Jerusalém? Em dado momento, contudo, as palavras do orador passaram a ser quase incompreensíveis para todos. Seu verbo sublime anunciava um Messias que já viera ao mundo. Alguns judeus aguçaram os ouvidos. Tratava-se do Cristo Jesus, por intermédio de quem as criaturas deveriam esperar a graça e a verdade da salvação. O ex-doutor observou que numerosas fisionomias mostravam-se contrariadas, mas a maioria escutava-o com indefinível vibração de simpatia. A relação dos feitos de Jesus, sua exemplificação divina, a morte na cruz arrancavam lágrimas do auditório. O próprio chefe da sinagoga estava profundamente surpreendido...

Terminada a longa oração, o novo missionário foi abraçado por grande número de assistentes. Ibrahim, que acabava de conhecê-lo sob novo aspecto, cumprimentou-o radiante. Eustáquio, o oleiro que dera trabalho a Barnabé, aproximou-se para as saudações, altamente sensibilizado. Os descontentes, no entanto, não faltaram. O êxito de Paulo contrariou o espírito fariseu da assembleia.

No dia imediato, Antioquia da Pisídia estava empolgada pelo assunto. A tenda de Ibrahim e a olaria de Eustáquio foram locais de grandes discussões e entendimentos. Paulo falou, então, das curas que se poderiam fazer em nome do Mestre. Uma velha tia do seu patrão foi curada de enfermidade pertinaz, com a simples imposição das mãos e as preces ao Cristo. Dois filhinhos do oleiro restabeleceram-se com a intervenção de Barnabé. Os dois emissários do Evangelho ganharam logo muito conceito. A gente simples vinha solicitar-lhes orações, cópias dos ensinos de Jesus, enquanto muitos enfermos se restabeleciam. Se o bem estava crescendo, a animosidade contra eles também crescia, da parte dos mais altamente colocados na cidade. Iniciou-se o movimento contrário ao Cristo. Não obstante a continuidade das pregações de Paulo, aumentava, entre os israelitas poderosos, a perseguição, o apodo e a ironia. Os mensageiros da Boa-Nova, entretanto, não desanimaram. Confortados pelos mais sinceros, fundaram a Igreja na casa de Ibrahim. Quando tudo ia bem, eis que o ex-rabino, ainda em consequência das vicissitudes experimentadas na travessia dos pântanos da Panfília, cai gravemente enfermo, preocupando a todos os irmãos. Durante um mês, esteve sob a influência maligna de uma febre devoradora. Barnabé e os novos amigos foram inexcedíveis em cuidados.

Explorando o incidente, os inimigos do Evangelho puseram-se em campo, ironizando a situação. Havia mais de três meses que os dois anunciavam o novo Reino, reformavam as noções religiosas do povo, curavam as moléstias mais pertinazes e, por que motivo o poderoso pregador não se curava a si mesmo? Fervilhavam, assim, os ditos mordazes e os conceitos deprimentes.

Os confrades, entretanto, foram de uma dedicação sem limites. Paulo foi tratado com extremos de ternura, no lar de Ibrahim, como se houvesse encontrado um novo lar.

Após a convalescença, o desassombrado tecelão voltou mais alvissareiro à pregação das verdades novas.

Observando-lhe a coragem, os elementos judaicos, ralados de despeito, tramaram sua expulsão sem qualquer condescendência. Por vários meses o ex-doutor de Jerusalém lutou contra os golpes do farisaísmo dominante na cidade, mantendo-se superior a calúnias e insultos. Todavia, quando revelava seu poder de resolução e firmeza de ânimo, eis que os israelitas descontentes ameaçam Ibrahim e Eustáquio com a supressão de regalias e banimento. Os dois antigos habitantes de Antioquia da Pisídia eram acusados como partidários da revolução e da desordem. Altamente comovidos, receberam a notificação de que somente a retirada de Paulo e Barnabé poderia salvá-los do cárcere e da flagelação.

Os missionários de Jesus consideram a penosa situação dos amigos e resolvem partir. Ibrahim tem os olhos rasos de lágrimas. Eustáquio não consegue esconder o abatimento. Ante as interrogações de Barnabé, o ex-rabino expõe o plano das atividades futuras. Demandariam Icônio. Pregariam ali as verdades de Deus. O discípulo de Simão Pedro aprova sem hesitar. Reunindo os irmãos em noite memorável para quantos lhe viveram as profundas emoções, os mensageiros da Boa-Nova se despedem. Por mais de oito meses haviam ensinado o Evangelho. Afrontaram zombarias e apodos, haviam conhecido provações bem amargas. Seus labores estavam sendo premiados pelo mundo com o banimento, como se eles fossem criminosos comuns, mas a Igreja do Cristo estava fundada. Paulo falou nisso, quase com orgulho, não obstante as lágrimas que lhe rolavam dos olhos. Os novos discípulos do Mestre não deveriam estranhar as incompreensões do mundo, mesmo porque, o próprio Salvador não escapara à cruz da ignomínia, acrescentando que a palavra "cristão" significava seguidor do Cristo. Para descobrir e conhecer as sublimidades do Reino de Deus era preciso trabalhar e sofrer sem descanso.

A assembleia afetuosa, por sua vez, acolheu as exortações, lavada em lágrimas.

Na manhã imediata, munidos de uma carta de recomendação de Eustáquio e carregando vasta provisão de pequeninas lembranças dos companheiros de fé, puseram-se a caminho, intrépidos e felizes.

O percurso excedente a cem quilômetros foi difícil e doloroso, mas os pioneiros não se detiveram na consideração de qualquer obstáculo.

Chegados à cidade, apresentaram-se ao amigo de Eustáquio, de nome Onesíforo. Recebidos com generosa hospitalidade, no sábado imediato, antes mesmo de fixar-se no trabalho profissional, Paulo foi expor os objetivos de sua passagem pela região. A estreia na sinagoga provocou animadas discussões. O elemento político da cidade constituía-se de judeus ricos e instruídos na Lei de Moisés; contudo, os gentios representavam, em grande número, a classe média. Estes últimos receberam a palavra de Paulo com profundo interesse, mas os primeiros desfecharam grande reação logo de início. Houve tumultos. Os orgulhosos filhos de Israel não podiam tolerar um Salvador que se entregara, sem resistência, à cruz dos ladrões. A palavra do Apóstolo, entretanto, alcançara tão grande favor público que os gentios de Icônio ofereceram-lhe um vasto salão para que lhes fosse ministrado o ensinamento evangélico, todas as tardes. Queriam notícias do novo Messias, interessavam-se pelos seus menores feitos e por suas máximas mais simples. O ex-rabino aceitou o encargo, cheio de gratidão e simpatia. Diariamente, terminada a tarefa comum, compacta multidão de iconienses aglomerava-se ansiosa por lhe ouvir o verbo vibrante. Dominando a administração, os judeus não tardaram em reagir, mas foi inútil a tentativa de intimidar o pregador com as mais fortes ameaças. Ele continuou pregando intrépida e desassombradamente. Onesíforo, a seu turno, dava-lhe mão forte e, dentro em pouco, fundava-se a Igreja em sua própria casa.

Os israelitas mantinham viva a ideia da expulsão dos missionários, quando um incidente ocorreu em seu auxílio.

É que uma jovem noiva, ouvindo ocasionalmente as pregações do Apóstolo dos Gentios, diariamente penetrava no salão em busca de novos ensinamentos. Enlevada com as promessas do Cristo e sentindo extrema paixão pela figura empolgante do orador, fanatizara-se lamentavelmente, esquecendo os deveres que a prendiam ao noivo e à ternura maternal. Tecla, que assim se chamava, não mais atendia aos laços sacrossantos que deveria honrar no ambiente doméstico. Abandonou o trabalho diuturno para esperar o crepúsculo, com ansiedade. Teóclia, sua mãe, e Tamíris, o noivo, acompanham o caso com desagradável surpresa. Atribuíam a Paulo semelhante desequilíbrio. O ex-doutor, por sua vez, estranhava a atitude da jovem, que, diariamente, insinuava-se com perguntas, olhares e momices singulares.

Certa vez, quando se dispunha a voltar para casa de Onesíforo, em companhia de Barnabé, a moça lhe pediu uma palavra em particular.

Ante suas perguntas atenciosas, Tecla corava, gaguejando:

— Eu... eu...

— Dize, filha — murmurou o Apóstolo um tanto preocupado —, deves considerar-te em presença de um pai.

— Senhor — conseguiu dizer ofegante —, não sei por que tenho recebido grande impressão com a vossa palavra.

— O que tenho ensinado — esclareceu Paulo — não é meu; vem de Jesus, que nos deseja todo o bem.

— De qualquer modo, porém — disse ela com mais timidez —, amo-vos muito!...

Paulo assustou-se. Não contava com essa declaração. A expressão "amo-vos muito" não era articulada em tom de fraternidade pura, mas com laivos de particularismo que o Apóstolo percebeu sobremaneira impressionado. Depois de meditar muito na situação imprevista, respondeu convicto:

— Filha, os que se amam em espírito, unem-se em Cristo para a eternidade das emoções mais santas, mas quem sabe está amando a carne que vai morrer?

— Tenho necessidade da vossa afeição — exclamou a jovem, de olhar lacrimoso.

— Sim — esclareceu o ex-rabino —, mas nós dois temos necessidade da afeição do Cristo. Somente amparados n'Ele poderemos experimentar algum ânimo em nossas fraquezas.

— Não poderei esquecer-vos — soluçou a moça, despertando-lhe compaixão.

Paulo ficou pensativo. Recordou a mocidade. Lembrou os sonhos que tecera ao lado de Abigail. Em um minuto, seu espírito devassou um mundo de suaves e angustiosas reminiscências; e, como se voltasse de um misterioso país de sombras, exclamou como se falasse consigo mesmo:

— Sim, o amor é santo, mas a paixão é venenosa. Moisés recomendou que amássemos a Deus acima de tudo; e o Mestre acrescentou que nos amássemos uns aos outros, em todas as circunstâncias da vida...

E fixando os olhos, agora muito brilhantes, na jovem que chorava, exclamou quase acrimonioso:

— Não te apaixones por um homem feito de lodo e de pecado, e que se destina a morrer!...

Tecla ainda não voltara a si da própria surpresa, quando o noivo desolado penetrou no recinto deserto. Tamíris faz as primeiras objeções em grandes brados, ao passo que o mensageiro da Boa-Nova lhe ouve as reprimendas com grande serenidade. A noiva replica mal-humorada. Reafirma sua simpatia por Paulo, expõe francamente as intenções mais íntimas. O rapaz escandaliza-se. O Apóstolo espera pacientemente que o noivo o interrogue. E, quando convocado a justificar-se, explica em tom fraternal:

— Amigo, não te acabrunhes nem te exaltes, em face dos sucessos que se originam de profundas incompreensões. Tua noiva está simplesmente enferma. Estamos anunciando o Cristo, mas o Salvador tem os seus inimigos ocultos em toda a parte, como a luz tem por inimiga a treva permanente, mas a luz vence a treva de qualquer natureza. Iniciamos o labor missionário nesta cidade, sem grandes obstáculos. Os judeus nos ridicularizam e, todavia, nada encontraram em nossos atos que justifique a perseguição declarada. Os gentios nos abraçam com amor. Nosso esforço desenvolve-se pacificamente e nada nos induz ao desânimo. Os adversários invisíveis, da verdade e do bem, certo se lembraram de influenciar esta pobre criança, para fazê-la instrumento perturbador de nossa tarefa. É possível que não me compreendas de pronto; no entanto, a realidade não é outra.

Tamíris, contudo, deixando entrever que padecia da mesma influência perniciosa, bradou enraivecido:

— Sois um feiticeiro imundo! Esta é que é a verdade. Mistificador do povo simplório e rude, não passais de reles sedutor de moças impressionáveis. Insultais uma viúva e um homem honesto, qual sou, insinuando-vos no espírito frágil de uma órfã de pai.

Espumava de cólera. Paulo ouviu-lhe as diatribes, com grande presença de espírito.

Quando o moço cansou de esbravejar, o Apóstolo tomou o manto, fez um gesto de despedida e acentuou:

– Quando somos sinceros, estamos em repouso invulnerável, mas cada um aceita a verdade como pode. Pensa, pois, e entende como puderes.

E abandonou o recinto para ir ter com Barnabé.

Os parentes de Tecla, porém, não descansaram em face do que consideravam um ultraje. Na mesma noite, valendo-se do pretexto, as autoridades judaicas de Icônio ordenaram a prisão do emissário da Boa-Nova. A fileira dos descontentes afluiu à porta de Onesíforo, vociferando impropérios. Apesar da interferência dos amigos, Paulo foi arrastado ao cárcere, onde sofreu o suplício dos trinta e nove açoites. Acusado como sedutor e inimigo das tradições da família, ademais blasfemo e revolucionário, foi indispensável muita dedicação dos confrades recém-convertidos para restituir-lhe a liberdade.

Depois de cinco dias de prisão com severos castigos, Barnabé o recebeu exultante de alegria.

O caso de Tecla revestira proporções de grande escândalo, mas o Apóstolo, na primeira noite de liberdade, reuniu a Igreja doméstica, fundada com Onesíforo, e esclareceu a situação, para conhecimento de todos.

Barnabé considerou impossível ali ficarem por mais tempo. Novo atrito com as autoridades poderia prejudicar-lhes a tarefa. Paulo, entretanto, mostrava-se bastante resoluto. Se preciso, voltaria a pregar o Evangelho na via pública, revelando a verdade aos gentios, já que os filhos de Israel se comprazeriam nos desvios clamorosos.

Chamado a opinar, Onesíforo ponderou a situação da pobre moça, transformada em objeto da ironia popular. Tecla era noiva e órfã de pai. Tamíris havia criado a lenda de que Paulo não passava de poderoso feiticeiro. Se, na qualidade de noiva, ela fosse encontrada novamente junto do Apóstolo, mandava a tradição que fosse condenada à fogueira.

Ciente das superstições regionais, o ex-rabino não hesitou um minuto. Deixaria Icônio, no dia imediato. Não que capitulasse diante do inimigo invisível, mas porque a Igreja estava fundada e não era justo cooperar no martírio moral de uma criança.

A decisão do Apóstolo mereceu aprovação geral. Assentaram-se as bases para a continuação do aprendizado evangélico. Onesíforo e os demais irmãos assumiram o compromisso de velar pelas sementes recebidas como dádiva celestial.

No curso das conversações, Barnabé estava pensativo. Para onde iriam? Não seria justo pensar na volta? As dificuldades avultavam dia a dia e a saúde de ambos, desde a internação nas margens do Cestro, era muito inconstante. O discípulo de Pedro, contudo, conhecendo o ânimo e o espírito de resolução do companheiro, esperou pacientemente que o assunto aflorasse espontânea e naturalmente.

Em socorro dos seus cuidados, um dos amigos presentes interrogou Paulo com vivacidade.

– Quando pretendem partir?

– Amanhã – respondeu o Apóstolo.

– Mas não será melhor repousar alguns dias? Tendes as mãos inchadas e o rosto ferido pelos açoites.

O ex-doutor sorriu e falou prazenteiro:

– O serviço é de Jesus, e não nosso. Se cuidarmos muito de nós mesmos, nesse capítulo de sofrimentos, não daremos conta do recado; e se paralisamos a marcha nos lances difíceis, ficaremos com os tropeços, e não com o Cristo.

Seus argumentos pitorescos e concludentes espalhavam uma atmosfera de bom humor.

– Voltareis a Antioquia? – perguntou Onesíforo com atenção.

Barnabé aguçou os ouvidos para conhecer detalhadamente a resposta, enquanto o companheiro retrucou:

– Certo que não: Antioquia já recebeu a Boa-Nova da redenção. E a Licaônia?![40]

Olhando agora para o ex-levita de Chipre, como a solicitar a sua aprovação, acentuava:

– Marcharemos para a frente. Não estás de acordo, Barnabé? Os povos da região precisam do Evangelho. Se estamos tão satisfeitos com as notícias do Cristo, por que negá-las aos que necessitam do batismo da verdade e da nova fé?!...

O companheiro fez um sinal afirmativo e concordou resignado:

– Sem dúvida. Iremos para a frente; Jesus nos auxiliará.

---

[40] N.E.: Província romana, uma região da Ásia Menor. De acordo com *Atos*, 14:6 a 11, Derbe e Listra eram cidades da Licaônia.

E os presentes passaram a comentar a posição de Listra, bem como os costumes interessantes da sua gente simples. Onesíforo tinha lá uma irmã viúva, por nome Loide. Daria uma carta de recomendação aos missionários. Seriam hóspedes de sua irmã, durante o tempo que precisassem.

Os dois pregoeiros do Evangelho rejubilaram-se. Principalmente Barnabé não cabia em si de contentamento, afastando a ideia triste de ficarem completamente isolados.

No dia seguinte, sob comovidos adeuses, os missionários tomavam a estrada que os conduziria ao novo campo de lutas.

Após viagem penosíssima, chegaram à pequena cidade, em um crepúsculo pardacento. Estavam exaustos.

A irmã de Onesíforo, no entanto, foi pródiga em gentilezas. Velha viúva de um grego abastado, Loide morava em companhia de sua filha Eunice, igualmente viúva, e de seu neto Timóteo, cuja inteligência e generosos sentimentos de menino constituíam o maior encanto das duas senhoras. Os mensageiros da Boa-Nova foram recebidos nesse lar com inequívocas provas de simpatia. O inexcedível carinho dessa família foi um bálsamo confortador para ambos. Conforme seu hábito, Paulo referiu-se na primeira oportunidade ao desejo imenso de trabalhar, durante o tempo de sua permanência em Listra, de modo a não se tornar passível de maledicência ou crítica, mas a dona da casa opôs-se terminantemente. Seriam seus hóspedes. Bastava a recomendação de Onesíforo para que ficassem tranquilos. Além disso, explicava: Listra era uma cidade muito pobre, possuía apenas duas tendas humildes, onde nunca se faziam tapetes.

Paulo estava muito sensibilizado com o acolhimento carinhoso. Na mesma noite da chegada, observou a ternura com que Timóteo, tendo pouco mais de 13 anos, tomava os pergaminhos da Lei de Moisés e os Escritos Sagrados dos profetas. Deixou o Apóstolo que as duas senhoras comentassem as revelações em companhia do mesmo, até que fosse chamado a intervir. Quando tal se deu, aproveitou o ensejo para fazer a primeira apresentação do Cristo ao coração enlevado dos ouvintes. Tão logo começou a falar, observou a profunda impressão das duas mulheres, cujos olhos brilhavam enternecidos, mas o pequeno Timóteo ouvia-o com tais demonstrações de interesse que, muitas vezes, lhe acariciou a fronte pensativa.

Os parentes de Onesíforo receberam a Boa-Nova com júbilos infinitos. No dia imediato não se falou de outra coisa. O rapaz fazia interrogações de toda espécie. O Apóstolo, porém, atendia-o com alegria e interesse fraternais.

Durante três dias os missionários entregaram-se a caricioso descanso das energias físicas. Paulo aproveitou a ocasião para conversar largamente com Timóteo, junto do grande curral onde as cabras se recolhiam.

Somente no sábado, procuraram tomar contato mais íntimo com a população. Listra estava cheia das mais estranhas lendas e crendices. As famílias judaicas eram muito raras e o povo simplório aceitava como verdades todos os símbolos mitológicos. A cidade não possuía sinagoga, mas um pequeno templo consagrado a Júpiter,[41] que os camponeses aceitavam como o pai absoluto dos deuses do Olimpo. Havia um culto organizado. As reuniões efetuavam-se periodicamente, os sacrifícios eram numerosos.

Em uma praça nua movimentava-se o mercado parco, pela manhã.

Paulo compreendeu que não encontraria melhor local para o primeiro contato direto com o povo.

De cima de uma tribuna improvisada de pedras superpostas, começou a pregação em voz forte e comovedora. Os populares aglomeraram-se de súbito. Alguns surgiam das casas pacíficas, para verificar o motivo do compacto ajuntamento. Ninguém se lembrou das aquisições de carne, de frutas, de verduras. Todos queriam ouvir o desconhecido forasteiro.

O Apóstolo falou, primeiramente, das profecias que haviam anunciado a vinda do Nazareno e, em seguida, passou a relatar os feitos de Jesus entre os homens. Pintou a paisagem da Galileia com as cores mais brilhantes do seu gênio descritivo, falou da humildade e da abnegação do Messias. Quando se referia às curas prodigiosas que o Cristo realizara, notou que um pequeno grupo de assistentes lhe dirigiam chufas. Inflamado de fervor na sua parenética, Paulo recordou o dia em que vira Estêvão curar uma jovem muda, em nome do Senhor.

Crente de que o Mestre não o desampararia, passeou o olhar pela turba numerosa. À distância de alguns metros enxergou um mendigo miserável, que se arrastava penosamente. Impressionado com o discurso evangélico, o aleijado de Listra aproximou-se, bracejando no solo e, sentando-se com dificuldade, fixou os olhos no pregador que o observava sumamente comovido.

---

[41] N.E.: Rei dos deuses, soberano do Monte Olimpo e deus do céu e do trovão. Corresponde a Zeus na Mitologia grega.

Renovando os valores da sua fé, Paulo contemplou-o com energia e falou com autoridade:

– Amigo, em nome de Jesus, levanta-te!

O mísero, olhos fixos no Apóstolo, levantou-se com facilidade, enquanto a multidão deu gritos, surpreendida. Alguns recuaram aterrados. Outros procuraram o vulto de Paulo e o de Barnabé, contemplando-os deslumbrados e satisfeitos. O aleijado começou a saltar de alegria. Conhecido na cidade, de longa data, a cura prodigiosa não deixava a menor dúvida.

Muitas pessoas se ajoelharam. Outras correram aos quatro cantos de Listra para anunciar que o povo havia recebido a visita dos deuses. A praça encheu-se em poucos minutos. Todos queriam ver o mendigo reintegrado nos seus movimentos livres. Espalhou-se o sucesso, rapidamente. Barnabé e Paulo eram Júpiter e Mercúrio[42] descidos do Olimpo. Os Apóstolos, jubilosos com a dádiva de Jesus, mas, profundamente surpreendidos com a atitude dos licaônios, perceberam logo o mal-entendido. Em meio do respeito geral, Paulo subiu de novo à tribuna improvisada, explicando que ele e o companheiro eram simples criaturas mortais, realçando a misericórdia do Cristo, que se dignara ratificar a promessa do Evangelho naquele minuto inesquecível. Debalde, porém, multiplicava os seus esclarecimentos. Todos lhe ouviam a palavra genuflexos, em atitude estática. Foi aí que um velho sacerdote, paramentado segundo os hábitos da época, surgiu inesperadamente, conduzindo dois bois engrinaldados de flores, com ademanes e mesuras solenes. Em voz alta, o ministro de Júpiter convida o povo ao cerimonial do sacrifício aos deuses vivos.

Paulo percebe o movimento popular e, descendo ao centro da praça, grita com toda força dos pulmões, abrindo a túnica na altura do peito:

– Não cometais sacrilégios!... Não somos deuses... Vede!... Somos simples criaturas de carne!...

Seguido de perto por Barnabé, arrebata das mãos do velho sacerdote a delicada trança de couro que prendia os animais, soltando os dois touros pacíficos, que se puseram a devorar as verdes coroas.

O ministro de Júpiter quis protestar, calando-se em seguida, muito desapontado. E entre os mais extravagantes comentários, os missionários

---

[42] N.E.: Mensageiro dos deuses, patrono dos comerciantes, da Astronomia, da eloquência. Corresponde a Hermes na Mitologia grega.

bateram em retirada, ansiosos por um local de oração, no qual pudessem elevar a Jesus seus votos de alegria e reconhecimento.

– Grande triunfo! – disse Barnabé quase orgulhoso. – As dádivas do Cristo foram numerosas, o Senhor lembra-se de nós!...

Paulo ficou pensativo e redarguiu:

– Quando recebemos muitos favores, precisamos pensar nos muitos testemunhos. Penso que experimentaremos grandes provações. Aliás, não devemos esquecer que a vitória da entrada do Mestre em Jerusalém precedeu os suplícios da cruz.

O companheiro, considerando o elevado sentido daquelas afirmações, entrou a meditar em profundo silêncio.

Loide e a filha estavam radiantes. A cura do aleijado conferia aos mensageiros da Boa-Nova singular situação de evidência. Paulo valeu-se da oportunidade para fundar o primeiro núcleo do Cristianismo na pequena cidade. As providências iniciais foram tomadas na residência da generosa viúva, que pôs à disposição dos missionários todos os recursos ao seu alcance.

Tal como em Nea-Pafos, estabeleceram em um casebre muito humilde a sede das atividades de informações e de auxílio. Em lugar de João Marcos, era o pequeno Timóteo quem auxiliava em todos os misteres. Numerosas pessoas copiavam o Evangelho, durante o dia, enquanto os enfermos acorriam de toda a parte, carecidos de imediata assistência.

Não obstante tal êxito, crescia igualmente a animosidade de uns tantos contra a nova doutrina.

Os poucos judeus de Listra deliberaram consultar as autoridades de Icônio, relativamente aos dois desconhecidos. E foi isso o bastante para que se turvassem os horizontes. Os comissionários regressaram com um acervo de notícias ingratas. O caso de Tecla era pintado a cores negras. Paulo e Barnabé eram acusados de blasfemos, feiticeiros, ladrões e sedutores de mulheres honestas. Paulo, principalmente, era apresentado como revolucionário temível. O assunto, em Listra, foi discutido intramuros. Os administradores da cidade convidaram o sacerdote de Júpiter a entrar na campanha contra os embusteiros e, com a mesma facilidade com que haviam acreditado na sua condição de deuses, passaram todos a atribuir aos pregadores as maiores perversões. Combinaram-se providências criminosas. Desde a chegada dos dois desconhecidos, que falavam em nome de um novo profeta, Listra vivia sobressaltada por ideias diferentes. Era preciso coibir os abusos. A palavra de Paulo era audaciosa e requeria corretivo eficaz. Finalmente, deliberaram que o fogoso pregador fosse apedrejado na primeira ocasião que falasse em público.

Ignorando o que se tramava, o Apóstolo dos Gentios, deixando Barnabé acamado por excesso de trabalho, fez-se acompanhar do pequeno Timóteo; no sábado imediato, ao entardecer, foi até a praça pública onde, mais uma vez, anunciou as verdades e promessas do Evangelho do Reino.

O logradouro apresentava movimento invulgar. O pregador notou a presença de muitas fisionomias suspeitas e absolutamente desconhecidas. Todos lhe acompanhavam os mínimos gestos com evidente curiosidade.

Com a máxima serenidade, subiu à tribuna e começou a falar das glórias eternas que o Senhor Jesus havia trazido à Humanidade sofredora. No entanto, mal havia iniciado o sermão evangélico, quando, aos gritos furiosos dos mais exaltados, começaram a chover pedras em barda.

Paulo recordou subitamente a figura inesquecível de Estêvão. Certo, o Mestre lhe reservara o mesmo gênero de morte, para que se redimisse do mal infligido ao mártir da Igreja de Jerusalém. Os pequenos e duros granizos caíam-lhe nos pés, no peito, na fronte. Sentiu o sangue a escorrer-lhe da cabeça ferida e ajoelhou-se, sem uma queixa, rogando a Jesus que o fortalecesse no angustioso transe.

Nos primeiros momentos, Timóteo, aterrado, pôs-se a gritar, suplicando socorro, mas um homem de braços atléticos aproxima-se cauto e murmura-lhe no ouvido:

– Cala-te se queres ser útil!...

– És tu, Gaio? – exclamou o pequeno de olhos lacrimosos, experimentando certo conforto em reconhecer um rosto amigo no pandemônio em que se via.

– Sim – disse o outro baixinho –, aqui estou para socorrer o Apóstolo. Não posso esquecer que ele curou minha mãe.

E olhando o movimento da turba criminosa, acrescentou:

– Não temos tempo a perder. Não tardará que o levem ao monturo. Se tal se der, procura seguir-nos com um pouco de água. Se o missionário não sucumbir, prestarás os primeiros socorros, até que eu consiga prevenir tua mãe!...

Separaram-se imediatamente. Ralado de aflição, o rapaz viu o pregador de joelhos, olhos fitos no céu, num transporte inesquecível. Filetes de sangue desciam-lhe da fronte fraturada. Em dado momento, a cabeça pendeu e o corpo tombou desamparado. A multidão parecia tomada de assombro. Prevalecendo-se da situação em que não se observavam diretrizes prévias, Gaio insinuou-se. Aproximou-se do Apóstolo inerme, fez um gesto significativo para o povo e bradou:

– O feiticeiro está morto!...

Sua figura gigantesca despertara as simpatias da turba inconsciente. Estrugiram aplausos. Os que haviam promovido o nefando atentado desapareceram. Gaio compreendeu que ninguém ousava assumir a responsabilidade individual. Em estranhas vibrações, bradavam os mais perversos:

– Fora das portas... fora das portas!... Feiticeiro ao monturo!... Feiticeiro ao montu...u...ro!...

O amigo de Paulo, disfarçando a comiseração com gestos de ironia, falou à multidão satisfeita:

– Levarei os despojos do bruxo!

A turba fez um alarido ensurdecedor e Gaio procurou arrastar o missionário com a cautela possível. Atravessaram vielas extensas, em gritos, até que, atingindo um local deserto, um tanto distante dos muros de Listra, deixaram Paulo semimorto, na montureira do lixo.

O latagão inclinou-se, como a verificar a morte do apedrejado, e observando, cuidadosamente, que ainda vivia, gritou:

– Deixemo-lo aos cães, que se incumbirão do resto! É preciso celebrar o feito com algum vinho!...

E seguindo o líder daquela tarde, a multidão batia em retirada, enquanto Timóteo se aproximava do local, valendo-se das sombras da noite que começava a fechar-se. Correndo a um poço mofino, não muito distante, e que se destinava à serventia pública, o pequeno encheu o gorro impermeável, de água pura, prestando os primeiros socorros ao ferido. Banhado em lágrimas, notou que Paulo respirava com dificuldade, como se houvesse mergulhado em profundo desmaio. O jovem listrense assentou-se ao seu lado, banhou-lhe a testa ferida com extremos de carinho. Mais alguns minutos e o Apóstolo voltava a si para examinar a situação. Timóteo o informou de tudo. Muito compungido, Paulo agradeceu a Deus, pois reconhecia que somente a misericórdia do Altíssimo poderia ter operado o milagre, por sequestrá-lo aos propósitos criminosos da turba inconsciente.

Decorridas duas horas, três vultos silenciosos aproximavam-se. Muito aflito, Barnabé deixara o leito, não obstante o estado febril, para acompanhar Loide e Eunice, que, avisadas por Gaio, acorriam com os primeiros socorros.

Todos rendiam graças a Jesus, enquanto Paulo tomava pequena dose de vinho reconfortador. Organização espiritual poderosa, apesar das sevícias físicas, o tecelão de Tarso levantou-se e regressou a casa com os amigos, levemente amparado por Barnabé, que lhe oferecera o braço amigo.

O resto da noite passou-se em conversações carinhosas. Os dois emissários da Boa-Nova temiam agressão do povo às generosas senhoras que os haviam hospedado e socorrido. Era preciso partir, para evitar maiores incômodos e complicações.

Em vão a palavra de Loide se fez ouvir, procurando dissuadir os pregoeiros do Cristo; debalde Timóteo beijou as mãos de Paulo e lhe pediu que não partisse. Receosos de mais tristes consequências, depois de coordenarem as instruções necessárias à Igreja nascente, transpuseram as portas da cidade ao amanhecer, em direção a Derbe, que ficava algo distante.

Depois de penosa caminhada, atingiram o novo setor de trabalho, no qual haveriam de estagiar mais de um ano. Embora entregues ao trabalho manual, com que ganhavam o pão da vida, os dois companheiros precisaram de seis meses para restabelecer a saúde comprometida. Como tecelão e oleiro anônimos, Paulo e Barnabé deixaram-se ficar em Derbe longo tempo, sem despertar a curiosidade pública. Só depois de refeitos dos abalos sofridos, recomeçaram a Boa-Nova do Reino de Jesus. Visitando os arredores, provocaram grande interesse da gente simples, pelo Evangelho da redenção. Pequenas comunidades cristãs foram fundadas em ambiente de muitas alegrias.

Após muito tempo de labor, resolveram regressar ao núcleo original do seu esforço. Vencendo etapas difíceis, visitaram e encorajaram todos os irmãos escalonados nas diversas regiões da Licaônia, Pisídia e Panfília.

De Perge desceram a Atália, de onde embarcaram com destino a Selêucia e dali ganharam Antioquia.

Ambos haviam experimentado a dificuldade dos serviços mais rudes. Muita vez se viram perplexos com os problemas intrincados da empresa: em troca da dedicação fraternal, haviam recebido remoques, açoites e acusações pérfidas; contudo, não obstante o abatimento físico e os gilvazes, irradiavam ondas invisíveis de intenso júbilo espiritual. É que, entre os espinhos da estrada escabrosa, os dois companheiros desassombrados mantinham ereta a cruz divina e consoladora, espalhando a mancheias as sementes benditas do Evangelho de Redenção.

V
Lutas pelo Evangelho

O regresso de Paulo e Barnabé foi assinalado em Antioquia com imenso regozijo. A comunidade fraternal admirou, profundamente comovida, o feito dos irmãos que haviam levado a regiões tão pobres, e distantes, as sementes divinas da verdade e do amor.

Por muitas noites consecutivas, os recém-chegados apresentaram o relatório verbal de suas atividades, sem omitir um detalhe. A Igreja antioquiense vibrou de alegria e rendeu graças ao Céu.

Os dois dedicados missionários haviam voltado em uma fase de grandes dificuldades para a instituição. Ambos perceberam-nas, contristados. As contendas de Jerusalém estendiam-se a toda a comunidade de Antioquia; as lutas da circuncisão estavam acesas. Os próprios chefes mais eminentes estavam divididos pelas afirmativas dogmáticas. Tão alto grau atingiram os discrimes que as vozes do Espírito Santo não mais se manifestavam. Manaém, cujos esforços na Igreja eram indispensáveis, mantinha-se a distância, em vista das discussões estéreis e venenosas. Os irmãos achavam-se extremamente confusos. Uns eram partidários da circuncisão obrigatória, outros se batiam pela independência irrestrita do Evangelho. Eminentemente preocupado, o pregador tarsense observou as polêmicas furiosas a respeito de alimentos puros e impuros.

Tentando estabelecer a harmonia geral a respeito dos ensinamentos do Divino Mestre, Paulo tomava inutilmente a palavra, explicando que o Evangelho era livre e que a circuncisão era, tão somente, uma característica convencional da intolerância judaica. Não obstante sua autoridade inconteste, que se aureolava de prestígio perante a comunidade inteira, em vista dos grandes valores espirituais conquistados na missão, os desentendimentos persistiam.

Alguns elementos chegados de Jerusalém complicaram ainda mais a situação. Os menos rigorosos falavam da autoridade absoluta dos Apóstolos galileus. Comentava-se, à sorrelfa, que a palavra de Paulo e Barnabé, por muito inspirada que fosse nas lições do Evangelho, não era bastantemente autorizada para falar em nome de Jesus.

A Igreja de Antioquia oscilava numa posição de imensa perplexidade. Perdera o sentido de unidade que a caracterizava, dos primórdios. Cada qual doutrinava do ponto de vista pessoal. Os gentios eram tratados com zombarias; organizavam-se movimentos a favor da circuncisão.

Fortemente impressionados com a situação, Paulo e Barnabé combinam um recurso extremo. Deliberam convidar Simão Pedro para uma visita pessoal à instituição de Antioquia. Conhecendo-lhe o espírito liberto de preconceitos religiosos, os dois companheiros endereçam-lhe longa missiva, explicando que os trabalhos do Evangelho precisavam dos seus bons ofícios, insistindo pela sua atuação prestigiosa.

O portador entregou a carta cuidadosamente, e, com grande surpresa para os cristãos antioquianos, o ex-pescador de Cafarnaum chegou à cidade, evidenciando grande alegria, em razão do período de repouso físico que se lhe deparava naquela excursão.

Paulo e Barnabé não cabiam em si de contentes. Acompanhando Simão, viera João Marcos, que não abandonara, de todo, as atividades evangélicas. O grupo viveu lindas horas de confidências íntimas, a propósito das viagens missionárias, relatadas inteligentemente pelo ex-rabino, e relativamente aos fatos que se desenrolavam em Jerusalém, desde a morte do filho de Zebedeu, contados por Simão Pedro, com singular colorido.

Depois de bem informado da situação religiosa em Antioquia, o ex-pescador acrescentava:

– Em Jerusalém, nossas lutas são as mesmas. De um lado, a Igreja cheia de necessitados, todos os dias; de outro, as perseguições sem tréguas.

No centro de todas as atividades, permanece Tiago com as mais ríspidas exigências. Às vezes, sou tentado a lutar para restabelecer a liberdade dos princípios do Mestre; mas como proceder? Quando a tempestade religiosa ameaça destruir o patrimônio que conseguimos oferecer aos aflitos do mundo, o farisaísmo esbarra na observância rigorosa do companheiro e é obrigado a paralisar a ação criminosa, encetada desde muito tempo. Se trabalhar por suprimir-lhe a influência, estarei precipitando a instituição de Jerusalém no abismo da destruição pelas tormentas políticas da grande cidade. E o programa do Cristo? E os necessitados? Seria justo prejudicarmos os mais desfavorecidos por causa de um ponto de vista pessoal?

E ante a atenção profunda de Paulo e Barnabé, o bondoso companheiro continuava:

— Sabemos que Jesus não deixou uma solução direta ao problema dos incircuncisos, mas ensinou que não será pela carne que atingiremos o Reino, e sim pelo raciocínio e pelo coração. Conhecendo, porém, a atuação do Evangelho na alma popular, o farisaísmo autoritário não nos perde de vista e tudo envida por exterminar a árvore do Evangelho, que vem desabrochando entre os simples e os pacíficos. É indispensável, pois, todo o cuidado de nossa parte, a fim de não causarmos prejuízos, de qualquer natureza, à planta divina.

Os companheiros faziam largos gestos de aprovação. Revelando sua imensa capacidade para nortear uma ideia e congraçar os numerosos prosélitos em divergência, Simão Pedro tinha uma palavra adequada para cada situação, um esclarecimento justo para o problema mais singelo.

A comunidade antioquena regozijava-se. Os gentios não ocultavam o júbilo que lhes ia na alma. O generoso Apóstolo a todos visitava pessoalmente, sem distinção ou preferência. Antepunha sempre um bom sorriso às apreensões dos amigos que receavam a alimentação "impura" e costumava perguntar onde estavam as substâncias que não fossem abençoadas por Deus. Paulo acompanhava-lhe os passos sem dissimular íntima satisfação. Em um louvável esforço de congraçamento, o Apóstolo dos Gentios fazia questão de levá-lo a todos os lugares onde houvesse irmãos perturbados pelas ideias da circuncisão obrigatória. Estabeleceu-se, rapidamente, notável movimento de confiança e uniformidade de opinião. Todos os confrades exultavam de contentamento.

Eis, porém, que chegam de Jerusalém três emissários de Tiago. Trazem cartas para Simão, que os recebe com muitas demonstrações de estima. Daí por diante, modifica-se o ambiente. O ex-pescador de Cafarnaum, tão dado à simplicidade e à independência em Cristo Jesus, retrai-se imediatamente. Não mais atende aos convites dos incircuncisos. As festividades íntimas e carinhosas, organizadas em sua honra, já não contam com a sua presença alegre e amiga. Na Igreja, modificou as mínimas atitudes. Sempre em companhia dos mensageiros de Jerusalém, que nunca o deixavam, parecia austero e triste, jamais se referindo à liberdade que o Evangelho outorgara à consciência humana.

Paulo observou a transformação, tomado de profundo desgosto. Para o seu espírito habituado, de modo irrestrito, à liberdade de opinião, o fato era chocante e doloroso. Agravara-o a circunstância de partir justamente de um crente como Simão, altamente categorizado e respeitável em todos os sentidos. Como interpretar aquele procedimento em completo desacordo com o que se esperava? Ponderando a grandeza da sua tarefa junto dos gentios, a menor pergunta dos amigos, nesse particular, deixava-o confuso. Na sua paixão pelas atitudes francas, não era dos trabalhadores que conseguem esperar. E após duas semanas de expectação ansiosa, desejoso de proporcionar uma satisfação aos numerosos elementos incircuncisos de Antioquia, convidado a falar na tribuna para os companheiros, começou por exaltar a emancipação religiosa do mundo, desde a vinda de Jesus Cristo. Passou em revista as generosas demonstrações que o Mestre dera aos publicanos e aos pecadores. Pedro ouvia-o, assombrado com tanta erudição e recurso de hermenêutica para ensinar aos ouvintes os princípios mais difíceis. Os mensageiros de Tiago estavam igualmente surpreendidos, a assembleia ouvia o orador atentamente.

Em dado instante, o tecelão de Tarso olhou fixamente para o Apóstolo galileu e exclamou:

— Irmãos, defendendo o nosso sentimento de unificação em Jesus, não posso disfarçar nosso desgosto em face dos últimos acontecimentos. Quero referir-me à atitude do nosso hóspede muito amado, Simão Pedro, a quem deveríamos chamar "mestre", se esse título não coubesse de fato e de direito ao nosso Salvador.[43]

---

[43] Nota do autor espiritual: As observações de Paulo na *Epístola aos gálatas* (2:11 a 14) referem-se a um fato anterior à reunião dos discípulos.

A surpresa foi grande e o espanto geral. O Apóstolo de Jerusalém também estava surpreso, mas parecia muito calmo. Os emissários de Tiago revelavam profundo mal-estar. Barnabé estava lívido. E Paulo prosseguia sobranceiro:

— Simão tem personificado para nós um exemplo vivo. O Mestre no-lo deixou como rocha de fé imortal. No seu coração generoso temos depositado as mais vastas esperanças. Como interpretar seu procedimento, afastando-se dos irmãos incircuncisos, desde a chegada dos mensageiros de Jerusalém? Antes disso, comparecia aos nossos serões íntimos, comia do pão de nossas mesas. Se assim procuro esclarecer a questão, abertamente, não é pelo desejo de escandalizar a quem quer que seja, mas porque só acredito em um Evangelho livre de todos os preconceitos errôneos do mundo, considerando que a palavra do Cristo não está algemada aos interesses inferiores do sacerdócio, de qualquer natureza.

O ambiente carregara-se de nervosismo. Os gentios de Antioquia fitavam o orador, enternecidos e gratos. Os simpatizantes do farisaísmo, ao contrário, não escondiam seu rancor, em face daquela coragem quase audaciosa. Nesse instante, de olhos inflamados por sentimentos indefiníveis, Barnabé tomou a palavra, enquanto o orador fez uma pausa, e considerou:

— Paulo, sou dos que lamentam tua atitude neste passo. Com que direito poderás atacar a vida pura do continuador de Cristo Jesus?

Isso, inquiria-o ele em tom altamente comovedor, com a voz embargada de lágrimas. Paulo e Pedro eram os seus melhores e mais caros amigos.

Longe de se impressionar com a pergunta, o orador respondeu com a mesma franqueza:

— Temos, sim, um direito: o de viver com a verdade, o de abominar a hipocrisia, e, o que é mais sagrado – o de salvar o nome de Simão das arremetidas farisaicas, cujas sinuosidades conheço, por constituírem o bárato escuro de onde pude sair para as claridades do Evangelho da Redenção.

A palestra do ex-rabino continuou rude e franca. De quando em quando, Barnabé surgia com um aparte, tornando a contenda mais renhida.

Entretanto, em todo o curso da discussão, a figura de Pedro era a mais impressionante pela augusta serenidade do semblante.

Naqueles rápidos instantes, o Apóstolo galileu considerou a sublimidade da sua tarefa no campo de batalha espiritual, pelas vitórias do Evangelho. De um lado, estava Tiago, cumprindo elevada missão junto do Judaísmo; de suas atitudes conservadoras surgiam incidentes felizes para a manutenção da Igreja de Jerusalém, erguida como um ponto inicial para a cristianização do mundo; de outro lado, estava a figura poderosa de Paulo, o amigo desassombrado dos gentios, na execução de uma tarefa sublime; de seus atos heroicos, derivava toda uma torrente de iluminação para os povos idólatras. Qual o maior a seus olhos de companheiro que convivera com o Mestre e d'Ele recebera as mais altas lições? Naquela hora, o ex-pescador rogou a Jesus lhe concedesse a inspiração necessária para a fiel observância dos seus deveres. Sentiu o espinho da missão cravado em pleno peito, impossibilitado de se justificar com a só intencionalidade de seus atos, a menos que provocasse maior escândalo para a instituição cristã, que mal alvorecia no mundo. De olhos úmidos, enquanto Paulo e Barnabé se debatiam, tinha a impressão de ver novamente o Senhor no dia do Calvário. Ninguém o compreendera. Nem mesmo os discípulos amados. Em seguida, pareceu vê-lo expirante na cruz do martírio. Uma força oculta conduzia-o a ponderar o madeiro com atenção. A cruz do Cristo parecia-lhe, agora, um símbolo de perfeito equilíbrio. Uma linha horizontal e uma linha vertical, justapostas, formavam figuras absolutamente retas. Sim, o instrumento do suplício enviava-lhe uma silenciosa mensagem. Era preciso ser justo, sem parcialidade ou falsa inclinação. O Mestre amara a todos, indistintamente. Repartira os bens eternos com todas as criaturas. Ao seu olhar compassivo e magnânimo, gentios e judeus eram irmãos. Experimentava, agora, singular acuidade para examinar conscienciosamente as circunstâncias. Devia amar a Tiago pelo seu cuidado generoso com os israelitas, bem como a Paulo de Tarso pela sua dedicação extraordinária a todos quantos não conheciam a ideia do Deus justo.

O ex-pescador de Cafarnaum notou que a maioria da assembleia lhe dirigia curiosos olhares. Os companheiros de Jerusalém deixavam perceber cólera íntima, na extrema palidez do rosto. Todos pareciam convocá-lo à discussão. Barnabé tinha os olhos vermelhos de chorar e Paulo parecia cada vez mais franco, verberando a hipocrisia com a sua lógica fulminante. O Apóstolo preferiria o silêncio, de modo a não perturbar a fé ardente de quantos se arrebanhavam na Igreja sob as luzes do Evangelho; mediu a extensão da sua responsabilidade naquele minuto inesquecível. Encolerizar-se seria negar os valores do Cristo e perder suas obras; inclinar-se para Tiago seria a parcialidade; dar absoluta razão aos argumentos de

Paulo não seria justo. Procurou arregimentar na mente os ensinamentos do Mestre e lembrou a inolvidável sentença: o que desejasse ser o maior, fosse o servo de todos. Esse preceito proporcionou-lhe imenso consolo e grande força espiritual.

A polêmica ia cada vez mais ardida. Extremavam-se os partidos. A assembleia estava repleta de cochichos abafados. Era natural prever uma franca explosão.

Simão Pedro levantou-se. A fisionomia estava serena, mas os olhos estavam orvalhados de lágrimas que não chegavam a correr.

Valendo-se de uma pausa mais longa, ergueu a voz que logo apaziguou o tumulto:

– Irmãos! – disse nobremente. – Muito tenho errado neste mundo. Não é segredo para ninguém que cheguei a negar o Mestre no instante mais doloroso do Evangelho. Tenho medido a misericórdia do Senhor pela profundidade do abismo de minhas fraquezas. Se errei entre os irmãos muito amados de Antioquia, peço perdão de minhas faltas. Submeto-me ao vosso julgamento e rogo a todos que se submetam ao julgamento do Altíssimo.

A estupefação foi geral. Compreendendo o efeito, o ex-pescador concluiu a justificativa, dizendo:

– Reconhecida a extensão das minhas necessidades espirituais e recomendando-me às vossas preces, passemos, irmãos, aos comentários do Evangelho de hoje.

A assistência estava assombrada com o desfecho imprevisto. Esperava-se que Simão Pedro fizesse um longo discurso em represália. Ninguém conseguia recobrar-se da surpresa. O Evangelho deveria ser comentado pelo Apóstolo galileu, mediante combinação prévia, mas o ex-pescador, antes de sentar-se de novo, exclamou muito sereno:

– Peço ao nosso irmão Paulo de Tarso o obséquio de consultar e comentar as anotações de Levi.

Não obstante o constrangimento natural, o ex-rabino considerou o elevado alcance daquele pedido, renovou num ápice todos os sentimentos extremistas do coração ardente e, em um formoso improviso, falou da leitura dos pergaminhos da Boa-Nova.

A atitude ponderada de Simão Pedro salvara a Igreja nascente. Considerando os esforços de Paulo e de Tiago, no seu justo valor, evitara o escândalo e o tumulto no recinto do santuário. À custa de sua abnegação fraternal, o incidente passou quase inapercebido na história da cristandade primitiva, e nem mesmo a referência leve de Paulo na *Epístola aos gálatas*, a despeito da forma rígida, expressional do tempo, pode dar ideia do perigo iminente de escândalo que pairou sobre a instituição cristã naquele dia memorável.

A reunião terminou sem novos atritos. Simão aproximou-se de Paulo e felicitou-o pela beleza e eloquência do discurso. Fez questão de voltar ao incidente para versá-lo com referências amistosas. O problema do gentilismo, dizia ele, merecia, de fato, muito interesse. Como deserdar das luzes do Cristo o que havia nascido distante das comunidades judaicas, se o próprio Mestre afirmara que os discípulos chegariam do Ocidente e do Oriente? A palestra suave e generosa reaproximou Paulo e Barnabé, enquanto o ex-pescador discorreu intencionalmente, acalmando os ânimos.

O ex-doutor da Lei continuou a defender sua tese com argumentação sólida. Constrangido a princípio, em face da benevolência do galileu, expandiu-se naturalmente, readquirindo a serenidade íntima. O problema era complexo. Transportar o Evangelho para o Judaísmo não seria asfixiar-lhe as possibilidades divinas? – perguntava Paulo, firmando seu ponto de vista. Mas e o esforço milenário dos judeus? – interrogava Pedro, advertindo que, a seu ver, se Jesus afirmara sua missão como o exato cumprimento da Lei, não era possível afastar-se a nova da antiga revelação. Proceder de outro modo seria arrancar do tronco vigoroso o galho verdejante destinado a frutescer.

Examinando aqueles argumentos ponderosos, Paulo de Tarso lembrou, então, que seria razoável promover em Jerusalém uma assembleia dos correligionários mais dedicados, para ventilar o assunto com maior amplitude. Os resultados, a seu ver, seriam benéficos, por apresentarem uma norma justa de ação, sem margem a sofismas tão de gosto e hábito farisaicos.

Como alguém que se sentisse muito alegre por encontrar a chave de um problema difícil, Simão Pedro anuiu de bom grado à proposta, assegurando interessar-se para que a reunião se fizesse quanto antes. Intimamente, considerou que seria ótima oportunidade para os discípulos de Antioquia observarem as dificuldades crescentes em Jerusalém.

À noite, todos os irmãos compareceram à Igreja para as despedidas de Simão e para as preces habituais. Pedro orou com santificado fervor e a comunidade sentiu-se envolvida em benéficas vibrações de paz.

O incidente a todos deixara tal ou qual perplexidade, mas as atitudes prudentes e afáveis do pescador conseguiram manter a coesão geral a respeito do Evangelho, para continuação das tarefas santificantes.

Depois de observar a plena reconciliação de Paulo e Barnabé, Simão Pedro regressou a Jerusalém com os mensageiros de Tiago.

Em Antioquia, a situação continuou instável. As discussões estéreis prosseguiam acesas. A influência judaizante combatia a gentilidade, e os cristãos livres opunham resistência formal ao convencionalismo preconceituoso. O ex-rabino, entretanto, não descansava. Convocou reuniões, nas quais esclareceu as finalidades da assembleia que Simão lhes prometera em Jerusalém, na primeira oportunidade. Combatente ativo, multiplicou as energias próprias na sustentação da independência do Cristianismo e prometeu publicamente que traria cartas da Igreja dos Apóstolos galileus, que garantissem a posição dos gentios na doutrina consoladora de Jesus, alijando-se as imposições absurdas, no caso da circuncisão.

Suas providências e promessas acendiam novas lutas. Os observadores rigorosos dos preceitos antigos duvidavam de semelhantes concessões por parte de Jerusalém.

Paulo não desanimou. Intimamente, idealizava sua chegada à Igreja dos Apóstolos, passava em revista, na imaginação superexcitada, toda a argumentação poderosa a empregar e via-se vencedor na questão que se delineava a seus olhos como de essencial importância para o futuro do Evangelho. Procuraria mostrar a elevada capacidade dos gentios para o serviço de Jesus. Contaria os êxitos obtidos na longa excursão de mais de quatro anos através das regiões pobres e quase desconhecidas, onde a gentilidade havia recebido as notícias do Mestre com intenso júbilo e compreensão muito mais elevada que a dos seus irmãos de raça. Alargando os projetos generosos, deliberou levar em sua companhia o jovem Tito, que, embora oriundo das fileiras pagãs e não obstante contar 20 anos incompletos, representava na Igreja de Antioquia uma das mais lúcidas inteligências a serviço do Senhor. Desde a vinda de Tarso, Tito afeiçoara-se-lhe como um irmão generoso. Notando-lhe a índole laboriosa, Paulo ensinara-lhe o ofício de tapeceiro e fora ele o seu substituto na tenda humilde, por todo o tempo que durou a primeira missão.

O rapaz seria um expoente do poder renovador do Evangelho. Certamente, quando falasse na reunião, surpreenderia os mais doutos com os seus argumentos de alto teor exegético.

Acariciando esperanças, Paulo de Tarso tomou todas as providências para que o êxito de seus planos não falhasse.

Ao fim de quatro meses, um emissário de Jerusalém trazia a esperada notificação de Pedro, referente à assembleia. Coadjuvado pela operosidade de Barnabé, o ex-rabino acelerou as providências indispensáveis. Na véspera de partir, subiu à tribuna e renovou a promessa das concessões esperadas pelo gentilismo, insensível ao sorriso irônico que alguns israelitas disfarçavam cautelosamente.

Na manhã imediata, a pequena caravana partiu. Compunham-na Paulo e Barnabé, Tito e mais dois irmãos, que os acompanhavam em caráter de auxiliares.

Fizeram uma viagem vagarosa, escalando em todas as aldeias para as pregações da Boa-Nova, disseminando curas e consolações.

Depois de muitos dias, chegaram a Jerusalém, onde foram recebidos por Simão, com inexcedível contentamento. Em companhia de João, o generoso Apóstolo ofereceu-lhes fraternal acolhida. Ficaram todos no departamento em que se localizavam numerosos necessitados e doentes. Paulo e Barnabé examinaram as modificações introduzidas na casa. Outros pavilhões, embora humildes, estendiam-se além, cobrindo não pequena área.

– Os serviços aumentaram – explicava Simão bondosamente –; os enfermos que nos batem às portas multiplicam-se todos os dias. Foi preciso construir novas dependências.

A fileira de catres parecia não ter fim. Aleijados e velhinhos distraíam-se ao sol, entre as árvores amigas do quintal.

Paulo estava admirado com a amplitude das obras. Daí a pouco, Tiago e outros companheiros vinham saudar os irmãos da instituição antioquiana. O ex-rabino fixou o Apóstolo que chefiava as pretensões do Judaísmo. O filho de Alfeu aparecia-lhe, agora, radicalmente transformado. Suas feições eram de um "mestre de Israel", com todas as características indefiníveis dos hábitos farisaicos. Não sorria. Os olhos deixavam perceber uma presunção de superioridade que raiava pela indiferença. Seus gestos eram medidos como os de um sacerdote do Templo, nos atos cerimoniais. O tecelão de Tarso tirou suas ilações íntimas e esperou a noite em que se iniciariam as discussões preparatórias. À claridade de algumas tochas, sentavam-se em torno de extensa mesa diversas personagens que Paulo não conhecia. – Eram novos cooperadores da Igreja de Jerusalém – explicava Pedro com bondade. O ex-rabino e Barnabé não tiveram boa impressão, à primeira vista. Os desconhecidos assemelhavam-se a figuras do Sinédrio, na sua posição hierárquica e convencional.

Chegados ao recinto, o convertido de Damasco experimentou sua primeira decepção. Observando que os representantes de Antioquia se faziam acompanhar por um jovem, Tiago adiantou-se e perguntou:

– Irmãos, é justo saibamos quem é o rapaz que trazeis a este cenáculo discreto. Nossa preocupação é fundamentada nos preceitos da tradição que manda examinar a procedência da juventude, a fim de que os serviços de Deus não sejam perturbados.

– Este é o nosso valoroso colaborador de Antioquia – explicou Paulo, entre orgulhoso e satisfeito –, chama-se Tito e representa uma de nossas grandes esperanças na seara de Jesus Cristo.

O Apóstolo fixou-o sem surpresa e tornou a perguntar:

– É filho do povo eleito?

– É descendente de gentios – afirmou o ex-rabino, quase com altivez.

– Circuncidado? – interrogou o filho de Alfeu ciosamente.

– Não.

Este "não" de Paulo foi dito com tal ou qual enfado. As exigências de Tiago enervavam-no. Ouvindo a negativa, o Apóstolo galileu esclareceu em tom firme:

– Penso, então, que não será justo admiti-lo na assembleia, visto não ter ainda cumprido todos os preceitos.

– Apelamos para Simão Pedro – disse Paulo convicto. – Tito é representante de nossa comunidade.

O ex-pescador de Cafarnaum estava lívido. Colocado entre os dois grandes representantes, do Judaísmo e da gentilidade, tinha que decidir cristãmente o impasse inesperado.

Como sua intervenção direta demorasse alguns minutos, o tecelão tarsense continuou:

– Aliás, a reunião deverá resolver estas questões palpitantes, a fim de que se estabeleçam os direitos legítimos dos gentios.

Simão, porém, conhecendo ambos os contendores, deu-se pressa em opinar, exclamando em tom conciliador:

— Sim, o assunto será objeto de nosso atencioso exame na assembleia. — E dirigindo intencionalmente o olhar ao ex-rabino, prosseguia explicando: — Apelas para mim e aceito o recurso; no entanto, devemos estudar a objeção de Tiago mais detidamente. Trata-se de um chefe dedicado desta casa e não seria justo desprezar-lhe os préstimos. De fato, o conselho discutirá esses casos, mas isso significa que o assunto ainda não está resolvido. Proponho, então, que o irmão Tito seja circuncidado amanhã, para que participe dos debates com a inspiração superior que lhe conheço. E tão só com essa providência os horizontes ficarão necessariamente aclarados, para tranquilidade de todos os discípulos do Evangelho.

A sutileza do argumento removeu os empecilhos. Se não agradou a Paulo, satisfez a maioria e, regressando o jovem de Antioquia para o interior da casa, a assembleia começou pelas discussões preliminares. O ex-rabino estava taciturno e abatido. A atitude de Tiago, os novos elementos estranhos ao Evangelho, que teriam de votar na reunião, o gesto conciliador de Simão Pedro desgostavam-no profundamente. Aquela imposição no caso de Tito figurava-se-lhe um crime. Tinha ímpetos de regressar a Antioquia, acusar de hipócritas e "sepulcros caiados" os irmãos judaizantes. Todavia, as cartas de emancipação que havia prometido aos companheiros da gentilidade? Não seria mais conveniente recalcar seus melindres feridos por amor aos irmãos de ideal? Não seria mais justo aguardar deliberações definitivas e humilhar-se? A lembrança de que os amigos contavam com as suas promessas acalmou-o. Fundamente desapontado, o convertido de Damasco acompanhou atento os primeiros debates. As questões iniciais davam ideia das grandes modificações que procuravam introduzir no Evangelho do Mestre.

Um dos irmãos presentes chegava a ponderar que os gentios deviam ser considerados como o "gado" do povo de Deus: bárbaros que importava submeter à força, a fim de serem empregados nos trabalhos mais pesados dos escolhidos. Outro indagava se os pagãos eram semelhantes aos outros homens convertidos a Moisés ou a Jesus. Um velho de feições rígidas chegava ao despautério de afiançar que o homem só vingava completar-se depois de circunciso. À margem da gentilidade, outros temas fúteis vinham à balha. Houve quem lembrasse que a assembleia devia regular os deveres concernentes aos alimentos impuros, bem como o processo mais adequado à ablução das mãos. Tiago argumentava e discorria como profundo conhecedor de todos os preceitos. Pedro ouvia com grande serenidade. Nunca respondia quando a tese assumia o caráter de conversação, e aguardava momento oportuno para manifestar-se. Somente tomou atitude mais enérgica quando um dos componentes do conselho pediu para que o Evangelho de Jesus fosse incorporado ao livro dos profetas, ficando subordinado à Lei de Moisés para todos os efeitos. Foi a primeira vez que Paulo de Tarso notou o ex-pescador intransigente e quase rude, explicando o absurdo de semelhante sugestão.

Os trabalhos foram paralisados alta noite, em fase de pura preparação. Tiago recolheu os pergaminhos com anotações, orou de joelhos e a assembleia dispersou-se para nova reunião no dia imediato.

Simão procurou a companhia de Paulo e Barnabé para dirigir-se aos aposentos de repouso.

O tecelão de Tarso estava consternado. A circuncisão de Tito surgia-lhe como derrota dos seus princípios intransigentes. Não se conformava, fazendo sentir ao ex-pescador a extensão de suas contrariedades.

— Mas que vem a ser tão pequena concessão — interrogava o Apóstolo de Cafarnaum, sempre afável — em face do que pretendemos realizar? Precisamos de ambiente pacífico para esclarecer o problema da obrigatoriedade da circuncisão. Não firmaste compromisso com o gentilismo de Antioquia?

Paulo recordou a promessa que fizera aos irmãos e concordou:

— Sim, é verdade.

— Reconheçamos, pois, a necessidade de muita calma para chegar às soluções precisas. As dificuldades, neste sentido, não prevalecem tão só para a Igreja antioquiana. As comunidades de Cesareia, de Jope, bem como de outras regiões, encontram-se atormentadas por esses casos transcendentes. Bem sabemos que todas as cerimônias externas são de evidente inutilidade para a alma, mas, tendo em vista os princípios respeitáveis do Judaísmo, não podemos declarar guerra de morte às suas tradições, de um momento para outro. Será justo lutar com muita prudência sem ofender rudemente a ninguém.

O ex-rabino escutou as admoestações do Apóstolo e, recordando as lutas a que ele próprio assistira no ambiente farisaico, pôs-se a meditar silenciosamente.

Mais alguns passos e atingiram a sala transformada em dormitório de Pedro e João. Entraram. Enquanto Barnabé e o filho de Zebedeu se entregaram a animada palestra, Paulo sentou-se ao lado do ex-pescador, mergulhando-se em profundos pensamentos.

Depois de alguns instantes, o ex-doutor da Lei, saindo da sua abstração, chamou Pedro, murmurando:

— Custa-me concordar com a circuncisão de Tito, mas não vejo outro recurso.

Atraídos por aquela confissão, Barnabé e João puseram-se também a ouvi-lo atentamente.

— Mas, curvando-me à providência — continuou com inexcedível franqueza —, não posso deixar de reconhecer no fato uma das mais altas demonstrações de fingimento. Concordarei naquilo que não aceito de modo algum. Quase me arrependo de ter assumido compromissos com os nossos amigos de Antioquia; não supunha que a política abominável das sinagogas houvesse invadido totalmente a Igreja de Jerusalém.

O filho de Zebedeu fixou no convertido de Damasco os olhos muito lúcidos, ao passo que Simão respondeu serenamente:

— A situação é, de fato, muito delicada. Principalmente depois do sacrifício de alguns companheiros mais amados e prestimosos, as dificuldades religiosas em Jerusalém multiplicam-se todos os dias.

E, vagueando o olhar pelo aposento, como se quisesse traduzir fielmente o seu pensamento, continuou:

— Quando se agravou a situação, cogitei da possibilidade de me transferir para outra comunidade; em seguida, pensei em aceitar a luta e reagir; mas, uma noite, tão bela como esta, orava eu neste quarto quando percebi a presença de alguém que se aproximava devagarinho. Eu estava de joelhos quando a porta se abriu com imensa surpresa para mim. Era o Mestre! Seu rosto era o mesmo dos formosos dias de Tiberíades. Fitou-me grave e terno, e falou: "Pedro, atende aos 'filhos do Calvário', antes de pensar nos teus caprichos!" A maravilhosa visão durou um minuto, mas, logo após, pus-me a recordar os velhinhos, os necessitados, os ignorantes e doentes que nos batem à porta. O Senhor recomendava-me atenção para os portadores da cruz. Desde então, não desejei mais que servi-los.

O Apóstolo tinha os olhos úmidos e Paulo sentia-se bastante impressionado, pois lembrava que ouvira a expressão "filhos do Calvário" dos lábios espirituais de Abigail, quando da sua gloriosa visão, no silêncio da noite, ao aproximar-se de Tarso.

— Com efeito, grande é a luta – concordou o convertido de Damasco, parecendo mais tranquilo.

E, mostrando-se convicto da necessidade de examinar o realismo da vida comum, não obstante a beleza das prodigiosas manifestações do Plano Invisível, voltou a dizer:

— Entretanto, precisamos encontrar um meio de libertar as verdades evangélicas do convencionalismo humano. Qual a razão principal da preponderância farisaica na Igreja de Jerusalém?

Simão Pedro esclareceu sem rebuços:

— As maiores dificuldades giram em torno da questão monetária. Esta casa alimenta mais de cem pessoas, diariamente, além dos serviços de assistência aos enfermos, aos órfãos e aos desamparados. Para a manutenção dos trabalhos são indispensáveis muita coragem e muita fé, porque as dívidas contraídas com os socorredores da cidade são inevitáveis.

— Mas os doentes – interrogou Paulo atencioso – não trabalham depois de melhorados?

— Sim – explicou o Apóstolo –, organizei serviços de plantação para os restabelecidos e impossibilitados de se ausentarem logo de Jerusalém. Com isso, a casa não tem necessidade de comprar hortaliças e frutas. Quanto aos melhorados, vão tomando o encargo de enfermeiros dos mais desfavorecidos da saúde. Essa providência permitiu a dispensa de dois homens remunerados, que nos auxiliavam na assistência aos loucos incuráveis ou de cura mais difícil. Como vês, estes detalhes não foram esquecidos e mesmo assim a Igreja está onerada de despesa e dívidas que só a cooperação do Judaísmo pode atenuar ou desfazer.

Paulo compreendeu que Pedro tinha razão. No entanto, ansioso de proporcionar independência aos esforços dos irmãos de ideal, considerou:

— Advirto, então, que precisamos instalar aqui elementos de serviço que habilitem a casa a viver de recursos próprios. Os órfãos, os velhos e os homens aproveitáveis poderão encontrar atividades além dos trabalhos agrícolas e produzir alguma coisa para a renda indispensável. Cada qual trabalharia de conformidade com as próprias forças, sob a direção dos irmãos mais experimentados. A produção do serviço garantiria a manutenção geral. Como sabemos, onde há trabalho, há riqueza, e onde há cooperação, há paz. É o único recurso para emancipar a Igreja de Jerusalém das imposições do farisaísmo, cujas artimanhas conheço desde o princípio de minha vida.

Pedro e João estavam maravilhados. A ideia de Paulo era excelente. Vinha ao encontro de suas preocupações ansiosas, pelas dificuldades que pareciam não ter fim.

— O projeto é extraordinário – disse Pedro – e viria resolver grandes problemas de nossa vida.

O filho de Zebedeu, que tinha os olhos radiantes de júbilo, atacou, por sua vez, o assunto, objetando:

— Mas o dinheiro? Onde encontrar os fundos indispensáveis ao grandioso empreendimento?!...

O ex-rabino entrou em profunda meditação e esclareceu:

— O Mestre auxiliará nossos bons propósitos. Barnabé e eu empreendemos longa excursão a serviço do Evangelho e vivemos, em todo o seu transcurso, a expensas do nosso trabalho. Eu, tecelão, ele, oleiro, em atividade provisória nos lugares onde passamos. Realizada a primeira experiência, poderíamos voltar agora às mesmas regiões e visitar outras, pedindo recursos para a Igreja de Jerusalém. Provaríamos nosso desinteresse pessoal, vivendo à custa de nosso esforço, e recolheríamos as dádivas por toda a parte, conscientes de que, se temos trabalhado pelo Cristo, será justo também pedirmos por amor ao Cristo. A coleta viria estabelecer a liberdade do Evangelho em Jerusalém, porque representaria o material indispensável a edificações definitivas no plano do trabalho remunerador.

Estava esboçado, assim, o programa a que o generoso Apóstolo da gentilidade haveria de submeter-se pelo resto de seus dias. No seu desempenho teria de sofrer as mais cruéis acusações, mas, no santuário do seu coração devotado e sincero, Paulo, de par com os grandiosos serviços apostólicos, levaria a coleta em favor de Jerusalém, até o fim da sua existência terrestre.

Ouvindo-lhe os planos, Simão levantou-se e abraçou-o, dizendo comovido:

— Sim, meu amigo, não foi em vão que Jesus te buscou pessoalmente às portas de Damasco.

Fato pouco vulgar na sua vida, Paulo tinha os olhos rasos de pranto. Fitou o ex-pescador de modo significativo, considerando intimamente suas dívidas de gratidão ao Salvador, e murmurou:

— Não farei mais que o meu dever. Nunca poderei olvidar que Estêvão saiu dos catres desta casa, os quais já serviram igualmente a mim próprio.

Todos estavam extremamente sensibilizados. Barnabé comentou a ideia com entusiasmo e enriqueceu o plano de numerosos pormenores.

Nessa noite, os dedicados discípulos do Cristo sonharam com a independência do Evangelho em Jerusalém, com a emancipação da Igreja, isenta das absurdas imposições da sinagoga.

No dia imediato procedeu-se solenemente à circuncisão de Tito, sob a direção cuidadosa de Tiago e com a profunda repugnância de Paulo de Tarso.

As assembleias noturnas continuaram por mais de uma semana. Nas primeiras noites, preparando terreno para advogar abertamente a causa da gentilidade, o ex-pescador de Cafarnaum solicitou aos representantes de Antioquia expusessem a impressão das visitas aos pagãos de Chipre, Panfília, Pisídia e Licaônia. Paulo, profundamente contrariado com as exigências aplicadas a Tito, pediu a Barnabé falasse em seu nome.

O ex-levita de Chipre fez extenso relato de todos os acontecimentos, provocando imensa surpresa a quantos lhe ouviam as referências ao extraordinário poder do Evangelho entre aqueles que ainda não haviam esposado uma crença pura. Em seguida, atendendo ainda a observações de Paulo, Tito falou, profundamente comovido com a interpretação dos ensinamentos do Cristo e mostrando possuir formosos dons de profecia, fazendo-se admirar pelo próprio Tiago, que o abraçou mais de uma vez.

Ao termo dos trabalhos, discutia-se ainda a obrigatoriedade da circuncisão para os gentios. O ex-rabino seguia os debates, silencioso, admirando o poder de resistência e tolerância de Simão Pedro.

Quando o ex-pescador reconheceu que as divergências prosseguiriam indefinidamente, levantou-se e pediu a palavra, fazendo a generosa e sábia exortação de que os *Atos dos apóstolos* (15:7 a 11) fornecem notícia:

– Irmãos – começou Pedro enérgico e sereno –, bem sabeis que, de há muito, Deus nos elegeu para que os gentios ouvissem as verdades do Evangelho e cressem no seu Reino. O Pai, que conhece os corações, deu aos circuncisos e aos incircuncisos a palavra do Espírito Santo. No dia glorioso do Pentecostes as vozes falaram, na praça pública de Jerusalém, para os filhos de Israel e dos pagãos. O Todo-Poderoso determinou que as verdades fossem anunciadas indistintamente. Jesus afirmou que os cooperadores do Reino chegariam do Oriente e do Ocidente. Não compreendo tantas controvérsias, quando a situação é tão clara aos nossos olhos. O Mestre exemplificou a necessidade de harmonização constante: palestrava com os doutores do Templo; frequentava a casa dos publicanos; tinha expressão de bom ânimo para todos os que se baldavam de esperança; aceitou o derradeiro suplício entre os ladrões. Por que motivo devemos guardar uma pretensão de isolamento daqueles que experimentam a necessidade maior? Outro argumento que não deveremos esquecer é o da chegada do Evangelho ao mundo, quando já possuíamos a Lei. Se o Mestre no-lo trouxe, amorosamente, com os mais pesados sacrifícios, seria justo enclausurarmo-nos nas tradições convencionais, esquecendo o campo de trabalho? Não mandou o Cristo que pregássemos a Boa-Nova a todas as nações? Claro que não poderemos desprezar o patrimônio dos israelitas. Temos de amar nos filhos da Lei, que somos nós, a expressão de profundos sofrimentos e de elevadas experiências que nos chegam ao coração por meio de quantos precederam o Cristo, na tarefa milenária de preservar a fé no Deus único, mas esse reconhecimento deve inclinar nossa alma para o esforço na redenção de todas as criaturas. Abandonar o gentio à própria sorte seria criar duro cativeiro, em vez de praticar aquele amor que apaga todos os pecados. É pelo fato de muito compreendermos os judeus e de muito estimarmos os preceitos divinos, que precisamos estabelecer a melhor fraternidade com o gentio, convertendo-o em elemento de frutificação divina. Cremos que Deus nos purifica o coração pela fé, e não pelas ordenanças do mundo. Se hoje rendemos graças pelo triunfo glorioso do Evangelho, que instituiu a nossa liberdade, como impor aos novos discípulos um jugo que, intimamente, não podemos suportar? Suponho, então, que a circuncisão não deva constituir ato obrigatório para quantos se convertam ao amor de Jesus Cristo, e creio que só nos salvaremos pelo favor divino do Mestre, estendido generosamente a nós e a eles também.

A palavra do Apóstolo caíra na fervura das opiniões como forte jato de água fria. Paulo estava radiante, ao passo que Tiago não conseguia ocultar o desapontamento.

A exortação do ex-pescador dava margem a numerosas interpretações; se falava no respeito amoroso aos judeus, referia-se também a um jugo que não podia suportar. Ninguém, todavia, ousou negar-lhe a prudência e bom senso indubitáveis.

Terminada a oração, Pedro rogou a Paulo falasse de suas impressões pessoais a respeito do gentio. Mais esperançado, o ex-rabino tomou a palavra pela primeira vez no conselho e, convidando Barnabé ao comentário geral, ambos apelaram para que a assembleia concedesse a necessária independência aos pagãos, no que se referia à circuncisão.

Havia em tudo, agora, uma nota de satisfação geral. As observações de Pedro calaram fundo em todos os companheiros. Foi então que Tiago tomou a palavra e, vendo-se quase só no seu ponto de vista, esclareceu que Simão fora muito bem inspirado no seu apelo, mas pediu três emendas para que a situação ficasse bem esclarecida. Os pagãos ficavam isentos da circuncisão, mas deviam assumir o compromisso de fugir da idolatria, evitar a luxúria e abster-se das carnes de animais sufocados.

O Apóstolo dos Gentios estava satisfeito. Fora removido o maior obstáculo.

No dia seguinte os trabalhos foram encerrados, lavrando-se as resoluções em pergaminho. Pedro providenciou para que cada irmão levasse consigo uma carta, como prova das deliberações, em virtude da solicitação de Paulo, que desejava exibir o documento como mensagem de emancipação da gentilidade.

Interpelado pelo ex-pescador, quando se achavam a sós, sobre as impressões pessoais dos trabalhos, o ex-doutor de Jerusalém esclareceu com um sorriso:

— Em suma, estou satisfeito. Ficou resolvido o mais difícil dos problemas. A obrigatoriedade da circuncisão para os gentios representava um crime aos meus olhos. Quanto às emendas de Tiago, não me impressionam, porquanto a idolatria e a luxúria são atos detestáveis para a vida particular de cada um; e, quanto às refeições, suponho que todo cristão poderá comer como melhor lhe pareça, desde que os excessos sejam evitados.

Pedro sorriu e explicou ao ex-rabino seus novos planos. Comentou, esperançoso, a ideia da coleta geral em favor da Igreja de Jerusalém e, evidenciando a peculiar prudência, falou preocupado:

— Teu projeto de excursão e propaganda da Boa-Nova, procurando angariar alguns recursos para solução de nossos mais sérios encargos, causa-me justa satisfação; entretanto, venho refletindo na situação da Igreja antioquiana. Pelo que observei de viso, concluo que a instituição necessita de servidores dedicados que se substituam nos trabalhos constantes de cada dia. Tua ausência, ademais com Barnabé, trará dificuldades, caso não tomemos as providências precisas. Eis por que te ofereço a cooperação de dois companheiros devotados, que me têm substituído aqui nos encargos mais pesados. Trata-se de Silas e Barsabás, dois discípulos amigos da gentilidade e dos princípios liberais. De vez em quando, entram em desacordo com Tiago, como é natural, e, segundo creio, serão ótimos auxiliares do teu programa.

Paulo viu no alvitre a providência que desejava. Junto de Barnabé, que participava da conversação, agradeceu ao ex-pescador, profundamente sensibilizado. A Igreja da Antioquia teria os recursos necessários que os trabalhos evangélicos requeriam. A medida proposta era-lhe muito grata, mesmo porque desde logo tivera por Silas grande simpatia, presumindo nele um companheiro leal, expedito e dedicado.

Os missionários de Antioquia ainda se demoraram três dias na cidade, após o encerramento do conselho, tempo esse que Barnabé aproveitou para repousar na casa da irmã. Paulo, contudo, declinou do convite de Maria Marcos e permaneceu na Igreja, estudando a situação futura, em companhia de Simão Pedro e dos dois novos colaboradores.

Em atmosfera de grande harmonia, os trabalhadores do Evangelho versaram todos os requisitos do projeto.

Fato digno de nota a reclusão de Paulo, junto aos Apóstolos galileus, jamais saindo à rua, para não entrar em contato com o cenário vivo do seu passado tumultuoso.

Finalmente, tudo pronto e ajustado, a missão se dispôs a regressar. Havia em todas as fisionomias um sinal de gratidão e de esperança santificada nos dias do porvir. Verificava-se, no entanto, um detalhe curioso, que é indispensável destacar. Solicitado pela irmã, Barnabé dispusera-se a aceitar a contribuição de João Marcos, em nova tentativa de adaptação ao serviço do Evangelho. Considerando a boa intenção com que acedera aos pedidos da irmã, o ex-levita de Chipre achou desnecessário consultar o companheiro de esforços comuns. Paulo, porém, não se magoou. Acolheu a resolução de Barnabé, um tanto admirado, abraçou o jovem afetuosamente e esperou que o discípulo de Pedro se pronunciasse quanto ao futuro.

O grupo, acrescido de Silas, Barsabás e João Marcos, pôs-se a caminho para Antioquia, nas melhores disposições de harmonia.

Revezando-se na tarefa de pregação das verdades eternas, anunciavam o Reino de Deus e faziam curas por onde passavam.

Chegados ao destino, com grandes manifestações de júbilo da gentilidade, organizaram o plano colimado para dar-lhe imediata eficiência. Paulo expôs o propósito de voltar às comunidades cristãs já fundadas, estendendo a excursão evangélica por outras regiões onde o Cristianismo não fosse conhecido. O plano mereceu aprovação geral. A instituição antioquiana ficaria com a cooperação direta de Barsabás e Silas, os dois companheiros devotados que, até ali, haviam constituído duas fortes colunas de trabalho em Jerusalém.

Apresentado o relatório verbal dos esforços em perspectiva, Paulo e Barnabé entraram a cogitar das últimas disposições particulares.

– Agora – disse o ex-levita de Chipre –, espero concordes com o que resolvi relativamente a João.

– João Marcos? – interrogou Paulo admirado.

– Sim, desejo levá-lo conosco, a fim de afeiçoá-lo à tarefa.

O ex-rabino franziu o sobrecenho num gesto muito seu, quando contrariado, e exclamou:

– Não concordo; teu sobrinho está ainda muito jovem para o cometimento.

– Entretanto, prometi à minha irmã acolhê-lo em nossos labores.

– Não pode ser.

Estabeleceu-se entre os dois uma contenda de palavras, na qual Barnabé deixava perceber seu descontentamento. O ex-rabino procurava justificar-se, ao passo que o discípulo de Pedro alegava o compromisso assumido e impugnava, com tal ou qual amargura, a atitude do companheiro. O ex-doutor, contudo, não se deixou convencer. A readmissão de João Marcos, dizia, não era justa. Poderia falhar novamente, fugir aos compromissos assumidos, desprezar a oportunidade do sacrifício. Lembrava as perseguições de Antioquia da Pisídia, as enfermidades inevitáveis, as dores morais experimentadas em Icônio, o apedrejamento cruel na praça de Listra. Acaso o rapaz estaria preparado, em tão pouco tempo, para compreender o alcance de todos esses acontecimentos, em que a alma era compelida a regozijar-se com o testemunho?

Barnabé estava magoado, de olhos úmidos.

– Afinal – disse em tom comovedor –, nenhum desses argumentos me convence e me esclarece, em consciência. Primeiramente, não vejo por que desfazer nossos laços afetivos...

O ex-rabino não o deixou terminar e concluiu:

– Isso nunca. Nossa amizade está muito acima destas circunstâncias. Nossos elos são sagrados.

— Pois bem — acentuou Barnabé —, como interpretar, então, tua recusa? Por que negarmos ao rapaz uma nova experiência de trabalho regenerativo? Não será falta de caridade desprezar um ensejo talvez providencial?

Paulo fixou demoradamente o amigo e acrescentou:

— Minha intuição, neste sentido, é diversa da tua. Quase sempre, Barnabé, a amizade a Deus é incompatível com a amizade ao mundo. Levantando-nos para a execução fiel do dever, as noções do mundo se levantam contra nós. Parecemos maus e ingratos, mas ouve-me: ninguém encontrará fechadas as portas da oportunidade, porque é o Todo-Poderoso quem no-las abre. A ocasião é a mesma para todos, mas os campos devem ser diferentes. No trabalho propriamente humano, as experiências podem ser renovadas todos os dias. Isso é justo, mas considero que, no serviço do Pai, se interrompemos a tarefa começada, é sinal de que ainda não temos todas as experiências indispensáveis ao homem completo. Se a criatura ainda não sabe todas as noções mais nobres relativas à sua vida e deveres terrestres, como consagrar-se com êxito ao serviço divino? Naturalmente que não podemos ajuizar se este ou aquele já terminou o curso de suas demonstrações humanas e que, de hoje por diante, esteja apto ao serviço do Evangelho, porque, neste particular, cada um se revelará por si. Creio, mesmo, que teu sobrinho atingirá essa posição, com mais algumas lutas. Nós, entretanto, somos forçados a considerar que não vamos tentar uma experiência, mas um testemunho. Compreendes a diferença?

Barnabé compreendeu o imenso alcance daquelas razões concisas, irrefutáveis, e calou-se para dizer daí a momentos:

— Tens razão. Desta vez não poderei, portanto, ir contigo.

Paulo sentiu toda a tristeza que transbordava daquelas palavras e, depois de meditar longo tempo, acentuou:

— Não nos entristeçamos. Estou refletindo na possibilidade de tua partida, com João Marcos, para Chipre. Ele encontraria, ali, um campo adequado aos trabalhos que lhe são necessários e, ao mesmo tempo, cuidaria da organização que fundamos na ilha. Dentro deste plano, continuaríamos em cooperação perfeita, mesmo no que se refere à coleta para a Igreja de Jerusalém. Desnecessário será dizer da utilidade de tua presença em Nea-Pafos e Salamina. Quanto a mim, tomaria a Silas, internando-me pelo Tauro, e a Igreja de Antioquia ficará com a cooperação de Barsabás e Tito.

Barnabé ficou contentíssimo. O projeto pareceu-lhe admirável. Paulo continuava, a seus olhos, como o companheiro das soluções oportunas.

E dentro de breves dias, a caminho de Chipre, onde serviria a Jesus até que partisse, mais tarde, para Roma, Barnabé foi com o sobrinho para Selêucia, depois de se abraçarem, ele e Paulo, como dois irmãos muito amados, que o Mestre chamava a diferentes destinos.

VI
Peregrinações e sacrifícios

Em companhia de Silas, que se harmonizara com as suas aspirações de trabalho, o ex-rabino partiu de Antioquia, internando-se pelas montanhas e atingindo sua cidade natal, depois de enormes dificuldades. Breve, o companheiro indicado por Simão Pedro habituava-se com o seu método de trabalho. Silas era um temperamento pacífico, que se enriquecia de notáveis qualidades espirituais, pelo seu devotamento integral ao Divino Mestre. Paulo, por sua vez, estava plenamente satisfeito com a sua colaboração. Palmilhando longos e impérvios caminhos, alimentavam-se parcamente, quase só de frutas silvestres eventualmente encontradas. O discípulo de Jerusalém, todavia, revelava alegria uniforme em todas as circunstâncias.

Antes de atingir Tarso, pregaram a Boa-Nova, no curso mesmo da viagem. Soldados romanos, escravos misérrimos, caravaneiros humildes receberam de seus lábios as confortadoras notícias de Jesus. E não poucos escreveram, à pressa, uma que outra das anotações de Levi, preferindo as que mais se ajustavam ao seu caso particular. Por esse processo, o Evangelho difundia-se, cada vez mais, enchendo de esperanças os corações.

Na cidade do seu berço, mais senhor das convicções próprias, o tecelão que se consagrara a Jesus espalhou a mancheias os júbilos do Evangelho da redenção. Muitos admiraram o conterrâneo, cada vez mais singularmente transformado; outros prosseguiram na tarefa ingrata da ironia e do lamentável esquecimento de si mesmos. Paulo, no entanto, sentia-se forte na fé, como nunca. Defrontou a velha casa em que nascera, reviu o sítio ameno onde brincara os primeiros tempos da infância, contemplou o campo de esportes onde guiara sua biga romana, mas exumou as recordações sem lhes sofrer a influência depressiva, porque tudo entregava ao Cristo como patrimônio em cuja posse poderia entrar mais tarde, quando houvesse cumprido seu divino mandato.

Depois de breve permanência na capital da Cilícia, Paulo e Silas procuraram alcançar os cumes do Tauro, empreendendo nova etapa da rude peregrinação em começo.

Noites ao relento, sacrifícios numerosos, ameaças de malfeitores, perigos sem conta foram enfrentados pelos missionários que, todas as noites, entregavam ao Divino Mestre os resultados da recolta e, pela manhã, rogavam à sua misericórdia não lhes faltasse com a valiosa oportunidade de trabalho, por mais dura que fosse a tarefa diária.

Cheios dessa confiança ativa, chegaram a Derbe, onde o ex-rabino abraçou comovidamente os amigos que ali fizera, após a dolorosa convalescença, quando da primeira excursão.

O Evangelho continuava a estender seu raio de ação em todos os setores. Profundamente sensibilizado, o convertido de Damasco, no desdobramento natural do serviço, começou a obter notícias da ação de Timóteo. O jovem filho de Eunice, pelo que lhe informavam, soubera enriquecer, de maneira prodigiosa, os conhecimentos adquiridos. A pequena cristandade de Derbe já lhe devia grandes benefícios. Por mais de uma vez, o novo discípulo ali acorrera em missões ativas. Disseminava curas e consolações. Seu nome era abençoado de todos. Cheio de júbilo, após o término de suas tarefas naquela cidade pequenina, o ex-rabino demandou Listra, com ansiedade carinhosa.

Loide o recebeu, bem como a Silas, com a mesma satisfação da primeira vez. Todos queriam notícias de Barnabé, que Paulo não deixava de fornecer, solícito e prazenteiro. Na tarde desse dia, o convertido de Damasco abraçou Timóteo com imensa alegria a transbordar-lhe da alma. O rapaz chegava da faina diária junto dos rebanhos. Em breves minutos, Paulo conhecia a extensão dos seus progressos e conquistas espirituais. A comunidade de Listra estava rica de graças. O moço cristão conseguira a renovação de muita gente: dois judeus dos mais influentes na administração pública, destacados entre os que promoveram a lapidação do Apóstolo, eram agora seguidores fiéis da doutrina do Cristo. Cuidava-se da construção de uma Igreja, onde os doentes fossem amparados e as crianças abandonadas encontrassem um ninho acolhedor. Paulo regozijou-se.

Naquela mesma noite, houve em Listra grande assembleia. O Apóstolo dos Gentios encontrou uma atmosfera carinhosa, que lhe prodigalizava grande conforto. Expôs o objetivo de sua viagem, revelando suas preocupações pela difusão do Evangelho e acrescentando o assunto pertinente à Igreja de Jerusalém. Como em Derbe, todos os companheiros contribuíram com o possível. Paulo não cabia em si de contentamento, observando o triunfo tangível do esforço de Timóteo nas camadas populares.

Aproveitando sua passagem por Listra, a bondosa Loide confidenciou-lhe suas necessidades particulares. Ela e Eunice tinham parentes na Grécia, por parte do pai de seu neto, os quais lhes reclamavam a presença pessoal, a fim de que não lhes faltassem com os socorros afetuosos. Os recursos que lhes restavam, em Listra, estavam prestes a esgotar-se. Por outro lado, desejava que Timóteo se consagrasse ao serviço de Jesus, iluminando o coração e a inteligência. A generosa velhinha e a filha projetavam, então, a mudança definitiva e consultavam o Apóstolo sobre a possibilidade de aceitar a companhia do rapaz, pelo menos durante algum tempo, não só para que ele adquirisse novos valores no terreno da prática, como também porque isso facilitaria a transferência de todos para lugar tão distante.

Paulo acedeu de bom grado. Aceitaria a cooperação de Timóteo com sincero prazer. O rapaz, a seu turno, conhecendo a decisão, não sabia como traduzir seu profundo reconhecimento, com transportes de alegria.

Nas vésperas da partida, Silas entrou prudentemente no assunto e perguntou ao Apóstolo se não era de bom alvitre operar a circuncisão do moço, a fim de que o Judaísmo não perturbasse os labores apostólicos. Em socorro de sua arguição, invocava os obstáculos e lutas acerbas de Jerusalém. Paulo meditou bastante, recordou a necessidade de espalhar o Evangelho sem escândalo para ninguém e concordou com a medida aventada. Timóteo teria de pregar publicamente. Conviveria com os gentios, mas, maiormente, com os israelitas, senhores das sinagogas e de outros centros, onde a religião era ministrada ao povo. Era justo refletir na providência para que o moço não fosse incomodado em sua companhia.

O filho de Eunice obedeceu sem hesitação. Daí a dias, despedindo-se dos irmãos e das generosas mulheres que ficavam a chorar nos votos de paz em Deus, os missionários demandaram Icônio, cheios de coragem indômita e do firme propósito de servir a Jesus.

No espírito amoroso de pregação e fraternidade, dilatando o poder do Evangelho redentor sobre as almas e jamais esquecendo o auxílio à Igreja de Jerusalém, os discípulos visitaram todas as pequeninas aldeias da Galácia, demorando-se algum tempo em Antioquia da Pisídia, onde trabalharam, de algum modo, para se manterem a si mesmos.

Paulo estava satisfeitíssimo. Seus esforços, em companhia de Barnabé, não haviam sido improfícuos. Nos lugares mais remotos, quando menos esperava, eis que surgiam notícias das Igrejas anteriormente fundadas. Eram benefícios a necessitados, melhoras ou curas de enfermos, consolações aos que se encontravam em extremo desespero. O Apóstolo experimentava o contentamento do semeador que defronta as primeiras flores, como radiosas promessas do campo.

Os emissários da Boa-Nova atravessaram a Frígia e a Galácia sem perseguições de grande envergadura. O nome de Jesus era, agora, pronunciado com mais respeito.

O ex-rabino continuava em franca atividade para a difusão do Evangelho na Ásia, quando, uma noite, após as preces habituais, ouviu uma voz que lhe dizia com amoroso acento:

– Paulo, sigamos adiante!... Levemos a luz do Céu a outras sombras; outros irmãos te esperam no caminho infinito...

Era Estêvão, o amigo de todos os minutos, que, representando o Mestre divino junto do Apóstolo dos Gentios, o concitava à semeadura em outros rumos.

O valoroso emissário das verdades eternas compreendeu que o Senhor lhe reservava novos campos a desbravar. No dia seguinte, informando Silas e Timóteo do sucedido, concluía inspirado:

– Tenho, assim, que o Mestre me chama a novas tarefas. É justo. Aliás, reconheço que estas regiões já receberam a semente divina.

E acentuava depois de uma pausa:

– Desta vez, já não encontramos muitas dificuldades. Antes, com Barnabé, experimentamos as expulsões, o cárcere, os açoites, o apedrejamento... Agora, porém, nada disso aconteceu. Quer dizer que por aqui já existem bases seguras para a vitória do Cristo. É preciso, portanto, caminhar para onde se encontrem os obstáculos e vencê-los, para que o Mestre seja conhecido e glorificado, pois nós estamos numa batalha e é necessário não desprezar as frentes.

Os dois discípulos ouviram e procuraram meditar na grandeza de semelhantes conceitos.

Decorrida uma semana, lá se foram a pé, procurando a Mísia. E, contudo, intuitivamente, Paulo percebeu que não seria ainda ali o novo campo de operações. Pensou em se dirigir para a Bitínia, mas a voz que o generoso Apóstolo interpretava como a do "Espírito de Jesus"[44] sugeriu-lhe a alteração do trajeto, induzindo-o a descer para Trôade. Chegados ao ponto do destino, acolheram-se cansadíssimos em uma hospedaria modesta. E Paulo, numa visão significativa do espírito, viu um homem da Macedônia, que identificou pelo vestuário característico, a acenar-lhe ansiosamente, exclamando: "Vem e ajuda-nos!". O ex-doutor interpretou o fato como ordenação de Jesus a respeito de seus novos encargos. Cientificou os companheiros logo pela manhã, não sem ponderar a extrema dificuldade da viagem por mar, baldo que estava de recursos.

– Entretanto – concluía –, creio que o Mestre lá nos facultará o necessário.

Silas e Timóteo calaram-se respeitosos.

Saindo à rua cheia de sol, pela manhã, eis que o Apóstolo fixa o olhar em uma casa de comércio e para lá se dirige com ansiosa alegria. Era Lucas que parecia fazer compras.

O ex-rabino aproximou-se com os discípulos e bateu-lhe carinhosamente no ombro:

– Por aqui? – disse Paulo com grande sorriso.

Abraçaram-se alegremente. O pregador do Evangelho apresentou ao médico os novos companheiros, falando-lhe dos objetivos de sua excursão por aquelas paragens. Lucas, a seu turno, explicou que, havia dois anos, era encarregado dos serviços médicos, a bordo de grande embarcação ali ancorada, em trânsito para Samotrácia.

Paulo recebeu a informação com profundo interesse. Muito impressionado com o encontro, deu-lhe a conhecer a revelação auditiva do roteiro, bem como a vidência da véspera.

---

[44] Nota do autor espiritual: *Atos*, 16:7.

E, convicto da assistência do Mestre naquele instante, falava com segurança:

— Estou certo de que o Senhor nos envia os recursos necessários na tua pessoa. Precisamos transportar-nos à Macedônia, mas estamos sem dinheiro.

— Quanto a isso — respondeu Lucas com franqueza —, não te preocupes. Se não tenho fortuna, tenho vencimentos. Seremos companheiros de viagem e tudo pagarei com muita satisfação.

A palestra prosseguiu animada, relatando o antigo hóspede de Antioquia as suas conquistas para Jesus. Nas suas viagens, havia aproveitado todas as oportunidades em prol do Evangelho, transmitindo a quantos se lhe aproximavam os tesouros da Boa-Nova. Quando contou que estava só no mundo, com a partida da genitora para a esfera espiritual, Paulo fez-lhe nova observação, acentuando:

— Ora, Lucas, se te encontras sem compromissos imediatos, por que não te dedicas inteiramente aos trabalhos do Mestre Divino?

A pergunta produziu certa emoção no médico, como se valesse por uma revelação. Passada a surpresa, Lucas acrescentou um tanto indeciso:

— Sim, mas há que considerar os deveres da profissão...

— Mas quem foi Jesus senão o Divino Médico do mundo inteiro? Até agora tens curado corpos, que, de qualquer modo, cedo ou tarde hão de perecer. Tratar do espírito não seria um esforço mais justo? Com isso não quero dizer que se deva desprezar a Medicina propriamente do mundo; no entanto, essa tarefa ficaria para aqueles que ainda não possuem os valores espirituais que trazes contigo. Sempre acreditei que a medicina do corpo é um conjunto de experiências sagradas, de que o homem não poderá prescindir, até que se resolva a fazer a experiência divina e imutável da cura espiritual.

Lucas meditou seriamente nessas palavras e replicou:

— Tens razão.

— Queres cooperar conosco na evangelização da Macedônia? — interrogou o ex-rabino, sentindo-se triunfante.

— Irei contigo — concluiu Lucas.

Entre os quatro discípulos do Cristo houve enorme júbilo.

No dia seguinte, a missão navegava para a Samotrácia. Lucas explicou-se como pôde, solicitando ao comando a permissão de se afastar por um ano dos serviços a seu cargo. E porque apresentasse substituto, conseguiu com facilidade o seu intento.

A bordo, como fazia em toda a parte, Paulo aproveitou todos os ensejos para a pregação. As menores margens eram grandes temas evangélicos no seu raciocínio superior. O próprio comandante, romano de boa têmpera, abandonava-se prazerosamente ao gosto de ouvi-lo.

Foi nessas viagens que Paulo de Tarso travou relações com grande círculo de simpatizantes do Evangelho, conquistando numerosos amigos, citados nas futuras epístolas.

Desembarcados, os missionários, enriquecidos com a cooperação de Lucas, descansaram dois dias em Neápolis, dirigindo-se em seguida para Filipos. Quase às portas da cidade, Paulo sugeriu que Lucas e Timóteo se dirigissem, por outros caminhos, para Tessalônica, onde os quatro se reuniriam mais tarde. Com esse programa, nem uma aldeia ficaria esquecida e as sementes do Reino de Deus seriam espalhadas nos meios mais simples. A ideia foi aprovada com satisfação.

Lucas não deixou de perguntar se Timóteo era circuncidado. Conhecia as tricas dos judeus e não desejava atritos nas suas tarefas iniciais.

– Esse problema – esclareceu o Apóstolo dos Gentios – já foi necessariamente atendido. As duas humilhações infligidas a um jovem confrade que levei a Jerusalém, não a conselho da sinagoga, mas a uma reunião da Igreja, levaram-me a refletir na situação de Timóteo, que precisará, muitas vezes, dos favores dos israelitas no curso das pregações. Até que Deus opere a circuncisão de tantos corações endurecidos, é indispensável saibamos agir com prudência, sem atritos que nos inutilizem os esforços.

Esclarecido o assunto, entraram na cidade, onde o médico e o jovem de Listra descansariam um pouco, antes de tomarem o rumo de Tessalônica por estradas diferentes, de modo a multiplicar os frutos da missão.

Hospedaram-se em um albergue quase miserável que a população da cidade reservava aos estrangeiros. Depois de três noites ao relento, os amigos de Jesus dirigiram-se à casa de oração, que ficava à margem do rio Gangas. Filipos não possuía sinagoga e o santuário destinado às preces, embora tomasse o título de "casa", não era mais que um recanto ameno da Natureza, rodeado de muros em ruínas.

Ciente da situação religiosa da cidade, Paulo dirigiu-se para lá com os companheiros. Muito surpreendidos, entretanto, os missionários não encontraram senão senhoras e meninas em oração. O ex-rabino penetrou resolutamente no círculo feminino e falou dos objetivos do Evangelho como se estivesse diante de imenso público. As mulheres estavam magnetizadas por sua palavra ardorosa e sublime. Enxugavam discretamente as lágrimas que lhes afluíam ao rosto, ao receberem notícias do Mestre, e uma delas, chamada Lídia, viúva digna e generosa, aproximou-se dos missionários e, confessando-se convertida ao Salvador esperado, oferecia-lhes a própria casa para fundarem a nova Igreja.

Paulo de Tarso contemplou-a de olhos úmidos. Escutando-lhe a voz desbordante de cristalina sinceridade, recordou que no Oriente, no dia inesquecível do Calvário, só as mulheres haviam acompanhado Jesus no doloroso transe, sendo as primeiras criaturas que o viram na gloriosa ressurreição; e eram ainda elas que, em doce reunião espiritual, vinham receber a palavra do Evangelho no Ocidente, pela primeira vez. Em silenciosa contemplação, o Apóstolo dos Gentios fixou o grande número de meninas que se ajoelhava à sombra carinhosa das árvores. Observando-lhes os trajes muito claros, teve a impressão de que via à sua frente um gracioso bando de pombas muito alvas, prestes a desferir o voo glorioso dos ensinamentos do Cristo, pelos céus maravilhosos da Europa.

Foi por isso que, contrariamente à expectativa dos companheiros, o enérgico pregador respondeu à Lídia em tom muito afável:

– Aceitamos vossa hospedagem.

Desde aquele minuto, travou-se entre Paulo de Tarso e sua carinhosa Igreja de Filipos a mais formosa amizade.

Lídia, cuja casa era muito abastada, em vista do movimento comercial de púrpuras, acolheu os discípulos do Messias com júbilo indescritível. Enquanto isso, Lucas e Timóteo continuaram a viagem. Silas e o ex-doutor de Jerusalém consagravam-se ao serviço do Evangelho entre os generosos filipenses.

A cidade singularizava-se por seu espírito romano. Havia nas ruas vários templos dedicados aos deuses antigos. E como apenas as mulheres procuravam o recinto da casa de orações, Paulo, com o desassombro que o caracterizava, deliberou fazer pregações do Evangelho na praça pública.

Na mesma época, possuía Filipos uma pitonisa que se celebrizara nas redondezas. Como nas tradições de Delfos, suas palavras eram interpretadas como oráculo infalível. Tratava-se de uma rapariga cujos patrões procuraram mercantilizar seus poderes psíquicos. A mediunidade era utilizada por Espíritos menos evolutivos,[45] que se compraziam em dar palpites sobre motivos de ordem temporal. A situação era altamente rendosa para os que a exploravam descaridosamente. Aconteceu que a jovem estava presente à primeira pregação de Paulo, recebida pelo povo com êxito inexcedível. Terminada a exposição evangélica, os missionários observam a moça que, em grandes brados que impressionavam o público, se põe a exclamar:

— Recebei os enviados do Deus Altíssimo!... Eles anunciam a salvação!...

Paulo e Silas ficaram um tanto perplexos; entretanto, nada replicaram, conservando o incidente no coração, em atitude discreta. No dia seguinte, porém, repetia-se o fato e, durante uma semana, os discípulos do Evangelho ouviram, após as pregações, a entidade que se assenhoreava da jovem, atirando-lhes elogios e títulos pomposos.

O ex-rabino, no entanto, desde a primeira manifestação procurara saber quem era a rapariga anônima e ficou conhecendo os antecedentes do caso. Estimulados pelo ganho fácil, os patrões haviam instalado um gabinete onde a pitonisa atendia às consultas. Ela, por sua vez, de vítima ia passando a sócia da empresa, que pingues eram os rendimentos. Paulo, que nunca se conformou com a mercancia dos bens celestes, percebeu o mecanismo oculto dos acontecimentos e, senhor de todos os particulares do assunto, esperou que o visitante do Invisível novamente aparecesse.

Assim, terminada a pregação na praça, quando a jovem começou a gritar: "Recebei os mensageiros da redenção! Não são homens, são anjos do Altíssimo!..." – o convertido de Damasco desceu da tribuna a passos firmes e, aproximando-se da locutora dominada por estranha influência, intimou a entidade manifestante, em tom imperativo:

— Espírito perverso, não somos anjos, somos trabalhadores em luta com as próprias fraquezas, por amor ao Evangelho; em nome de Jesus Cristo, ordeno que te retires para sempre! Proíbo-te, em nome do Senhor, estabeleceres confusão entre as criaturas, incentivando interesses mesquinhos do mundo em detrimento dos sagrados interesses de Deus!

Imediatamente, a pobre rapariga recobrou energias e libertou-se da atuação malfazeja.

---

[45] N.E.: Relativo à evolução, evoluídos.

O fato provocou enorme admiração popular.

O próprio Silas que, de algum modo, se comprazia em ouvir as afirmações da pitonisa, interpretando-as como um conforto espiritual, estava boquiaberto.

Quando se viram a sós, quis lhe dissese Paulo os motivos que o levaram a semelhante atitude e perguntou-lhe:

— Acaso não falava ela do nome de Deus? Sua propaganda não seria para nós valioso auxílio?

O Apóstolo sorriu e sentenciou:

— Porventura, Silas, poder-se-á na Terra julgar qualquer trabalho antes de concluído? Aquele Espírito poderia falar em Deus, mas não vinha de Deus. Que fizemos para receber elogios? Dia e noite, estamos lutando contra as imperfeições de nossa alma. Jesus mandou que ensinássemos, a fim de aprendermos duramente. Não ignoras como vivo em batalha com o espinho dos desejos inferiores. Então? Seria justo aceitarmos títulos imerecidos quando o Mestre rejeitou o qualificativo de "bom"? Claro que, se aquele Espírito viesse de Jesus, outras seriam suas palavras. Estimularia nosso esforço, compreendendo nossas fraquezas. Além do mais, procurei informar-me a respeito da jovem e sei que ela é hoje a chave de grande movimento comercial.

Silas impressionou-se com os esclarecimentos mais que justos. Entretanto, dando a entender suas dificuldades para compreendê-los integralmente, acrescentou:

— Todavia, será o incidente uma lição para não entretermos relações com o Plano Invisível?

— Como pudeste chegar a semelhante conclusão? — respondeu o ex-rabino muito admirado. — O Cristianismo sem o profetismo seria um corpo sem alma. Se fecharmos a porta de comunicação com a esfera do Mestre, como receber seus ensinos? Os sacerdotes são homens, os templos são de pedra. Que seria de nossa tarefa sem as luzes do plano superior? Do solo brota muito alimento, mas apenas para o corpo; para a nutrição do espírito, é necessário abrir as possibilidades de nossa alma para o Alto e contar com o amparo divino. Nesse particular, toda a nossa atividade repousa nas dádivas recebidas. Já pensaste no Cristo sem ressurreição e sem intercâmbio com os discípulos? Ninguém poderá fechar as portas que nos comunicam com o Céu. O Cristo está vivo e nunca morrerá. Conviveu com os amigos, depois do Calvário, em Jerusalém e na Galileia; trouxe uma chuva de luz e sabedoria aos cooperadores galileus, no Pentecostes; chamou-me às portas de Damasco; mandou um emissário para a libertação de Pedro, quando o generoso pescador chorava no cárcere...

A voz de Paulo tinha acentos maravilhosos nessas profundas evocações. Silas compreendeu e calou-se, de olhos rasos de pranto.

O incidente, entretanto, teria mais vastas repercussões, além daquelas que os Apóstolos do Mestre poderiam esperar. A pitonisa não mais recebeu a visita da entidade que distribuía palpites de toda a sorte. Em vão, os consulentes viciados lhe bateram à porta. Vendo-se privados da renda fácil, os prejudicados fomentaram largo movimento de revolta contra os missionários. Espalhava-se o boato de que Filipos, em virtude da audácia do pregador revolucionário, fora privada da assistência dos Espíritos de Deus. Os fanáticos exaltaram-se. Daí a três dias, Paulo e Silas foram surpreendidos, em plena praça, com um ataque do povo e foram presos a troncos pesadíssimos e flagelados, sem compaixão. Sob os apupos da massa ignorante, submeteram-se, com humildade, ao suplício. Quando sangravam sob as varas impiedosas, houve a intervenção das autoridades e foram então conduzidos ao cárcere, abatidos e cambaleantes. Dentro da noite escura e dolorosa, incapacitados de dormir pelas dores crudelíssimas, os discípulos de Jesus vigiaram em preces ungidas de luminoso fervor. Lá fora, rugia a tempestade em trovões terríveis e ventos sibilantes. Filipos inteira parecia abalada em seus alicerces pela tormenta fragorosa. Passava da meia-noite e os dois Apóstolos oravam em voz alta. Os prisioneiros vizinhos, vendo-os em oração, pareciam acompanhá-los pela expressão do rosto. Paulo contemplou-os, através das grades, e, aproximando-se, a custo, começou a pregar o Reino de Deus. Ao comentar a tempestade imprevista que se abatera sobre o ânimo dos discípulos, enquanto Jesus dormira na barca, um fato maravilhoso feriu os olhos dos encarcerados. As portas pesadas das numerosas celas se abriram sem ruído. Silas ficou lívido. Paulo compreendeu e saiu ao encontro dos companheiros. Continuou pregando as verdades eternas do Senhor, com entonação impressionante, e, vendo umas dezenas de homens de peito hirsuto, barbas longas, fisionomias taciturnas, como se estivessem plenamente esquecidos do mundo, o Apóstolo dos Gentios falou, com mais entusiasmo, da missão do Cristo e pediu que ninguém tentasse fugir. Os que se reconhecessem culpados agradecessem ao Pai os benefícios da corrigenda; os que se julgassem inocentes dessem expansão ao regozijo, porque só os martírios do Justo podiam salvar o mundo. Esses argumentos de Paulo contiveram toda a estranha e reduzida assembleia. Ninguém procurou alcançar a porta de saída, senão que, reunindo-se em torno daquele desconhecido, que tão bem sabia falar aos desgraçados, muitos se ajoelharam em pranto, convertendo-se ao Salvador que ele anunciava com bondade e energia.

Ao alvorecer, amainada a tormenta, levanta-se o carcereiro, perturbado pelo vozerio singular. Vendo as portas abertas e temendo a sua responsabilidade, tenta matar-se instintivamente. Paulo, porém, avança e impossibilita-lhe o gesto extremo, explicando-lhe a ocorrência. Todos os encarcerados regressaram humildes ao seu cubículo. Lucano, o carcereiro, converte-se à nova doutrina. Antes que a claridade diurna invadisse a paisagem, ei-lo que traz aos Apóstolos os socorros de emergência, pensando-lhes as feridas, sensibilizado como nunca. Residindo ali mesmo, conduz os discípulos ao interior doméstico, manda servir-lhes alimento e vinho reconfortante. Logo nas primeiras horas, os juízes filipenses são informados dos fatos. Cheios de temor, mandam libertar os pregadores, mas Paulo, desejando oferecer garantias ao serviço cristão que se iniciava na Igreja fundada em casa de Lídia, alega sua condição de cidadão romano, a fim de infundir mais respeito aos magistrados de Filipos pelas ideias do Profeta nazareno. Recusa a ordem de soltura para exigir a presença dos juízes, que compareçam receosos. O Apóstolo anuncia-lhes o Reino de Deus e, exibindo seus títulos, obriga-os a escutar suas dissertações relativamente a Jesus. Fê-los sabedores dos trabalhos evangélicos que alvoreciam na cidade, com a cooperação de Lídia, e comentou o direito dos cristãos em toda a parte. Os magistrados apresentaram-lhe desculpas, garantiram a manutenção da paz para a Igreja nascente e, alegando a extensão de suas responsabilidades perante o povo, rogaram a Paulo e Silas que deixassem a cidade, para evitar novos tumultos.

O ex-rabino sentiu-se satisfeito e, voltando à residência da generosa purpureira,[46] em companhia de Silas, que lhe reconhecia a fortaleza, sem dissimular o grande espanto, ali demorou alguns dias traçando o programa dos trabalhos da nova sementeira de Jesus. Em seguida, rumou para

---

[46] N.E.: Purpurar – tingir com púrpura; dar cor vermelho-escuro a; purpurear.

Tessalônica, escalando em todos os recantos em que houvesse sítios ou aldeias à espera de notícias do Salvador.

Nesse novo centro de lutas, reencontraram Lucas e Timóteo que os aguardavam ansiosos. Os trabalhos seguiram ativíssimos. Em toda a parte, os mesmos choques. Judeus preconceituosos, homens de má-fé, ingratos e indiferentes, conluiavam-se contra o ex-doutor de Jerusalém e seus devotados companheiros.

Paulo mantinha-se forte e superior nas mínimas refregas. Sobrevinham dissabores, angústias na praça pública, acusações injustas, calúnias cruéis; poderosas ameaças caíam às vezes, inesperadamente, sobre o desinteresse divino de suas obras, mas o valoroso discípulo do Senhor prosseguia sempre, sereno e firme, através das tormentas, vivendo estritamente do seu trabalho e compelindo os amigos a fazerem o mesmo. Era indispensável que Jesus triunfasse nos corações, esse o seu programa primordial. Desatendia a qualquer capricho, sobrepunha essa realidade a quaisquer conveniências e a missão continuava entre dores e obstáculos formidandos, mas segura e vitoriosa em sua divina finalidade.

Depois de incontáveis atritos com os judeus em Tessalônica, o ex-rabino resolveu transferir-se para Bereia. Novos labores, novas dedicações e novos martírios. Os trabalhos missionários, iniciados sempre em paz, continuavam debaixo de lutas extremas.

Os judeus rigorosos, de Tessalônica, não faltaram em Bereia. A cidade movimentou-se contra os discípulos do Evangelho, os ânimos exaltaram-se. Lucas, Timóteo e Silas foram obrigados a afastar-se, perambulando pelas aldeias circunvizinhas. Paulo foi preso e açoitado. À custa de grandes sacrifícios dos simpatizantes de Jesus, deram-lhe liberdade, com a condição de retirar-se dentro do menor prazo possível.

O ex-rabino acedeu prontamente. Sabia que atrás de si e por meio de esforços insanos, sempre ficaria uma Igreja doméstica, que se alargaria ao infinito, bafejada pela misericórdia do Mestre, a fim de proclamar a excelência da Boa-Nova.

Era noite, quando os irmãos de ideal conseguiram trazê-lo do cárcere para a via pública. O Apóstolo dos Gentios procurou informar-se sobre os companheiros e soube das vicissitudes que os assoberbavam. Lembrou que Silas e Lucas estavam doentes, que Timóteo necessitava encontrar-se com a sua mãe no porto de Corinto. Era melhor proporcionar aos amigos uma trégua no vórtice das atividades renovadoras. Não seria justo requisitar-lhes a cooperação, quando ele próprio experimentava a necessidade de repouso.

Os irmãos de Bereia insistiam pela sua partida. Era uma temeridade provocar novos atritos. Foi aí que Paulo deliberou pôr em prática um velho plano. Visitaria Atenas, satisfazendo um velho ideal. Muitas vezes, impressionado com a cultura helênica recebida em Tarso, alimentara o desejo de conhecer-lhe os monumentos gloriosos, os templos soberbos, o espírito sábio e livre. Quando ainda muito jovem, cogitara dessa visita à cidade magnificente dos velhos deuses, disposto a levar-lhe os tesouros da fé guardados em Jerusalém: procuraria as assembleias cultas e independentes e falaria de Moisés e da sua Lei. Pensando, agora, na realização de tal projeto, considerava que levaria luzes muito mais ricas ao espírito ateniense: anunciaria à cidade famosa o Evangelho de Jesus. Certo, quando falasse na praça pública, não encontraria os tumultos tão do gosto israelita. Antegozava o prazer de falar à multidão afeiçoada ao trato das coisas espirituais. Indubitavelmente, os filósofos esperavam notícias do Cristo, com impaciência. Teriam nas suas pregações evangélicas o verdadeiro sentido da vida.

Embalado por essas esperanças, o Apóstolo dos Gentios decidiu a viagem, acompanhado de alguns amigos mais fiéis. Estes, porém, regressaram das portas atenienses, deixando-o completamente só.

Paulo penetrou na cidade, possuído de grande emoção. Atenas ainda ostentava numerosas belezas exteriores. Os monumentos de suas tradições veneráveis estavam quase todos de pé; brandas harmonias vibravam no céu muito azul; vales risonhos atapetavam-se de flores e perfumes. A grande alma do Apóstolo extasiou-se na contemplação da Natureza. Recordou os nobres filósofos que haviam respirado aqueles mesmos ares, rememorou os fastos gloriosos do passado ateniense, sentindo-se transportado a maravilhoso santuário. Entretanto, o transeunte das ruas não lhe podia ver a alma, e de Paulo viram apenas o corpo esquálido que as privações tornaram exótico. Muita gente o tomou por mendigo, farrapo humano da grande massa que chegava, em fluxo contínuo, do Oriente desamparado. O emissário do Evangelho, no entusiasmo de suas generosas intenções, não podia perceber as desencontradas opiniões a seu respeito. Cheio de bom ânimo, resolveu pregar na praça pública, na tarde desse mesmo dia. Ansiava por defrontar o espírito ateniense, tal como já defrontara as grandezas materiais da cidade.

Seu esforço, no entanto, foi seguido de penoso insucesso. Inúmeras pessoas aproximaram-se no primeiro momento, mas, quando lhe ouviram as referências a Jesus e à ressurreição, grande parte dos assistentes rompeu em gargalhadas de irritante ironia.

– Será este filósofo um novo deus? – perguntava um transeunte com ar de pilhéria.

– Está muito desajeitado para tanto – respondia o interpelado.

– Onde já se viu um deus assim? – indagava ainda outro. – Vede como lhe tremem as mãos! Parece doente e enfraquecido. A barba é selvagem e está cheio de cicatrizes!...

– É louco – exclamava um ancião com vastas presunções de sabedoria. – Não percamos tempo.

Paulo tudo ouvia, notou a fila dos retirantes indiferentes e endurecidos e experimentou muito frio no coração. Atenas estava muito distanciada das suas esperanças. A assembleia popular deu-lhe a impressão de enorme ajuntamento de criaturas envenenadas de falsa cultura. Por mais de uma semana perseverou nas pregações públicas sem resultados apreciáveis. Ninguém se interessou por Jesus e, muito menos, em oferecer-lhe hospedagem por uma simples questão de simpatia. Era a primeira vez, desde que iniciara a tarefa missionária, que se retiraria de uma cidade sem fundar uma Igreja. Nas aldeias mais rústicas, sempre aparecia alguém que copiava as anotações de Levi para começar o labor evangélico no recinto humilde de um lar. Em Atenas ninguém apareceu interessado na leitura dos textos evangélicos. Entretanto, foi tanta a insistência de Paulo junto de algumas personagens em evidência que o levaram ao Areópago, para tomar contato com os homens mais sábios e inteligentes da época.

Os componentes do nobre conclave receberam-lhe a visita com mais curiosidade que interesse.

O Apóstolo ali penetrara por mercê de Dionísio, homem culto e generoso, que lhe atendera às solicitações, a fim de observar até onde ia a sua coragem na apresentação da doutrina desconhecida.

Paulo começou impressionando o auditório aristocrático, referindo-se ao "Deus desconhecido", homenageado nos altares atenienses. Sua palavra vibrante apresentava cambiantes singulares; as imagens eram muito mais ricas e formosas que as registradas pelo autor dos *Atos*. O próprio Dionísio estava admirado. O Apóstolo revelava-se-lhe muito diferente de quando o vira na praça pública. Falava com alta nobreza, com ênfase; as imagens revestiam-se de extraordinário colorido, mas, quando começou a discorrer sobre a ressurreição, houve forte e prolongado murmúrio. As galerias riam a bandeiras despregadas, choviam remoques acerados. A aristocracia intelectual ateniense não podia ceder nos seus preconceitos científicos.

Os mais irônicos deixavam o recinto com gargalhadas sarcásticas, enquanto os mais comedidos, em consideração a Dionísio, aproximavam-se do Apóstolo com sorrisos intraduzíveis, declarando que o ouviriam de bom grado por outra vez, quando não se desse ao luxo de comentar assuntos de ficção.

Paulo ficou, naturalmente, desolado. No momento, não podia chegar à conclusão de que a falsa cultura encontrará sempre, na sabedoria verdadeira, uma expressão de coisas imaginárias e sem sentido. A atitude do Areópago não lhe permitiu chegar ao fim. Em breve, o suntuoso recinto estava quase silencioso. O Apóstolo, então, lembrou que seria preferível arrostar o tumulto dos judeus. Onde houvesse luta, haveria sempre frutos a colher. As discussões e os atritos, em muitos casos, representavam o revolvimento da terra espiritual para a semente divina. Ali, entretanto, encontrara a frieza da pedra. O mármore das colunas soberbas deu-lhe imediatamente a imagem da situação. A cultura ateniense era bela e bem cuidada, impressionava pelo exterior magnífico, mas estava fria, com a rigidez da morte intelectual.

Apenas Dionísio e uma jovem senhora de nome Dâmaris e alguns serviçais do palácio permaneciam a seu lado, extremamente constrangidos, embora propensos à causa.

Não obstante o desapontamento, Paulo de Tarso fez o possível por evitar a nuvem de tristeza que pairava sobre todos, a começar por ele próprio. Ensaiou um sorriso de conformação e tentou algo de bom humor. Dionísio consolidou, ainda mais, sua admiração pelas poderosas qualidades espirituais daquele homem de aparência franzina, tão enérgico e cioso de suas convicções.

Antes de se retirarem, Paulo falou na possibilidade de fundar uma Igreja, ainda que fosse em um humilde santuário doméstico, onde se estudasse e comentasse o Evangelho. Todavia, os presentes não regatearam escusas e pretextos. Dionísio afirmou que lamentava não lhe ser possível amparar o cometimento, dada a angústia de tempo; Dâmaris alegou os impedimentos domésticos; os servos do Areópago, um por um, manifestaram dificuldades extremas. Um era muito pobre, outro muito incompreendido, e Paulo recebeu todas as recusas mantendo singular expressão fisionômica, como o semeador que se vê rodeado somente de pedras e espinheiros.

O Apóstolo dos Gentios despediu-se com serenidade, mas, tão logo se viu só, chorou copiosamente. A que atribuir o doloroso insucesso? Não pôde compreender, imediatamente, que Atenas padecia de seculares intoxicações intelectuais, e, supondo-se desamparado pelas energias do plano superior, o ex-rabino deu expansão a terrível desalento. Não se conformava com a frieza geral, mesmo porque a nova doutrina não lhe pertencia, e sim ao Cristo. Quando não chorava refletindo na própria dor, chorava pelo Mestre, julgando que ele, Paulo, não havia correspondido à expectativa do Salvador.

Por muitos dias, não conseguiu desfazer a nuvem de preocupações que lhe ensombrou a alma. Todavia, encomendava-se a Jesus e suplicava-lhe proteção para os grandes deveres da sua vida.

Nesse bulcão de incertezas e amarguras, surgiu o socorro do Mestre ao Apóstolo bem-amado. Timóteo chegara de Corinto, carregado de boas notícias.

VII
As Epístolas

O neto de Loide trazia ao ex-rabino muitas novidades confortadoras. Já havia instalado as duas senhoras na cidade, era portador de alguns recursos e falou-lhe do desenvolvimento da doutrina cristã na velha capital da Acaia. Uma notícia lhe foi, sobretudo, particularmente grata. É que Timóteo mencionava o encontro com Áquila e Prisca. Aquelas duas criaturas, que se lhe fizeram solidárias nas dificuldades extremas do deserto, trabalhavam agora em Corinto pela glória do Senhor. Alegrou-se íntima, profundamente. Além das muitas razões pessoais que o chamavam a Acaia, isto é, às recordações indeléveis de Jeziel e Abigail, o desejo de abraçar o casal amigo foi também uma circunstância decisiva da sua partida imediata.

O valoroso pregador saía de Atenas assaz abatido. O insucesso, em face da cultura grega, compelia-lhe o espírito indagador aos mais torturantes raciocínios. Começava a compreender a razão por que o Mestre preferira a Galileia com os seus cooperadores humildes e simples de coração; entendia melhor o motivo da palavra franca do Cristo sobre a salvação, e decifrava a sua predileção natural pelos desamparados da sorte.

Timóteo notou-lhe a tristeza singular e debalde procurou convencê-lo da conveniência de seguir por mar, em vista das facilidades no Pireu. Ele fez questão de ir a pé, visitando os sítios isolados no percurso.

— Mas sinto-vos doente — objetava o discípulo, tentando dissuadi-lo. — Não será mais razoável descansardes?

Lembrando os desalentos experimentados, o Apóstolo acentuava:

— Enquanto pudermos trabalhar, há que esmarmos no trabalho um elixir para todos os males. Além do mais, é justo aproveitar o tempo e a oportunidade.

— Julgo, entretanto — justificava o jovem amigo —, que poderíeis adiar um pouco...

— Adiar por quê? — redarguiu o ex-rabino, fazendo o possível por desfazer as mágoas de Atenas. — Sempre tive a convicção de que Deus tem pressa do serviço benfeito. Se isso constitui uma característica de nossas mesquinhas atividades nas coisas deste mundo, como adiar ou faltar com os deveres sagrados de nossa alma, para com o Todo-Poderoso?

O rapaz ponderou no acerto daquelas alegações e calou-se. Assim venceram mais de 60 quilômetros, com alguns dias de marcha e intervalos de prédicas. Nessa tarefa entre gente simples, Paulo de Tarso sentia-se mais feliz. Os homens do campo receberam a Boa-Nova com maior alegria e compreensão. Pequenas igrejas domésticas foram fundadas, não longe do golfo de Sarom.

Enlevado pelas recordações cariciosas de Abigail, atravessou o istmo e penetrou na cidade, movimentada e rumorosa. Abraçou Loide e Eunice em uma casinha do porto de Cencreia e logo procurou avistar-se com os velhos amigos do "oásis de Dã".

Os três abraçaram-se, tomados de infinito júbilo. Áquila e a companheira falaram longamente dos serviços evangélicos, aos quais haviam sido chamados pela misericórdia de Jesus. De olhos brilhantes, como se houvessem vencido grande batalha, contaram ao Apóstolo haverem realizado o ideal de permanecer em Roma, algum tempo. Como tecelões humildes, habitaram um velho casarão em ruínas, no Trastevere, fazendo as primeiras pregações do Evangelho no ambiente mesmo das pompas cesarianas. Os judeus haviam declarado guerra franca aos novos princípios. Desde o primeiro rebate da Boa-Nova, iniciaram-se grandes tormentas no gueto do bairro pobre e desprotegido. Prisca relatou como um grupo de israelitas apaixonados lhe assaltara o aposento, à noite, com instrumentos de flagelação e castigo. O marido demorava-se na oficina, e assim não pôde ela esquivar-se aos impiedosos açoites. Só muito tarde, fora socorrida por Áquila, que a encontrou banhada em sangue. O Apóstolo tarsense exultava. Contou aos amigos, por sua vez, as dores experimentadas em toda a parte, pelo nome de Jesus Cristo. Aqueles martírios em comum eram apresentados como favores de Jesus, como títulos eternos da sua glória. Quem ama inquieta-se por dar alguma coisa, e os que amavam o Mestre sentiam-se extremamente venturosos em sofrer algo por devotamento ao seu nome.

Desejoso de reintegrar-se na serenidade de suas realizações ativas, olvidando a frieza ateniense, Paulo comentou o projeto da fundação de uma Igreja em Corinto, ao que Áquila e sua mulher se prontificaram para todos os serviços. Aceitando-lhes o oferecimento generoso, o ex-rabino passou a residir em sua companhia, ocupando-se diariamente do seu ofício.

Corinto era uma sugestão permanente de lembranças queridas do seu coração. Sem comunicar aos amigos as reminiscências que lhe borbulhavam na alma sensível, procurou rever os sítios a que Abigail se referia sempre com enlevo. Com extremo cuidado, localizou a região onde deveria ter existido o pequeno sítio do velho Jochedeb, agora incorporado ao imenso acervo de propriedades dos herdeiros de Licínio Minúcio; contemplou a velha prisão de onde a noiva pudera evadir-se para salvar-se dos celerados que lhe haviam assassinado o pai e escravizado o irmão; meditou no porto de Cencreia, de onde Abigail partira, um dia, para conquistar-lhe o coração, sob os desígnios superiores e imutáveis do Eterno.

Paulo entregou-se, de corpo e alma, ao serviço rude. O labor ativo das mãos proporcionara-lhe brando esquecimento de Atenas. Compreendendo a necessidade de um período de calma, induzira Lucas a descansar em Trôade, já que Timóteo e Silas haviam encontrado trabalho como caravaneiros.

Antes, porém, de retomar as pregações, começaram a chegar a Corinto emissários de Tessalônica, de Bereia e de outros pontos da Macedônia, onde fundara suas bem-amadas Igrejas. As comunidades tinham assuntos urgentes, que requeriam delicadas intervenções da sua parte. Sentindo-se em dificuldades para tudo atender com a presteza devida, chamou novamente Silas e Timóteo para a cooperação indispensável. Ambos, valendo-se das oportunidades da profissão, poderiam contribuir de maneira eficaz na solução dos problemas imprevistos.

Confortado pelo concurso dos amigos, Paulo falou, pela primeira vez, na sinagoga. Sua palavra vibrante logrou êxito extraordinário. Judeus e gregos falaram de Jesus com entusiasmo. O tecelão foi convidado a prosseguir nos comentários religiosos semanalmente, mas, tão logo começou a abordar as relações existentes entre a Lei e o Evangelho, repontaram os atritos. Os israelitas não toleravam a superioridade de Jesus sobre Moisés, e, se consideravam o Cristo como profeta da raça, não o suportavam como Salvador. Paulo aceitou os desafios, mas não conseguiu demover corações tão endurecidos; as discussões prolongaram-se por vários sábados, seguidamente, até que, um dia, quando o verbo inflamado e sincero do Apóstolo zurzia os erros farisaicos com veemência, um dos chefes principais da sinagoga intima-o com aspereza:

— Cala-te, palrador impudente! A sinagoga tem tolerado teus embustes por verdadeiros prodígios de paciência, mas, em nome da maioria, ordeno que te retires para sempre! Não queremos saber do teu Salvador, exterminado como os cães da cruz!...

Ouvindo expressões tão desrespeitosas ao Cristo, o Apóstolo sentiu os olhos úmidos. Refletiu maduramente na situação e replicou:

— Até agora, em Corinto, procurei dizer a verdade ao povo escolhido por Deus para o sagrado depósito da unidade divina, mas, se não a aceitais desde hoje, procurarei os gentios!... Caiam sobre vós mesmos as injustas maldições lançadas sobre o nome de Jesus Cristo!...

Alguns israelitas mais exaltados quiseram agredi-lo, provocando tumulto. Mas um romano de nome Tito Justo, presente à assembleia, e que, desde a primeira pregação, sentira-se fortemente atraído pela poderosa personalidade do Apóstolo, aproximou-se e estendeu-lhe os braços de amigo. Paulo pôde sair incólume do recinto, encaminhando-se para a residência do benfeitor, que pôs à sua disposição todos os elementos imprescindíveis à organização de uma Igreja ativa.

O tecelão estava jubiloso. Era a primeira conquista para uma fundação definitiva.

Tito Justo, com auxílio de todos os simpatizantes do Evangelho, adquiriu uma casa para início dos serviços religiosos. Áquila e Prisca foram os principais colaboradores, além de Loide e Eunice, para que se executassem os programas traçados por Paulo, de acordo com a querida organização de Antioquia.

A Igreja de Corinto começou, então, a produzir os frutos mais ricos de espiritualidade. A cidade era famosa por sua devassidão, mas o Apóstolo costumava dizer que dos pântanos nasciam, muitas vezes, os lírios mais belos; e como onde há muito pecado, há muito remorso e sofrimento, em identidade de circunstâncias, a comunidade cresceu, dia a dia, reunindo os crentes mais diversos, que chegavam ansiosos por abandonar aquela Babilônia incendiada pelos vícios.

Com a presença de Paulo, a Igreja de Corinto adquiria singular importância e quase diariamente chegavam emissários das regiões mais afastadas. Eram portadores da Galácia a pedirem providências para as Igrejas da Pisídia; companheiros de Icônio, de Listra, de Tessalônica, de Chipre, de Jerusalém. Em torno do Apóstolo formou-se um pequeno colégio de seguidores, de companheiros permanentes, que com ele cooperavam nos mínimos trabalhos. Paulo, entretanto, preocupava-se intensamente. Os assuntos eram tão urgentes quão variados. Não podia olvidar o trabalho de sua manutenção; assumira compromissos pesados com os irmãos de Corinto; devia estar atento à coleta destinada a Jerusalém; não podia desprezar as comunidades anteriormente fundadas. Aos poucos, compreendeu que não bastava enviar emissários. Os pedidos choviam de todos os sítios por onde perambulara, levando as alvíssaras da Boa-Nova. Os irmãos, carinhosos e confiantes, contavam com a sua sinceridade e dedicação, compelindo-o a lutar intensamente.

Sentindo-se incapaz de atender a todas as necessidades ao mesmo tempo, o abnegado discípulo do Evangelho, valendo-se, um dia, do silêncio da noite, quando a Igreja se encontrava deserta, rogou a Jesus, com lágrimas nos olhos, não lhe faltasse com os socorros necessários ao cumprimento integral da tarefa.

Terminada a oração, sentiu-se envolvido em branda claridade. Teve a impressão nítida de que recebia a visita do Senhor. Genuflexo, experimentando indizível comoção, ouviu uma advertência serena e carinhosa:

– Não temas – dizia a voz –, prossegue ensinando a verdade e não te cales, porque estou contigo.

O Apóstolo deu curso às lágrimas que lhe fluíam do coração. Aquele cuidado amoroso de Jesus, aquela exortação em resposta ao seu apelo penetravam-lhe a alma em ondas cariciosas. A alegria do momento dava para compensar todas as dores e padecimentos do caminho. Desejoso de aproveitar a sagrada inspiração do momento que fugia, pensou nas dificuldades para atender às várias igrejas fraternas. Tanto bastou para que a voz dulcíssima continuasse:

— Não te atormentes com as necessidades do serviço. É natural que não possas assistir pessoalmente a todos, ao mesmo tempo, mas é possível a todos satisfazeres, simultaneamente, pelos poderes do espírito.

Procurou atinar com o sentido justo da frase, mas teve dificuldade íntima de consegui-lo.

Entretanto, a voz prosseguia com brandura:

— Poderás resolver o problema escrevendo a todos os irmãos em meu nome; os de boa vontade saberão compreender, porque o valor da tarefa não está na presença pessoal do missionário, mas no conteúdo espiritual do seu verbo, da sua exemplificação e da sua vida. Doravante, Estêvão permanecerá mais conchegado a ti, transmitindo-te meus pensamentos, e o trabalho de evangelização poderá ampliar-se em benefício dos sofrimentos e das necessidades do mundo.

O dedicado amigo dos gentios viu que a luz se extinguira; o silêncio voltara a reinar entre as paredes singelas da Igreja de Corinto, mas, como se houvera sorvido a água divina das claridades eternas, conservava o espírito mergulhado em júbilo intraduzível. Recomeçaria o labor com mais afinco, mandaria às comunidades mais distantes as notícias do Cristo.

De fato, logo no dia seguinte, chegaram portadores de Tessalônica com notícias desagradabilíssimas. Os judeus haviam conseguido despertar, na Igreja, novas e estranhas dúvidas e contendas. Timóteo corroborava com observações pessoais. Reclamavam a presença do Apóstolo com urgência, mas este deliberou pôr em prática o alvitre do Mestre e, recordando que Jesus lhe prometera associar Estêvão à divina tarefa, julgou não dever atuar por si só e chamou Timóteo e Silas para redigir a primeira de suas famosas Epístolas.

Assim começou o movimento dessas cartas imortais, cuja essência espiritual provinha da esfera do Cristo, por intermédio da contribuição amorosa de Estêvão – companheiro abnegado e fiel daquele que se havia arvorado, na mocidade, em primeiro perseguidor do Cristianismo.

Percebendo o elevado espírito de cooperação de todas as obras divinas, Paulo de Tarso nunca procurava escrever só; buscava cercar-se, no momento, dos companheiros mais dignos, socorria-se de suas inspirações, consciente de que o mensageiro de Jesus, quando não encontrasse no seu tono sentimental as possibilidades precisas para transmitir os desejos do Senhor, teria nos amigos instrumentos adequados.

Desde então, as cartas amadas e célebres, tesouro de vibrações de um mundo superior, eram copiadas e sentidas em toda a parte. E Paulo continuou a escrever sempre, ignorando, contudo, que aqueles documentos sublimes, escritos muitas vezes em hora de angústias extremas, não se destinavam a uma igreja particular, mas à cristandade universal. As Epístolas lograram êxito rápido. Os irmãos as disputavam nos rincões mais humildes, por seu conteúdo de consolações, e o próprio Simão Pedro, recebendo as primeiras cópias, em Jerusalém, reuniu a comunidade e, lendo-as comovido, declarou que as cartas do convertido de Damasco deviam ser interpretadas como cartas do Cristo aos discípulos e seguidores, afirmando, ainda, que elas assinalavam um novo período luminoso na história do Evangelho.

Altamente confortado, o ex-doutor da Lei procurou enriquecer a Igreja de Corinto de todas as experiências que trazia da instituição antioquiana. Os cristãos da cidade viviam em um oceano de júbilos indefiníveis. A Igreja possuía seu departamento de assistência aos que necessitavam de pão, de vestuário, de remédios. Venerandas velhinhas revezavam-se na tarefa santa de atender aos mais desfavorecidos. Diariamente, à noite, havia reuniões para comentar uma passagem da vida do Cristo; em seguida à pregação central e ao movimento das manifestações de cada um, todos entravam em silêncio, a fim de ponderar o que recebiam do Céu por meio do profetismo. Os não habituados ao dom das profecias possuíam faculdades curadoras, que eram aproveitadas a favor dos enfermos, em uma sala próxima. O mediunismo evangelizado dos tempos modernos é o mesmo profetismo das Igrejas apostólicas.

Como acontecia, por vezes, em Antioquia, surgiam também ali pequeninas discussões a respeito de pontos mais difíceis de interpretação, que Paulo se apressava a acalmar, sem prejuízo da fraternidade edificadora.

Ao fim dos trabalhos de cada noite, uma prece carinhosa e sincera assinalava o instante de repouso.

A instituição progredia a olhos vistos. Aliando-se à generosidade de Tito Justo, outros romanos de fortuna aproximaram-se do Evangelho, enriquecendo a organização de possibilidades novas. Os israelitas pobres encontravam na Igreja um lar generoso, onde Deus se lhes manifestava em demonstrações de bondade, ao contrário das sinagogas, em cujo recinto, em vez de pão para a fome voraz, de bálsamo para as chagas do corpo e da alma, encontravam apenas a rispidez de preceitos tirânicos, nos lábios de sacerdotes sem piedade.

Irritados com o êxito inexcedível do empreendimento de Paulo de Tarso, que se demorava na cidade já por um ano e seis meses, tendo fundado um verdadeiro e perfeito abrigo para os "filhos do Calvário", os judeus de Corinto tramaram um movimento terrível de perseguição ao Apóstolo. A sinagoga esvaziava-se. Era necessário extinguir a causa do seu desprestígio social. O ex-rabino de Jerusalém pagaria muito caro a audácia da propaganda do Messias Nazareno em detrimento de Moisés.

Era procônsul da Acaia, com residência em Corinto, um romano generoso e ilustre, que costumava agir sempre de acordo com a justiça, em sua vida pública. Irmão de Sêneca, Junius Gallio era homem de grande bondade e fina educação. O processo iniciado contra o ex-rabino foi às suas mãos, sem que Paulo tivesse a mínima notícia, e era tão grande a bagagem de acusações levantadas pelos israelitas que o administrador foi compelido a determinar a prisão do Apóstolo para o inquérito inicial. A sinagoga pediu, com particular empenho, que lhe fosse delegada a tarefa de conduzir o acusado ao tribunal. Longe de conhecer o móvel do pedido, o procônsul concedeu a permissão necessária, determinando o comparecimento dos interessados à audiência pública do dia seguinte.

De posse da ordem, os israelitas mais exaltados deliberaram prender Paulo na véspera, num momento em que o fato pudesse escandalizar toda a comunidade.

À noite, justamente quando o ex-rabino comentava o Evangelho, tomado de profundas inspirações, o grupo armado parou à porta, destacando-se alguns judeus mais eminentes que se dirigiram ao interior.

Paulo ouviu a voz de prisão, com extrema serenidade. Outro tanto, porém, não aconteceu com a assembleia. Houve grande tumulto no recinto. Alguns moços mais exaltados apagaram as tochas, mas o Apóstolo valoroso, em um apelo solene e comovedor, bradou alto:

— Irmãos, acaso quereis o Cristo sem testemunho?

A pergunta ressoou no ambiente, contendo todos os ânimos. Sempre sereno, o ex-rabino ordenou que acendessem as luzes e, estendendo os pulsos para os judeus admirados, disse com acento inesquecível:

— Estou pronto!...

Um componente do grupo, despeitado com aquela superioridade espiritual, avançou e deu-lhe com os açoites em pleno rosto.

Alguns cristãos protestaram, os portadores da ordem de Gallio revidaram com aspereza, mas o prisioneiro, sem demonstrar a mais leve revolta, clamou em voz mais alta:

— Irmãos, regozijemo-nos em Cristo Jesus. Estejamos tranquilos e jubilosos porque o Senhor nos julgou dignos!...

Grande serenidade estabeleceu-se, então, na assembleia. Várias mulheres soluçavam baixinho. Áquila e a esposa dirigiram ao Apóstolo um inolvidável olhar e a pequena caravana demandou o cárcere, na sombra da noite. Atirado ao fundo de uma enxovia úmida, Paulo foi atado ao tronco do suplício e suportou a flagelação dos 39 açoites. Ele próprio estava surpreendido. Sublime paz banhava-lhe o coração de brandos consolos. Não obstante sentir-se sozinho, entre perseguidores cruéis, experimentava nova confiança no Cristo. Nessas disposições, não lhe doíam as vergastadas impiedosas; debalde os verdugos espicaçavam-lhe o espírito ardente, com insultos e ironias. Na prova rude e dolorosa, compreendeu, alegremente, que havia atingido a região de paz divina, no mundo interior, que Deus concede a seus filhos depois das lutas acerbas e incessantes por eles mantidas na conquista de si mesmos. De outras vezes, o amor pela justiça o conduzira a situações apaixonadas, a desejos mal contidos, a polêmicas ríspidas, mas ali, enfrentando os açoites que lhe caíam nos ombros seminus, abrindo sulcos sangrentos, tinha uma lembrança mais viva do Cristo, a impressão de estar chegando aos seus braços misericordiosos, depois de caminhadas terríveis e ásperas, desde a hora em que havia caído às portas de Damasco, sob uma tempestade de lágrimas e trevas. Submerso em pensamentos sublimes, Paulo de Tarso sentiu o seu primeiro grande êxtase. Não mais ouviu os sarcasmos dos algozes inflexíveis, sentiu que sua alma dilatava-se ao infinito, experimentando sagradas emoções de indefinível ventura. Brando sono lhe anestesiou o coração e, somente pela madrugada, voltou a si do caricioso descanso. O sol visitava-o alegre, através das grades. O valoroso discípulo do Evangelho levantou-se bem-disposto, recompôs as vestes e esperou pacientemente.

Só depois do meio-dia, três soldados desceram ao cárcere das disciplinas judaicas, retirando o prisioneiro para conduzi-lo à presença do procônsul.

Paulo compareceu à barra do tribunal, com imensa serenidade. O recinto estava cheio de israelitas exaltados, mas o Apóstolo notou que a assembleia se compunha, na maioria, de gregos de fisionomia simpática, muitos deles seus conhecidos pessoais dos trabalhos de assistência da Igreja.

Junius Gallio, muito cioso do seu cargo, sentou-se sob o olhar ansioso dos espectadores cheios de interesse.

O procônsul, de conformidade com a praxe, teria de ouvir as partes em litígio, antes de pronunciar qualquer julgamento, apesar das queixas e acusações exaradas em pergaminho.

Pelos judeus falaria um dos maiores da sinagoga, de nome Sóstenes, mas, como não aparecesse o representante da Igreja de Corinto para a defesa do Apóstolo, a autoridade reclamou o cumprimento da medida sem perda de tempo. Paulo de Tarso, muito surpreendido, rogava intimamente a Jesus fosse o patrono de sua causa, quando se destacou um homem que se prontificava a depor em nome da Igreja. Era Tito Justo, o romano generoso, que não desprezava o ensejo do testemunho. Verificou-se, então, um fato inesperado. Os gregos da assembleia prorromperam em frenéticos aplausos.

Junius Gallio determinou que os acusadores iniciassem as declarações públicas necessárias.

Sóstenes entrou a falar com grande aprovação dos judeus presentes. Acusava Paulo de blasfemo, desertor da Lei, feiticeiro. Referiu-se ao seu passado, acrimoniosamente. Contou que os próprios parentes o haviam abandonado. O procônsul ouvia atento, mas não deixou de manter uma atitude curiosa. Com o indicador da direita comprimia um ouvido, sem atender à estupefação geral. O maioral da sinagoga, no entanto, desconcertava-se com aquele gesto. Terminando o libelo tanto apaixonado quanto injusto, Sóstenes interrogou o administrador da Acaia relativamente à sua atitude, que exigia um esclarecimento, a fim de não ser tomada por desconsideração.

Gallio, porém, muito calmo, respondeu fazendo humorismo:

— Suponho não estar aqui para dar satisfação de meus atos pessoais, e sim para atender aos imperativos da justiça. Todavia, em obediência ao código da fraternidade humana, declaro que, a meu ver, todo administrador ou juiz em causa alheia deverá reservar um ouvido para a acusação e outro para a defesa.

Enquanto os judeus franziam o sobrecenho extremamente confundidos, os coríntios riam gostosamente. O próprio Paulo achou muita graça na confissão do procônsul, sem poder disfarçar o sorriso bom que lhe iluminou repentinamente a fisionomia.

Passado o incidente humorístico, Tito Justo aproximou-se e falou sucintamente da missão do Apóstolo. Suas palavras obedeciam a largo sopro de inspiração e beleza espiritual. Junius Gallio, ouvindo a história do convertido de Damasco, dos lábios de um compatrício, mostrou-se muito impressionado e comovido. De vez em quando, os gregos prorrompiam em exclamações de aplauso e contentamento. Os israelitas compreenderam que perdiam terreno de momento a momento.

Ao fim dos trabalhos, o chefe político da Acaia tomou a palavra para concluir que não via crime algum no discípulo do Evangelho; que os judeus deviam, antes de qualquer acusação injusta, examinar a obra generosa da Igreja de Corinto, porquanto, na sua opinião, não havia agravo dos princípios israelitas; que a só controvérsia de palavras não justificava violências, concluindo pela frivolidade das acusações e declarando não desejar a função de juiz em assunto daquela natureza.

Cada conclusão formulada era ruidosamente aplaudida pelos coríntios.

Quando Junius Gallio declarou que Paulo devia considerar-se em plena liberdade, os aplausos atingiram o delírio. A autoridade recomendou que a retirada se fizesse em ordem, mas os gregos aguardaram a descida de Sóstenes e, quando surgiu a figura solene do "mestre", atacaram sem piedade. Estabelecido enorme tumulto na escada longa que separava o Tribunal da via pública, Tito Justo acercou-se aflito do procônsul e pediu que interviesse. Gallio, entretanto, continuando a preparar-se para regressar a casa, dirigiu a Paulo um olhar de simpatia e acrescentou calmamente:

— Não nos preocupemos. Os judeus estão muito habituados a esses tumultos. Se eu, como juiz, resguardei um ouvido, parece-me que Sóstenes deveria resguardar o corpo inteiro, na qualidade de acusador.

E demandou o interior do edifício em atitude impassível. Foi então que Paulo, surgindo no topo da escada, bradou:

— Irmãos, apaziguai-vos por amor ao Cristo!...

A exortação caiu em cheio sobre a turba numerosa e tumultuária. O efeito foi imediato. Cessaram os rumores e os impropérios. Os últimos contendores paralisaram os braços inquietos. O convertido de Damasco acorreu pressuroso em socorrer Sóstenes, cujo rosto sangrava. O acusador implacável do dia foi conduzido à sua residência pelos cristãos de Corinto, por atenderem aos apelos de Paulo, com extremos cuidados.

Grandemente despeitados com o insucesso, os israelitas da cidade maquinaram novas investidas, mas o Apóstolo, reunindo a comunidade do Evangelho, declarou que desejava partir para a Ásia, a fim de atender a insistentes chamados de João,[47] na fundação definitiva da Igreja de Éfeso. Os coríntios protestaram amistosamente, procurando retê-lo, mas o ex-rabino expôs com firmeza a conveniência da viagem, contando regressar muito breve. Todos os cooperadores da Igreja estavam desolados. Principalmente Febe, notável colaboradora do seu esforço apostólico em Corinto, não conseguia ocultar as lágrimas do coração. O devotado discípulo de Jesus fez ver que a Igreja estava fundada, solicitando apenas a continuidade de atenção e carinho dos companheiros. Não seria justo, a seu ver, enfrentar novamente a ira dos israelitas, parecendo-lhe razoável esperar o concurso do tempo para as realizações necessárias.

Dentro de um mês, partiu em demanda de Éfeso, levando consigo Áquila e a esposa, que se dispuseram a acompanhá-lo.

Despedindo-se da cidade, teve o pensamento voltado para o pretérito, para as esperanças de ventura terrestre que os anos haviam absorvido. Visitou os sítios onde Abigail e o irmão haviam brincado na infância, saturou-se de recordações suaves e inesquecíveis e, no porto de Cencreia, lembrando a partida da noiva bem-amada, rapou a cabeça, renovando os votos de fidelidade eterna, consoante os costumes populares da época.

Depois de viagem difícil, repleta de incidentes penosos, Paulo e os companheiros chegaram ao ponto destinado.

A Igreja de Éfeso enfrentava problemas torturantes. João lutava seriamente para que o esforço evangélico não degenerasse em polêmicas estéreis. No entanto, os tecelões chegados de Corinto deram-lhe mão forte na cooperação imprescindível.

Em meio das acaloradas discussões que manteve com os judeus na sinagoga, o ex-rabino não olvidou certas realizações sentimentais que almejava desde muito. Com delicadeza extrema, visitou a mãe de Jesus na sua casinha singela, que dava para o mar. Impressionou-se fortemente

---

[47] Nota do autor espiritual: João iniciou suas atividades na Igreja mista de Éfeso, muito cedo, embora não se desligasse de Jerusalém.

com a humildade daquela criatura simples e amorosa, que mais se assemelhava a um anjo vestido de mulher. Paulo de Tarso interessou-se pelas suas narrativas cariciosas a respeito da noite do nascimento do Mestre, gravou no íntimo suas divinas impressões e prometeu voltar na primeira oportunidade, a fim de recolher os dados indispensáveis ao Evangelho que pretendia escrever para os cristãos do futuro. Maria colocou-se à sua disposição, com grande alegria.

O Apóstolo, entretanto, depois de cooperar algum tempo na consolidação da Igreja, considerando que Áquila e Prisca se encontravam bem instalados e satisfeitos, resolveu partir, buscando novos rumos. Debalde os irmãos procuraram dissuadi-lo, rogando ficasse na cidade por mais tempo. Prometendo regressar logo que as circunstâncias permitissem, alegou que precisava ir a Jerusalém, levar a Simão Pedro o fruto da coleta de anos consecutivos nos lugares que percorrera. O filho de Zebedeu, que conhecia o projeto antigo, deu-lhe razão para empreender a viagem sem mais demora.

Como já se encontrassem novamente a seu lado, Silas e Timóteo fizeram-lhe companhia nessa nova excursão.

Por meio de enormes dificuldades, mas pregando sempre a Boa-Nova com verdadeiro entusiasmo devocional, chegaram ao porto de Cesareia, onde permaneceram alguns dias, instruindo os interessados no conhecimento do Evangelho. Dali, dirigiram-se a pé para Jerusalém, distribuindo consolações e curas ao longo do caminho. Chegados à capital do Judaísmo, o ex-pescador de Cafarnaum recebeu-os com júbilos inexcedíveis. Simão Pedro apresentava grande abatimento físico, em virtude das lutas terríveis e incessantes para que a Igreja suportasse, sem maiores abalos, as tempestades primitivas; seus olhos, porém, guardavam a mesma serenidade característica dos discípulos fiéis.

Paulo entregou-lhe, alegremente, a pequena fortuna, cuja aplicação iria assegurar maior independência à instituição de Jerusalém, para o desenvolvimento justo da obra do Cristo. Pedro agradeceu comovido e abraçou-o com lágrimas. Os pobres, os órfãos, os velhos desamparados e os convalescentes teriam doravante uma escola abençoada de trabalho santificante.

Pedro notou que o ex-rabino também estava alquebrado de corpo. Muito magro, muito pálido, cabelos já grisalhos, tudo nele denunciava a intensidade das lutas empenhadas. As mãos e o rosto estavam cheios de cicatrizes.

O ex-pescador, diante do que via, falou-lhe com entusiasmo das suas Epístolas, que se espalhavam por todas as Igrejas, lidas com avidez; profundamente experimentado em problemas de ordem espiritual, alegou a convicção de que aquelas cartas provinham de uma inspiração direta do Mestre divino, observação que Paulo de Tarso recebeu comovidíssimo, dada a espontaneidade do companheiro. Além disso – acrescentava Simão prazerosamente –, não podia haver elemento educativo de tão elevado alcance quanto aquele. Conhecia cristãos da Palestina que guardavam cópias numerosas da mensagem aos tessalonicenses. As Igrejas de Jope e Antipátride, por exemplo, comentavam as Epístolas, frase por frase.

O ex-rabino sentiu imenso conforto para prosseguir na luta redentora.

Após alguns dias, demandou Antioquia, junto dos discípulos. Descansou algum tempo junto dos companheiros bem-amados, mas sua poderosa capacidade de trabalho não permitia maiores intermitências de repouso.

Nessa época, não passava semana que não recebesse representações de diversas Igrejas, dos pontos mais distantes. Antioquia da Pisídia sumariava dificuldades; Icônio reclamava novas visitas; Bereia rogava providências. Corinto carecia esclarecimentos. Colossos insistia por sua presença breve. Paulo de Tarso, valendo-se dos companheiros da ocasião, enviava-lhes letras novas, a todos atendendo com o maior carinho. Em tais circunstâncias, nunca mais o Apóstolo dos Gentios esteve só na tarefa evangelizadora. Sempre assistido por discípulos numerosos, suas Epístolas, que ficariam para os cristãos do futuro, estão, em sua maioria, repletas de referências pessoais, suaves e doces.

Terminando o estágio em Antioquia, voltou ao berço natal, aí falando das verdades eternas e conseguindo despertar grande número de tarsenses para as realidades do Evangelho. Em seguida, internou-se de novo pelas alturas do Tauro, visitou as comunidades de toda a Galácia e Frígia, levantando o ânimo dos companheiros de fé, no que empregou elevada percentagem de tempo. Nesse afã incansável e incessante, conseguiu arregimentar novos discípulos para Jesus, distribuindo grandes benefícios em todos os recantos iluminados pela sua palavra edificante, porque também ilustrada em fatos.

Em toda parte, lutas sem tréguas, alegrias e dores, angústias e amarguras do mundo, que não chegavam a lhe arrefecer as esperanças nas promessas de Jesus. De um lado, eram os israelitas rigorosos, inimigos ferrenhos e declarados do Salvador; do outro, os cristãos indecisos, vacilando entre as conveniências pessoais e as falsas interpretações. O missionário tarsense, no entanto, conhecendo que o discípulo sincero terá de experimentar as sensações da "porta estreita" todos os dias, nunca se deixou empolgar pelo desânimo, renovando a cada hora o propósito de tudo suportar, agir, fazer e edificar pelo Evangelho, inteiramente entregue a Jesus Cristo.

Vencidas as lutas indefessas, deliberou regressar a Éfeso, interessado na feitura do Evangelho decalcado nas recordações de Maria.

Não mais encontrou Áquila e Prisca, retornados a Corinto em companhia de um tal Apolo, que se notabilizara por sua cultura entre os recém-convertidos. Embora pretendesse apenas manter algumas conversações mais longas com a filha inesquecível de Nazaré, foi compelido a enfrentar a luta séria com os cooperadores de João. A sinagoga conseguira grande ascendente político sobre a Igreja da cidade, que ameaçava soçobrar. O ex-rabino percebeu o perigo e aceitou a luta, sem reservas. Durante três meses discutiu na sinagoga, em todas as reuniões. A cidade, que se mantinha em dúvidas atrozes, parecia alcançar uma compreensão mais elevada e mais rica de luzes. Multiplicando as curas maravilhosas, Paulo, um dia, tendo imposto as mãos sobre alguns doentes, foi rodeado por claridade indefinível do Mundo Espiritual. As vozes santificadas, que se manifestavam em Jerusalém e Antioquia, falaram na praça pública. Esse fato teve enorme repercussão e deu maior autoridade aos argumentos do Apóstolo, em contradita aos judeus.

Em Éfeso não se falava de outra coisa. O ex-rabino fora elevado ao apogeu da consideração, de um dia para outro. Os israelitas perdiam terreno em toda a linha. O tecelão valeu-se do ensejo para lançar raízes evangélicas mais fundas nos corações. Secundando o esforço de João, procurou instalar na Igreja os serviços de assistência aos mais desfavorecidos da fortuna. A instituição enriquecia-se de valores espirituais. Compreendendo a importância da organização de Éfeso para toda a Ásia, Paulo de Tarso deliberou prolongar, ali, a sua permanência. Vieram discípulos de Macedônia. Áquila e a esposa tinham regressado de Corinto; Timóteo, Silas e Tito cooperavam ativamente visitando as fundações cristãs já estabelecidas. Assim vigorosamente auxiliado, o generoso Apóstolo multiplicava as curas e os benefícios em nome do Senhor. Trabalhando pela vitória dos princípios do Mestre, fez que muitos abandonassem crendices e superstições perigosas, para se entregarem aos braços amorosos do Cristo.

Esse ritmo de trabalho fecundo perdurava há mais de dois anos, quando surgiu um acontecimento de vasta repercussão entre os efésios.

A cidade votava um culto especial à deusa Diana.[48] Pequeninas estátuas, imagens fragmentárias da divindade mitológica surgiam em todos os cantos, bem como nos adornos da população. A pregação de Paulo, entretanto, modificara as preferências do povo. Quase ninguém se interessava mais pela aquisição das imagens da deusa. Esse culto, porém, era tão lucrativo que os ourives da época, chefiados por um artífice de nome Demétrio, iniciaram veemente protesto perante as autoridades competentes.

Os prejudicados alegavam que a campanha do Apóstolo aniquilava as melhores tradições populares da cidade notável e florescente. O culto a Diana vinha dos antepassados e merecia mais respeito; além disso, toda uma classe de homens válidos ficava sem trabalho.

Demétrio movimentou-se. Os ourives reuniram-se e pagaram amotinadores. Sabiam que Paulo falaria no teatro naquela mesma noite que sucedeu às combinações definitivas. Pagos pelos artífices, os maliciosos começaram a espalhar boatos entre os mais crédulos. Insinuavam que o ex-rabino preparava-se para arrombar o Templo de Diana,[49] a fim de queimar os objetos do culto. Acrescentavam que a malta iconoclasta sairia do teatro para executar o projeto sinistro. Irritaram-se os ânimos. O plano de Demétrio calava fundo na imaginação dos mais simplórios. Ao entardecer, grande massa popular postou-se na vasta praça, em atitude expectante. A noite fechou, a multidão crescia sempre. Ao acenderem-se no teatro as primeiras luzes, os ourives acreditaram que o Apóstolo lá estivesse. Com imprecações e gestos ameaçadores, a multidão avançou em furiosa grita, mas somente Gaio e Aristarco, irmãos da Macedônia, ali se encontravam, preparando o ambiente das pregações da noite. Ambos foram presos pelos exaltados. Verificando a ausência do ex-rabino, a massa inconsciente encaminhou-se para a tenda de Áquila e Prisca. Paulo, no entanto, lá não estava. A oficina singela do casal cristão foi totalmente desmantelada a golpes

---

[48] N.E.: Deusa da Lua e da caça, filha de Júpiter e Latona, irmã gêmea de Febo. Corresponde à deusa Ártemis na Mitologia grega.
[49] N.E.: O Templo de Diana foi considerado uma das sete maravilhas do mundo antigo, localizado em Éfeso. Foi construído no século VI a.C. Atualmente, resta apenas uma coluna do templo original.

impiedosos. Teares quebrados, peças de couro atiradas à rua, furiosamente. Por fim o casal foi preso, sob os apupos da turba exacerbada.

A notícia espalhou-se com extrema rapidez. A coluna revolucionária arrebanhava aderentes em todas as ruas, dado o seu caráter festivo. Debalde acorreram soldados para conter a multidão. Os maiores esforços tornavam-se inúteis. De vez em quando Demétrio assomava a uma tribuna improvisada e dirigia-se ao povo envenenando os ânimos.

Recolhido à residência de um amigo, Paulo de Tarso inteirou-se dos fatos graves que se desenrolavam por sua causa. Seu primeiro impulso foi seguir logo ao encontro dos companheiros capturados, para libertá-los, mas os irmãos impediram-lhe a saída. Essa noite dolorosa ficaria inesquecível em sua vida. Ao longe, ouvia-se a gritaria estentórica: "Grande é a Diana de Éfeso! Grande é a Diana de Éfeso!" O Apóstolo, porém, constrangido à força, pelos companheiros, teve que desistir de esclarecer a massa popular na praça pública.

Só muito tarde, o escrivão da cidade conseguiu falar ao povo, concitando-o a levar a causa a juízo, abandonando o louco propósito de fazer justiça pelas próprias mãos.

A assembleia dispersou-se, pouco antes da meia-noite, mas só atendeu à autoridade depois de ver Gaio, Aristarco e o casal de tecelões trancafiados na enxovia.

No dia seguinte, o generoso Apóstolo dos Gentios foi, em companhia de João, observar os destroços da tenda de Áquila. Tudo em frangalhos na via pública. Paulo refletiu com imensa mágoa nos amigos presos e falou ao filho de Zebedeu, com os olhos mareados de lágrimas:

— Como tudo isto me contrista! Áquila e Prisca têm sido meus companheiros de luta, desde as primeiras horas da minha conversão a Jesus. Por eles devia eu sofrer tudo, pelo muito amor que lhes devo; assim, não julgo razoável que sofram por minha causa.

— A causa é do Cristo! — respondeu João com acerto.

O ex-rabino pareceu conformar-se com a observação e sentenciou:

— Sim, o Mestre nos consolará.

E, depois de concentrar-se longamente, murmurou:

— Estamos em lutas incessantes na Ásia, há mais de vinte anos... Agora, preciso retirar-me de Jônia, sem demora. Os golpes vieram de todos os lados. Pelo bem que desejamos, fazem-nos todo o mal que podem. Ai de nós se não trouxéssemos as marcas do Cristo Jesus!

O pregador valoroso, tão desassombrado e resistente, chorava! João percebeu, contemplou-lhe os cabelos prematuramente encanecidos e procurou desviar o assunto:

— Não te vás por enquanto – disse solícito –, ainda és necessário aqui.

— Impossível – respondeu com tristeza –, a revolução dos artífices continuaria. Todos os irmãos pagariam caro a minha companhia.

— Mas não pretendes escrever o Evangelho, consoante as recordações de Maria? – perguntou melifluamente o filho de Zebedeu.

— É verdade – confirmou o ex-rabino com serenidade amarga –, entretanto, é forçoso partir. Caso não mais volte, enviarei um companheiro para colher as devidas anotações.

— Contudo, poderias ficar conosco.

O tecelão de Tarso fitou o companheiro com tranquilidade, e explicou em atitude humilde:

— Talvez estejas enganado. Nasci para uma luta sem tréguas, que deverá prevalecer até o fim dos meus dias. Antes de encontrar as luzes do Evangelho, errei criminosamente, embora com o sincero desejo de servir a Deus. Fracassei, muito cedo, na esperança de um lar. Tornei-me odiado de todos, até que o Senhor se compadecesse de minha situação miserável, chamando-me às portas de Damasco. Então, estabeleceu-se um abismo entre minha alma e o passado. Abandonado pelos amigos da infância, tive de procurar o deserto e recomeçar a vida. Da tribuna do Sinédrio, regressei ao tear pesado e rústico. Quando voltei a Jerusalém, o Judaísmo considerou-me doente e mentiroso. Em Tarso experimentei o abandono dos parentes mais caros. Em seguida, recomecei em Antioquia a tarefa que me conduzia ao serviço de Deus. Desde então, trabalhei sem descanso, porque muitos séculos de serviço não dariam para pagar quanto devo ao Cristianismo. E saí às pregações. Peregrinei por diversas cidades, visitei centenas de aldeias, mas de nenhum lugar me retirei sem luta áspera. Sempre saí pela porta do cárcere, pelo apedrejamento, pelo golpe dos açoites. Nas viagens por mar, já experimentei o naufrágio mais de uma vez; nem mesmo no bojo estreito de uma embarcação, tenho podido evitar a luta, mas Jesus me tem ensinado a sabedoria da paz interior, em perfeita comunhão de seu amor.

Essas palavras eram ditas em tom de humildade tão sincera que o filho de Zebedeu não conseguia esconder sua admiração.

— És feliz, Paulo — disse ele convicto —, porque entendeste o programa de Jesus a teu respeito. Não te doa a recordação dos martírios sofridos, porque o Mestre foi compelido a retirar-se do mundo pelos tormentos da cruz. Regozijemo-nos com as prisões e sofrimentos. Se o Cristo partiu sangrando em feridas tão dolorosas, não temos o direito de acompanhá-lo sem cicatrizes...

O Apóstolo dos Gentios prestou enorme atenção a essas palavras consoladoras e murmurou:

— É verdade!...

— Além do mais — acrescentou o companheiro emocionado —, devemos contar com calvários numerosos. Se o Cordeiro Imaculado padeceu na cruz da ignomínia, de quantas cruzes necessitaremos para atingir a redenção? Jesus veio ao mundo por imensa misericórdia. Acenou-nos brandamente, convocando-nos a uma vida melhor... Agora, meu amigo, como os antepassados de Israel, que saíram do cativeiro do Egito à custa de sacrifícios extremos, precisamos fugir da escravidão dos pecados, violentando-nos a nós mesmos, disciplinando o espírito, a fim de nos juntarmos ao Mestre, correspondendo à sua imensa bondade.

Paulo meneou a cabeça, pensativo, e acentuou:

— Desde que o Senhor se dignou convocar-me ao serviço do Evangelho, não tenho meditado em outra coisa.

Nesse ritmo cordial conversaram muito tempo, até que o Apóstolo dos Gentios concluiu mais confortado:

— O que de tudo concluo é que minha tarefa no Oriente está finda. O espírito de serviço exige que me vá além... Tenho a esperança de pregar o Evangelho do Reino em Roma, na Espanha e entre os povos menos conhecidos...

Seu olhar estava cheio de visões gloriosas e João murmurou humildemente:

— Deus abençoará os teus caminhos.

Demorou-se ainda em Éfeso, movimentando os melhores empenhos a favor dos prisioneiros. Conseguida a liberdade dos detentos, resolveu deixar a Jônia dentro do menor prazo possível. Estava, porém, profundamente abatido. Dir-se-ia que as últimas lutas haviam cooperado no desmantelo de suas melhores energias. Acompanhado de alguns amigos, dirigiu-se para Trôade, onde se demorou alguns dias, edificando os irmãos na fé. A fadiga, entretanto, acentuava-se cada vez mais. As preocupações enervaram-no.

Experimentava no íntimo profunda desolação, que a insônia agravava dia a dia. Paulo, que nunca esquecera a ternura dos irmãos de Filipos, deliberou, então, procurar ali um abrigo, ansioso de repousar alguns momentos. O Apóstolo foi acolhido com inequívocas provas de carinho e consideração. As crianças da instituição desdobraram-se em demonstrações de afetuosa ternura. Outra agradável surpresa ali o esperava: Lucas encontrava-se acidentalmente na cidade e foi abraçá-lo. Esse encontro reanimou-lhe o ânimo abatido. Avistando-se com o amigo, o médico alarmou-se. Paulo pareceu-lhe extremamente debilitado, triste, não obstante a fé inabalável que lhe nutria o coração e transbordava dos lábios. Explicou que estivera doente, que muito sofrera nas últimas pregações de Éfeso, que estava sozinho em Filipos, depois do regresso de alguns amigos que o haviam acompanhado, que os colaboradores mais fiéis haviam partido para Corinto, onde o aguardavam.

Muito surpreendido, Lucas tudo ouviu silencioso e perguntou:

– Quando partirás?

– Pretendo ficar duas semanas.

E depois de vaguear os olhos na paisagem, concluiu em tom quase amargo:

– Aliás, meu caro Lucas, julgo ser esta a última vez que descanso em Filipos...

– Por quê? Não há motivos para pressentimentos tão tristes.

Paulo notou a preocupação do amigo e apressou-se a desfazer-lhe as primeiras impressões:

– Suponho que terei de partir para o Ocidente – esclareceu com um sorriso.

– Muito bem! – respondeu Lucas reanimado. – Vou ultimar os assuntos que aqui me trouxeram e irei contigo a Corinto.

O Apóstolo alegrou-se. Rejubilava-se com a presença de um companheiro dos mais dedicados. Lucas também estava satisfeito com a possibilidade de assisti-lo na viagem. Com grande esforço procurava dissimular a penosa impressão que a saúde do Apóstolo lhe causara. Magríssimo, rosto pálido, olhos encovados, o ex-rabino dava a impressão de profunda miséria orgânica. O médico, no entanto, fez o possível por ocultar suas dolorosas conjeturas.

Como de hábito, Paulo de Tarso, durante a viagem até Corinto, falou do projeto de chegar a Roma, para levar à capital do Império a mensagem do amor do Cristo Jesus. A companhia de Lucas, a mudança das paisagens revigoravam-lhe as forças físicas. O próprio médico estava surpreendido com a reação natural daquele homem de vontade poderosa.

Pelo caminho, por intermédio das pregações ocasionais de um longo itinerário, juntaram-se-lhes alguns companheiros mais devotados.

Novamente em Corinto, o ex-rabino ratificou as suas Epístolas, reorganizou amorosamente os quadros de serviços da Igreja e, no círculo dos mais íntimos, não falava de outra coisa senão do grandioso projeto de visitar Roma, no intuito de auxiliar os cristãos, já existentes na cidade dos Césares, a estabelecerem instituições semelhantes às de Jerusalém, de Antioquia, de Corinto e outros pontos mais importantes do Oriente. Nesse meio tempo, readquiriu as energias latentes do organismo debilitado. Desdobrava-se no plano, coordenando ideias e mais ideias do programa colimado, na imperial metrópole. Aventou numerosas providências. Pensou em preparar sua chegada, fazendo-a preceder de carta na qual recapitulasse a doutrina consoladora do Evangelho e nomeasse, com saudações afetuosas, todos os irmãos do seu conhecimento no ambiente romano. Áquila e Prisca tinham voltado de Éfeso para a capital do Império, no intuito de recomeçar a vida. Seriam auxiliares diletos. Para esse fim, Paulo empregou alguns dias na redação do célebre documento, concluindo-o com uma carga de saudações particulares e extensas. Foi aí que se verificou um episódio escassamente conhecido pelos seguidores do Cristianismo. Considerando que todos os irmãos e pregadores eram criaturas excessivamente ocupadas nos mais variados misteres e que Paulo custaria a encontrar portador para a missiva famosa, a irmã de nome Febe, grande cooperadora do Apóstolo dos Gentios no porto de Cencreia, comunicou-lhe que teria de ir a Roma, em visita a parentes, e se oferecia, de bom grado, a levar o documento destinado a iluminar a cristandade póstera.

Paulo exultou de contentamento, aliás, extensivo a toda a confraria. A Epístola foi terminada com enorme entusiasmo e júbilo. Tão logo partiu a emissária heroica, o ex-rabino reuniu a pequena comunidade dos discípulos diletos para assentar as bases definitivas da grande excursão. Começou explicando que o inverno começava, mas, tão depressa voltasse o tempo de navegação, embarcaria para Roma. Depois de justificar a excelência do plano, visto já estar implantado o Evangelho nas regiões mais importantes do Oriente, pediu aos amigos íntimos lhe dissessem como e até que ponto lhes seria possível auxiliá-lo. Timóteo alegou que Eunice não podia, no momento, dispensar seus cuidados, dado o falecimento da veneranda Loide. Segundo expôs, precisava regressar a Tessalônica e Aristarco o secundou nesse parecer. Sópater falou de suas dificuldades em Bereia. Gaio pretendia partir para Derbe no dia seguinte. Tíquico e Trófimo alegaram a necessidade urgente de irem a Éfeso, de onde pretendiam mudar para Antioquia, berço natal de ambos. Quase todos os demais estavam impossibilitados de participar da excursão. Apenas Silas afirmou que poderia fazê-lo, fosse como fosse. Chegada, porém, a vez de Lucas, que se mantivera até então calado, disse ele estar pronto e resolvido a compartilhar dos trabalhos e alegrias da missão de Roma. De toda a assembleia, dois apenas poderiam acompanhá-lo. Paulo, todavia, mostrou-se conformado e satisfeitíssimo. Bastavam-lhe Silas e Lucas, habituados aos seus métodos de propaganda e com os mais belos títulos de trabalho e dedicação à causa de Jesus.

Tudo corria às maravilhas, o plano combinado auspiciava grandes esperanças, quando, no dia imediato, um peregrino, pobre e triste, surgia em Corinto, desembarcado de uma das últimas embarcações chegadas ao Peloponeso para a ancoragem longa do inverno. Vinha de Jerusalém, bateu às portas da Igreja e procurou insistentemente por Paulo, a fim de entregar-lhe uma carta confidencial. Defrontando o singular mensageiro, o Apóstolo surpreendeu-se. Tratava-se do irmão Abdias, a quem Tiago incumbira de entregar a carta ao ex-rabino. Este tomou-a e desdobrou-a um tanto nervoso.

À medida que ia lendo, mais pálido se fazia.

Tratava-se de um documento particular da mais alta importância. O filho de Alfeu comunicava ao ex-doutor da Lei os dolorosos acontecimentos que se desenrolavam em Jerusalém. Tiago avisava que a Igreja sofria nova e violentíssima perseguição do Sinédrio. Os rabinos haviam decidido reatar o fio das torturas infligidas aos cristãos. Simão Pedro fora banido da cidade. Grande número de confrades era alvo de novas perseguições e martírios. A Igreja fora assaltada por fariseus sem consciência e só não sofrera depredações de maior vulto em virtude do respeito que o povo lhe consagrava. Dentro de suas atitudes conciliatórias, conseguira aplacar os ânimos mais exaltados, mas o Sinédrio alegava a necessidade de um entendimento com Paulo, a fim de conceder tréguas. A ação do Apóstolo dos Gentios, incessante e ativa, conseguira lançar as sementes de Jesus em toda a parte. De todos os lados, o Sinédrio recebia consultas, reclamações, notícias alarmantes. As sinagogas iam ficando desertas. Tal situação requeria esclarecimentos. Baseado nesses pretextos, o maior Tribunal dos israelitas desfechara tremendos ataques contra a organização cristã em Jerusalém. Tiago relatava os acontecimentos com grande serenidade e rogava a Paulo de Tarso não abandonasse a Igreja naquela hora de lutas acerbas. Ele, Tiago, estava envelhecido e cansado. Sem a colaboração de Pedro, temia sucumbir. Pedia, então, ao convertido de Damasco fosse a Jerusalém, afrontasse as perseguições por amor a Jesus, para que os doutores do Sinédrio e do Templo ficassem bastantemente esclarecidos. Acreditava que lhe não poderia advir nenhum mal, porquanto o ex-rabino saberia melhor dirigir-se às autoridades religiosas para que a causa lograsse justo êxito. A viagem a Jerusalém teria somente um objetivo: esclarecer o Sinédrio como se fazia indispensável. Depois disso, que Tiago considerava de suma importância para salvar a Igreja da capital do Judaísmo, Paulo voltaria tranquilo e feliz para onde lhe aprouvesse.

A mensagem estava crivada de exclamações amargas e de apelos veementes.

Paulo de Tarso terminou a leitura e lembrou o passado. Com que direito lhe fazia o Apóstolo galileu semelhante pedido? Tiago sempre se colocara em posição antagônica. Em que pesasse sua índole impetuosa, franca, inquebrantável, não podia odiá-lo; entretanto, não se sentia perfeitamente afim com o filho de Alfeu, a ponto de se tornar seu companheiro adequado em lance tão difícil. Procurou um recanto solitário da Igreja, sentou e meditou. Experimentando certas relutâncias íntimas em renunciar à partida para Roma, não obstante o projeto formulado em Éfeso nas vésperas da revolução dos ourives, de só visitar a capital do Império depois de nova excursão a Jerusalém, procurou consultar o Evangelho, por desfazer tão grande perplexidade. Desenrolou os pergaminhos e, abrindo-os ao acaso, leu a advertência das anotações de Levi: "Concilia-te depressa com o teu adversário".[50]

Diante dessas palavras judiciosas, não dissimulou o assombro, recebendo-as como um alvitre divino para que não desprezasse a oportunidade de estabelecer com o Apóstolo galileu os laços sacrossantos da mais pura

---

[50] Nota do autor espiritual: *Mateus*, 5:25.

fraternidade. Não era justo alimentar caprichos pessoais na obra do Cristo. No feito em perspectiva, não era Tiago o interessado na sua presença em Jerusalém: era a Igreja, era a sagrada instituição que se tornara tutora dos pobres e dos infelizes. Provocar as iras farisaicas sobre ela não seria lançar uma tempestade de imprevisíveis consequências para os necessitados e desfavorecidos do mundo? Recordou a juventude e a longa perseguição que chegara a mover contra os discípulos do Crucificado. Teve a nítida recordação do dia em que efetuara a prisão de Pedro entre os aleijados e os enfermos que o cercavam, soluçantes. Lembrou que Jesus o chamara para o divino serviço, às portas de Damasco; que, desde então, sofrera e pregara, sacrificando-se a si mesmo e ensinando as verdades eternas, organizando igrejas amorosas e acolhedoras, onde os "filhos do Calvário" tivessem consolo e abrigo, de conformidade com as exortações de Abigail; e assim chegou à conclusão de que devia aos sofredores de Jerusalém alguma coisa que era preciso restituir. Em outros tempos, fomentara a confusão, privara-os da assistência carinhosa de Estêvão, iniciara banimentos impiedosos. Muitos doentes foram obrigados a renegar o Cristo em sua presença, na cidade dos rabinos. Não seria aquela a ocasião adequada para resgatar a dívida enorme? Paulo de Tarso, iluminado agora pelas mais santas experiências da vida, com o Mestre amado, levantou-se e a passos resolutos dirigiu-se ao portador que o esperava em atitude humilde:

– Amigo, vem descansar, que bem precisas. Levarás a resposta em breves dias.

– Ireis a Jerusalém? – interrogou Abdias com certa ansiedade, como se conhecesse a importância do assunto.

– Sim – respondeu o Apóstolo.

O emissário foi tratado com todo o carinho. Paulo procurou ouvir-lhe as impressões pessoais sobre a perseguição novamente desfechada contra os discípulos do Cristo, buscou firmar ideias sobre o que competia fazer, mas não conseguia furtar-se a certas preocupações imperiosas e aparentemente insolúveis. Como proceder em Jerusalém? Que espécie de esclarecimentos deveria prestar aos rabinos do Sinédrio? Qual o testemunho que competia dar?

Grandemente apreensivo, adormeceu aquela noite, depois de pensamentos torturantes e exaustivos. Sonhou, porém, que se encontrava em longa e clara estrada tonalizada de maravilhosos clarões opalinos. Não dera muitos passos, quando foi abraçado por duas Entidades carinhosas e amigas. Eram Jeziel e Abigail, que o enlaçavam com indizível carinho. Extasiado, não pôde murmurar uma palavra. Abigail agradeceu-lhe a ternura das lembranças comovidas em Corinto, falou-lhe dos júbilos do seu coração e rematou com alegria:

— Não te inquietes, Paulo. É preciso ir a Jerusalém para o testemunho imprescindível.

No íntimo, o Apóstolo reconsiderava o plano de excursão a Roma, no seu nobre intuito de ensinar as verdades cristãs na sede do Império. Bastou pensá-lo para que a voz querida se fizesse ouvir novamente, em timbre familiar:

— Tranquiliza-te, porque irás a Roma cumprir um sublime dever; não, porém, como queres, mas de acordo com os desígnios do Altíssimo...

E logo esboçando angelical sorriso:

— Depois, então, será a nossa união eterna em Jesus Cristo, para a divina tarefa do amor e da verdade à luz do Evangelho.

Aquelas palavras caíram-lhe na alma com a força de uma profunda revelação. O Apóstolo dos Gentios não saberia explicar o que se passou no âmago do seu espírito. Sentia, simultaneamente, dor e prazer, preocupação e esperança. A surpresa pareceu impedir o seguimento da visão inesquecível. Jeziel e a irmã, endereçando-lhe gestos amorosos, pareciam desaparecer em uma faixa de névoas transparentes. Acordou em sobressalto e concluiu, desde logo, que devia preparar-se para os derradeiros testemunhos.

No dia seguinte, convocou uma reunião dos amigos e companheiros de Corinto. Mandou que Abdias explicasse, de viva voz, a situação de Jerusalém e expôs o plano de passar pela capital do Judaísmo antes de seguir para Roma. Todos compreenderam os sagrados imperativos da nova resolução. Lucas, todavia, adiantou-se e perguntou:

— De acordo com a modificação do projeto, quando pretendes partir?

— Dentro de poucos dias — respondeu resoluto.

— Impossível — respondeu o médico —, não poderemos concordar com a tua viagem, a pé, a Jerusalém; além de tudo, precisas descansar alguns dias depois de tantas lutas.

O ex-rabino refletiu um momento e concordou:

— Tens razão. Ficarei em Corinto algumas semanas; no entanto, pretendo fazer a viagem por etapas, no intuito de visitar as comunidades cristãs, pois tenho a intuição de minha partida breve para Roma e de que não mais verei as igrejas amadas, em corpo mortal...

Essas palavras eram pronunciadas em tom melancólico. Lucas e os demais companheiros ficaram silenciosos e o Apóstolo continuou:

— Aproveitarei o tempo instruindo Apolo sobre os trabalhos indispensáveis do Evangelho, nas diversas regiões da Acaia.

Em seguida, desfazendo a impressão de suas afirmativas menos animadoras, no tocante à viagem a Roma, incutiu novo alento ao auditório, emitindo conceitos otimistas e esperançosos. Traçou vasto programa para os discípulos, recomendando atividades à maioria, entre as comunidades de toda a Macedônia, a fim de que todos os irmãos estivessem a postos para as suas despedidas; outros foram despachados para a Ásia com idênticas instruções.

Decorridos três meses de permanência em Corinto, novas perseguições dos judeus foram desfechadas contra a instituição. A sinagoga principal da Acaia havia recebido secretas notificações de Jerusalém. Nada menos que a eliminação do Apóstolo, a qualquer preço. Paulo percebeu a insídia e despediu-se prudentemente dos coríntios, partindo em companhia de Lucas e Silas, a pé, para visitar as Igrejas de Macedônia.

Por toda a parte pregou a palavra do Evangelho, convencido de que era a última vez que fixava aquelas paisagens.

Despedia-se, comovido, dos velhos amigos de outros tempos. Fazia recomendações, no tom de quem ia partir para sempre. Mulheres reconhecidas, anciães e crianças acorriam a beijar-lhe as mãos com enternecimento. Chegando a Filipos, cuja comunidade fraternal lhe falava mais intimamente ao coração, sua palavra suscitou torrentes de lágrimas. A Igreja amorosa, que vicejava para Jesus à margem do Gangas, consagrava ao Apóstolo dos Gentios singular afeição. Lídia e seus numerosos auxiliares, num impulso muito humano, queriam retê-lo em sua companhia, insistiam para que não prosseguisse, receosos das perseguições do farisaísmo. E o Apóstolo, sereno e confiante, acentuava:

— Não choreis, irmãos. Convicto estou do que me compete fazer e não devo esperar flores e dias felizes. Cumpre-me aguardar o fim, na paz do Senhor Jesus. A existência humana é de trabalho incessante e os derradeiros sofrimentos são a coroa do testemunho.

Eram exortações cheias de esperanças e alegrias, por confortar os mais tímidos e renovar a fé nos corações fracos e sofredores.

Dando por terminada a tarefa nas zonas de Filipos, Paulo e os companheiros navegaram com destino a Trôade. Nesta cidade, o Apóstolo fez, com inexcedível êxito, a derradeira pregação na sétima noite de sua chegada, verificando-se o célebre incidente com o jovem Êutico, que caiu de uma janela do terceiro andar do prédio em que se realizavam as práticas evangélicas, sendo imediatamente socorrido pelo ex-rabino, que o colheu semimorto e devolveu-lhe a vida em nome de Jesus.

Em Trôade, outros confrades se reuniram à pequena caravana. Atentos à recomendação de Paulo, partiram com Lucas e Silas para Assós, a fim de contratar a preço módico algum velho barco de pescadores, porquanto o Apóstolo preferia viajar desse modo entre as ilhas e portos numerosos, para despedir-se dos amigos e irmãos que por ali mourejavam. Assim aconteceu; e, enquanto os colaboradores tomavam embarcação confortável, o ex-rabino palmilhava mais de vinte quilômetros de estrada, só pelo prazer de abraçar os continuadores humildes da sua grandiosa faina apostólica.

Adquirindo em seguida um barco muito ordinário, Paulo e os discípulos prosseguiram a viagem para Jerusalém, distribuindo consolações e socorros espirituais às comunidades humildes e obscuras.

Em todas as praias eram gestos comovedores, adeuses amargurosos. Em Éfeso, porém, a cena foi muito mais triste, porque o Apóstolo solicitara o comparecimento dos anciães e dos amigos para falar-lhes particularmente ao coração. Não desejava desembarcar, no intuito de prevenir novos conflitos que lhe retardassem a marcha, mas, em testemunho de amor e reconhecimento, a comunidade em peso lhe foi ao encontro, sensibilizando-lhe a alma afetuosa.

A própria Maria, avançada em anos, acorrera de longe, em companhia de João e outros discípulos, para levar uma palavra de amor ao paladino intimorato do Evangelho de seu Filho. Os anciães receberam-no com ardorosas demonstrações de amizade, as crianças ofereciam-lhe merendas e flores.

Extremamente comovido, Paulo de Tarso prelecionou em despedida e, quando afirmou o pressentimento de que não mais ali voltaria em corpo mortal, houve grandes explosões de amargura entre os efésios.

Como que tocados pela grandeza espiritual daquele momento, quase todos se ajoelharam no tapete branco da praia e pediram a Deus protegesse o devotado batalhador do Cristo. Recebendo tão belas manifestações de carinho, o ex-rabino abraçou, um por um, de olhos molhados. A maioria atirava-se-lhe nos braços amorosos, soluçando, beijando-lhe as mãos calosas e rudes. Abraçando, por último, a Mãe santíssima, Paulo tomou-lhe a destra e nela depôs um beijo de ternura filial.

A viagem continuou com as mesmas características. Rodes, Pátara, Tiro, Ptolemaida e, finalmente, Cesareia. Nesta cidade, hospedaram-se em casa de Filipe, que ali fixara residência desde muito tempo. O velho companheiro de lutas informou Paulo dos fatos mínimos de Jerusalém, onde muito esperavam do seu esforço pessoal para continuação da Igreja. Muito velhinho, o generoso galileu falou da paisagem espiritual da cidade dos rabinos, sem disfarçar os receios que a situação lhe causava. Não somente isso constrangeu os missionários. Ágabo, já conhecido de Paulo em Antioquia, viera da Judeia e, em transe mediúnico na primeira reunião íntima em casa de Filipe, formulou os mais dolorosos vaticínios. As perspectivas eram tão sombrias que o próprio Lucas chorou. Os amigos rogaram a Paulo de Tarso que não partisse. Seria preferível a liberdade e a vida em benefício da causa.

Ele, porém, sempre disposto e resoluto, referiu-se ao Evangelho, comentou a passagem em que o Mestre profetizava os martírios que o aguardavam na cruz e concluía arrebatadamente:

– Por que chorarmos magoando o coração? Os seguidores do Cristo devem estar prontos para tudo. Por mim, estou disposto a dar testemunho, ainda que tenha de morrer em Jerusalém pelo nome do Senhor Jesus!...

A impressão dos vaticínios de Ágabo ainda não havia desaparecido, quando a casa de Filipe recebeu nova surpresa, no dia imediato. Os cristãos de Cesareia levaram à presença do ex-rabino um emissário de Tiago, de nome Mnasom. O Apóstolo galileu soubera da chegada do convertido de Damasco ao porto palestinense e dera-se pressa em se comunicar com ele, mediante um portador devotado à causa comum. Mnasom explicou ao ex-rabino o motivo de sua presença, advertindo-o dos perigos que arrostaria em Jerusalém, onde o ódio sectarista esfervilhava e atingia as mais atrozes perseguições. Dadas a exaltação e a vigilância do Judaísmo, Paulo não deveria procurar imediatamente a Igreja, mas hospedar-se em casa dele, mensageiro, onde Tiago iria falar-lhe em particular e assim resolverem o que melhor conviesse aos sagrados interesses do Cristianismo. Isto posto, o Apóstolo dos Gentios seria recebido na instituição de Jerusalém, para discutir com os atuais diretores os destinos da casa.

Paulo achou muito razoáveis os cuidados e sugestões de Tiago, mas preferiu seguir os alvitres verbais do portador.

Angustiosas sombras pairavam no espírito dos companheiros do grande Apóstolo, quando a caravana, seguida de Mnasom, se deslocou de Cesareia para a capital do Judaísmo. Como sempre, Paulo de Tarso anunciou a Boa-Nova nos burgos mais humildes.

Após alguns dias de marcha vagarosa, para que todos os trabalhos apostólicos fossem suficientemente atendidos, os discípulos do Evangelho transpuseram as portas da cidade dos rabinos, assomados de graves preocupações.

Envelhecido e alquebrado, o Apóstolo dos Gentios contemplou os edifícios de Jerusalém, demorando o olhar na paisagem árida e triste que lhe recordava os anos da mocidade tumultuosa e morta para sempre. Elevou o pensamento a Jesus e pediu-lhe que o inspirasse no cumprimento do sagrado ministério.

VIII
O martírio em Jerusalém

Obedecendo às recomendações de Tiago, Paulo de Tarso hospedou-se em casa de Mnasom, antes de qualquer entendimento com a Igreja. O Apóstolo galileu prometeu visitá-lo na mesma noite.

Pressentindo acontecimentos de importância naquela fase de sua existência, o ex-rabino aproveitou o dia traçando planos de trabalho para os discípulos mais diretos.

À noite, quando espesso manto de sombras envolvia a cidade, Tiago apareceu, cumprimentando o companheiro em atitude muito humilde. Também ele estava envelhecido, exausto, doente. O convertido de Damasco, ao contrário de outras vezes, experimentou extrema simpatia pela sua pessoa, que parecia inteiramente modificada pelos reveses e tribulações da vida.

Trocadas as primeiras impressões relativamente às viagens e feitos evangélicos, o companheiro de Simão Pedro pediu ao ex-rabino lhe marcasse lugar e hora em que pudessem falar mais intimamente.

Paulo atendeu de pronto, seguindo ambos para um aposento particular.

O filho de Alfeu começou explicando o motivo de suas graves apreensões. Havia mais de um ano que os rabinos Eliaquim e Enoque deliberaram reviver os processos de perseguições iniciados por ele, Paulo, quando da sua movimentada gestão no Sinédrio. Alegaram que o antigo doutor incidira nos sortilégios e feitiçarias da espúria grei, comprometendo a causa do Judaísmo, e não era justo continuar tolerando a situação, tão somente porque o doutor tarsense perdera a razão, no caminho de Damasco. A iniciativa ganhara enorme popularidade nos círculos religiosos de Jerusalém e o maior instituto legislativo da raça – o Sinédrio – aprovou as medidas propostas. Reconhecendo que a obra evangelizadora de Paulo produzia maravilhosos frutos de esperança em toda a parte, conforme as notícias incessantes de todas as sinagogas das regiões por ele percorridas, o grande Tribunal começou por decretar a prisão do Apóstolo dos Gentios. Numerosos processos de perseguição individual, deixados a meio por Paulo de Tarso, quando de sua inesperada conversão, foram restaurados e, o que era mais grave – quando falecidos os réus, era a pena aplicada aos descendentes, que, assim, eram torturados, humilhados, desonrados!

O ex-rabino tudo ouvia calado, estupefato.

Tiago prosseguia, esclarecendo que tudo fizera por atenuar os rigores da situação. Mobilizara influências políticas ao seu alcance, conseguindo atenuar umas tantas sentenças mais iníquas. Não obstante o banimento de Pedro, procurou manter os serviços de assistência aos desvalidos, bem como a colônia de serviço, fundada por inspiração do convertido de Damasco e na qual os convalescentes e desamparados encontravam precioso ambiente de atividade remunerada e pacífica. Depois de vários entendimentos com o Sinédrio, por intermédio de amigos influentes no Judaísmo, teve a satisfação de abrandar o rigor das exigências a serem aplicadas no caso dele, Paulo. O ex-doutor de Tarso ficaria com liberdade de agir, poderia continuar propugnando suas convicções íntimas; daria, porém, uma satisfação pública aos preconceitos de raça, atendendo aos quesitos que o Sinédrio lhe apresentaria por intermédio de Tiago, que se mostrava seu amigo. O companheiro de Simão Pedro explicava que as exigências eram muito rigorosas a princípio, mas agora, mercê de enormes esforços, cingiam-se a uma obrigação de somenos.

Paulo de Tarso escutava-o extremamente sensibilizado. Dono de luminoso cabedal evangélico, entendia chegado o momento de testemunhar seu devotamento ao Mestre, justamente por meio do mesmo órgão de perseguição que a sua ignorância engendrara em outros tempos. Naqueles minutos rápidos, sutilizou a mnemônica e lobrigou os quadros terríveis de outrora... Velhos torturados em sua presença, para sentir o prazer da apostasia cristã, com a repetição do voto de fidelidade eterna a Moisés; mães de família arrancadas de seus lares obscuros, obrigadas a jurar pela Antiga Lei, que renegavam o Carpinteiro de Nazaré, abominando a cruz do seu martírio e ignomínia. Os soluços daquelas mulheres humildes, que abjuravam da fé porque se viam feridas no que possuíam de mais nobre, o instinto maternal, chegavam, agora, a seus ouvidos como brados de angústia, clamando resgates dolorosos. Todas as cenas antigas desdobravam-se-lhe na retina espiritual, sem omissão do mais insignificante pormenor. Moços robustos, arrimos de famílias numerosas, que saíam mutilados do cárcere; jovens que pediam vingança, crianças que reclamavam os pais encarcerados. Entestando as revocações encapeladas, passou ao quadro da morte horrível de Estêvão com as pedradas e insultos do povo; reviu Pedro e João abatidos e humildes, à barra do Tribunal, como se fossem malfeitores e criminosos. Agora, ali estava ele perante o filho de Alfeu, que nunca o compreendera de forma integral, a falar-lhe em nome do passado e em nome do Cristo, como a concitá-lo ao resgate de suas derradeiras dívidas angustiosas.

Paulo de Tarso sentiu que uma lágrima lhe apontava nos olhos, sem chegar a cair. Que espécie de tortura lhe estaria reservada? Quais as determinações da autoridade religiosa a que Tiago se referia com evidente interesse?

Quando o companheiro de Simão fez uma pausa mais longa, o ex-rabino perguntou muito comovido:

– Que pretendem eles de mim?

O filho de Alfeu fixou nele os olhos serenos e explicou:

– Depois de muito relutarem, os israelitas congregados em nossa Igreja vão pedir-te, apenas, que pagues as despesas de quatro homens pobres, que fizeram voto de nazireu, comparecendo com eles no templo, durante sete dias consecutivos, para que todo o povo possa ver que continuas bom judeu e leal filho de Abraão... À primeira vista, a demonstração poderá parecer pueril; entretanto, colima, como vês, satisfazer a vaidade farisaica.

O ex-rabino fez um gesto muito seu, quando contrariado, e replicou:

– Pensei que o Sinédrio ia exigir minha morte!...

Tiago compreendeu quanto de repugnância transbordava de semelhante observação e objetou:

– Bem sei que isso te repugna e, contudo, insisto para que acedas, não por nós, propriamente, mas pela Igreja e pelos que de futuro nos hajam de secundar.

— Isso — obtemperou Paulo, com enorme desencanto — não representa nobreza alguma. Essa exigência é uma ironia profunda e visa reduzir-nos a crianças, de tão fútil que é. Não é perseguição, é humilhação; é o desejo de exibir homens conscientes como se fossem meninos volúveis e ignorantes...

Tiago, porém, tomando uma atitude carinhosa que o ex-rabino jamais lhe surpreendera em quaisquer circunstâncias da vida, falou com extrema ternura fraternal, revelando-se ao companheiro surpreendido, por outro prisma:

— Sim, Paulo, compreendo tua justa aversão. O Sinédrio, com isso, pretende achincalhar nossas convicções. Sei que a tortura na praça pública te doeria menos; entretanto, supões que isso não represente, para mim, uma dor de muitos anos?... Acreditarias, acaso, que minhas atitudes nascessem de um fanatismo inconsciente e criminoso? Compreendi, muito cedo, desde a primeira perseguição, que a tarefa de harmonização da Igreja com os judeus estava mais particularmente em minhas mãos. Como sabes, o farisaísmo sempre viveu em uma exuberante ostentação de hipocrisia, mas convenhamos, também, que é o partido dominante, tradicional, das nossas autoridades religiosas. Desde o primeiro dia, tenho sido obrigado a caminhar com os fariseus muitas milhas para conseguir alguma coisa na manutenção da Igreja do Cristo. Fingimento? Não julgues tal. Muitas vezes o Mestre nos ensinou, na Galileia, que o melhor testemunho está em morrer devagarinho, diariamente, pela vitória da sua causa; por isso mesmo, afiançava que Deus não deseja a morte do pecador, porque é na extinção de nossos caprichos de cada dia que encontramos a escada luminosa para ascender ao seu infinito amor. A atenção que tenho dedicado aos judeus é gêmea do carinho que consagras aos gentios. A cada um de nós confiou Jesus uma tarefa diferente na forma, mas idêntica no fundo. Se muitas vezes tenho provocado falsas interpretações das minhas atitudes, tudo isso é mágoa para meu Espírito habituado à simplicidade do ambiente galileu. De que nos valeria o conflito destruidor, quando temos grandiosos deveres a cuidar? Importa-nos saber morrer, para que nossas ideias se transmitam e floresçam nos outros. As lutas pessoais, ao contrário, estiolam as melhores esperanças. Criar separações e proclamar seus prejuízos, dentro da Igreja do Cristo, não seria exterminarmos a planta sagrada do Evangelho por nossas próprias mãos?

A palavra de Tiago toava imantada de bondade e sabedoria e valia por consoladora revelação. Os galileus eram muito mais sábios que qualquer dos rabinos mais cultos de Jerusalém. Ele, que chegara ao mundo religioso por intermédio de escolas famosas, que tivera sempre, na mocidade, a inspiração de um Gamaliel, admirava agora aqueles homens aparentemente rústicos, vindos das choupanas de pesca, que, em Jerusalém, alcançavam inesquecíveis vitórias intelectuais, somente porque sabiam calar quando oportuno, aliando à experiência da vida uma enorme expressão de bondade e renúncia, à feição do Divino Mestre.

O convertido de Damasco entreviu o filho de Alfeu por um novo prisma. Seus cabelos grisalhos, o rugoso e macilento rosto falavam de trabalhos árduos e incessantes. Agora, percebia que a vida exige mais compreensão que conhecimento. Presumia conhecer o Apóstolo galileu com o seu cabedal psicológico, e, no entanto, chegava à conclusão de que apenas naquele instante pudera compreendê-lo no título que lhe competia.

Quando o companheiro de Simão Pedro fez uma pausa mais longa, Paulo de Tarso contemplou-o com imensa simpatia e falou comovidamente:

– Vejo que tens razão, mas a exigência requer dinheiro. Quanto terei de pagar pela sentença? Segregado e distante do Judaísmo há muitos anos, ignoro se os cerimoniais sofreram alterações apreciáveis.

– Os preceitos são os mesmos – respondeu Tiago –, já que serás obrigado a te purificares com eles e, segundo as tradições, custearás a compra de quinze ovelhas, além dos comestíveis preceituais.

– É um absurdo! – objetou o Apóstolo dos Gentios.

– Como sabes, a autoridade religiosa exige de cada nazireu três animais para os serviços da consagração.

– Dura exigência – disse Paulo comovido.

– No entanto – replicou Tiago com um sorriso –, nossa paz vale muito mais que isso e, além dela, somos obrigados a não comprometer o futuro do Cristianismo.

O convertido de Damasco descansou o rosto na mão direita por longo tempo, dando a perceber a amplitude de suas meditações, e acabou falando em diapasão que traía a sua enorme sensibilidade:

– Tiago, como tu mesmo, atingi hoje um nível mais alto de compreensão da vida. Entendo melhor os teus argumentos. A existência humana é bem uma ascensão das trevas para a luz. A juventude, a presunção de autoridade, a centralização de nossa esfera pessoal acarretam muitas ilusões, laivando de sombras as coisas mais santas. Assiste-me o dever de curvar-me às exigências do Judaísmo, consequentes de uma perseguição por mim próprio iniciada em outros tempos.

Deteve-se, evidenciando dificuldade para confessar-se plenamente. Tomando, porém, uma atitude mais humilde, como quem não encontra outro recurso, prosseguiu quase tímido:

— Nas minhas lutas, nunca me presumi vítima, considerando-me sempre como antagonista do mal. Só Jesus, em sua pureza e amor imaculados, podia alegar a condição de anjo vitimado por nossa maldade sombria; quanto a mim, por mais que me apedrejassem e ferissem, sempre julguei que era muito pouco em relação ao que me competia sofrer nos justos testemunhos. Agora, porém, Tiago, estou preocupado com um pequenino obstáculo. Como não ignoras, tenho vivido absolutamente do meu trabalho de tecelão e, presentemente, não disponho de dinheiro com que possa prover às despesas em perspectiva... Seria a primeira vez que houvesse de recorrer à bolsa alheia, quando a solução do assunto depende exclusivamente de mim...

Suas palavras demonstravam acanhamento, aliado à tristeza comumente experimentada nos dias de humilhação e de infortúnio. Ante aquela expressão de renúncia, Tiago, em um movimento de grande espontaneidade, tomou-lhe a mão e beijou-a, murmurando:

— Não te aflijas; sabemos em Jerusalém da extensão de teus esforços pessoais e não seria razoável que a Igreja se desinteressasse dessas imposições que se não justificam. Nossa instituição pagará todas as despesas. Não é pouco concordares com o sacrifício.

Conversaram ainda longo tempo, com relação aos problemas interessantes à propaganda evangélica e, no dia seguinte, Paulo e os companheiros compareceram à Igreja de Jerusalém, recebidos por Tiago acompanhado de todos os anciães judeus, simpatizantes do Cristo e seguidores de Moisés, congregados para ouvi-lo.

A reunião começou com rigoroso cerimonial, percebendo o ex-rabino a extensão das influências farisaicas no instituto que se destinava à sementeira luminosa do Divino Mestre. Seus companheiros, acostumados à independência do Evangelho, não conseguiam ocultar a surpresa, mas, com um gesto, o convertido de Damasco fez que todos permanecessem silenciosos.

Convidado a explicar-se, o ex-rabino leu um longo relatório de suas atividades com os gentios, havendo-se com muita ponderação e inexcedível prudência.

Os judeus, que, contudo, pareciam definitivamente instalados na Igreja, mantendo as velhas atitudes dos mestres de Israel, pelo seu vogal[51] Cainã, formularam ao ex-doutor conselhos e censuras. Alegaram que também eram cristãos, mas rigorosos observadores da Lei Antiga; que Paulo não deveria trabalhar contra a circuncisão e lhe cumpria dar ampla satisfação de seus atos.

Com profunda admiração dos companheiros, o ex-rabino mantinha-se calado, recebendo as objurgatórias e repreensões com imprevista serenidade.

Por fim, Cainã fez a proposta a que Tiago se referira na véspera. A fim de satisfazer a exigência do Sinédrio, o tecelão de Tarso deveria purificar-se no Templo, com quatro judeus paupérrimos que haviam feito voto de nazireus, ficando o Apóstolo dos Gentios obrigado a custear todas as despesas.

Os amigos de Paulo surpreenderam-se, ainda mais, quando o viram levantar-se na assembleia preconceituosa e confessar-se pronto a atender a intimação.

O representante dos anciães discorreu, ainda, pedante e demoradamente, sobre os preceitos da raça, ouvido por Paulo com beatífica paciência.

Regressando à casa de Mnasom, o ex-rabino procurou informar os companheiros das razões da sua atitude. Habituados a acatar-lhe as decisões confiadamente, dispensaram-se de perguntas quiçá supérfluas, mas desejavam acompanhar o Apóstolo ao Templo de Jerusalém, para experimentarem alguma coisa da sua renúncia sincera, com relação ao futuro do evangelismo. Paulo frisou a conveniência de seguir só, mas Trófimo, que ainda se demorava alguns dias em Jerusalém, antes de regressar a Antioquia, insistiu e conseguiu que o Apóstolo lhe aceitasse a companhia.

O comparecimento de Paulo de Tarso ao Templo, acompanhando quatro irmãos de raça, em mísero estado de pobreza, a fim de com eles purificar-se e pagar-lhes as despesas do voto, causou enorme sensação em todos os círculos do farisaísmo. Acenderam-se discussões violentas e

---

[51] N.E.: Membro de uma corporação ou júri.

rudes. Assim que viu o ex-rabino humilhado, o Sinédrio pretendia impor sentenças novas. Já não lhe bastavam as imposições anteriores. No segundo dia da santificação, o movimento popular crescera no Templo em proporções assustadoras. Todos queriam ver o célebre doutor que enlouquecera às portas de Damasco, devido ao sortilégio dos galileus. Paulo observava a efervescência do cenário em torno da sua personalidade e pedia a Jesus não lhe faltasse com as energias suficientes. No terceiro dia, à falta de outro pretexto para condenação maior, alguns doutores alegaram que Paulo tinha o atrevimento de se fazer acompanhar aos lugares sagrados por um homem de origem grega, estranho às tradições israelitas. Trófimo nascera em Antioquia, de pais gregos, tendo vivido muitos anos em Éfeso; entretanto, apesar do sangue que lhe corria nas veias, conhecia os preceitos do Judaísmo e portava-se, nos recintos consagrados ao culto, com inexcedível respeito. As autoridades, contudo, não quiseram ponderar tais particularidades. Era preciso condenar Paulo de Tarso novamente, haviam de fazê-lo a qualquer preço.

O ex-rabino percebeu a trama que se delineava e rogou ao discípulo não mais o acompanhasse ao Monte Moriá, onde se processavam os serviços religiosos. O ódio farisaico, porém, continuava a fermentar.

Na véspera do último dia da purificação judaica, o convertido de Damasco compareceu às cerimônias com a mesma humildade. Logo, porém, que se colocou em posição de orar ao lado dos companheiros, alguns exaltados o cercaram com expressões e atitudes ameaçadoras.

— Morte ao desertor!... Pedras à traição! — gritou uma voz estentórica, abalando o recinto.

Paulo teve a impressão de que esses brados eram a senha para maiores violências, porque, imediatamente, estourou uma gritaria infernal. Alguns judeus frementes agarraram-no pela gola da túnica, outros travaram-lhe os braços, violentamente, arrastando-o para o grande pátio reservado aos movimentos do grande público.

— Pagarás teu crime!... — diziam uns.

— É necessário que morras! Israel se envergonha de tua presença no mundo! — bradavam outros mais furiosos.

O Apóstolo dos Gentios entregou-se sem a mínima resistência. Em um relance, considerou os objetivos profundos de sua vinda a Jerusalém, concluindo que não fora convocado tão só para a obrigação pueril de acompanhar ao Templo quatro irmãos de raça, desolados na sua indigência. Cumpria-lhe afirmar, na cidade dos rabinos, a firmeza de suas convicções. Entendia, agora, a sutileza das circunstâncias que o conduziam ao testemunho. Primeiramente, a reconciliação e o melhor conhecimento de um companheiro como Tiago, obedecendo a uma determinação que lhe parecera quase infantil; em seguida, o grande ensejo de provar a fé e a consagração de sua alma a Jesus Cristo. Com enorme surpresa, tomado de profundas e dolorosas reminiscências, notou que os israelitas exaltados deixavam-no à mercê da multidão furiosa, justamente no pátio onde Estêvão havia sido apedrejado vinte anos atrás. Alguns populares desvairados arrebataram-no à força, prendendo-o ao tronco dos suplícios. Engolfado nas suas lembranças, o grande Apóstolo mal sentia os bofetões que lhe aplicavam. Rápido, arregimentou as mais singulares reflexões. Em Jerusalém, o Mestre divino padecera os martírios mais dolorosos; ali mesmo, o generoso Jeziel se imolara por amor ao Evangelho, sob os golpes e chufas da populaça. Sentiu-se então envergonhado pelo suplício infligido ao irmão de Abigail, oriundo de suas próprias iniciativas. Somente agora, atado ao poste do sacrifício, compreendia a extensão do sofrimento que o fanatismo e a ignorância causavam ao mundo. E refletiu: – O Mestre é o Salvador dos homens e aqui padeceu pela redenção das criaturas. Estêvão era seu discípulo, devotado e amoroso, e aqui experimentou, igualmente, os suplícios da morte. Jesus era o Filho de Deus, Jeziel era seu Apóstolo. E ele? Não estava ali o passado a reclamar resgates dolorosos? Não seria justo padecer muito, pelo muito que martirizara os outros? Era razoável que sentisse alegria naqueles instantes amargos, não só por tomar a cruz e seguir o Mestre bem-amado, como por ter tido o ensejo de sofrer o que Jeziel havia experimentado com grande amargura.

    Essas reflexões proporcionavam-lhe algum consolo. A consciência sentia-se mais leve. Ia dar testemunho da fé em Jerusalém, onde se encontrara com o irmão de Abigail; e, depois da morte, podia aproximar-se do seu coração generoso, falando-lhe com júbilo dos seus próprios sacrifícios. Pedir-lhe-ia perdão e exaltaria a bondade de Deus, que o conduzira ao mesmo lugar, para os resgates justos. Alongando o olhar, entreviu a pequena porta de acesso ao pequeno aposento onde estivera com a noiva amada e seu irmão prestes a desprender-se do mundo nas agonias extremas. Parecia ouvir ainda as derradeiras palavras de Estêvão misturadas de bondade e perdão.

Mal não saíra de suas reminiscências, quando a primeira pedrada o despertou para escutar o vozerio do povo.

O grande pátio estava repleto de israelitas sanhudos. Objurgatórias sarcásticas cortavam os ares. O espetáculo era o mesmo do dia em que Estêvão partira da Terra. Os mesmos impropérios, as fisionomias escarninhas dos verdugos, a mesma frieza implacável dos carrascos do fanatismo. O próprio Paulo não se furtava à admiração, ao verificar as coincidências singulares. As primeiras pedras acertaram-lhe no peito e nos braços, ferindo-o com violência.

— Esta será em nome da sinagoga dos cilícios! — dizia um jovem, em coro de gargalhadas.

A pedra passou sibilando e dilacerou, pela primeira vez, o rosto do Apóstolo. Um filete de sangue começou a ensopar-lhe as vestiduras. Nem um minuto, porém, deixou de encarar os carrascos com a sua desconcertante serenidade.

Trófimo e Lucas, entretanto, cientes da gravidade da situação, desde os primeiros instantes, por um amigo que presenciara a cena inicial do suplício, procuraram imediatamente o socorro das autoridades romanas. Receosos de novas complicações, não declinaram as verdadeiras condições do convertido de Damasco. Alegavam, apenas, tratar-se de um homem que não devia padecer nas mãos dos israelitas fanáticos e inconscientes.

Um tribuno militar organizou incontinente um troço de soldados. Deixando a fortaleza, penetraram no amplo átrio, com ânimo decidido. A massa delirava num turbilhão de altercações e gritarias ensurdecedoras. Dois centuriões, obedecendo às ordens do comando, avançaram resolutos, desatando o prisioneiro e arrebatando-o à multidão, que o disputava ansiosa.

— Abaixo o inimigo do povo!... É um criminoso! É um malfeitor! Estraçalhemos o ladrão!...

Pairavam no ar as exclamações mais estranhas. Não encontrando rabinos de responsabilidade para os esclarecimentos imprescindíveis, o tribuno romano mandou que o acusado fosse algemado. O militar estava convencido de que se tratava de perigoso malfeitor que, de há muito, se transformara em terrível pesadelo dos habitantes da província. Não encontrava outra explicação para justificar tanto ódio.

O peito contuso, ferido no rosto e nos braços, o Apóstolo seguiu para a Torre Antônia, escoltado pelos prepostos de César, enquanto a multidão encaudava o pequeno cortejo, bradando sem cessar: – Morra! Morra!

Ia penetrar o primeiro pátio da grande fortaleza romana quando Paulo, compreendendo afinal que não fora a Jerusalém tão só para acompanhar quatro nazireus paupérrimos ao Monte Moriá, e sim para dar um testemunho mais eloquente do Evangelho, interrogou o tribuno com humildade:

– Permitis, porventura, que vos diga alguma coisa?

Percebendo-lhe as maneiras distintas, a nobre inflexão da palavra em puro grego, o chefe da coorte replicou muito admirado:

– Não és tu o bandido egípcio que, há algum tempo, organizou a malta de ladrões que devastam estas paragens?

– Não sou ladrão – respondeu Paulo, parecendo uma figura estranha, em vista do sangue que lhe cobria o rosto e a túnica singela –, sou cidadão de Tarso e rogo-vos permissão para falar ao povo.

O militar romano ficou boquiaberto com tamanha distinção de gestos e não teve outro recurso senão ceder, embora hesitante.

Sentindo-se em um dos seus grandes momentos de testemunho, Paulo de Tarso subiu alguns degraus da escadaria enorme e começou a falar em hebraico, impressionando a multidão com a profunda serenidade e elegância do discurso. Começou explicando suas primeiras lutas, seus remorsos por haver perseguido os discípulos do Mestre divino; historiou a viagem a Damasco, a infinita bondade de Jesus que lhe permitira a visão gloriosa, dirigindo-lhe palavras de advertência e perdão. Rico das reminiscências de Estêvão, falou do erro que havia cometido em consentir na sua morte.

Ouvindo-lhe a palavra cinzelada de misteriosa beleza, Cláudio Lísias, tribuno romano que efetuara a prisão, experimentou sensações indefiníveis. Por sua vez, havia recebido certos benefícios daquele Cristo incompreendido a que se referia o orador em circunstâncias tão amargas. Tomado de escrúpulos, mandou chamar o tribuno Zelfos, de origem egípcia, que adquirira certos títulos romanos pela expressão de sua enorme fortuna, e solicitou:

– Amigo – disse com voz quase imperceptível –, não desejo tomar aqui certas decisões, relativamente ao caso deste homem. A multidão está exaltada e é possível que ocorram acontecimentos muito graves. Desejaria tua cooperação imediata.

– Sem dúvida – respondeu o outro resoluto.

E, enquanto Lísias procurava examinar, de modo minucioso, a figura do Apóstolo, que falava de maneira impressionante, Zelfos desdobrava-se em providências oportunas. Reforçou a guarnição dos soldados, iniciou a formatura de um cordão de isolamento, buscando resguardar o orador de um ataque imprevisto.

Paulo de Tarso, depois de circunstanciado relatório da sua conversão, começou a falar da grandeza do Cristo, das promessas do Evangelho, e, quando se detinha a comentar suas relações com o Mundo Espiritual, de onde recebia as mensagens confortantes do Mestre, a massa inconsciente, furiosa, agitou-se em ânsias mesquinhas. Grande número de israelitas despia o manto, arrojando poeira no ar, em um impulso característico de ignorância e maldade. O momento era gravíssimo. Os mais exaltados tentaram romper o cordão dos guardas para trucidar o prisioneiro. A ação de Zelfos foi rápida. Mandou recolher o Apóstolo ao interior da Torre Antônia. E, enquanto Cláudio Lísias se recolhia à residência, a fim de meditar um pouco na sublimidade dos conceitos ouvidos, o companheiro de milícia tomava providências enérgicas para dispersar a multidão. Não eram poucos os que teimavam em vociferar na via pública, mas o chefe militar mandou dispersar os recalcitrantes à pata de cavalo.

Conduzido a uma cela úmida, Paulo sentiu que os soldados o tratavam com a maior desconsideração. As feridas doíam-lhe penosamente. Tinha as pernas doloridas e trôpegas. A túnica estava empapada de sangue. Os guardas impiedosos e irônicos amarraram-no a grossa coluna, conferindo-lhe o tratamento destinado aos criminosos comuns. O Apóstolo, sentindo-se exausto e febril, chegou à conclusão de que não lhe seria fácil resistir à nova provação de martírio. Refletiu que não era justo entregar-se de todo às disposições perversas dos soldados que o guardavam. Lembrou que o Mestre se imolara na cruz, sem resistir à crueldade das criaturas, mas também afirmara que o Pai não deseja a morte do pecador. Não podia alimentar a presunção de entregar-se como Jesus, porque somente Ele possuía bastante amor para constituir-se Enviado do Todo-Poderoso; e como se reconhecia pecador convertido ao Evangelho, era justo o desejo de trabalhar até o último dia de suas possibilidades na Terra, em favor dos irmãos em

Humanidade e em benefício da própria iluminação espiritual. Recordou a prudência que Pedro e Tiago sempre testemunharam para que as tarefas a eles confiadas não sofressem prejuízos injustificáveis e, verificando as suas escassas probabilidades de resistência física, naquela hora inesquecível, gritou aos soldados:

— Prendestes-me à coluna reservada aos criminosos, quando não podeis imputar-me falta alguma!... Vejo, agora, que preparais açoites para a flagelação, quando já me encontro banhado em sangue, no suplício imposto pela turba inconsciente...

Um dos guardas, um tanto irônico, procurou cortar-lhe a palavra e sentenciou:

— Ora esta!... Não sois um Apóstolo do Cristo? Consta que teu Mestre morreu na cruz caladinho e, por fim, ainda pediu perdão para os algozes, alegando que ignoravam o que faziam.

Os companheiros do engraçado romperam em gargalhadas estrídulas. Paulo de Tarso, entretanto, evidenciando toda a nobreza do coração, no fulgor do olhar, replicou sem hesitação:

— Sim, rodeado pelo povo ignorante e inconsciente, no dia do Calvário, Jesus pediu a Deus perdoasse as trevas de espírito em que se submergia a multidão que lhe levantara o madeiro de ignomínia, mas os agentes do governo imperial não podem ser a turba que desconhece os próprios atos. Os soldados de César devem saber o que fazem, porque se ignorais as leis, para cuja execução recebeis soldo, seria mais justo abandonardes o posto.

Os guardas ficaram imóveis, tomados de assombro.

Paulo, entretanto, continuou em voz firme:

— Quanto a mim, pergunto-vos: Será lícito açoitardes um cidadão romano, antes de condenado?

O centurião que presidia os serviços da flagelação suspendeu os primeiros dispositivos. Zelfos foi chamado com espanto. Ciente do ocorrido, o tribuno interrogou o Apóstolo, sumamente admirado:

— Dize-me. És de fato romano?

— Sim.

Ante a firmeza da resposta, Zelfos achou razoável modificar o tratamento do prisioneiro. Receoso de complicações, ordenou que o ex-rabino fosse retirado do tronco, permitindo-lhe ficar à vontade no acanhado âmbito da cela. Somente então, Paulo de Tarso conseguiu algum repouso em um leito duro, recebendo uma bilha de água trazida com mais respeito e consideração. Saciou a sede intensa e dormiu, apesar das feridas sangrentas e dolorosas.

Zelfos, contudo, não estava tranquilo. Desconhecia, por completo, a condição do acusado. Temendo complicações prejudiciais para a sua posição, aliás, invejável do ponto de vista político, procurou avistar-se com o tribuno Cláudio Lísias. Esclarecendo o motivo de sua preocupação, o outro murmurou:

— Isso me surpreende, porque a mim afirmou que era judeu, natural de Tarso da Cilícia.

Zelfos explicou, então, que tinha dificuldade para discernir a causa, concluindo:

— Pelo que dizes, ele parece-me antes um mentiroso vulgar.

— Isso não — exclamou Lísias —, naturalmente possuirá títulos de cidadania do Império e agiu por motivos que não estamos habilitados a apreciar.

Percebendo que o amigo se irritara intimamente com as suas primeiras alegações, Zelfos apressou-se a corrigir:

— Teus conceitos são justos.

— Tenho de emiti-los em consciência — acrescentou Lísias bem inspirado —, porque esse homem, desconhecido para nós ambos, falou de problemas muito sérios.

Zelfos pensou um instante e ponderou:

— Considerando tudo isso, proponho seja apresentado, amanhã, ao Sinédrio. Julgo que somente assim poderemos encontrar uma fórmula capaz de resolver o assunto.

Cláudio Lísias recebeu o alvitre com displicência. No íntimo, sentia-se mais propenso a patronear a defesa do Apóstolo. Sua palavra, inflamada de fé, impressionara-o vivamente. Em breves, rápidos momentos de meditação, analisou todos os lances pró e contra uma atuação dessa natureza. Subtrair o acusado à perseguição dos mais exaltados era uma ação justa, mas disputar com o Sinédrio era uma atitude que reclamava mais prudência. Conhecia os judeus, muito de perto, e, por mais de uma vez, experimentara o grau de suas paixões e caprichos. Compreendendo, igualmente, que não deveria despertar qualquer suspeita do colega, com relação às suas crenças religiosas, fez um gesto afirmativo e declarou:

– Concordo com o alvitre. Amanhã, entregá-lo-emos aos juízes competentes em matéria de fé. Poderás deixar isso a meu cargo, porque o prisioneiro será acompanhado de escolta que o garanta contra qualquer violência.

E assim foi. Na manhã seguinte, o mais alto Tribunal dos israelitas foi notificado pelo tribuno Cláudio Lísias de que o pregador do Evangelho compareceria perante os juízes para os inquéritos necessários, às primeiras horas da tarde. As autoridades do Sinédrio experimentaram enorme regozijo. Iam, enfim, rever o desertor da Lei, face a face. A notícia foi espalhada com invulgar rapidez.

Paulo, por sua vez, na solidão do cárcere, sentiu-se felicitado com uma grande surpresa, naquela manhã de sombrias perspectivas. É que, com permissão do tribuno, uma velha senhora e seu filho, ainda jovem, penetravam na cela a fim de visitá-lo.

Era sua irmã Dalila com o sobrinho Estefânio, que conseguiram, depois de muito esforço, permissão para uma entrevista ligeira. O Apóstolo abraçou a nobre senhora, com lágrimas de emoção. Ela estava alquebrada, envelhecida. O jovem Estefânio tomou as mãos do tio e beijou-as com veneração e ternura.

Dalila falou das saudades longas, recordou episódios familiares com a poesia do coração feminino, e o ex-doutor de Jerusalém recebia todas as notícias, boas e más, com imperturbável serenidade, como se procedessem de um mundo muito diferente do seu. Buscou, entretanto, confortar a irmã, que, a uma reminiscência mais dolorosa, se desfazia em prantos. Paulo historiou sucintamente as suas viagens, lutas, obstáculos dos caminhos palmilhados por amor de Jesus. A venerável senhora, embora alheia às verdades do Cristianismo, muito delicadamente não quis tocar nos assuntos religiosos, detendo-se nos motivos afetuosos de sua visita fraternal e chorando copiosamente ao despedir-se. Não podia compreender a resignação do Apóstolo, nem apreciava devidamente a sua renúncia. Lastimava-lhe, intimamente, a sorte e, no fundo, tal como a maioria dos compatriotas, desdenhava aquele Jesus que não oferecia aos discípulos senão cruzes e sofrimentos.

Paulo de Tarso, todavia, experimentara grande conforto com a sua presença; sobretudo, a inteligência e a vivacidade de Estefânio, na ligeira palestra mantida, proporcionavam-lhe enormes esperanças no futuro espiritual do sobrinho.

Ainda repassava na mente essa grata impressão quando numerosa escolta se postava junto à cela, para acompanhá-lo ao Sinédrio, no momento oportuno.

Logo após o meio-dia, compareceu à barra do Tribunal e percebeu, de pronto, que o cenáculo dos grandes doutores de Jerusalém vivia um dos seus grandes dias, repleto de compacta massa popular. Sua presença provocava uma aluvião de comentários. Todos queriam ver, conhecer o trânsfuga da Lei, o doutor que repudiara e deprimira os títulos sagrados. Sobremaneira comovido, o Apóstolo lembrou ainda uma vez a figura de Estêvão. Competia-lhe, agora, dar igualmente o testemunho do Evangelho de verdade e redenção. A agitação do Sinédrio dava-lhe a mesma tonalidade dos tempos ali vividos. Ali, precisamente, infligira as mais duras humilhações ao irmão de Abigail e aos prosélitos de Jesus. Era justo, portanto, esperar, agora, acerbos e remissores sofrimentos. Depois, para cúmulo de amargura, a singular coincidência: o sumo sacerdote que presidia o feito chamava-se também Ananias! Acaso? Ironia do destino?

Tal como se verificou com Jeziel, lido o libelo acusatório, deram a palavra ao Apóstolo para defender-se, em atenção às prerrogativas de nascimento.

Paulo entrou a justificar-se, sumamente respeitoso. Risos abafados, não raro, quebravam o silêncio ambiente, a indiciarem a termometria sarcasticamente hostil do auditório.

Quando a sua altiloquente oratória começou a impressionar pela fidelidade do testemunho cristão, o sumo sacerdote lhe impôs silêncio e vociferou enfático:

— Um filho de Israel, ainda que portador de títulos romanos, quando desrespeite as tradições desta casa, com afirmativas injuriosas à memória dos profetas, torna-se passível de severas reprimendas. O acusado parece ignorar o dever de explicar-se convenientemente, para tresvariar em conceitos sibilinos, próprios da sua desregrada e criminosa obsessão pelo Carpinteiro revolucionário de Nazaré! Minha autoridade não permite abusos nos lugares santos. Determino, pois, que Paulo de Tarso seja ferido na boca, em desafronta aos seus termos insultuosos.

O Apóstolo endereçou-lhe um olhar de serenidade indizível e replicou:

— Sacerdote, vigiai o coração para não incidirdes em repressões injustas. Os homens, como vós, são como as paredes branqueadas dos sepulcros, mas não deveis ignorar que também sereis ferido pela Justiça de Deus. Conheço de sobra as leis de que vos tornastes executor. Se aqui permaneceis para julgar, como e por que mandais ferir?

Antes, porém, que pudesse prosseguir, um pequeno grupo de prepostos de Ananias avançou com açoites minúsculos, ferindo-o nos lábios.

– Ousas injuriar o sumo sacerdote? – exclamavam fulos de cólera. – Pagarás os insultos!...

As lambadas riscavam o rosto rugoso e venerando do ex-rabino, sob os aplausos gerais. Vozes irônicas elevavam-se incessantes do seio da turba refece. Uns pediam mais rigor; outros, estentóricos, reclamavam o apedrejamento. A serenidade do Apóstolo dava pleno testemunho e mais acirrava os ânimos impulsivos e criminosos. Destacaram-se certos grupos de israelitas mais soezes e, cooperando com os verdugos, cuspinharam-lhe o rosto. Generalizou-se o tumulto. Paulo tentou falar, explicar-se mais detalhadamente, mas a confusão era tal que nada se ouvia e ninguém se entendia.

O sumo sacerdote permitira a desordem deliberadamente. Os elementos principais do Sinédrio desejavam exterminar o ex-doutor a qualquer preço. O Tribunal só se prestara ao julgamento de entremez, porque havia percebido o interesse pessoal de Cláudio Lísias pelo prisioneiro. Não fora isso, Paulo de Tarso teria sido assassinado em Jerusalém, para satisfazer aos sentimentos odiosos dos inimigos gratuitos da sua abençoada tarefa apostólica. Solicitado pelo tribuno presente à reunião memorável, Ananias conseguiu restabelecer a calma no ambiente. Depois de apelos desesperados, a assembleia emudeceu expectante.

Paulo tinha o rosto a sangrar, a túnica em frangalhos, mas, com surpresa e pasmo gerais, revelava no olhar, ao contrário de outros tempos, em circunstâncias dessa natureza, grande tranquilidade fraternal, dando a entender que compreendia e perdoava os agravos da ignorância.

Supondo-se em posição vantajosa, o sumo sacerdote acentuou em tom arrogante:

– Devias morrer como teu Mestre, numa cruz desprezível! Desertor das tradições sagradas da pátria e blasfemo criminoso, não te bastam, por justo castigo, os sofrimentos que começas a experimentar entre os legítimos filhos de Israel!...

O Apóstolo, no entanto, longe de acovardar-se, replicou tranquilamente:

– Juízo apressado o vosso... Não mereço a cruz do Redentor, porque a sua auréola é gloriosa demais para mim; entretanto, os martírios todos do mundo seriam justos, aplicados ao pecador que sou. Temeis os sofrimentos porque não conheceis a vida eterna, considerais as provações como quem nada vê além destes efêmeros dias da existência humana. A política mesquinha vos distanciou o espírito das visões sagradas dos profetas!... Os cristãos, sabei-o, conhecem outra Vida Espiritual, suas esperanças não repousam em triunfos mendazes que vão apodrecer com o corpo no sepulcro! A vida não é isto que vemos na banalidade de todos os dias terrestres; é antes afirmação de imortalidade gloriosa com Jesus Cristo!

A palavra do orador parecia magnetizar, agora, a assembleia em peso. O próprio Ananias, não obstante a cólera surda, sentia-se incapaz de qualquer reação, como se algo de misterioso o compelisse a ouvir até o fim. Imperturbável em sua serenidade, Paulo de Tarso prosseguiu:

– Continuai a ferir-me! Escarrai-me na face! Açoitai-me! Esse martirológio me exalta para uma esperança superior, porque já criei no meu íntimo um santuário intangível às vossas mãos e onde Jesus há de reinar para sempre...

– Que desejais – continuou em voz firme – com as vossas arruaças e perseguições? Afinal, onde o motivo para tantas lutas estéreis e destruidoras? Os cristãos trabalham, como o fez Moisés, para a crença em Deus e em nossa gloriosa ressurreição. É inútil dividir, fomentar a discórdia, tentar empanar a verdade com as ilusões do mundo. O Evangelho do Cristo é o Sol que ilumina as tradições e os fastos da Antiga Lei!...

Nesse ínterim, não obstante a estupefação de muitos, estabeleceu-se nova balbúrdia. Os saduceus atiraram-se contra os fariseus, com gestos e apóstrofes delirantes. Em vão, o sumo sacerdote procurava acalmar os ânimos. Um grupo mais exaltado tentava aproximar-se do ex-rabino, disposto a estrangulá-lo.

Foi aí que Cláudio Lísias, apelando para os soldados, fez-se ouvir na assembleia, ameaçando os contendores. Surpreendidos com o fato insólito, porquanto os romanos jamais procuravam intervir em assuntos religiosos da raça, os trêfegos israelitas submeteram-se imediatamente. O tribuno dirigiu-se, então, a Ananias e reclamou o encerramento dos trabalhos, declarando que o prisioneiro voltaria ao cárcere da Torre Antônia, até que os judeus resolvessem ventilar o caso com mais critério e serenidade.

As autoridades do Sinédrio não disfarçaram seu enorme espanto, mas como o governador da província continuava em Cesareia, não seria razoável desatender ao seu preposto em Jerusalém.

Antes que se verificassem novos tumultos, Ananias declarou que o julgamento de Paulo de Tarso, consoante a ordem recebida, prosseguiria na próxima sessão do Tribunal, a realizar-se daí a três dias.

Os guardas retiraram o prisioneiro, com grande cautela, enquanto os israelitas mais eminentes buscaram conter os protestos isolados dos que acusavam Cláudio Lísias de parcial e simpatizante do novo credo.

Reconduzido à cela silenciosa, Paulo pôde respirar e refazer o ânimo para enfrentar a situação.

Experimentando justa simpatia por aquele homem valoroso e sincero, o tribuno tomou novas providências a seu favor. O ex-doutor da Lei estava mais satisfeito e aliviado. Teve um guarda para atendê-lo em qualquer necessidade, recebeu água em abundância, remédio, alimentos e a visita dos amigos mais íntimos. Essas mostras de apreço muito o comoviam. Espiritualmente, sentia-se até mais confortado; doía-lhe, porém, o corpo ferido, e fisicamente estava exausto... Depois de palestrar alguns minutos, conforme a permissão recebida, com Lucas e Timóteo, sentiu que certas preocupações dolorosas lhe amarguravam o coração. Seria justo pensar em uma viagem a Roma, quando seu estado físico era assim precário? Resistiria por muito tempo às tremendas perseguições iniciadas em Jerusalém? Contudo, as vozes do mundo superior haviam-lhe prometido essa viagem à capital do Império... Não deveria duvidar das promessas feitas em nome do Cristo. Certa fadiga, aliada a grande amargura, começava a infirmar-lhe as esperanças sempre ativas. Caindo, porém, numa espécie de modorra, percebeu, como de outras vezes, que uma viva claridade inundava o cubículo, ao mesmo tempo em que suavíssima voz lhe sussurrava:

– Regozija-te pelas dores que resgatam e iluminam a consciência! Ainda que os sofrimentos se multipliquem, renova os júbilos divinos da esperança!... Guarda o teu bom ânimo, porque assim como testificaste de mim, em Jerusalém, importa que o faças também em Roma!...

De pronto sentiu que novas forças lhe retemperavam o combalido organismo.

A claridade da manhã surpreendeu-o quase bem-disposto. Nas primeiras horas do dia, Estefânio procurava-o com certa ansiedade. Recebido com afetuoso interesse, o rapaz informou o tio dos graves projetos que se tramavam na sombra. Os judeus haviam jurado exterminar o convertido de Damasco, ainda que para isso houvessem de assassinar o próprio Cláudio Lísias. O ambiente no Sinédrio era de atividades odiosas. Projetava-se matar o pregador da gentilidade, à plena luz do dia, na próxima sessão do Tribunal. Mais de quarenta comparsas, dos mais fanáticos, haviam prometido, solenemente, a consecução do sinistro desígnio. Paulo tudo ouviu e, calmamente chamando o guarda, disse-lhe:

— Peço-te conduzir este moço à presença do chefe dos tribunos para que o ouça sobre um assunto urgente.

Assim, Estefânio foi levado a Cláudio Lísias, apresentando-lhe a denúncia. O arguto e nobre patrício, com o tato político que lhe caracterizava as decisões, prometeu examinar devidamente a questão, sem deixar presumir a adoção de providências definitivas para burlar a conjura. Agradecendo a comunicação, recomendou ao jovem o máximo cuidado nos comentários da situação, a fim de não exacerbar maiormente os ânimos partidários.

Na solidão do seu gabinete, o tribuno romano pensou seriamente naquelas perspectivas sombrias. O Sinédrio, na sua capacidade de intrigar, poderia promover manifestações do povo sempre versátil e agressivo. Rabinos apaixonados podiam mobilizar facínoras e quiçá assassiná-lo em condições espetaculares. No entanto, a denúncia partia de um jovem, quase criança. Além disso, tratava-se de um sobrinho do prisioneiro. Teria dito a verdade ou seria mero instrumento de possível mistificação afetiva, nascida de justas preocupações da família? Ainda bem não conseguira destrinçar as dúvidas para firmar conduta, quando alguém pedia o obséquio de uma entrevista. Desejoso de atregar cogitações assim graves, acedeu prontamente. Abriu a porta luxuosa e um velhinho de semblante calmo apareceu sorridente. Cláudio Lísias alegrou-se. Conhecia-o de perto. Devia-lhe favores. O visitante inesperado era Tiago, que vinha interpor sua generosa influência em favor do grande amigo de suas edificações evangélicas. O filho de Alfeu repetiu o plano já denunciado por Estefânio, minutos antes. E foi mais longe. Contou a história comovedora de Paulo de Tarso, revelando-se como testemunha imparcial de toda a sua vida e esclarecendo que o Apóstolo viera à cidade, por insistência de sua parte, a fim de combinarem momentosas providências atinentes à propaganda. Concluía a exposição atenciosa pedindo ao amigo ilustre medidas eficazes para evitar o monstruoso atentado.

Maiormente apreensivo agora, o tribuno ponderou:

– Vossas considerações são justas; entretanto, sinto dificuldades para coordenar providências imediatas. Não será melhor aguardar que os fatos se apresentem e reagir, então, à força com a força?

Tiago esboçou um sorriso de dúvidas e sentenciou:

– Sou de parecer que vossa autoridade encontre recursos urgentes. Conheço as paixões judaicas e o furor de suas manifestações. Nunca poderei esquecer o odioso fermento dos fariseus, no dia do Calvário. Se receio pela sorte de Paulo, temo igualmente por vós mesmo. A multidão de Jerusalém é criminosa muitas vezes.

Lísias franziu a testa e refletiu longo tempo, mas, arrancando-o de sua indecisão, o velho galileu apresentou-lhe a ideia de transferir o prisioneiro para Cesareia, tendo em vista um julgamento mais justo. A medida teria a virtude de subtrair o Apóstolo do ambiente irritado de Jerusalém e faria abortar de início o plano de homicídio; além disso, o tribuno permaneceria a salvo de suspeitas injustas, mantendo íntegras as tradições de respeito acerca do seu nome, por parte dos judeus malevolentes e ingratos. O feito seria conhecido apenas dos mais íntimos e o patrício designaria uma escolta de soldados corajosos para acompanhar o prisioneiro, devendo sair de Jerusalém depois de meia-noite.

Cláudio Lísias considerou a excelência das sugestões e prometeu pô-las em prática nessa mesma noite.

Logo que Tiago se despediu, o romano chamou dois auxiliares de confiança e deu as primeiras ordens para a formação da escolta, forte, de 130 soldados, 200 archeiros e 70 cavaleiros, sob cuja proteção Paulo de Tarso haveria de comparecer perante o governador Félix, no grande porto palestinense. Os prepostos, atendendo às instruções recebidas, reservaram para o prisioneiro uma das melhores montarias.

Alta noite, Paulo de Tarso foi chamado com grande surpresa. Cláudio Lísias explicou-lhe, em poucas palavras, o objetivo de sua decisão e a extensa caravana partiu em silêncio, rumo a Cesareia.

Dado o caráter secreto das providências tomadas, a viagem correu sem incidentes dignos de menção. Apenas muitas horas depois partiam da Torre Antônia os respectivos informes, convencendo-se os judeus, com grande desapontamento, da inutilidade de quaisquer represálias.

Em Cesareia o governador recebeu a expedição com enorme espanto. Conhecia o renome de Paulo e não era estranho às lutas que sustentava com os irmãos de raça, mas aquela caravana de quatrocentos homens armados, para proteger um preso, era de causar admiração.

Depois do primeiro interrogatório, o preposto máximo do Império, na província, sentenciou:

– Atento à origem judaica do acusado, nada posso julgar sem ouvir o órgão competente de Jerusalém.

E mandou que o Sinédrio se fizesse representar na sede do Governo, com a maior urgência.

Os israelitas estavam sumamente satisfeitos com a ordem.

Consequentemente, cinco dias depois da remoção do Apóstolo, o próprio Ananias fizera questão de chefiar o conjunto de autoridades do Sinédrio e do Templo, que acorreram a Cesareia com os projetos mais estranhos, relativamente à situação do adversário. Os velhos rabinos, conhecendo o poder da lógica e a formosura da palavra do ex-doutor de Tarso, fizeram-se acompanhar de Tertulo, uma das mais notáveis mentalidades que cooperavam no colendo sodalício.

Improvisado o Tribunal para decidir o feito, o orador do Sinédrio teve a prioridade da palavra, usando-a em tremendas acusações contra o indiciado réu, desenhando a cores negras todas as atividades do Cristianismo, e terminando por pedir ao governador a entrega do acusado aos seus irmãos de raça, a fim de ser por eles devidamente julgado.

Concedido ao ex-rabino o ensejo de explicar-se, Paulo começou a falar com grande serenidade. Félix lhe observou logo os elevados dotes intelectuais, os primores dialéticos e ouvia-lhe a argumentação com invulgar interesse. Os anciães de Jerusalém não sabiam ocultar a própria ira. Se possível, teriam espostejado o Apóstolo ali mesmo, tal a irritação que os assomava, a contrastar com a tranquilidade transparente da oratória e da pessoa do orador adverso.

O governador teve grande embaraço para pronunciar o veredicto. De um lado, via os anciães de Israel em atitude quase colérica, reclamando direitos de raça; do outro, contemplava o Apóstolo do Evangelho, calmo, imperturbável, senhor espiritual do assunto, a esclarecer todos os pontos obscuros do processo singular, com a sua palavra elegante e refletida.

Reconhecendo o extremo valor daquele homem franzino e envelhecido, cujos cabelos pareciam encanecidos por dolorosas e sagradas experiências, o governador Félix modificou, apressadamente, suas primeiras impressões e encerrou os trabalhos nestes termos:

— Senhores, reconheço que o processo é mais grave do que julguei à primeira vista. Neste caso, resolvo adiar a sentença definitiva até que o tribuno Cláudio Lísias seja convenientemente ouvido.

Os anciães morderam os lábios. Debalde o sumo sacerdote solicitou a continuação dos trabalhos. O mandatário de Roma não modificou o ponto de vista e a grande assembleia dissolveu-se, com imenso pesar dos israelitas constrangidos a regressar, extremamente desapontados.

Félix, entretanto, passou a considerar o prisioneiro com maior deferência. No dia seguinte, foi visitá-lo, concedendo-lhe permissão para receber os amigos na sala do expediente. Depreendendo que Paulo gozava de grande prestígio entre e perante todos os seguidores da doutrina do Profeta nazareno, imaginou, desde logo, tirar algum proveito da situação. Cada vez que o visitava, surpreendia-lhe maior acuidade mental, a interessá-lo pela sua palestra viva e palpitante de observações sábias, no conceito e na experiência da vida.

Certo dia, o governador abordou jeitosamente o prisma dos interesses pessoais, insinuando-lhe a vantagem da sua libertação, de maneira a atender às aspirações da comunidade cristã, a que emprestava tanto relevo.

Paulo, porém, observou resoluto:

— Não sou tanto de vossa opinião. Sempre considerei que a primeira virtude do cristão é estar pronto para obedecer à vontade de Deus, em qualquer parte. Certo, não estou detido à revelia de sua assistência e proteção, e desta forma acredito que Jesus julga melhor conservar-me prisioneiro, nos dias que correm. Servi-lo-ei, pois, como se estivesse em plena liberdade de corpo.

— Entretanto — continuou Félix, sem coragem para ferir diretamente o ponto —, vossa independência não seria coisa muito difícil.

— Como assim?

— Não tendes amigos ricos e influentes em todos os recantos provinciais? — interrogou o preposto governamental, de maneira ambígua.

— Que desejais dizer com isso? — perguntou o Apóstolo por sua vez.

— Creio que se conseguísseis o dinheiro suficiente para atender aos interesses pessoais de quantos hajam de funcionar no processo, estaríeis completamente livre da ação da justiça, dentro de poucos dias.

Paulo compreendeu as insinuações mal veladas e nobremente revidou:

— Percebo agora. Falais de uma justiça condicionada ao capricho criminoso dos homens. Essa justiça não me interessa. Ser-me-á preferível conhecer a morte no cárcere a servir de obstáculo à redenção espiritual do mais humilde dos funcionários de Cesareia. Dar-lhes dinheiro em troca de uma independência ilícita seria habituá-los ao apego dos bens que lhes não pertencem. Minha atividade seria, então, um esforço reconhecidamente perverso. Além do mais, quando temos a consciência pura, ninguém nos pode tolher a liberdade e eu me sinto aqui tão livre como lá fora, na praça pública.

O governador recebeu a observação franca e áspera, disfarçando o seu enleio. A lição humilhava-o duramente e, desde então, desinteressou-se da causa. Já havia, porém, comentado, entre os amigos mais íntimos, a privilegiada inteligência do prisioneiro de Cesareia e, daí a dias, sua jovem esposa Drusila manifestava-lhe o desejo de conhecer e ouvir o Apóstolo. A seu mau grado, não podendo esquivar-se, acabou por levá-la à presença do ex-rabino.

Judia de origem, Drusila não se contentou, qual fizera o marido, com simples indagações superficiais. Desejosa de sondar-lhe as ideias mais profundas, pediu-lhe um comentário geral da nova doutrina que esposara e procurava difundir.

Perante destacadas figuras da Corte provincial, o valoroso Apóstolo dos Gentios fez brilhante panegírico do Evangelho, ressaltando a inolvidável exemplificação do Cristo e os deveres do proselitismo que repontava de todos os recantos do mundo. A maioria dos ouvintes escutava-o com evidentes mostras de interesse, mas, quando ele começou a falar da ressurreição e dos deveres do homem em face das responsabilidades no Mundo Espiritual, o governador fez-se pálido e interrompeu a pregação.

— Por hoje basta! — disse com autoridade. — Meus familiares poderão ouvir-vos de outra feita, se lhes aprouver, pois quanto a mim não creio na existência de Deus.

Paulo de Tarso recebeu a observação com serenidade e respondeu com benevolência:

— Agradeço a delicadeza da vossa declaração e, todavia, senhor governador, ouso encarecer-vos a necessidade de ponderar o assunto, porque, quando um homem afirma não aceitar a paternidade do Todo-Poderoso, é que, em regra, se arreceia do julgamento de Deus.

Félix lançou-lhe um olhar raivoso e retirou-se com os seus, prometendo a si próprio deixar o prisioneiro entregue à sua sorte.

À vista disso, embora respeitado pela franqueza e lealdade, Paulo houve de amargar dois anos de reclusão em Cesareia, tempo esse aproveitado em relações constantes com as suas Igrejas bem-amadas. Inumeráveis mensagens iam e vinham, trazendo consultas e levando pareceres e instruções.

A esse tempo, o ex-doutor de Jerusalém chamou a atenção de Lucas para o velho projeto de escrever uma biografia de Jesus, valendo-se das informações de Maria; lamentou não poder ir a Éfeso, incumbindo-o desse trabalho, que reputava de capital importância para os adeptos do Cristianismo. O médico amigo satisfez-lhe integralmente o desejo, legando à posteridade o precioso relato da vida do Mestre, rico de luzes e esperanças divinas. Terminadas as anotações evangélicas, o espírito dinâmico do Apóstolo da gentilidade encareceu a necessidade de um trabalho que fixasse as atividades apostólicas logo após a partida do Cristo, para que o mundo conhecesse as gloriosas revelações do Pentecostes, e assim se originou o magnífico relatório de Lucas, que é *Atos dos apóstolos*.

Não obstante a condição de prisioneiro, o convertido de Damasco não relaxou o trabalho um só dia, valendo-se de todos os recursos ao seu alcance, em favor da difusão da Boa-Nova.

O tempo corria célere. Os israelitas, no entanto, nunca desistiram do primitivo plano de eliminar o valoroso campeão das verdades do Céu. O governador foi abordado, várias vezes, sobre a oportunidade de reenviar o encarcerado a Jerusalém; entretanto, ao lembrar-se de Paulo, a consciência lhe vacilava. Além do que por si mesmo observara, ouvira o tribuno Cláudio Lísias que lhe falara do ex-rabino com indisfarçável respeito. Mais por medo dos poderes sobrenaturais atribuídos ao Apóstolo, que por dedicação aos seus deveres de administrador, resistiu a todas as investidas dos judeus, mantendo-se firme no propósito de custodiar o acusado até que surgisse o ensejo de um julgamento mais ponderado.

Dois anos de prisão contava a folha corrida do grande amigo dos gentios. Uma ordem imperial transferira Félix para a administração de outra província. Sem esquecer a mágoa que a franqueza de Paulo lhe causara, fez questão de abandoná-lo à própria sorte.

O novo governador, Porcius Festus, chegou a Cesareia em meio de ruidosas manifestações populares. Jerusalém não queria esquivar-se às homenagens políticas e, tão logo assumira o poder, o ilustre patrício foi visitar a grande cidade dos rabinos. O Sinédrio aproveitou o ensejo para requisitar, instantemente, o velho inimigo de tantos anos. Um grupo de doutores da Lei Antiga buscou avistar-se, cerimoniosamente, com o generoso romano, solicitando a restituição do prisioneiro para julgamento do Tribunal religioso. Festus recebeu a comissão, cavalheirescamente, e mostrou-se inclinado a atender, mas, prudente por índole e por dever do cargo, declarou que preferia solucionar a questão em Cesareia, onde se lhe facultava conhecer o assunto com os detalhes imprescindíveis. Para esse fim, convidava os rabinos a acompanhá-lo no seu regresso. Os israelitas exultaram de contentamento. Espalharam-se os mais sinistros projetos, para a recepção do Apóstolo em Jerusalém.

O governador ali ficou dez dias, mas antes que regressasse, alguém se encaminhava a Cesareia, de coração oprimido e ansioso. Era Lucas, que, esforçado e solícito, propunha-se informar o prisioneiro de todas as singulares ocorrências. Paulo de Tarso ouvia-o com atenção e serenidade, mas, quando o companheiro passou a relatar os planos do Sinédrio, o amigo do gentilismo fez-se pálido. Estava definitivamente assentado que o trânsfuga seria crucificado, como o Divino Mestre, no mesmo local da Caveira. Havia preparativos para encenar fielmente o drama do Calvário. O acusado carregaria a cruz até lá, arrostando os sarcasmos da populaça e havia até quem falasse no sacrifício de dois ladrões, para que se repetissem todos os detalhes característicos do martírio do Carpinteiro.

Poucas vezes o Apóstolo manifestara tamanha impressão de espanto. Por fim, acrimonioso e enérgico, exclamou:

— Tenho experimentado açoites, apedrejamentos e insultos por toda parte, mas, de todas as perseguições e provações, esta é a mais absurda...

O próprio médico não sabia como interpretar esse conceito, quando o ex-rabino prosseguiu:

— Temos de evitar isso, por todos os meios ao nosso alcance. Como encarar essa deliberação extravagante de repetir a cena do Calvário? Qual o discípulo que teria a coragem de submeter-se a essa falsa paródia com a ideia mesquinha de atingir o plano do Mestre, no testemunho aos homens? O Sinédrio está enganado. Ninguém no mundo logrará um Calvário igual ao do Cristo. Sabemos que em Roma os cristãos começam a morrer no sacrifício, tomados por escravos misérrimos. Os poderes perversos do mundo desencadeiam a tempestade de ignomínias sobre a fronte dos seguidores do Evangelho. Se eu tiver de testificar de Jesus, fá-lo-ei em Roma. Saberei morrer junto dos companheiros, como um homem comum e pecador, mas não me submeterei ao papel de falso imitador do Messias Prometido. Destarte, já que o processo vai ser novamente debatido pelo novo governador, apelarei para César.

O médico fez um gesto de assombro. Como a maioria dos cristãos eminentes de todas as épocas, Lucas não conseguia compreender aquele gesto, interpretado, à primeira vista, como negativa do testemunho.

– Entretanto – objetou com certa hesitação –, Jesus não recorreu para as altas autoridades no sacrifício da cruz, e eu receio que os discípulos não saibam interpretar tua atitude como convém.

– Discordo de ti – respondeu Paulo resoluto –; se as comunidades cristãs não puderem compreender minha resolução, prefiro passar a seus olhos como pedante e desatento, nesta hora singular de minha vida. Sou pecador e devo desprezar o elogio dos homens. Se me condenarem, não estarão em erro. Sou imperfeito e preciso testemunhar nessa condição verdadeira de minha vida. De outro modo seria perturbar minha consciência, provocando um falso apreço humano.

Muito impressionado, Lucas guardou a lição inesquecível.

Três dias depois dessa entrevista, o governador regressava à sede do Governo provincial, acompanhado de numeroso séquito de israelitas dispostos a conseguir a entrega do famoso prisioneiro.

Porcius Festus, com a serenidade que lhe marcava as atitudes políticas, procurou conhecer imediatamente a situação. Reviu o processo meticulosamente, inteirando-se dos títulos de cidadania romana do acusado, de acordo com a legislação em vigor. E, notando a insistência dos rabinos que denotavam enorme ansiedade pela solução do assunto, convocou uma reunião para novo exame das declarações do acusado, no intuito de satisfazer a política regional de Jerusalém.

O convertido de Damasco, alquebrado de corpo, mas sempre revigorado de espírito, compareceu à assembleia sob os olhares rancorosos dos irmãos de raça, que pleiteavam sua remoção a todo custo. O Tribunal de Cesareia atraía grande multidão, ansiosa de conhecer o novo julgamento. Discutiam os israelitas, os cristãos comentavam os debates em atitude defensiva. Mais de uma vez, Porcius Festus foi obrigado a levantar a voz, reclamando atenção e silêncio.

Abertos os trabalhos da assembleia singular, o governador interrogou o acusado, com energia cheia de nobreza.

Paulo de Tarso, entretanto, respondeu a todas as arguições com a serenidade que lhe era peculiar. Não obstante a manifesta animosidade dos judeus, declarou que em nada os havia ofendido e não se recordava de qualquer ato de sua vida, no qual houvesse atacado o Templo de Jerusalém ou as leis de César.

Festus percebeu que tratava com um espírito culto e eminente, e que não seria tão fácil entregá-lo ao Sinédrio, conforme julgara a princípio. Alguns rabinos haviam insistido para que ordenasse a remoção para Jerusalém, pura e simplesmente, à revelia de quaisquer preceitos legais. O governador não hesitaria nesse particular, fazendo valer sua influência política, mas não quis praticar um ato arbitrário antes de conhecer as qualidades morais do homem focalizado pelas intrigas judaicas. No íntimo, considerava que, se se tratasse de uma personagem vulgar, poderia entregá-lo sem receio à autoridade tirânica do Sinédrio que, certo, o liquidaria, mas outro tanto não aconteceria, caso verificasse nobreza e inteligência no prisioneiro, porquanto, com o seu acurado senso político, não desejava adquirir um inimigo capaz de prejudicá-lo a qualquer tempo. Tendo reconhecido os altos dotes intelectuais e morais do Apóstolo, modificou inteiramente a sua atitude. Passou logo a considerar com mais severidade o interlocutor, chegando à conclusão de que seria crime agir com parcialidade no feito. Além da cultura que o acusado exibia, tratava-se de um cidadão romano por títulos legitimamente adquiridos. Formulando novas conjeturas e com imensa surpresa para os representantes confiados do Sinédrio, Porcius Festus perguntou ao prisioneiro se consentia em voltar a Jerusalém, a fim de lá ser julgado, perante ele próprio, pelo Tribunal religioso da sua raça. Paulo de Tarso, compreendendo a cilada dos israelitas, replicou tranquilamente, enchendo a assembleia de assombro:

— Senhor governador, estou diante do Tribunal de César, a fim de ser definitivamente julgado. Há mais de dois anos espero a decisão de um processo que não posso compreender. Como sabeis, a ninguém ofendi. Minha prisão derivou, tão só, das intrigas religiosas de Jerusalém. Desafio, neste particular, o conceito dos mais exigentes. Se pratiquei algum ato indigno, peço, eu mesmo, a sentença de morte. Convocado a novo julgamento, acreditei tivésseis a coragem necessária para romper com as aspirações inferiores do Sinédrio, fazendo justiça à vossa longanimidade de administrador consciencioso e reto. Continuo confiando na vossa autoridade, na vossa imparcialidade, isenta de favor, que ninguém poderá exigir dos vossos encargos honrosos e delicados. Examinai detidamente as acusações que me retêm no cárcere de Cesareia! Verificareis que nenhum poder provincial poderá entregar-me à tirania de Jerusalém! Reconhecendo essa valiosa circunstância e invocando meus títulos, embora creia sinceramente em vossas deliberações sábias e justas, apelo, desde já, para César!...

A atitude inesperada do Apóstolo dos Gentios provocou geral espanto. Porcius Festus, muito pálido, engolfou-se em sérias cogitações. De sua cátedra de juiz, ensinara, generosamente, o caminho da vida a muitos acusados e malfeitores; entretanto, naquela hora inolvidável de sua existência, encontrava um réu que lhe falava ao coração. A resposta de Paulo valia um programa de justiça e de ordem. Com imensa dificuldade pedia o restabelecimento da calma no recinto. Os representantes do Judaísmo discutiam acaloradamente entre si; alguns cristãos, mais apressados, comentavam desfavoravelmente a atitude do Apóstolo, apreciando-a superficialmente, como se constituísse uma negação do testemunho. O governador reuniu, à pressa, o pequeno conselho dos rabinos mais influentes. Os doutores da Lei Antiga insistiram pela adoção de medidas mais enérgicas, no pressuposto de que Paulo se modificaria com algumas bastonadas. Entretanto, sem desprezar a oportunidade de mais uma prestigiosa lição para sua vida pública, o governador cerrou ouvidos às intrigas de Jerusalém, afirmando que de modo algum podia transigir no cumprimento do dever, naquele significativo instante de sua vida. Desculpou-se, desapontado, com os velhos políticos do Sinédrio e do Templo, que o fixavam com olhos rancorosos e pronunciou as célebres palavras:

– Apelaste para César? Irás a César!

Com essa antiga fórmula ficaram encerrados os trabalhos do novo julgamento. Os representantes do Sinédrio retiraram-se extremamente irritados, exclamando um deles, em voz alta, para o prisioneiro que recebeu o insulto serenamente:

– Só os desertores malditos apelam para César. Vai-te para os gentios, indigno intrujão!...

O Apóstolo fixava-o com benignidade, enquanto se preparava para voltar ao cárcere.

O governador, sem perder tempo, determinou se anotasse a petição do réu, para prosseguimento do feito. No dia seguinte demorou-se a estudar o caso e sentiu-se presa de grande indecisão. Não podia enviar o acusado à capital do Império, sem justificar os motivos da prisão, por tanto tempo, nos cárceres de Cesareia. Como proceder? Todavia, decorridos alguns dias, Herodes Agripa e Berenice vinham saudar o novo governador, em visita cerimoniosa e imprevista. O preposto imperial não pôde dissimular as preocupações que o absorviam e, depois das solenidades protocolares, devidas a hóspedes tão ilustres, contou a Agripa a história de Paulo de Tarso, cuja personalidade empolgava os mais indiferentes. O Rei palestinense, que conhecia a fama do ex-rabino, manifestou desejo de observá-lo de perto, ao que Festus anuiu satisfeitíssimo, não somente pela possibilidade de proporcionar um prazer ao hóspede generoso, senão também por esperar das impressões do Rei algo de útil para ilustrar o processo do Apóstolo, que lhe incumbia enviar para Roma.

Pórcio deu a esse ato um caráter festivo. Convidou as personalidades mais eminentes de Cesareia, reunindo luzida assembleia em torno do Rei, no melhor e mais vasto auditório da Corte provincial. Primeiramente houve bailados e música; em seguida, o convertido de Damasco, devidamente escoltado, foi apresentado pelo próprio governador, em termos discretos, mas cordiais e sinceros.

Herodes Agripa impressionou-se logo, vivamente, com a figura alquebrada e franzina do Apóstolo, cujos olhos serenos traduziam a energia inquebrantável da raça. Curioso por conhecê-lo melhor, mandou que se defendesse de viva voz.

Paulo compreendeu a profunda significação daquele minuto e passou a historiar os transes da sua existência com grande erudição e sinceridade. O Rei ouvia assombrado. O ex-rabino evocou a infância, deteve-se nas reminiscências da mocidade, explicou sua aversão aos seguidores do Cristo Jesus e, exuberante de inspiração, traçou o quadro do seu encontro com o Mestre Redivivo, às portas de Damasco, à viva luz do sol. Em seguida, passou a enumerar os feitos da obra de gentilidade, as perseguições sofridas em toda parte por amor ao Evangelho, concluindo, com veemência, que, sem embargo, suas pregações não contrariavam, antes corroboravam as profecias da Lei Antiga, desde Moisés.

Dando curso à imaginação ardente e fácil, o orador tinha os olhos jubilosos e brilhantes. A assembleia aristocrática estava eminentemente impressionada com os fatos narrados, denotando entusiasmo e alegria. Herodes Agripa, muito pálido, tinha a impressão de haver encontrado uma das mais profundas vozes da revelação divina. Porcius Festus não ocultava a surpresa que lhe assaltara subitamente o espírito. Não presumia no prisioneiro tamanho cabedal de fé e persuasão. Ouvindo o Apóstolo descrever as cenas mais belas do seu apostolado com os olhos repletos de alegria e de luz, transmitindo ao auditório atento e comovido ideias imprevistas e singulares, o governador considerou que se trataria de um louco sublime e disse-lhe, em alta voz, na intercorrência de uma pausa mais prolongada:

— Paulo, és um desvairado! As muitas letras fazem-te delirar!...

O ex-rabino, longe de se atemorizar, respondeu nobremente:

— Enganais-vos! Não sou um louco! Diante da vossa autoridade de romano ilustre, eu não me atreveria a falar desta maneira, pois reconheço que não estais devidamente preparado para ouvir-me. Os patrícios de Augusto são também de Jesus Cristo, mas ainda não conhecem plenamente o Salvador. A cada qual, devemos falar de acordo com sua capacidade espiritual. Aqui, porém, senhor governador, se falo com ousadia é porque me dirijo a um rei que não ignora o sentido de minhas palavras. Herodes Agripa terá ouvido Moisés, desde a infância. É romano pela cultura, mas alimentou-se da revelação de Deus aos seus antepassados. Nenhuma de minhas afirmações lhe pode ser desconhecida. De outro modo, ele trairia sua origem sagrada, pois todos os filhos da nação que aceitou o Deus único devem conhecer a revelação de Moisés e dos profetas. Credes assim, rei Agripa?

A pergunta causou enorme espanto. O próprio administrador provincial não teria coragem de se dirigir ao Rei com tamanha desenvoltura. O ilustre descendente de Ântipas estava altamente surpreendido. Extrema palidez cobria-lhe o semblante. Ninguém, assim, jamais lhe houvera falado em toda a sua vida.

Percebendo-lhe a atitude mental, Paulo de Tarso completou a poderosa argumentação, acrescentando:

— Sei que credes!...

Confuso com o desembaraço do orador, Agripa sacudiu a fronte como se desejasse expulsar alguma ideia importuna, esboçou um sorriso vago, dando a entender que estava senhor de si, e disse em tom de gracejo:

— Ora esta! por pouco me persuades a fazer uma profissão de fé cristã...

O Apóstolo não se deu por vencido e revidou:

— Oxalá que, por pouco ou muito, vos fizésseis discípulo de Jesus; não somente vós, mas todos quantos nos ouviram hoje.

Porcius Festus compreendeu que o Rei estava muito mais impressionado do que se supunha e, desejoso de modificar o ambiente, propôs que as altas personalidades se retirassem para a refeição da tarde, em palácio. O ex-rabino foi reconduzido ao cárcere, deixando nos ouvintes imorredoura impressão. Berenice, sensibilizada, foi a primeira a manifestar-se, reclamando clemência para o prisioneiro. Os demais seguiram a mesma corrente de benévola simpatia. Herodes Agripa tentou uma fórmula digna para que o Apóstolo fosse restituído à liberdade. O governador, porém, explicou que, conhecendo a fibra moral de Paulo, tomara a sério o seu recurso para César, estando já pergaminhadas as primeiras instruções a respeito. Cioso das leis romanas, pôs embargos ao alvitre, embora pedisse o socorro intelectual do Rei para a carta de justificação, com que o acusado deveria apresentar-se à autoridade competente, na capital do Império. Desejoso de conservar sua tranquilidade política, o descendente dos Herodes não aventou qualquer nova sugestão, lamentando apenas que o prisioneiro já houvesse recorrido em derradeira instância. Procurou então cooperar na redação do documento, mostrando-se contrário ao pregador do Evangelho tão só pela circunstância de haver suscitado muitas lutas religiosas na camada popular, em desacordo com a unidade de fé colimada pelo Sinédrio como baluarte defensivo das tradições do Judaísmo. Para isso, o próprio Rei assinara como testemunha, emprestando maior importância às alegações do preposto imperial. Porcius Festus registrou o auxílio, extremamente satisfeito. Estava resolvido o problema e Paulo de Tarso poderia partir com a primeira leva de sentenciados para Roma.

Escusado dizer que recebeu a notícia com serenidade. Depois de um entendimento com Lucas, pediu que a Igreja de Jerusalém fosse avisada, bem como a de Sidom, onde o navio, certo, haveria de receber carga e passageiros. Todos os amigos de Cesareia foram mobilizados no serviço das comovedoras mensagens que o ex-rabino dirigiu às amadas Igrejas, menos Timóteo, Lucas e Aristarco, que se propunham acompanhá-lo à capital do Império.

Os dias correram céleres, até que chegou o momento em que o centurião Júlio com a sua escolta foi buscar os prisioneiros para a viagem tormentosa. O centurião tinha plenos poderes para determinar todas as providências e, logo, evidenciando simpatia pelo Apóstolo, ordenou fosse ele conduzido à embarcação desalgemado, em contraste com os demais prisioneiros.

O tecelão de Tarso, apoiado ao braço de Lucas, reviu, placidamente, a tela clara e barulhenta das ruas, afagando a esperança de uma vida mais alta, em que os homens pudessem gozar fraternidade em nome do Senhor Jesus. Seu coração mergulhava em doces reflexões e preces ardentes, quando foi surpreendido com a compacta multidão que se premia e agitava na extensa praça à beira-mar.

Filas de velhos, de jovens e crianças aglomeraram-se junto dele, a poucos metros da praia. À frente, Tiago, alquebrado e velhinho, vindo de Jerusalém com grande sacrifício, por trazer-lhe o ósculo fraternal. O ardente defensor da gentilidade não conseguiu dominar a emoção. Bandos de crianças atiraram-lhe flores. O filho de Alfeu, reconhecendo a nobreza daquele espírito heroico, tomou-lhe a destra e beijou-a com efusão. Ali estava com todos os cristãos de Jerusalém, em condições de fazer a viagem. Ali estavam confrades de Jope, de Lida, de Antipátride, de todos os quadrantes provinciais. As crianças da gentilidade uniam-se aos pequeninos judeus, que saudavam carinhosamente o Apóstolo prisioneiro. Velhos aleijados aproximavam-se respeitosos e exclamavam:

– Não deveríeis partir!...

Mulheres humildes agradeciam os benefícios recebidos de suas mãos. Doentes curados comentavam a colônia de trabalho que ele sugerira e ajudara a fundar na Igreja de Jerusalém e proclamavam sua gratidão em altas vozes. Os gentios, convertidos ao Evangelho, beijavam-lhe as mãos, murmurando:

– Quem nos ensinará, doravante, a sermos filhos do Altíssimo?

Meninos amorosos apegavam-se-lhe à túnica, sob os olhares de mães consternadas.

Todos lhe pediam que ficasse, que não partisse, que voltasse breve para os serviços abençoados de Jesus.

Subitamente, recordou a velha cena da prisão de Pedro, quando, ele, Paulo, arvorado em verdugo dos discípulos do Evangelho, visitara a Igreja de Jerusalém, chefiando uma expedição punitiva. Aqueles carinhos do povo lhe falavam brandamente à alma. Significavam que já não era o algoz implacável que, até então, não pudera compreender a Misericórdia Divina; traduziam a quitação do seu débito com a alma do povo. De consciência um tanto aliviada, recordou-se de Abigail e começou a chorar. Sentia-se, ali, como no seio dos "filhos do Calvário" que o abraçavam reconhecidos. Aqueles mendigos, aqueles aleijados, aquelas criancinhas eram a sua família. Naquele inesquecível minuto da sua vida, sentia-se plenamente identificado no ritmo da harmonia universal. Brisas suaves de mundos diferentes balsamizavam-lhe a alma, como se houvesse atingido uma região divina, depois de vencer grande batalha. Pela primeira vez, alguns pequeninos chamaram-lhe "pai". Inclinou-se, com mais ternura, para as criancinhas que o rodeavam. Interpretava todos os episódios daquela hora inolvidável como uma bênção de Jesus que o ligava a todos os seres. À sua frente, o oceano em calma assemelhava-se a um caminho infinito e promissor de misteriosas e inefáveis belezas.

Júlio, o centurião da guarda, aproximou-se comovido e falou com brandura:

– Infelizmente, chegou o momento de partir.

E, testemunha das manifestações tributadas ao Apóstolo, também ele tinha os olhos úmidos. Muitos réus se lhe haviam já deparado naquelas circunstâncias e eram todos revoltados, desesperados, ou penitentes arrependidos. Aquele, porém, estava sereno e quase feliz. Júbilo indizível lhe transbordava dos olhos brilhantes. Além disso, sabia que aquele homem, dedicado ao bem de todas as criaturas, não cometera falta alguma. Por isso mesmo, conservou-se ao seu lado, como querendo compartilhar dos transportes afetuosos do povo, como a demonstrar a consideração que lhe merecia.

O Apóstolo dos Gentios abraçou os amigos pela última vez. Todos choravam discretamente, à maneira dos sinceros discípulos de Jesus, que não pranteiam sem consolo: as mães ajoelhavam-se com os filhinhos na areia alva, os velhos, apoiando-se a rudes cajados, com imenso esforço. Todos os que abraçavam o campeão do Evangelho punham-se de joelhos, rogando ao Senhor que abençoasse o seu novo roteiro.

Concluindo as despedidas, Paulo acentuava com serenidade heroica:

– Choremos de alegria, irmãos! Não há maior glória neste mundo que a de estar o homem a caminho de Cristo Jesus!... O Mestre foi ao encontro do Pai pelos martírios da Cruz! Abençoemos nossa cruz de cada dia. É preciso trazermos as marcas do Senhor Jesus! Não acredito possa voltar aqui, com este alquebrado corpo de minhas lutas materiais. Espero que o Senhor me conceda o derradeiro testemunho em Roma; entretanto, estarei convosco pelo coração; voltarei às nossas Igrejas em Espírito; cooperarei no vosso esforço nos dias mais amargos. A morte não nos separará, tal como não separou o Senhor da comunidade dos discípulos. Nunca estaremos distantes uns dos outros e, por isso mesmo, prometeu Jesus que estaria ao nosso lado até o fim dos séculos!...

Júlio ouviu a exortação comovidamente. Lucas e Aristarco soluçavam baixinho.

A seguir, o Apóstolo tomou o braço do médico amigo e, seguido de perto pelo centurião, caminhou resoluto e sereno em demanda do barco.

Centenas de pessoas acompanharam as manobras da largada, em santificado recolhimento regado de lágrimas e preces. Enquanto o navio se afastava lento, Paulo e os companheiros contemplavam Cesareia, de olhos umedecidos. A multidão silenciosa, dos que ficavam em pranto, acenava e ondeava na praia que a distância, aos poucos, diluía. Jubiloso e reconhecido, Paulo de Tarso descansava o olhar no campo de suas lutas acerbas, meditando nos longos anos de viltas e reparações necessárias. Recordava a infância, os primeiros sonhos da juventude, as inquietações da mocidade, os serviços dignificantes do Cristo, sentindo que deixava a Palestina para sempre. Grandiosos pensamentos o empolgavam, quando Lucas se aproximou e, apontando a distância os amigos que continuavam genuflexos, exclamou brandamente:

— Poucos fatos me comoveram tanto no mundo como este! Registrarei nas minhas anotações como foste amado por quantos receberam das tuas mãos fraternais o benefício de Jesus!...

Paulo pareceu ponderar profundamente a advertência e acentuou:

— Não, Lucas. Não escrevas sobre virtudes que não tenho. Se me amas, não deves expor meu nome a falsos julgamentos. Deves falar, isso sim, das perseguições por mim movidas aos seguidores do santo Evangelho; do favor que o Mestre me dispensou às portas de Damasco, para que os homens mais empedernidos não desesperem da salvação e aguardem a sua misericórdia no momento justo; citarás os combates que temos travado desde o primeiro instante, em face das imposições do farisaísmo e das hipocrisias do nosso tempo; comentarás os obstáculos vencidos, as humilhações dolorosas, as dificuldades sem conta, para que os futuros discípulos não esperem a redenção espiritual com o repouso falso do mundo, confiantes no favor incompreensível dos deuses, e sim com trabalhos ásperos, com sacrifícios abençoados pelo aperfeiçoamento de si mesmos; falarás de nossos recontros com os homens poderosos e cultos; de nossos serviços junto dos desfavorecidos da sorte, para que os seguidores do Evangelho, no futuro, não se arreceiem das situações mais difíceis e escabrosas, conscientes de que os mensageiros do Mestre os assistirão, sempre que se tornem instrumentos legítimos da fraternidade e do amor, ao longo dos caminhos que se desdobram à evolução da Humanidade.

E, depois de longa pausa, em que observou a atenção com que Lucas lhe acompanhou os inspirados raciocínios, prosseguiu em tom sereno e firme:

– Cala sempre, porém, as considerações, os favores que tenhamos recolhido na tarefa, porque esse galardão só pertence a Jesus. Foi Ele quem removeu nossas misérias angustiosas, enchendo o nosso vácuo; foi sua mão que nos tomou caridosamente e nos reconduziu ao caminho santo. Não me contaste tuas lutas amargurosas no passado distante? Não te contei como fui perverso e ignorante em outros tempos? Assim como iluminou minhas veredas sombrias, às portas de Damasco, levou-te Ele à Igreja de Antioquia, para que lhe ouvisses as verdades eternas. Por mais que tenhamos estudado, sentimos um abismo entre nós e a sabedoria eterna; por mais que tenhamos trabalhado, não nos encontramos dignos daquele que nos assiste e guia desde o primeiro instante da nossa vida. Nada possuímos de nós mesmos!... O Senhor enche o vácuo de nossa alma e opera o bem que não possuímos. Esses velhinhos trêmulos que nos abraçaram em lágrimas, as crianças que nos beijaram com ternura, fizeram-no ao Cristo. Tiago e os companheiros não vieram de Jerusalém tão só para manifestar-nos sua fraternidade afetuosa, vieram trazer testemunhos de amor ao Mestre que nos reuniu na mesma vibração de solidariedade sacrossanta, embora não saibam traduzir o mecanismo oculto dessas emoções grandiosas e sublimes. No meio de tudo isso, Lucas, fomos apenas míseros servos que se aproveitaram dos bens do Senhor para pagar as próprias dívidas. Ele nos deu a misericórdia para que a justiça se cumprisse. Esses júbilos e essas emoções divinas lhe pertencem... Não tenhamos, portanto, a mínima preocupação de relatar episódios que deixariam uma porta aberta para a vaidade incompreensível. Que nos baste a profunda convicção de havermos liquidado nossos débitos clamorosos...

Lucas ouviu admirado essas considerações oportunas e justas, sem saber definir a surpresa que lhe causavam.

– Tens razão – disse finalmente –, somos fracos demais para nos atribuirmos qualquer valor.

– Além disso – acrescentou Paulo –, a batalha do Cristo está começada. Toda vitória pertencerá ao seu amor, e não ao nosso esforço de servos endividados... Escreve, portanto, tuas anotações do modo mais simples e nada comentes que não seja para glorificação do Mestre no seu Evangelho imortal!...

Enquanto Lucas procurava Aristarco para transmitir-lhe aquelas sugestões sábias e afetuosas, o ex-rabino continuava fitando o casario de Cesareia, que se apagava agora no horizonte. A embarcação navegava suavemente, afastando-se da costa... Por longas horas, deixou-se ficar ali, meditando o passado que lhe surgia aos olhos espirituais, qual imenso crepúsculo. Mergulhado nas reminiscências entrecortadas de preces a Jesus, ali permaneceu em significativo silêncio, até que começaram a brilhar no firmamento muito azul os primeiros astros da noite.

IX
O prisioneiro do Cristo

O navio de Adramítio da Mísia, em que viajavam o Apóstolo e os companheiros, no dia imediato tocou em Sidom, repetindo-se as cenas comovedoras da véspera. Júlio permitiu que o ex-rabino fosse ter com os amigos, na praia, verificando-se as despedidas entre exortações de esperanças e muitas lágrimas. Paulo de Tarso ganhou ascendência moral sobre o comandante, marinheiros e guardas. Sua palavra vibrante conquistara as atenções gerais. Falava de Jesus, não como de uma personalidade inatingível, mas como de um mestre amoroso e amigo das criaturas, a seguir de perto a evolução e redenção da humanidade terrena desde os seus primórdios. Todos desejavam ouvir-lhe os conceitos, relativamente ao Evangelho e quanto à sua projeção no futuro dos povos.

A embarcação frequentemente deixava divisar paisagens gratíssimas ao olhar do Apóstolo. Depois de costear a Fenícia, surgiram os contornos da ilha de Chipre – de cariciosas recordações. Nas proximidades de Panfília exultou de íntima alegria pelo dever cumprido, e assim chegou ao porto de Mirra, na Lícia.

Foi aí que Júlio resolveu tomar passagem com os companheiros numa embarcação alexandrina, que se dirigia para a Itália. Desse modo, a viagem continuou, mas com perspectivas desfavoráveis. O navio levava excesso de carga. Além de grande quantidade de trigo, tinha a bordo 276 pessoas. Aproximava-se o período difícil para os trabalhos de navegação. Os ventos sopravam de rijo, contrariando a rota. Depois de longos dias, ainda vogavam na região do Cnido. Vencendo dificuldades extremas, conseguiram tocar em alguns pontos de Creta.

Observando os obstáculos da jornada e obedecendo à própria intuição, o Apóstolo, confiado na amizade de Júlio, chamou-o em particular e sugeriu passar o inverno em Kaloi Limenes. O chefe da coorte tomou o alvitre em consideração e apresentou-o ao comandante e ao piloto, os quais o houveram por descabível.

– Que significa isso, centurião? – perguntou o capitão enfático, com um sorriso algo irônico. – Dar crédito a esses prisioneiros? Pois estou a ver que se trata de algum plano de fuga, maquinado com sutileza e prudência... Mas, seja como for, o alvitre é inaceitável, não só pela confiança que devemos ter em nossos recursos profissionais, como porque precisamos atingir o porto de Fênix, para o repouso necessário.

O centurião desculpou-se como pôde, retirando-se um tanto vexado. Desejaria protestar, esclarecendo que Paulo de Tarso não era um simples réu comum; que não falava por si só, mas também por Lucas, que igualmente fora marítimo dos mais competentes. Não lhe convinha, porém, comprometer sua brilhante situação militar e política, em antagonismo com as autoridades provincianas. Era melhor não insistir, sob pena de ser mal compreendido pelos homens de sua classe. Procurou o Apóstolo e fê-lo sabedor da resposta. Paulo, longe de magoar-se, murmurou calmamente:

– Não nos entristeçamos por isso! Estou certo de que os óbices hão de ser muito maiores do que possamos suspeitar. Haveremos, porém, de lograr algum proveito, porque, nas horas angustiosas, recordaremos o poder de Jesus, que nos avisou a tempo.

A viagem continuou entre receios e esperanças. O próprio centurião estava agora convencido da inoportunidade da arribada em Kaloi Limenes, porque, nos dois dias que se seguiram ao conselho do Apóstolo, as condições atmosféricas melhoraram bastante. Logo, porém, que se fizeram ao mar alto, rumo a Fênix, um furacão imprevisto caiu de súbito. De nada valeram providências improvisadas. A embarcação não podia enfrentar a tempestade e forçoso foi deixá-la à mercê do vento impetuoso, que a arrebatou para muito longe, envolta em denso nevoeiro. Começaram, então, padecimentos angustiosos para aquelas criaturas insuladas no abismo revolto das ondas encapeladas. A tormenta parecia eternizar-se. Havia quase duas semanas que o vento rugia incessante, destruidor. Todo o carregamento de trigo foi alijado, tudo que representava excesso de peso, sem utilidade imediata, foi tragado pelo monstro insaciável e rugidor!

A figura de Paulo foi encarada com veneração. A tripulação do navio não podia esquecer o seu alvitre. O piloto e o comandante estavam confundidos e o prisioneiro tornara-se alvo de respeito e consideração unânimes. O centurião, principalmente, permanecia constantemente junto dele, crente de que o ex-rabino dispunha de poderes sobrenaturais e salvadores. O abatimento moral e o enjoo espalharam o desânimo e o terror. O Apóstolo generoso, no entanto, acudia a todos, um por um, obrigando-os a se alimentarem e confortando-os moralmente. De quando a quando, soltava o verbo eloquente e, com a devida permissão de Júlio, falava aos companheiros da hora amarga, procurando identificar as questões espirituais com o espetáculo convulsivo da Natureza:

— Irmãos! — dizia em voz alta para a assembleia estranha, que o ouvia transida de angústia — creio que tocaremos em breve a terra firme! Entretanto, assumamos o compromisso de jamais olvidar a lição terrível desta hora. Procuraremos caminhar no mundo qual marinheiro vigilante, que, ignorando o momento da tempestade, guarda a certeza da sua vinda. A passagem da existência humana para a Vida Espiritual assemelha-se ao instante amarguroso que estamos vivendo neste barco, há muitos dias. Não ignorais que fomos avisados de todos os perigos, no último porto que nos convidava a estagiar, livres de acidentes destruidores. Buscamos o mar alto, de própria conta. Também Cristo Jesus nos concede os celestes avisos no seu Evangelho de Luz, mas frequentemente optamos pelo abismo das experiências dolorosas e trágicas. A ilusão, como o vento sul, parece desmentir as advertências do Salvador, e nós continuamos pelo caminho da nossa imaginação viciada; entretanto, a tempestade chega de repente. É preciso passar de uma vida para outra, a fim de retificarmos o rumo iniludível. Começamos por alijar o carregamento pesado dos nossos enganos cruéis, abandonamos os caprichos criminosos para aceitar plenamente a vontade augusta de Deus. Reconhecemos nossa insignificância e miséria, alcança-nos um tédio imenso dos erros que nos alimentavam o coração tal como sentimos o nada que representamos neste arcabouço de madeiras frágeis, flutuante no abismo, tomados de singular enjoo, que nos provoca náuseas extremas! O fim da existência humana é sempre uma tormenta como esta, nas regiões desconhecidas do mundo interior, porque nunca estamos apercebidos para ouvir as advertências divinas e procuramos a tempestade angustiosa e destruidora, pelo roteiro de nossa própria autoria.

A assembleia amedrontada ouvia-lhe os conceitos, empolgada de inominável pavor. Observando que todos se abraçavam, confraternizando-se na angústia comum, continuava:

— Contemplemos o quadro dos nossos sofrimentos. Vede como o perigo ensina a fraternidade imediata. Estamos aqui, patrícios romanos, negociantes de Alexandria, plutocratas de Fenícia, autoridades, soldados, prisioneiros, mulheres e crianças... Embora diferentes uns dos outros, perante Deus a dor nos irmana os sentimentos para o mesmo fim de salvação e restabelecimento da paz. Creio que a vida em terra firme seria muito diferente, se as criaturas lá se compreendessem tal como acontece aqui, agora, nas vastidões marinhas.

Alguns sopitavam o despeito, ouvindo a palavra apostolar, mas a grande maioria acercava-se, reconhecendo-lhe a inspiração superior e desejosa de confugir-se à sombra da sua virtude heroica.

Decorridos catorze dias de cerração e tormenta, o barco alexandrino atingiu a ilha de Malta. Enorme, geral alegria, mas o comandante, ao ver afastado o perigo e sentindo-se humilhado com a atitude do Apóstolo durante a viagem, sugeriu a dois soldados o assassínio dos prisioneiros de Cesareia, antes que pudessem evadir-se. Os prepostos do centurião assumiram a paternidade desse alvitre, mas Júlio se opôs terminantemente, deixando perceber a transformação espiritual que o felicitava agora, à luz do Evangelho redentor. Os presos que sabiam nadar atiraram-se à água corajosamente; os demais agarravam-se aos botes improvisados, buscando a praia.

Os naturais da Ilha, bem como os poucos romanos que lá residiam a serviço da administração, acolheram os náufragos com simpatia, mas, por numerosos, não havia acomodação para todos. Frio intenso enregelava os mais resistentes. Paulo, todavia, dando mostras do seu valor e experiência no afrontar intempéries, tratou de dar o exemplo aos mais abatidos, para que se fizesse fogo, sem demora. Grandes fogueiras foram acesas rapidamente para aquecimento dos desabrigados, mas quando o Apóstolo atirava um feixe de ramos secos à labareda crepitante, uma víbora cravou-lhe na mão os dentes venenosos. O ex-rabino susteve-a no ar com um gesto sereno, até que ela caísse nas chamas, com estupefação geral. Lucas e Timóteo aproximaram-se aflitos. O chefe da coorte e alguns amigos estavam desolados. É que os naturais da Ilha, observando o fato, davam alarme, asseverando que o réptil era dos mais venenosos da região, e que as vítimas não sobreviviam mais que horas.

Os indígenas, impressionados, afastavam-se discretamente. Outros, assustadiços, afirmavam:

— Este homem deve ser um grande criminoso, pois, salvando-se das ondas bravias, veio encontrar aqui o castigo dos deuses.

Não eram poucos os que aguardavam a morte do Apóstolo, contando os minutos; Paulo, no entanto, aquecendo-se como lhe era possível, observava a expressão fisionômica de cada um e orava com fervor. Diante do prognóstico dos nativos da Ilha, Timóteo aproximou-se mais intimamente e buscou cientificá-lo do que diziam a seu respeito.

O ex-rabino sorriu e murmurou:

— Não te impressiones. As opiniões do vulgo são muito inconstantes, tenho disso experiência própria. Estejamos atentos aos nossos deveres, porque a ignorância sempre está pronta a transitar da maldição ao elogio e vice-versa. É bem possível que daqui a algumas horas me considerem um deus.

Com efeito, quando viram que ele não acusara nem mesmo a mais leve impressão de dor, os indígenas passaram a observá-lo como entidade sobrenatural. Já que se mantivera indene ao veneno da víbora, não poderia ser um homem comum, antes algum enviado do Olimpo, a que todos deveriam obedecer.

A esse tempo, o mais alto funcionário de Malta, Públio Apiano, chegara ao local e ordenava as primeiras providências para socorrer os náufragos, sendo eles conduzidos a vastos galpões desabitados, próximo de sua residência, lá recebendo caldos quentes, remédio e roupas. O preposto imperial reservou os melhores cômodos da própria moradia para o comandante do navio e o centurião Júlio, atento ao prestígio dos respectivos cargos, até que pudessem obter novas acomodações na Ilha. O chefe da coorte, no entanto, sentindo-se agora extremamente ligado ao Apóstolo dos Gentios, solicitou ao generoso funcionário romano acolhesse o ex-rabino com a deferência a que fazia jus, ao mesmo tempo em que elogiava as suas virtudes heroicas.

Ciente da elevada condição espiritual do convertido de Damasco e ouvindo os fatos maravilhosos, que lhe atribuíam no capítulo das curas, lembrou comovidamente ao centurião:

— Ainda bem! Lembrança preciosa a vossa, mesmo porque, tenho aqui meu pai enfermo e desejaria experimentar as virtudes desse santo varão do povo de Israel!...

Convidado por Júlio, Paulo aquiesceu desassombrado e assim compareceu em casa de Públio. Levado à presença do ancião enfermo, impôs-lhe as mãos calosas e enrugadas, em prece comovedora e ardente. O velhinho que ardia e se consumia em febre letal, experimentou imediato alívio e rendeu graças aos deuses de sua crença. Tomado de surpresa, Públio Apiano viu-o levantar-se procurando a destra do benfeitor para um ósculo santo. O ex-rabino, no entanto, valeu-se da situação e, ali mesmo, exaltou o Divino Mestre, pregando as verdades eternas e esclarecendo que todos os bens provinham do seu coração misericordioso e justo, e não de criaturas pobres e frágeis, como ele.

O preposto do Império quis conhecer o Evangelho imediatamente. Arrancando das dobras da túnica, em frangalhos, os pergaminhos da Boa-Nova, único patrimônio que lhe ficara nas mãos, depois da tempestade, Paulo de Tarso passou a exibir os pensamentos e ensinos de Jesus, quase com orgulho. Públio ordenou que o documento fosse copiado e prometeu interessar-se pela situação do Apóstolo, utilizando suas relações em Roma, a fim de lhe conseguir a liberdade.

A notícia do feito espalhou-se em poucas horas. Não se falava de outra coisa, senão do homem providencial que os deuses haviam mandado à Ilha, para que os doentes fossem curados e o povo recebesse novas revelações.

Com a complacência de Júlio, o ex-rabino e os companheiros obtiveram um velho salão do administrador, onde os serviços evangélicos funcionaram regularmente, durante os meses do inverno rigoroso. Multidões de enfermos foram curados. Velhos misérrimos, na claridade dos tesouros do Cristo alcançaram novas esperanças. Quando voltou a época da navegação, Paulo já havia criado em toda a Ilha uma vasta família cristã, cheia de paz e nobres realizações para o futuro.

Atento aos imperativos da sua comissão, Júlio resolveu partir com os prisioneiros no navio "Castor e Pólux", que ali invernara e se destinava à Itália.

No dia do embarque, o Apóstolo teve a consolação de aferir o interesse afetuoso dos novos amigos do Evangelho, recebendo, sensibilizado, manifestações de fraternal carinho. A bandeira augusta do Cristo também ali ficara desfraldada, para sempre.

O navio demandou a costa italiana debaixo de ventos favoráveis.

Chegados a Siracusa, na Sicília, amparado pelo generoso centurião, agora devotado amigo, Paulo de Tarso aproveitou os três dias de permanência na cidade, em pregações do Reino de Deus, atraindo numerosas criaturas ao Evangelho.

Em seguida, a embarcação penetrou o estreito, tocou em Régio, aproando daí a Pozzuoli [*Puteoli*], não longe de Vesúvio.

Antes do desembarque, o centurião aproximou-se do Apóstolo respeitosamente, e falou:

— Meu amigo, até agora estiveste sob o amparo da minha amizade pessoal, direta; daqui por diante, porém, temos de viajar sob os olhares indagadores de quantos habitam nas proximidades da metrópole e há que considerar vossa condição de prisioneiro...

Notando-lhe o natural constrangimento, mescla de humildade e respeito, Paulo exclamou:

— Ora esta, Júlio, não te incomodes! Sei que tens necessidade de algemar-me os pulsos para a exata execução de teus deveres. Apressa-te a fazê-lo, pois não me seria lícito comprometer uma afeição tão pura, qual a nossa.

O chefe da coorte tinha os olhos molhados, mas, retirando as algemas da pequena bolsa, acentuou:

— Disputo a alegria de ficar convosco. Quisera ser, como vós, um prisioneiro do Cristo!...

Paulo estendeu a mão, extremamente comovido, permanecendo ligado ao centurião, sob o olhar carinhoso dos três companheiros.

Júlio determinou que os prisioneiros comuns fossem instalados em prisões gradeadas e que Paulo, Timóteo, Aristarco e Lucas ficassem em sua companhia, em uma pensão modesta. Em face da humildade do Apóstolo e de seus colaboradores, o chefe da coorte parecia mais generoso e fraternal. Desejoso de agradar ao velho discípulo de Jesus, mandou sindicar, imediatamente, se em Pozzuoli havia cristãos e, em caso afirmativo, que fossem à sua presença, para conhecerem os trabalhadores da semeadura santa. O soldado incumbido da missão, daí a poucas horas, trazia consigo um generoso velhinho de nome Sexto Flácus, cuja fisionomia transbordava a mais viva alegria. Logo à entrada, aproximou-se do velho Apóstolo e osculou-lhe as mãos, regou-as de lágrimas, em transportes de espontâneo carinho. Estabeleceu-se, imediatamente, consoladora palestra de que Paulo de Tarso participava comovido. Flácus informou que a cidade tinha há muito a sua Igreja; que o Evangelho ganhava terreno nos corações; que as cartas do ex-rabino eram tema de meditação e estudo em todos os lares cristãos, que reconheciam em suas atividades a missão de um mensageiro do Messias salvador. Tomando a velha bolsa arrancou, ali mesmo, a cópia da *Epístola aos romanos*, guardada pelos confrades de Pozzuoli com especial carinho.

Paulo tudo ouvia gratamente impressionado, parecendo-lhe que chegava a um mundo novo.

Júlio, por sua vez, não cabia em si de contente. E, dando largas ao seu entusiasmo natural, Sexto Flácus expediu recados aos companheiros. Aos poucos, a modesta estalagem enchia-se de caras novas. Eram padeiros, negociantes e artífices que vinham, ansiosos, apertar a mão do amigo da gentilidade. Todos queriam beber os conceitos do Apóstolo, vê-lo de perto, beijar-lhe as mãos. Paulo e os companheiros foram convidados a falar na Igreja àquela mesma noite e, cientes de que o centurião pretendia partir para Roma no dia imediato, os sinceros discípulos do Evangelho, em Pozzuoli, rogaram a Júlio permitisse a demora de Paulo entre eles, ao menos por sete dias, ao que o chefe da coorte atendeu de bom grado.

A comunidade viveu horas de júbilo imenso. Sexto Flácus e os companheiros expediram dois emissários a Roma, para que os amigos da cidade imperial tivessem conhecimento da vinda do Apóstolo dos Gentios. E, cantando louvores no coração, os crentes passaram dias de ilimitada ventura.

Decorrida a semana de trabalhos frutuosos, felizes, o centurião fez ver a necessidade de partir.

A distância a vencer excedia de 200 quilômetros, com sete dias de marcha consecutiva e fatigante.

O pequeno grupo partiu acompanhado de mais de cinquenta cristãos de Pozzuoli, que seguiram o ex-rabino até *Fórum de Ápio*, em cavalos resistentes, montando carinhosa guarda aos carros dos guardas e prisioneiros. Nessa localidade, distante de Roma quarenta e poucas milhas, aguardava o Apóstolo dos Gentios a primeira representação dos discípulos do Evangelho na cidade imperial. Eram anciães comovidos, cercados por alguns companheiros generosos, que, por pouco, carregavam o ex-rabino nos braços. Júlio não sabia como disfarçar a surpresa que lhe ia na alma. Jamais viajara com um prisioneiro de tamanho prestígio. De *Fórum de Ápio* a caravana demandou o sítio denominado "As Três Tavernas", acrescida agora do grande veículo que levava os anciães romanos, e sempre rodeada de cavaleiros fortes e bem-dispostos. Nessa região, singularmente nomeada, em vista do grande conforto de suas hospedarias, outros carros e novos amigos esperavam Paulo de Tarso com sublimes demonstrações de alegria. O Apóstolo, agora, contemplava as regiões do Lácio empolgado por emoções suaves e doces. Tinha a impressão de haver aportado a um mundo diferente da sua Ásia cheia de combates acerbos.

Com permissão de Júlio, a figura mais representativa dos anciães romanos tomara assento junto de Paulo, naquele jubiloso fim de viagem. O velho Apollodorus, depois de certificar-se da simpatia do chefe da coorte pela doutrina de Jesus, tornou-se mais vivo e minucioso no seu noticiário verbal, atendendo às perguntas afetuosas do Apóstolo dos Gentios.

– Vindes a Roma em boa época – acentuava o velhinho em tom resignado –; temos a impressão de que nossos sofrimentos por Jesus vão ser multiplicados. Estamos em 61, mas há três anos que os discípulos do Evangelho começaram a morrer nas arenas do circo pelo nome augusto do Salvador.

– Sim – disse Paulo de Tarso solicitamente. – Eu ainda não havia sido preso em Jerusalém, quando ouvi referências às perseguições indiretas, movidas aos adeptos do Cristianismo pelas autoridades romanas.

– Não são poucos – acrescentou o ancião – os que têm dado seu sangue nos espetáculos homicidas. Nossos companheiros têm caído às centenas, aos apupos do povo inconsciente, estraçalhados pelas feras ou nos postes do martírio...

O centurião, muito pálido, interrogou:

– Mas como pode ser isso? Há medidas legais que justifiquem esses feitos criminosos?

– E quem poderá falar em justiça no governo de Nero? – replicou Apollodorus com um sorriso de santa resignação. – Ainda agora, perdi um filho amado nessas horrorosas carnificinas.

— Como? — tornou o chefe da coorte admirado.

— Muito simplesmente — esclareceu o velhinho — os cristãos são conduzidos aos circos do martírio e da morte, como escravos faltosos e misérrimos. Como ainda não existe um fundamento legal que justifique semelhantes condenações, as vítimas são designadas como cativos que mereceram os suplícios extremos.

— Não existe um político, ao menos, que possa desmascarar o torpe sofisma?

— Quase todos os estadistas honestos e justos estão exilados, para não falar dos muitos induzidos ao suicídio pelos prepostos diretos do Imperador. Acreditamos que a perseguição declarada aos discípulos do Evangelho não tardará muito. A medida tem sido retardada somente pela intervenção de algumas senhoras convertidas a Jesus, que tudo têm feito pela defesa de nossos ideais. Não fora isso, talvez a situação se revelasse mais dolorosa.

— Precisamos negar a nós mesmos e tomar a cruz — exclamou Paulo de Tarso, compreendendo o rigor dos tempos.

— Tudo isso é muito estranho para nós outros — ponderou Júlio acertadamente —, pois não vemos razão para tamanha tirania. É um contrassenso a perseguição aos adeptos do Cristo, que trabalham pela formação de um mundo melhor, quando por aí medram tantas comunidades de malfeitores, a reclamarem repressão legal. Com que pretexto se promove esse movimento sorrateiro?

Apollodorus pareceu concentrar-se e replicou:

— Acusam-nos de inimigos do Estado, a solapar-lhe as bases políticas com ideias subversivas e destruidoras. A concepção de bondade, no Cristianismo, dá azo a que muitos interpretem mal os ensinamentos de Jesus. Os romanos abastados, os ilustres, não toleram a ideia de fraternidade humana. Para eles o inimigo é inimigo, o escravo é escravo, o miserável é miserável. Não lhes ocorre abandonar, por um momento sequer, o festim dos prazeres fáceis e criminosos, para cogitar da elevação do nível social. Raríssimos os que se preocupam com os problemas da plebe. Um patrício caridoso é apontado com ironias. Em um tal ambiente, os desfavorecidos da sorte encontraram no Cristo Jesus um Salvador bem-amado, e os avarentos um adversário a eliminar, para que o povo não alimente esperanças. Examinada essa circunstância, podemos imaginar o progresso da doutrina cristã, entre os aflitos e pobres, tendo-se em vista que Roma sempre foi um enorme carro de triunfo mundano, que segue com os verdugos autoritários e tirânicos na boleia, cercado de multidões famintas, que vão apanhando as migalhas de sobejo. As primeiras pregações cristãs passaram despercebidas, mas quando a massa popular demonstrou entender o elevado alcance da nova doutrina, começaram as lutas acerbas. De culto livre em suas manifestações, o Cristianismo passou a ser rigorosamente fiscalizado. Dizia-se que nossas células eram originárias de feitiçarias e sortilégios. Em seguida, como se verificaram pequenas rebeliões de escravos, nos palácios nobres da cidade, nossas reuniões de preces e benefícios espirituais foram proibidas. As agremiações foram dissolvidas à força. Em vista, porém, das garantias de que gozam as cooperativas funerárias, passamos a nos reunir alta noite no âmago das catacumbas. Ainda assim, descobertos pelos sequazes do Imperador, nossos núcleos de oração têm experimentado pesadas torturas.

— É horrível tudo isso! — exclamou o centurião compungido — e o que admira é haver funcionários dispostos a executar determinações tão injustas!...

Apollodorus sorriu e acentuou:

— A tirania contemporânea tudo justifica. Não levais, vós mesmo, um Apóstolo prisioneiro? Entretanto, reconheço que sois dele um grande amigo.

A comparação do velho e arguto observador fez empalidecer ligeiramente o centurião.

— Sim, sim — murmurava ele, tentando explicar-se.

Paulo de Tarso, todavia, reconhecendo a posição e o embaraço do amigo, acudiu esclarecendo:

— A verdade é que não fui encarcerado por malvadez ou inópia dos romanos, desconhecedores de Jesus Cristo, mas por meus próprios irmãos de raça. Aliás, tanto em Jerusalém como em Cesareia, encontrei a mais sincera boa vontade dos prepostos do Império. Em tudo isso, amigos, preponderam as injunções do serviço do Mestre. Para o êxito indispensável dos seus esforços remissores, os discípulos não poderão caminhar no mundo sem as marcas da cruz.

Os interlocutores entreolharam-se satisfeitos. A explicação do Apóstolo vinha elucidar completamente o problema.

O grupo numeroso alcançou Alba Longa, onde novo contingente de cavaleiros esperava o valoroso missionário. Daí até Roma, a caravana moveu-se mais vagarosa, experimentando sublimadas sensações de alegria. Paulo de Tarso, muito sensibilizado, admirava a beleza singular das paisagens desdobradas ao longo da Via Ápia. Mais alguns minutos e os viajores atingiam a Porta Capena, onde centenas de mulheres e crianças aguardavam o Apóstolo. Era um quadro comovente!

O cortejo parou para que os amigos o abraçassem. Eminentemente emocionado, o centurião acompanhou a cena inesquecível, contemplando anciãs de cabelos nevados osculando as mãos de Paulo, com infinito carinho.

O Apóstolo, enlevado naquelas explosões de afeto, não sabia se havia de contemplar os panoramas prodigiosos da "cidade das sete colinas", se paralisar o curso das emoções para prosternar-se em espírito, em um preito justo de reconhecimento a Jesus.

Obedecendo às ponderações amigas de Apollodorus, o grupo dispersou-se.

Roma inteira banhava-se suavemente no crepúsculo de opalas. Brisas cariciosas sopravam, de longe, balsamizando a tarde quente. Considerando que Paulo precisava de repouso, o centurião resolveu passar a noite numa hospedaria e apresentar-se com os prisioneiros no dia imediato, ao Quartel dos Pretorianos, depois de refeitos da longa e exaustiva viagem.

Somente na manhã seguinte, compareceu perante as autoridades competentes, apresentando os acusados. Feliz expediente aquele, porque o ex-rabino sentia-se perfeitamente reconfortado. Na véspera, Lucas, Timóteo e Aristarco separaram-se dele, a fim de se instalarem na companhia dos irmãos de ideal, até poderem fixar a sua posição.

O centurião de Cesareia encontrou no Quartel da Via Nomentana altos funcionários que podiam perfeitamente atendê-lo, com referência ao assunto que o trazia à capital do Império, mas fez questão de esperar o general Búrrus, amigo pessoal do Imperador e conhecido por suas tradições de honestidade, no intuito de esclarecer o caso do Apóstolo.

O general o atendeu com presteza e solicitude e ficou suficientemente informado da causa do ex-rabino, tanto quanto dos seus antecedentes pessoais e das lutas e sacrifícios que vinha amargurando. Prometeu estudar o caso com o maior interesse, depois de guardar, solícito, os pergaminhos remetidos pela Justiça de Cesareia. Na presença do Apóstolo, afirmou ao centurião que, caso os documentos provassem a cidadania romana do acusado, ele poderia gozar das vantagens da *custodia libera*, passando a viver fora do cárcere, apenas acompanhado por um guarda, até que a magnanimidade de César decidisse o seu recurso.

Paulo foi recolhido à prisão com os demais companheiros, como medida preliminar ao exame da documentação trazida. Júlio despediu-se comovido, os guardas abraçaram o ex-rabino, contristados e respeitosos. Os altos funcionários do Quartel acompanharam a cena com indisfarçável surpresa. Prisioneiro algum havia ali entrado, até então, com tamanhas manifestações de carinho e apreço.

Depois de uma semana, em que lhe fora permitido o contato permanente com Lucas, Aristarco e Timóteo, o Apóstolo recebia ordem para fixar residência nas proximidades da prisão – privilégio conferido pelos seus títulos, embora obrigado a permanecer sob as vistas de um guarda policial, até que o seu recurso fosse definitivamente julgado.

Auxiliado pelos confrades da cidade, Lucas alugou um aposento humilde na Via Nomentana, para lá se transferindo o valoroso pregador do Evangelho, cheio de coragem e confiança em Deus.

Longe de esmorecer diante dos obstáculos, Paulo continuou redigindo epístolas consoladoras e sábias às comunidades distantes. No segundo dia de sua nova instalação, recomendou aos três companheiros procurassem trabalho, para não serem pesados aos irmãos, explicando que ele, Paulo, viveria do pão dos encarcerados, como era justo, até que César pudesse atender ao seu apelo.

Assim o fez, de fato, e diariamente lá se ia às grades do calabouço, onde tomava a sua ração alimentar. Aproveitava, então, essas horas de convivência com os celerados ou com as vítimas da maldade humana para pregar as verdades confortadoras do Reino, ainda que algemados. Todos o ouviam em deslumbramento espiritual, jubilosos com a notícia de que não se encontravam desamparados pelo Salvador. Eram criminosos do Esquilino, bandidos das regiões provincianas, malfeitores da Suburra, servos ladrões entregues à justiça pelos senhores para a necessária regeneração, e pobres perseguidos pelo despotismo da época, que sofriam a terrível influência dos vícios da administração.

A palavra de Paulo de Tarso atuava como bálsamo de santas consolações. Os prisioneiros ganhavam novas esperanças e muitos se converteram ao Evangelho, como Onésimo, o escravo regenerado, que passou à história do Cristianismo na carinhosa *Epístola a Filemom*.

No terceiro dia da nova situação, Paulo de Tarso chamou os amigos para resolver determinados empreendimentos que julgava indispensáveis. Encareceu a diligência de um entendimento com os israelitas. Precisava transmitir-lhes as claridades da Boa-Nova. No entanto, era impossível, no momento, uma visita à sinagoga. Sem paralisar, contudo, os impulsos dinâmicos da sua mentalidade vigorosa, pediu a Lucas convocasse os maiorais do Judaísmo na capital do Império, a fim de lhes apresentar uma exposição de princípios, que supunha conveniente.

Na mesma tarde, grande número de anciães de Israel compareciam no seu aposento.

Paulo de Tarso expõe as notícias generosas do Reino de Deus, esclarece a sua posição, refere-se às preciosidades do Evangelho. Os ouvintes mostram-se algo interessados, mas ciosos de suas tradições, acabam tomando atitude reservada e duvidosa.

Quando terminou a oração entusiástica, o rabi Menandro exclamou em nome dos demais:

— Vossa palavra merece nossa melhor consideração; entretanto, amigo, ainda não recebemos nenhuma notícia da Judeia, a vosso respeito. Temos, todavia, algum conhecimento desse Jesus a quem vos referis com ternura e veneração. Fala-se d'Ele, em Roma, como de um revolucionário criminoso, que mereceu o suplício reservado aos ladrões e malfeitores, em Jerusalém. Sua doutrina é havida por contrária à essência da Lei de Moisés. Sem embargo, desejamos sinceramente ouvir-vos sobre o novo Profeta, com a calma necessária. Por outro lado, é justo que não sejamos nós, apenas, os ouvintes dessas notícias singulares. Convém que vossos conceitos sejam dirigidos à maioria dos nossos irmãos, a fim de que os julgamentos isolados não prejudiquem os interesses do conjunto.

Paulo de Tarso percebeu a sutileza da observação e pediu que marcassem o dia da pregação a uma assembleia maior, alvitre esse que foi recebido pelos velhos judeus com justo interesse.

No dia aprazado, vasta aglomeração de israelitas comprimia-se e desbordava do quarto humilde, onde o ex-rabino montara a nova tenda de trabalhos evangélicos. Ele pregou a lição da Boa-Nova e explicou, pacientemente, a missão gloriosa de Jesus, desde a manhã até a tarde. Alguns raros irmãos de raça pareciam compreender os novos ensinamentos, enquanto que a maioria se entregava a interpelações ruidosas e a polêmicas estéreis. O Apóstolo recordou o tempo de suas viagens, vendo ali a repetição exata das cenas irritantes das sinagogas asiáticas, onde os judeus se empenhavam em combates acérrimos.

A noite avizinhava-se e as discussões prosseguiam acaloradas. O Sol despedia-se da paisagem, dourando o cume das colinas distantes. Observando que o ex-rabino fizera uma pausa para ganhar algum fôlego, Lucas aproximou-se e confidenciou:

— Dói-me constatar quanto esforço despendes para vencer o espírito do Judaísmo!...

Paulo de Tarso meditou alguns momentos e respondeu:

— Sim, verificar a rebeldia voluntária dá enfado ao coração; contudo, a experiência do mundo tem-me ensinado a discernir, de algum modo, a posição dos espíritos. Há duas classes de homens para as quais se torna mais difícil o contato renovador de Jesus. A primeira é a que vi em Atenas e se constitui dos homens envenenados pela falaciosa ciência da Terra; homens que se cristalizam em uma superioridade imaginária e muito presumem de si mesmos. São estes, a meu ver, os mais infelizes. A segunda é a que conhecemos nos judeus recalcitrantes que, possuindo um patrimônio precioso do passado, não compreendem a fé sem lutas religiosas, petrificam-se no orgulho de raça e perseveram numa falsa interpretação de Deus. De tal arte, entendemos melhor a palavra do Cristo, que classificou os simples e pacíficos da Terra como criaturas bem-aventuradas. Poucos gentios cultos e raros judeus crentes na Lei Antiga estão preparados para a escola bendita da perfeição com o Divino Mestre.

Lucas passou a considerar o justo conceito do Apóstolo, mas, a esse tempo, as palestras ruidosas e irritantes dos israelitas pareciam o fermento rápido de pugilatos inevitáveis. O ex-rabino, porém, desejoso de paz, subiu novamente à tribuna e exclamou:

— Irmãos, evitemos as contendas estéreis e ouçamos a voz da própria consciência! Continuai examinando a Lei e os profetas, nos quais encontrareis sempre a promessa do Messias, que já veio... Desde Moisés, todos os mentores de Israel referiram-se ao Mestre, com caracteres de fogo... Não somos culpados da vossa surdez espiritual. Invocando as discussões ferinas de há pouco, recordo a lição de Isaías quando declara que muitos hão de ver sem enxergar, e ouvir sem entender. São os espíritos endurecidos que, agravando as próprias enfermidades, culminam em lutas desesperadoras para que Jesus possa, mais tarde, convertê-los e curá-los com o bálsamo do seu infinito amor. No entanto, podeis estar convictos de que esta mensagem será auspiciosamente recebida pelos gentios simples e infelizes, que são, na verdade, os bem-aventurados de Deus.

A declaração franca e veemente do Apóstolo caiu na assembleia como um raio, impondo absoluto silêncio. Destoando dos sentimentos da maioria, um velhinho judeu aproximou-se do convertido de Damasco e disse:

— Reconheço o exato sentido da vossa palavra, mas desejaria pedir-vos que este Evangelho continuasse a ser ministrado à nossa gente. Há seguidores de Moisés bem-intencionados, que podem aproveitar o ensino de Jesus, enriquecendo-se com os seus valores eternos.

O apelo carinhoso e sincero era proferido em tom comovedor. Paulo abraçou o simpatizante da nova doutrina, fundamente sensibilizado, e acrescentou:

— Este aposento humilde é também vosso. Vinde conhecer o pensamento do Cristo, sempre que vos aprouver. Podereis copiar todas as anotações que possuo.

— E não ensinais na sinagoga?

— Por enquanto, preso como estou, não poderei fazê-lo, mas hei de escrever uma carta aos nossos irmãos de boa vontade.

Dentro de poucos minutos, a compacta reunião se dissolvia com as primeiras sombras da noite.

Daí por diante, aproveitando as últimas horas de cada dia, os companheiros de Paulo viram que ele escrevia um documento a que dedicava profunda atenção. Às vezes, era visto a escrever com lágrimas, como se desejasse fazer da mensagem um depósito de santas inspirações. Em dois meses entregava o trabalho a Aristarco para copiá-lo, dizendo:

— Esta é a *Epístola aos hebreus*. Fiz questão de grafá-la, valendo-me dos próprios recursos, pois que a dedico aos meus irmãos de raça e procurei escrevê-la com o coração.

O amigo compreendeu o seu intuito e, antes de começar as cópias, destacou o estilo singular e as ideias grandiosas e incomuns.

E Paulo continuou trabalhando incessantemente em benefício de todos. A situação, como prisioneiro, era a mais confortadora possível. Fizera-se benfeitor desvelado de todos os guardas que lhe testemunhavam o esforço apostólico. A uns, aliviara o coração com as alegrias da Boa-Nova; a outros, curara moléstias crônicas e dolorosas. Frequentemente, o benefício não se restringia ao interessado, porque os legionários romanos lhe traziam os parentes, os afeiçoados e os amigos, para se beneficiarem ao contato daquele homem dedicado aos interesses de Deus. Logo ao terceiro dia deixou de ser algemado, porque os soldados dispensavam a formalidade, apenas guardando-lhe a porta como simples amigos. Não poucas vezes, esses militares benévolos o convidavam a passear pela cidade, especialmente ao longo da Via Ápia, que se havia tornado o local da sua predileção.

Sensibilizado, o Apóstolo agradecia essas provas de condescendência.

Os benefícios do seu convívio tornavam-se dia a dia mais evidentes. Impressionados com a sua palestra educativa e com as suas maneiras atenciosas, muitos legionários, antes relapsos e negligentes, transformavam-se em elementos úteis à administração e à sociedade. Os guardas começaram a disputar o serviço de sentinela ao seu aposento, e isso lhe valia pelo melhor atestado de valor espiritual.

Visitado, incessantemente, por irmãos e emissários das suas Igrejas queridas, da Macedônia e da Ásia, prosseguia desdobrando energias na tarefa de amorosa assistência aos amigos e colaboradores distantes, mediante cartas inspiradíssimas.

Havia quase dois anos que o seu recurso a César jazia esquecido nas mesas dos juízes displicentes, quando sobreveio um acontecimento de magna importância. Certo dia, um legionário amigo levou ao convertido de Damasco um homem de feições másculas e enérgicas, aparentando 40 anos mais ou menos. Tratava-se de Acacius Domitius, personalidade de grande influência política, e que de algum tempo tinha cegado em misteriosas circunstâncias.

Paulo de Tarso o acolheu com bondade e, depois de impor-lhe as mãos, esclarecendo-o sobre o que Jesus desejava de quantos lhe aproveitavam a munificência, exclamou comovidamente:

— Irmão, agora, convido-te a ver, em nome do Senhor Jesus Cristo!

— Vejo! Vejo! — gritou o romano tomado de júbilo infinito; e logo, em um movimento instintivo, ajoelhou-se em pranto e murmurou:

— Vosso Deus é verdadeiro!...

Profundamente reconhecido a Jesus, o Apóstolo deu-lhe o braço para que se levantasse e, ali mesmo, Domitius procurou conhecer o conteúdo espiritual da nova doutrina, a fim de reformar-se e mudar de vida. Solícito, anotou logo as informações relativas ao processo do ex-rabino, acentuando ao despedir-se:

— Deus me ajudará para que possa retribuir o bem que me fizestes! Quanto à vossa situação, não duvideis do desfecho merecido, porque, na próxima semana, teremos resolvido o processo com a absolvição de César!

De fato, decorridos quatro dias, o velho servidor do Evangelho foi chamado a depor. De conformidade com as ordens legais, compareceu sozinho perante os juízes, respondendo com admirável presença de espírito às menores arguições que lhe foram desfechadas. Os magistrados patrícios verificaram a inconsistência do libelo, a infantilidade dos argumentos apresentados pelo Sinédrio e, não só atendendo à situação política de Acácio, que empenhara no feito os bons ofícios de que podia dispor, como pela profunda simpatia que a figura do Apóstolo despertava, instruíram o processo com os mais nobres pareceres, restituindo-o, por intermédio de Domitius, para o veredicto do Imperador.

O generoso amigo de Paulo regozijou-se com a vitória inicial, convencido da próxima liberdade do seu benfeitor. Sem perda de tempo, mobilizou as melhores amizades, entre as quais contava Popeia Sabina,[52] conseguindo, afinal, a absolvição imperial.

Paulo de Tarso recebeu a notícia com votos de reconhecimento a Jesus. Mais que ele próprio, rejubilavam-se os amigos, que celebraram o acontecimento com expansões memoráveis.

O convertido de Damasco, entretanto, não viu nisso tão só um motivo para regozijo pessoal, mas a obrigação de intensificar a difusão do Evangelho de Jesus.

Durante um mês, no princípio do ano 63, visitou as comunidades cristãs de todos os bairros da capital do Império. Sua presença era disputada por todos os círculos, que o recebiam entre carinhosas manifestações de respeito e de amor pela sua autoridade moral. Organizando planos de serviço para todas as igrejas domésticas que funcionavam na cidade, e depois de inúmeras prédicas gerais nas catacumbas silenciosas, o incansável trabalhador resolveu partir para a Espanha. Debalde intervieram os colaboradores, rogando-lhe que desistisse. Nada o demoveu. De há muito, alimentava o desejo de visitar o extremo do Ocidente e, se fosse possível, desejaria morrer convicto de haver levado o Evangelho aos confins do mundo.

---

[52] N.E.: Popeia Sabina (31 a 65 d.C.), Imperatriz de Roma e segunda esposa do imperador Nero.

X
Ao encontro do Mestre

Às vésperas da partida em busca da gentilidade espanhola, eis que o Apóstolo recebe uma carta comovente de Simão Pedro. O ex-pescador de Cafarnaum escrevia-lhe de Corinto, avisando sua próxima chegada à cidade imperial. A missiva era afetuosa e enternecedora, cheia de confidências amargas e tristes. Pedro confiava ao amigo suas derradeiras desilusões na Ásia e mostrava-se-lhe vivamente interessado pelo que lhe sucedera em Roma. Ignorando que o ex-rabino fora restituído à liberdade, procurava confortá-lo fraternalmente. Também ele, Simão, deliberara exilar-se junto dos irmãos da metrópole imperial, esperando ser útil ao amigo, em quaisquer circunstâncias. Ainda no mesmo documento íntimo, rogava aproveitasse o portador para comunicar aos confrades romanos o propósito de se demorar algum tempo entre eles.

O convertido de Damasco leu e releu a mensagem amiga, altamente sensibilizado.

Pelo emissário, irmão da Igreja de Corinto, foi avisado de que o venerando Apóstolo de Jerusalém chegaria ao porto de Óstia dentro de dez dias, mais ou menos.

Não hesitou um momento. Lançou mão de todos os meios ao seu alcance, preveniu os íntimos e preparou uma casa modesta, onde Pedro pudesse alojar-se com a família. Criou o melhor ambiente para a recepção do respeitável companheiro. Valendo-se do argumento de sua próxima excursão à Espanha, dispensava as dádivas dos amigos, indicando-lhes as necessidades de Simão, para que nada lhe faltasse. Transportou quanto possuía, em objetos de uso doméstico, do singelo aposento que alugara junto à Porta Lavernal para a casinha destinada a Simão, próximo dos cemitérios israelitas da Via Ápia. Esse exemplo de cooperação foi altamente apreciado por todos. Os irmãos mais humildes fizeram questão de oferecer pequeninas utilidades ao Apóstolo venerando que chegaria desprovido.

Informado de que a embarcação entrava no porto, o ex-rabino largou-se pressurosamente para Óstia. Lucas e Timóteo, sempre em sua companhia, junto de outros cooperadores devotados, o amparavam nos pequenos acidentes do caminho, dando-lhe o braço, aqui e ali.

Não fora possível organizar uma recepção mais ostensiva. A perseguição surda aos adeptos do Nazareno apertava o cerco por todos os lados. Os últimos conselheiros honestos do Imperador estavam desaparecendo. Roma assombrava-se com a enormidade e quantidade de crimes que se repetiam diariamente. Nobres figuras do patriciado e do povo eram vítimas de atentados cruéis. Atmosfera de terror dominava todas as atividades políticas e, no cômputo dessas calamidades, os cristãos eram os mais rudemente castigados, em vista da atitude hostil de quantos se acomodavam com os velhos deuses e se regalavam com os prazeres de uma existência dissoluta e fácil. Os seguidores de Jesus eram acusados e responsabilizados por quaisquer dificuldades que sobrevinham. Se caía uma tempestade mais forte, devia-se o fenômeno aos adeptos da nova doutrina. Se o inverno era mais rigoroso, a acusação pesava sobre eles, porquanto ninguém como os discípulos do Crucificado havia desprezado tanto os santuários da crença antiga, abominando os favores e os sacrifícios aos numes tutelares. A partir do reinado de Cláudio, espalhavam-se lendas torpes a respeito das práticas cristãs. A fantasia do povo, ávido das distribuições de trigo nas grandes festas do circo, imaginava situações inexistentes, gerando conceitos extravagantes e absurdos, com relação aos crentes do Evangelho. Por isso mesmo, desde o ano 58, os cristãos imbeles eram levados ao circo como escravos revolucionários ou rebeldes, que deveriam desaparecer. A opressão agravara-se dia a dia. Os romanos mais ou menos ilustres, pelo nome ou pela situação financeira, que simpatizavam com a doutrina do Cristo, continuavam indenes de públicos vexames, mas os pobres, os operários, os filhos da plebe eram levados ao martírio, às centenas. Assim, os amigos do Evangelho não prepararam nenhuma homenagem pública à chegada de Simão Pedro. Em vez disso, procuraram dar ao fato um cunho todo íntimo, de maneira a não despertar represálias dos esbirros da situação.

Paulo de Tarso estendeu os braços ao velho amigo de Jerusalém, tomado de alegria. Simão trouxera a esposa e os filhos, além de João. Sua palavra generosa estava cheia de novidades para o Apóstolo do gentilismo. Em poucos minutos, ficou sabendo da morte de Tiago e das novas torturas infligidas pelo Sinédrio à Igreja de Jerusalém. O velho pescador contava as últimas peripécias da sua sorte, bem-humorado. Comentava os testemunhos mais pesados com um sorriso nos lábios e intercalava toda a narrativa de louvores a Deus. Depois de reportar-se às lutas que empenhara em muitas e repetidas peregrinações, contava ao ex-rabino que se refugiara alguns dias em Éfeso, junto de João, sendo acompanhado pelo filho de Zebedeu até Corinto, onde resolveram demandar a capital do Império. Paulo, por sua vez, relatou as tarefas recebidas de Jesus, nos últimos anos, e era de ver-se o otimismo e a coragem desses homens que, inflamados do espírito messiânico e amoroso do Mestre, comentavam as desilusões e as dores do mundo como láureas da vida.

Depois das suaves alegrias do reencontro, o grupo se encaminhou discretamente para a casinha reservada a Simão Pedro e sua família.

O ex-pescador, sentindo a excelência da acolhida carinhosa, não encontrava palavras para traduzir os júbilos da alma. Como Paulo quando chegou a Pozzuoli, tinha a impressão de estar em um mundo diferente daquele em que vivera até então.

Com a sua chegada, recrudesceram os serviços apostólicos, mas o pregador do gentilismo não abandonou a ideia de ir à Espanha. Alegando que Pedro o substituiria com vantagem, deliberou embarcar no dia prefixado, em um pequeno navio que se destinava à costa gaulesa. Não valeram amistosos protestos, nem mesmo a insistência de Simão para que adiasse a viagem. Acompanhado de Lucas, Timóteo e Demas, o velho advogado dos gentios partiu ao amanhecer de um dia lindo, cheio de projetos generosos.

A missão visitou parte das Gálias, dirigindo-se ao território espanhol, demorando-se mais na região de Tortosa. Em toda parte, a palavra e feitos do Apóstolo ganhavam novos corações para o Cristo, multiplicando os serviços do Evangelho e renovando as esperanças populares, à luz do Reino de Deus.

Em Roma, todavia, a situação prosseguia cada vez mais grave. Com a perversidade de Tigelinus à frente da Prefeitura dos Pretorianos, acentuara-se o terror entre os discípulos de Jesus. Faltava somente um édito em que os cidadãos romanos, simpatizantes do Evangelho, fossem condenados publicamente, porque os libertos, os descendentes de outros povos e os filhos da plebe já enchiam as prisões.

Simão Pedro, como figura de relevo do movimento, não tinha descanso. Não obstante a fadiga natural da senectude, procurava atender a todas as necessidades emergentes. Seu espírito poderoso sobrepunha-se a todas as vicissitudes e desempenhava os mínimos deveres com devotamento máximo à causa da Verdade. Assistia os doentes, pregava nas catacumbas, percorria longas distâncias, sempre animoso e satisfeito. Os cristãos do mundo inteiro jamais poderão esquecer aquela falange de abnegados que os precedeu nos primeiros testemunhos da fé, afrontando situações dolorosas e injustas, regando com sangue e lágrimas a sementeira do Cristo, abraçando-se mutuamente confortados nas horas mais negras da história do Evangelho, nos espetáculos hediondos do circo, nas preces de aflição que se elevavam dos cemitérios abandonados.

Tigelinus, grande inimigo dos prosélitos do Nazareno, buscava agravar a situação por todos os meios ao alcance da sua autoridade odiosa e perversa.

O filho de Zebedeu preparava-se para regressar à Ásia, quando um grupo de esbirros dos perseguidores o colheu em pregação carinhosa e inspirada, na qual se despedia dos confrades de Roma, com exortações de tocante reconhecimento a Jesus. Apesar das atenciosas explicações, João foi preso e esbordoado impiedosamente. E, com ele, dezenas de irmãos foram trancafiados nos cárceres imundos do Esquilino.

Pedro recebeu a notícia dolorosamente surpreendido. Conhecia a extensão dos trabalhos que aguardavam na Ásia o companheiro generoso e rogou ao Senhor não o abandonasse, a fim de obter absolvição justa. Como proceder em tão difíceis circunstâncias? Recorreu às relações prestigiosas que a cidade lhe oferecia. Entretanto, seus afeiçoados eram igualmente pobres de influência política nos gabinetes administrativos da época. Os cristãos de posição financeira mais destacada não ousavam enfrentar a onda avassaladora de perseguição e tirania. O antigo chefe da Igreja de Jerusalém não desanimou. Precisava libertar o amigo, concorrendo, para isso, com todo o potencial de energia, na esfera de suas possibilidades. Compreendendo a timidez natural dos romanos simpatizantes do Cristo, buscou reunir apressadamente uma assembleia de amigos íntimos, para examinar o caso.

No meio dos debates alguém se lembrou de Paulo. O Apóstolo dos Gentios dispunha na capital do Império de grande número de afeiçoados eminentes. No caso da sua absolvição, a providência partira do círculo dileto de Popeia Sabina. Muitos militares colaboradores de Afranius Burrus eram seus admiradores. Acacius Domitius, que dispunha de valiosos empenhos junto dos pretorianos, era seu amigo dedicado e incondicional. Ninguém melhor que o ex-tecelão de Tarso poderia incumbir-se da delicada missão de salvar o prisioneiro. Não seria razoável pedir sua ajuda? Comentava-se o caráter urgente da medida, mesmo porque, numerosos cristãos morriam todos os dias na prisão do Esquilino, vítimas das queimaduras de azeite fervente. Tigelinus e alguns comparsas da administração criminosa distraíam-se com os suplícios das vítimas. O azeite era lançado aos infelizes no poste do martírio. Outras vezes, os prisioneiros maniatados eram mergulhados em grandes barris de água em ebulição. O Prefeito dos Pretorianos exigia que os correligionários assistissem ao suplício, para escarmento geral. Os encarcerados acompanhavam as tristes operações, banhados em pranto silencioso. Verificada a morte da vítima, um soldado se encarregava de lançar as vísceras aos peixes famintos, nos tanques vastos das prisões odiosas. Dada a situação geral, apavorante, poder-se-ia contar com a intervenção de Paulo? A Espanha ficava muito distante. Era possível que a sua vinda não aproveitasse ao caso pessoal de João. Pedro, porém, considerou a oportunidade do recurso e advertiu que seguiriam trabalhando a favor do filho de Zebedeu. Nada impedia, porém, de recorrer desde logo para o prestígio de Paulo, ainda porque a situação piorava de instante a instante. Aquele ano de 64 começara com terríveis perspectivas. Não se podia dispensar um homem enérgico e resoluto à frente dos interesses da causa.

Dado este parecer do venerando Apóstolo de Jerusalém, a assembleia concordou com a medida aventada. Um irmão que se tornara devotado cooperador de Paulo, em Roma, foi mandado à Espanha, com urgência. Esse emissário era Crescente, que saiu de Óstia, com enorme ansiedade, levando a missiva de Simão.

O Apóstolo dos Gentios, depois de muito peregrinar, demorava-se em Tortosa, onde conseguira reunir grande número de colaboradores devotados a Jesus. Suas atividades apostólicas continuavam ativas, conquanto atenuadas, em virtude do cansaço físico. O movimento das Epístolas diminuíra, mas não se interrompera de todo. Atendendo à necessidade das Igrejas do Oriente, Timóteo partira da Espanha para a Ásia, carregado de cartas e recomendações amigas. Em torno do Apóstolo agrupara-se novo contingente de cooperadores diligentes e sinceros. Em todos os recantos, Paulo de Tarso ensinava o trabalho e a renúncia, a paz da consciência e o culto do bem.

Quando planejava novas viagens na companhia de Lucas, eis que surge em Tortosa o mensageiro de Simão.

O ex-rabino lê a carta e resolve regressar à cidade imperial, imediatamente. Pelas linhas afetuosas do velho amigo, entreviu a gravidade dos acontecimentos. Além disso, João necessitava voltar à Ásia. Não ignorava a influência benéfica que ele exercia em Jerusalém. Em Éfeso, onde a Igreja se compunha de elementos judaicos e gentios, o filho de Zebedeu fora sempre um vulto nobre e exemplar, indene de espírito sectarista. Paulo de Tarso passou em revista as necessidades do serviço evangélico entre as comunidades orientais, e concluiu pela urgência do regresso de João, deliberando intervir no assunto sem perda de tempo.

Como de outras vezes, nada valeram as considerações dos amigos, no tocante ao problema de sua saúde. O homem enérgico e decidido, apesar dos cabelos brancos, mantinha o mesmo ânimo resoluto, elevado e firme, que o caracterizara na mocidade distante. Favorecido pela grande movimentação de barcos, nos princípios de maio de 64, não lhe foi difícil retornar ao porto de Óstia, junto dos companheiros.

Simão Pedro recebeu-o enternecido. Em poucas horas o convertido de Damasco conhecia a situação intolerável criada em Roma pela ação delituosa de Tigelinus. João continuava encarcerado, apesar dos recursos levados aos tribunais. O antigo pescador de Cafarnaum, em significativas confidências, revelava ao companheiro que o coração lhe pressagiava novas dores e testemunhos cruciantes. Um sonho profético anunciava-lhe perseguições e provas ásperas. Numa das últimas noites, contemplara um quadro singular, em que uma cruz de proporções gigantescas parecia envolver com sua sombra toda a família dos discípulos do Senhor. Paulo de

Tarso ouviu-o, com interesse, manifestando-se de inteiro acordo com os seus pressentimentos. Apesar dos horizontes carregados, deliberaram uma ação conjunta para libertar o filho de Zebedeu.

Corria o mês de junho.

O ex-rabino desdobrou-se em atividades intensas, procurou Acacius Domitius, solicitando a sua intervenção e valimento. Mais ainda: considerando que as providências morosas poderiam redundar em um fracasso, auxiliado por amigos eminentes procurou avistar-se com numerosos áulicos da Corte imperial, chegando à presença de Popeia Sabina, a fim de rogar seus bons ofícios, no caso do filho de Zebedeu. A célebre favorita ouviu-lhe a confidência com enorme surpresa. Aquelas revelações de uma vida eterna, aquela concepção da Divindade assustavam-na. Embora inimiga declarada dos cristãos, dada a simpatia que mantinha pelo Judaísmo, Popeia impressionou-se com a figura ascética do Apóstolo e com os argumentos de reforço ao seu pedido. Sem ocultar sua admiração, prometeu atendê-lo, apontando desde logo as providências imediatas.

Paulo retirou-se esperançoso da absolvição do companheiro, porque Sabina prometera libertá-lo dentro de três dias.

Voltando à comunidade, deu ciência aos irmãos da entrevista que tivera com a favorita de Nero, mas, terminada a exposição, notou, algo surpreso, que alguns companheiros reprovavam a sua iniciativa. Pediu, então, que o esclarecessem e justificassem quaisquer dúvidas. Surgiram fracas considerações que ele acolheu com a sua inesgotável serenidade. Alegava-se que não era louvável dirigir-se a uma cortesã dissoluta para impetrar um favor. Semelhante proceder afigurava-se defeso a seguidores do Cristo. Popeia era mulher de vida notadamente dissoluta, banqueteava-se nas orgias do Palatino, caracterizava-se por sua luxúria escandalosa. Seria razoável pedir-lhe proteção para os discípulos de Jesus?

Paulo de Tarso aceitou as mofinas arguições com beatífica paciência, e objetou sensatamente:

— Respeito e acato a vossa opinião, mas, antes de tudo, considero necessário libertar João. Fosse eu o prisioneiro e não haveria de julgar o caso tão urgente e tão grave. Estou velho, alquebrado, e, portanto, melhor me fora, e mais útil quiçá, meditar na misericórdia de Jesus, através das grades do cárcere. Mas João está relativamente moço, é forte e dedicado; o Cristianismo da Ásia não pode dispensar-lhe a atividade construtiva, até que outros trabalhadores sejam chamados à semeadura divina. Com referência às vossas dúvidas, porém, cumpre-me aduzir um argumento que requer ponderação. Por que considerais imprópria uma solicitação a Popeia Sabina? Teríeis a mesma ideia, se me dirigisse a Tigelinus ou ao próprio Imperador? Não serão eles vítimas da mesma prostituição que estigmatiza as favoritas de sua Corte? Se combinasse com um militar embriagado, do Palatino, as providências imprescindíveis à libertação do companheiro, talvez aplaudísseis meu gesto, sem restrições. Irmãos, é indispensável compreender que a derrocada moral da mulher, quase sempre, vem da prostituição do homem. Concordo em que Popeia não é a figura mais conveniente ao feito, em virtude das inquietações da sua vida; entretanto, é a providência que as circunstâncias indicaram, e nós precisamos libertar o devotado discípulo do Senhor. Aliás, procurei valer-me de semelhantes recursos, recordando a exortação do Mestre, na qual recomenda ao homem granjear amigos com as riquezas da iniquidade.[53] Considero que quaisquer relações com o Palatino constituem expressões da fortuna iníqua, mas suponho útil mobilizar os que se conservam "mortos" no pecado para algum ato de caridade e de fé, pelo qual se desliguem dos laços com o passado delituoso, auxiliados pela intercessão de amigos fiéis.

A elucidação do Apóstolo espalhou grande calma em todo o recinto. Em poucas palavras, Paulo de Tarso fizera ver, aos companheiros, transcendentes conclusões de ordem espiritual.

A promessa não falhara. Em três dias o filho de Zebedeu era restituído à liberdade. João estava abatidíssimo. Os maus-tratos, a contemplação dos quadros terríveis do cárcere, a expectação angustiosa haviam-lhe mergulhado o espírito em perplexidades dolorosas.

Pedro regozijava-se, mas o ex-rabino, atento à tensão ambiente, sugeriu o regresso do Apóstolo galileu à Ásia, sem perda de tempo. A Igreja de Éfeso esperava-o. Jerusalém devia contar com a sua colaboração desinteressada e amiga. João não teve tempo para muitas considerações, porque Paulo, como que possuído de amargos pressentimentos, foi ao porto de Óstia para predispor o seu embarque, aproveitando um navio napolitano prestes a largar para Mileto. Colhido pelas providências e impossibilitado de resistir ao resoluto ex-rabino, o filho de Zebedeu embarcou em fins de

---

[53] Nota do autor espiritual: *Lucas*, 16:9.

junho de 64, enquanto os demais amigos permaneceram em Roma para a boa batalha em prol do Evangelho.

Quanto mais sombrios os horizontes, mais coeso se tornava o grupo dos irmãos na fé, em Cristo Jesus. Multiplicavam-se as reuniões nos cemitérios distantes e abandonados. Naqueles dias de sofrimentos, as pregações pareciam mais belas.

Paulo de Tarso e os cooperadores desdobravam-se em edificações espirituais, quando a cidade foi sacudida, de súbito, por espantoso acontecimento. Na manhã de 16 de julho de 64 irrompeu violento incêndio nas proximidades do Grande Circo, abrangendo toda a região do bairro localizado entre o Célio e o Palatino. O fogo começara em vastos armazéns repletos de material inflamável e propagara-se com rapidez assombrosa. Debalde foram convocados os operários e homens do povo para atenuar-lhe a violência; em vão a turba numerosa e compacta movimentou recursos para aliviar a situação. As labaredas subiam sempre, alastrando-se com furor, deixando montões de escombros e ruínas. Roma inteira acudia a ver o sinistro espetáculo, já empolgada pelas suas paixões ameaçadoras e terríveis. O fogo, com prodigiosa rapidez, deu volta ao Palatino e invadiu o Velabro. O primeiro dia findava-se com angustiosas perspectivas. O firmamento cobria-se de fumo espesso, iluminando-se grande parte das colinas com o clarão odioso do incêndio terrível. As elegantes construções do Aventino e do Célio pareciam árvores secas de floresta em chamas. Acentuara-se a desolação das vítimas da enorme catástrofe. Tudo ardia nas adjacências do Fórum. Começou o êxodo com infinitas dificuldades. As portas da cidade congestionavam-se de pessoas tomadas de profundo terror. Animais espavoridos corriam ao longo das vias públicas, como acossados por perseguidores invisíveis. Prédios antigos, de sólida construção, ruíam com sinistro estrondo. Todos os habitantes de Roma desejavam distanciar-se da zona comburente. Ninguém mais se atrevia a atacar a fogueira indômita. O segundo dia apresentou-se com o mesmo espetáculo inesquecível. Os populares desistiram de salvar alguma coisa; contentavam-se em poder enterrar os mortos sem conta, encontrados nos locais de possível acesso. Dezenas de pessoas percorriam as ruas em gargalhadas de horrível acento; a loucura generalizava-se entre as criaturas mais impressionáveis. Macas improvisadas conduziam feridos sem destino certo. Longas procissões invadiam os santuários para salvar as suntuosas imagens dos deuses.

Milhares de mulheres acompanhavam a figura impassível dos numes tutelares, em dolorosas súplicas, fazendo votos de penosos sacrifícios, em vozes estentóricas. Homens piedosos apanhavam, no remoinho das multidões estonteadas, as crianças massacradas ou apenas feridas. Toda a zona de acesso à Via Ápia, em direção de Alba Longa, estava entupida de retirantes apressados e desiludidos. Centenas de mães gritavam pelos filhinhos desaparecidos e, não raro, tomavam-se providências, à pressa, para socorrer as que enlouqueciam. A população em peso desejava abandonar a cidade, ao mesmo tempo. A situação tornara-se perigosa. A turba amotinada atacava as liteiras dos patrícios. Somente os cavaleiros desassombrados conseguiam romper a mole humana, provocando novas blasfêmias e lamentações.

O fogo já havia devorado, quase totalmente, os palacetes nobres e preciosos das Carinas e continuava destroçando os bairros romanos, entre os vales e as colinas, nos quais a população era muito densa. Durante uma semana, dia e noite, lavrou o fogo destruidor, espalhando desolações e ruínas. Das catorze circunscrições em que se dividia a metrópole imperial, apenas quatro ficaram incólumes. Três eram uma aluvião de escombros fumegantes, e as outras sete conservavam tão só alguns vestígios dos edifícios mais preciosos.

O Imperador estava em *Antium* [Anzio], quando irrompeu a fogueira por ele mesmo idealizada, pois a verdade é que, desejoso de edificar uma cidade nova com os imensos recursos financeiros que chegavam das províncias tributárias, projetara o incêndio famoso, assim vencendo a oposição do povo, que não desejava a transferência dos santuários.

Além dessa medida de ordem urbanística, o filho de Agripina caracterizava-se, em tudo, pela sua originalidade satânica. Presumindo-se genial artista, não passava de monstruoso histrião, assinalando a sua passagem pela vida pública com crimes indeléveis e odiosos. Não seria interessante apresentar ao mundo uma Roma em chamas? Nenhum espetáculo, a seus olhos, seria inesquecível como esse. Depois das cinzas mortas, reedificaria os bairros destruídos. Seria generoso para com as vítimas da imensa catástrofe. Passaria à história do Império como administrador magnânimo e amigo dos súditos sofredores.

Alimentando tais propósitos, combinou o atentado com os áulicos de sua maior confiança e intimidade, ausentando-se da cidade para não despertar suspeitas no espírito dos políticos mais honestos.

Entretanto, não pudera prever, ele próprio, a extensão da espantosa calamidade. O incêndio tomara proporções indesejáveis. Seus conselheiros menos dignos não puderam pressentir a amplitude do desastre. Arrancado, à pressa, dos seus prazeres criminosos, o Imperador chegou a tempo de observar o último dia de fogo, verificando o caráter da medida odiosa. Dirigindo-se a um dos pontos mais elevados, contemplou o montão de ruínas e sentiu a gravidade da situação. O extermínio da propriedade particular atingira proporções quase infinitas. Não se pudera prever tão dolorosas consequências. Reconhecendo a irritação justa do povo, Nero procurou falar, em público, esboçando algumas lágrimas na sua profunda capacidade de dissimulação. Prometeu auxiliar a restauração das casas particulares, declarou que compartilhava do sofrimento geral e que Roma se levantaria novamente sobre os escombros fumegantes, mais imponente e mais bela. Imensa multidão ouvia-lhe a palavra, atenta aos seus mínimos gestos. O Imperador, na sua mímica teatral, assumia atitudes comovedoras. Referia-se aos santuários perdidos, debulhado em pranto. Invocava a proteção dos deuses, a cada frase de maior efeito. A turba sensibilizara-se. Jamais o César se mostrara tão paternalmente comovido. Não seria razoável duvidar das suas promessas e observações. Em dado instante, a sua palavra vibrou mais patética e expressiva. Comprometia-se, solenemente, com o povo, a punir inexoravelmente os responsáveis. Procuraria os incendiários, vingaria a desgraça romana sem piedade. Rogava, mesmo, a todos os habitantes da cidade cooperassem com ele, procurando e denunciando os culpados.

Nesse ínterim, quando o verbo imperial se tornara mais significativo, notou-se que a massa popular se agitava estranhamente. Maioria esmagadora irmanava-se, agora, num grito terrível:

– Cristãos às feras! Às feras!

O filho de Agripina encontrara a solução que procurava. Ele que procurava, em vão, no espírito superexcitado, as novas vítimas das suas maquinações execrandas, às quais pudesse atribuir a culpa dos sucessos lamentáveis, viu no brado ameaçador da turba uma resposta às próprias cogitações sinistras. Nero conhecia o ódio que o vulgo votava aos seguidores humildes do Nazareno. Os discípulos do Evangelho mantinham-se alheios e superiores aos costumes dissolutos e brutais da época. Não frequentavam os circos, afastavam-se dos templos pagãos, não se prosternavam diante dos ídolos nem aplaudiam as tradições políticas do Império. Além disso, pregavam ensinamentos estranhos e pareciam aguardar um novo reino. O grande histrião do Palatino sentiu uma onda de alegria invadir-lhe os olhos míopes e congestos. A escolha do povo romano não poderia ser melhor. Os cristãos deviam ser mesmo os criminosos. Sobre eles deveria cair o gládio vingador. Trocou um olhar inteligente com Tigelinus, como a exprimir que haviam apanhado, ao acaso, a solução imprevista e logo afirmou à massa enfurecida que tomaria providências imediatas para reprimir os abusos e castigar os culpados da catástrofe; finalmente, que o incêndio seria considerado crime de lesa-majestade e sacrilégio, para que os castigos também fossem excepcionais.

O povo aplaudia freneticamente, antegozando as sensações do circo, com esgares de feras e cânticos de martírio.

A nefanda acusação pesou sobre os discípulos de Jesus, como fardo hediondo.

As primeiras prisões realizaram-se como flagelo maldito. Numerosas famílias refugiaram-se nos cemitérios e nos arredores da cidade meio destruída, receosas dos algozes implacáveis. Praticava-se toda a espécie de abusos. Jovens indefesas eram entregues, nos cárceres, ao instinto feroz de soldados sem entranhas. Anciães respeitáveis conduzidos à enxovia, sob algemas e pancadas. Os filhos arrancados do colo maternal, entre lágrimas e apelos comovedores. Tempestade sinistra caíra sobre os seguidores do Crucificado, que se submetiam a punições injustas, de olhos postos no céu.

De nada valeram, para Nero, as ponderações dos patrícios ilustres, que ainda cultivavam as tradições de prudência e honestidade. Quantos se aproximavam da autoridade imperial, com a valiosa contribuição de alvitres justos, eram declarados suspeitos, agravando a situação.

O filho de Agripina e seus áulicos imediatos deliberaram que se oferecesse ao povo o primeiro espetáculo no princípio de agosto de 64, como positiva demonstração das providências oficiais contra os supostos autores do nefando atentado. As demais vítimas, isto é, todos os prisioneiros que chegassem ao cárcere, depois da festa inicial, serviriam de ornamento aos futuros regozijos, à medida que a cidade pudesse recompor-se com as novas construções em perspectiva. Para isso, determinara-se a reedificação imediata do Grande Circo. Antes de atender às próprias necessidades da Corte, o Imperador desejava as simpatias do povo ignorante e sofredor, alimentando o que pudesse satisfazer seus estranhos caprichos.

A primeira carnificina, destinada a distrair o ânimo popular, foi levada a efeito em jardins imensos, na parte que permanecera imune da destruição, por entre orgias indecorosas, de que participaram a plebe e a grande fração do patriciado que se entregara à dissolução e ao desregramento. A festividade prolongou-se por noites sucessivas, sob a claridade de esplêndida iluminação e o ritmo harmonioso de numerosas orquestras, que inundavam o ar de melodias enternecedoras. Nos lagos artificiais deslizavam barcos graciosos, artisticamente iluminados. No seio da paisagem, favorecida pelas sombras da noite, que as tochas poderosas não conseguiam afastar de todo, repastava-se a devassidão em jogo franco. Ao lado das expressões festivas, enfileiravam-se as do martírio dos pobres condenados. Os cristãos eram entregues ao povo para o castigo que ele julgasse mais justo. Para isso, com intervalos regulares, os jardins estavam cheios de cruzes, de postes, de açoites e numerosos instrumentos outros de flagelação. Havia guardas imperiais para auxiliarem as atividades punitivas. Em fogueiras preparadas, encontravam-se água e azeite fervente, bem como pontas de ferro em brasa, para os que desejassem aplicá-las.

Os gemidos e soluços dos desgraçados casavam-se ironicamente com as notas harmoniosas dos alaúdes. Uns expiravam entre lágrimas e preces, aos apupos do povo; outros entregavam-se estoicamente ao martírio, contemplando o céu alto e estrelado.

A linguagem mais forte será pobre para traduzir as dores imensas da grei cristã, naqueles dias angustiosos. Não obstante os tormentos inenarráveis, os seguidores fiéis de Jesus revelaram o poder da fé àquela sociedade perversa e decadente, afrontando as torturas que lhes cabiam. Interrogados nos tribunais, em momento tão trágico, declaravam abertamente sua confiança em Cristo Jesus, aceitando os sofrimentos com humildade, por amor ao seu nome. Aquele heroísmo parecia acirrar, ainda mais, os ânimos da multidão animalizada. Inventavam-se novos gêneros de suplício. A perversidade apresentava, diariamente, números novos em sua venenosa facúndia. Mas os cristãos pareciam possuídos de energias diferentes das conhecidas nos campos de batalhas sanguinolentas. A paciência invencível, a fé poderosa, a capacidade moral de resistência assombravam os mais afoitos. Não foram poucos os que se entregaram ao sacrifício, cantando. Muita vez, diante de tanta coragem, os verdugos improvisados temeram o misterioso poder triunfante da morte.

Terminada a chacina de agosto, com grande entusiasmo popular, continuou a perseguição sem tréguas, para que não faltasse o contingente de vítimas nos espetáculos periódicos, oferecidos ao povo em regozijo pela reconstrução da cidade.

Diante das torturas e da carnificina, o coração de Paulo de Tarso sangrava de dor. A tormenta operava confusão em todos os setores. Os cristãos do Oriente, em sua maioria, trabalhavam por desertar do campo da luta, forçados por circunstâncias imperiosas da vida particular. O velho Apóstolo, entretanto, unindo-se a Pedro, reprovava essa atitude. À exceção de Lucas, todos os cooperadores diretos, conhecidos desde a Ásia, haviam regressado. O ex-tecelão, todavia, fazendo causa comum com os desamparados, fez questão de assisti-los no transe inaudito. As igrejas domésticas estavam silenciosas. Fechados os grandes salões alugados na Suburra para as pregações da doutrina. Restava aos seguidores do Mestre apenas um meio de se entreverem e se reconfortarem na prece e nas lágrimas comuns: as reuniões nas catacumbas abandonadas. E a verdade é que não poupavam sacrifícios para acorrer a esses lugares tristes e ermos. Era nesses cemitérios esquecidos que encontravam o conforto fraternal, para o momento trágico que os visitava. Ali oravam, comentavam as luminosas lições do Mestre e hauriam novas forças para os testemunhos impendentes.

Amparando-se em Lucas, Paulo de Tarso enfrentava o frio da noite, as sombras espessas, os caminhos ásperos. Enquanto Simão Pedro cogitava de atender a outros setores, o ex-rabino encaminhava-se aos antigos sepulcros, levando aos irmãos aflitos a inspiração do Mestre divino, que lhe borbulhava na alma ardente. Muitas vezes as pregações se realizavam alta madrugada, quando soberano silêncio dominava a Natureza. Centenas de discípulos escutavam a palavra luminosa do velho Apóstolo dos Gentios, experimentando o poderoso influxo da sua fé. Nesses recintos sagrados, o convertido de Damasco associava-se aos cânticos que se misturavam de prantos dolorosos. O espírito santificado de Jesus, nesses momentos, parecia pairar na fronte daqueles mártires anônimos, infundindo-lhes esperanças divinas.

Dois meses haviam decorrido, após a festa hedionda, e o movimento das prisões aumentava dia a dia. Esperavam-se grandes comemorações. Alguns edifícios nobres do Palatino, reconstruídos em linhas sóbrias e elegantes, reclamavam homenagens dos poderes públicos. As obras de reedificação do Grande Circo estavam adiantadíssimas. Era imprescindível programar festejos condignos. Para esse fim, os cárceres estavam repletos. Não faltariam figurantes para as cenas trágicas. Projetavam-se naumaquias pitorescas, bem como caçadas humanas no circo, em cuja arena seriam igualmente representadas peças famosas de sabor mitológico.

Os cristãos oravam, sofriam, esperavam.

Certa noite, Paulo dirigia aos irmãos a palavra afetuosa, no comentário do Evangelho de Jesus. Seus conceitos pareciam, mais que nunca, divinamente inspirados. As brisas da madrugada penetravam a caverna mortuária, que se iluminava de algumas tochas bruxuleantes. O recinto estava repleto de mulheres e crianças, ao lado de muitos homens embuçados.

Depois da pregação comovedora, ouvida por todos, com os olhos molhados de lágrimas, o ex-tecelão de Tarso perorava solícito:

— Sim, irmãos, Deus é mais belo nos dias trágicos. Quando as sombras ameaçam o caminho, a luz é mais preciosa e mais pura. Nestes dias de sofrimento e morte, quando a mentira destronou a verdade e a virtude foi substituída pelo crime, lembremos Jesus no madeiro infamante. A cruz tem, para nós outros, uma divina mensagem. Não desdenhemos o testemunho sagrado, quando o Mestre, não obstante imáculo, só alcançou neste mundo batalhas silenciosas e sofrimentos indefiníveis. Fortaleçamo-nos na ideia de que seu Reino ainda não é deste mundo. Alcemos o espírito à esfera do seu amor imortal. A cidade dos cristãos não está na Terra; ela não poderia ser a Jerusalém que crucificou o Enviado Divino, nem a Roma que se compraz em derramar o sangue dos mártires. Neste mundo, estamos em uma frente de combate incruento, trabalhando pelo triunfo eterno da paz do Senhor. Não esperemos, portanto, repousar no lugar do trabalho e dos testemunhos vivos. Da cidade indestrutível da nossa fé, Jesus nos contempla e balsamiza o coração. Caminhemos ao seu encontro, por intermédio dos suplícios e das perplexidades dolorosas. Ele ascendeu ao Pai, do cimo do Calvário; nós lhe seguiremos as pegadas, aceitando com humildade os sofrimentos que, por seu amor, nos forem reservados...

O auditório parecia extático, ouvindo as palavras proféticas do Apóstolo. Entre as lajes frias e impassíveis, os irmãos na fé sentiam-se mais unidos entre si. Em todos os olhares cintilava a certeza da vitória espiritual. Naquelas expressões de dor e de esperança havia o tácito compromisso de seguir o Crucificado até o seu Reino de Luz.

O orador fizera uma pausa, sentindo-se dominado por estranhas comoções.

Nesse instante inesquecível, um magote de guardas rompeu afoito no recinto. O centurião Volúmnio, à testa da patrulha armada, fazia intimações em alta voz, enquanto os crentes pacíficos estarreciam surpresos.

— Em nome de César! — bradava o preposto imperial, exultando de contentamento. E ordenando aos soldados que fechassem o círculo em torno dos cristãos indefesos, continuava gritando de modo espetacular. — E que ninguém fuja! Quem o tentar, morre como um cão!

Apoiando-se a forte cajado, pois, nessa noite não tivera a companhia de Lucas, Paulo, ereto, evidenciando sua energia moral, exclamou firmemente:

— E quem vos disse que fugiríamos? Ignorais, porventura, que os cristãos conhecem o Mestre a quem servem? Sois emissário de um príncipe do mundo, que estes sepulcros esperam, mas nós somos trabalhadores do Salvador magnânimo e imortal!...

Volúmnio fitou-o surpreso. Quem seria aquele velho, cheio de energia e combatividade? Apesar da admiração que lhe inspirava, o centurião manifestou seu desagrado em um sorriso de ironia. Medindo o ex-rabino de alto a baixo, com olhar de profundo desprezo, acrescentou:

— Atentem bem no que aqui dizem e fazem...

E depois de uma gargalhada, dirigiu-se a Paulo com insolência:

— Como ousas afrontar a autoridade de Augusto? Devem existir, de fato, diferenças singulares entre o Imperador e o Crucificado de Jerusalém. Não sei onde estaria seu poder de salvação para deixar suas vítimas ao abandono, no fundo dos cárceres ou nos postes do martírio...

Essas palavras eram pontilhadas de mordaz ironia, mas o Apóstolo respondeu com a mesma nobreza de convicção:

— Enganai-vos, centurião! As diferenças são apreciáveis!... É que vós obedeceis a um infeliz e odiento perseguidor e nós trabalhamos por um salvador que ama e perdoa. Os administradores romanos, impensadamente, poderão inventar crueldades, mas Jesus nunca cessará de nutrir a fonte das bênçãos!...

A resposta produzira grande sensação no auditório. Os cristãos pareciam mais calmos e confiantes, os soldados não ocultavam a enorme impressão que os dominava. O centurião, embora reconhecesse o desassombro daquele espírito varonil, não queria parecer fraco aos olhos dos subalternos e exclamou irritado:

— Vamos, Lucílio: três bastonadas neste velho atrevido.

O nomeado avançou para o Apóstolo impassível. Ante a admiração silenciosa dos presentes, o bastão zuniu no ar, bateu em cheio no rosto do Apóstolo que, nem por isso, se alterou. As três pancadas foram rápidas; no entanto, um filete de sangue lhe escorria da face dilacerada.

O ex-rabino, a quem haviam tomado o cajado de apoio, mantinha-se de pé com certa dificuldade, mas sem trair o bom ânimo que lhe caracterizava a alma enérgica. Fixou os verdugos com firmeza e sentenciou:

— Não podeis ferir senão o corpo. Podereis amarrar-me de pés e mãos; quebrar-me a cabeça, mas as minhas convicções são intangíveis, inacessíveis aos vossos processos de perseguição.

Diante de tanta serenidade, Volúmnio quase recuou aterrado. Não podia compreender aquela energia moral que se lhe deparava aos olhos cheios de espanto. Começava a acreditar que os cristãos, desprotegidos e anônimos, retinham um poder que a sua inteligência não lograva atingir. Impressionando-se com semelhante resistência, organizou, à pressa, as filas dos pobres perseguidos, que, humildes, obedeciam sem vacilar. O velho Apóstolo tarsense tomou lugar entre os prisioneiros sem trair o mínimo gesto de enfado ou rebeldia. Observando atentamente a conduta dos guardas, exclamou, quando se deslocava o bloco de vítimas e verdugos, ao primeiro contato com o relento frio da madrugada:

— Exigimos o máximo respeito para com as mulheres e crianças!...

Ninguém ousou responder à observação, articulada em tom grave de advertência. O próprio Volúmnio parecia obedecer inconscientemente às admoestações daquele homem de fé poderosa e invencível.

O grupo marchou em silêncio, atravessando as estradas desertas, chegando à Prisão Mamertina quando listravam o horizonte os primeiros clarões da aurora.

Atirados, previamente, em um pátio escuro, até serem alojados individualmente nas divisões gradeadas e infectas, os discípulos do Senhor aproveitaram esses rápidos momentos para conforto mútuo, para trocarem ideias e conselhos edificantes.

Paulo de Tarso, todavia, não descansou. Solicitou audiência ao administrador da prisão, prerrogativa conferida ao seu título de cidadania romana, sendo prestes atendido. Expôs sua doutrina sem rebuços e, impressionando a autoridade com seu verbo fluente e sedutor, encareceu as providências atinentes ao seu caso, pedindo a presença de vários amigos como Acacius Domitius e outros, para deporem no que concerne à sua conduta e antecedentes honestos. O administrador vacilava na resolução a tomar. Tinha ordens terminantes de recolher ao cárcere todos os componentes de assembleias que se filiassem à crença perseguida e execrada. No entanto, as determinações de ordem superior continham certas restrições, no sentido de preservar, de algum modo, os *humiliores*,[54] aos quais a Corte oferecia recursos de liberdade, caso prestassem juramento a Júpiter, abjurando o Cristo Jesus. Examinando os títulos de Paulo e conhecendo, por meio de seus informes verbais, as prestigiosas relações de que podia dispor nos círculos romanos, o chefe da Prisão Mamertina resolveu consultar Acacius Domitius, sobre as providências cabíveis no caso.

Chamado ao estudo da questão, o amigo do Apóstolo compareceu solícito, procurando falar com o prisioneiro, depois de longa entrevista com o diretor da prisão.

Domitius explicou ao benfeitor que a situação era muito grave; que o Prefeito dos Pretorianos estava investido de plenos poderes para dirigir a campanha como melhor entendesse; que toda a prudência era indispensável e que, como último recurso, só restava um apelo à magnanimidade do Imperador, perante quem o Apóstolo devia comparecer para defender-se pessoalmente, caso fosse deferida a petição apresentada a César naquele mesmo dia.

Ouvindo essas ponderações, o ex-rabino recordou que uma noite, em meio à tempestade, entre a Grécia e a ilha de Malta, ouvira a voz profética de um mensageiro de Jesus, que lhe anunciava o comparecimento perante César, sem esclarecer os motivos do evento. Não seria aquele o momento previsto? Milhares de irmãos estavam presos ou em extrema desolação. Acusados de incendiários, não haviam encontrado uma voz firme e resoluta que lhes advogasse a causa com o preciso desassombro. Percebia em Acácio a preocupação pela sua liberdade, mas, por trás das insinuações delicadas, havia um convite discreto para que ocultasse a sua fé perante o Imperador, na hipótese de ser admitido à real entrevista. Compreendia

---

[54] Nota do autor espiritual: *Humiliores* eram as pessoas de condição humilde sem qualquer título de dignidade social.

os receios do amigo, mas, intimamente, desejava alcançar a audiência de Nero, a fim de esclarecê-lo quanto aos sublimes princípios do Cristianismo. Constituir-se-ia advogado dos irmãos perseguidos e desditosos. Afrontaria de face a tirania ovante, clamaria pela retificação do seu ato injusto. Se fosse novamente preso, voltaria ao cárcere com a consciência edificada no cumprimento de um sagrado dever.

Depois de rápida meditação sobre a conveniência do recurso que lhe parecia providencial, insistiu com Domitius para que o patrocinasse com os empenhos ao seu alcance.

O amigo do Apóstolo multiplicou atividades pessoais para alcançar os fins em vista. Valendo-se do prestígio de todos os que viviam em condições de subalternidade junto do Imperador, conseguiu a desejada audiência para que Paulo de Tarso se defendesse, como convinha, no apelo direto à autoridade de Augusto.

No dia aprazado, foi conduzido entre guardas, à presença de Nero, que o recebeu curioso em um vasto salão, onde costumava reunir os favoritos ociosos da sua Corte criminosa e excêntrica. Interessava-lhe a personalidade do ex-rabino. Queria conhecer o homem que mobilizara grande número de seus íntimos para apoiar-lhe o recurso. A presença do Apóstolo dos Gentios causou-lhe enorme decepção. Que valor poderia ter aquele velho insignificante e franzino? Ao lado de Tigelinus e de outros conselheiros perversos, fixou ironicamente a figura de Paulo. Era incrível tamanho interesse a respeito de uma criatura tão vulgar. Quando se dispunha a recambiá-lo à prisão sem lhe ouvir o apelo, um dos áulicos lembrou que seria conveniente facultar-lhe a palavra, para que se lhe aferisse a indigência mental. Nero, que jamais perdia ocasião de ostentar suas presunções artísticas, considerou o alvitre bem apresentado e ordenou ao prisioneiro que falasse à vontade.

Ladeado por dois guardas, o inspirado pregador do Evangelho levantou a fronte cheia de nobreza, fitou César e os companheiros do seu séquito leviano e começou resoluto:

— Imperador dos romanos, compreendo a grandeza desta hora em que vos falo, apelando para os vossos sentimentos de generosidade e justiça. Não me dirijo, aqui, a um homem falível, a uma personalidade humana, simplesmente, mas ao administrador que deve ser consciencioso e justo, ao maior dos príncipes do mundo e que, antes de tomar o cetro e a coroa de um império imenso, deve considerar-se o pai magnânimo de milhões de criaturas!...

As palavras do velho Apóstolo ecoavam no recinto com o caráter de uma profunda revelação. O Imperador fixava-o admirado e enternecido. Seu temperamento caprichoso era sensível às referências pessoais, nas quais predominavam as imagens brilhantes. Percebendo que se impunha ao reduzido auditório, o convertido de Damasco prosseguiu mais corajoso:

— Confiando em vossa longanimidade, pleiteei esta hora inesquecível, a fim de apelar para o vosso coração, não somente por mim, mas por milhares de homens, mulheres e crianças, que padecem nos cárceres ou sucumbem nos circos do martírio. Falo, aqui, em nome dessa multidão incontável de sofredores, perseguida com requintes de crueldade por favoritos de vossa Corte, que deveria ser constituída de homens íntegros e humanitários. Acaso não chegarão aos vossos ouvidos os lamentos angustiosos da viuvez, da velhice e da orfandade? Ó Augusto imperante do trono de Cláudio, sabei que uma onda de perversidade e de crimes odiosos varre os bairros da cidade imperial, arrancando soluços dolorosos aos vossos tutelados miserandos! Ao lado da vossa atividade governamental, por certo, rastejam víboras venenosas que é necessário extirpar, a bem da tranquilidade e do trabalho honesto do vosso povo. Esses cooperadores perversos desviam vossos esforços do caminho reto, espalham terror entre as classes desfavorecidas da sorte, ameaçam os mais infelizes! São eles os acusadores dos prosélitos de uma doutrina de amor e redenção. Não acrediteis no embuste dos seus conselhos que ressumam crueldade. Ninguém trabalhou, talvez, quanto os cristãos, no socorro às vítimas do incêndio voraginoso. Enquanto os patrícios ilustres fugiam da Roma desolada, enquanto os mais tímidos se recolhiam aos lugares mais abrigados de perigo, os discípulos de Jesus percorriam os quarteirões em chamas, aliviando as vítimas infortunadas. Alguns imolaram a vida ao altruísmo dignificador. E por fim, vede, os trabalhadores sinceros do Cristo foram recompensados com a pecha de autores do crime hediondo, de caluniadores sem entranhas. Acaso não vos doeu a consciência ao endossardes tão infames alegações, à revelia de uma sindicância imparcial e rigorosa? No esfervilhar das calúnias, não vi surgir uma voz que vos esclarecesse. Admito que participais, certamente, de tão trágicas ilusões, porque não creio no desvirtuamento da vossa autoridade reservada às melhores resoluções em favor do Império. É por isso – ó Imperador dos romanos! – que, reconhecendo o grandioso poder enfeixado em vossas mãos, ouso levantar minha voz para esclarecer-vos. Atentai para a extensão gloriosa de vossos deveres. Não vos entregueis à sanha de políticos inconscientes e cruéis. Lembrai-vos de que, em uma vida mais elevada que esta, ser-vos-ão pedidas contas de vossa conduta nos atos públicos. Não alimenteis a pretensão de que vosso cetro seja eterno. Sois mandatário de um Senhor poderoso, que reside nos céus. Para vos convencerdes da singularidade de semelhante situação, volvei um olhar, apenas, ao passado brumoso. Onde os vossos antecessores? Em vossos palácios faustosos perambularam guerreiros triunfantes, reis improvisados, herdeiros vaidosos de suas tradições. Onde estão eles? A História nos conta que chegaram ao trono com os aplausos delirantes das multidões. Vinham soberbos, ostentando magnificências nos carros do triunfo, decretando a morte dos inimigos, adornando-se com os despojos sangrentos das vítimas. Entretanto, bastou um sopro para que resvalassem do esplendor do trono para a escuridão do sepulcro. Uns partiram pelas consequências fatais dos próprios excessos destruidores; outros, assassinados pelos filhos da revolta e do desespero. Recordando semelhante situação, não desejo transformar o culto da vida em culto da morte, mas demonstrar que a fortuna suprema do homem é a paz da consciência pelo dever cumprido. Por todas essas razões, apelo para a vossa magnanimidade, não só por mim como por todos os correligionários que gemem à sombra dos cárceres, esperando o gládio da morte.

Observando-se longa pausa no verbo eloquente do orador, podia ver-se a estranha sensação que a sua palavra havia causado. Nero estava lívido. Tigelinus, profundamente irritado, procurava um recurso para insinuar-se com alguma observação menos digna, a respeito do postulante. As raras cortesãs presentes não disfarçavam a indizível comoção que lhes abalara o sistema nervoso. Os amigos do Prefeito dos Pretorianos mostravam-se indignados, rubros de cólera. Depois de ouvir um áulico, o Imperador ordenou que o apelante se conservasse em silêncio, até que tomasse as primeiras deliberações.

Estavam todos surpreendidos. Não se podia esperar de um velho franzino e doente tamanho poder de persuasão, um desassombro que raiava pela loucura, segundo as noções do patriciado. Por muito menos, velhos e probos conselheiros da Corte haviam alcançado o exílio ou a sentença de morte.

O filho de Agripina parecia abalado. Não mais assentava no olho a impertinente esmeralda, à guisa de monóculo. Tinha a impressão de haver escutado sinistros vaticínios. Entregava-se, automaticamente, aos seus gestos característicos, quando impressionado e nervoso. As advertências do Apóstolo penetravam-lhe o coração, suas palavras pareciam ecoar-lhe nos ouvidos para sempre. Tigelinus percebeu a delicadeza da situação e aproximou-se.

— Divino — exclamou o Prefeito dos Pretorianos em atitude servil, a voz quase imperceptível —, se quiserdes, o atrevido poderá morrer aqui mesmo, ainda hoje!

— Não, não — redarguiu Nero comovido —, este homem é dos mais perigosos que tenho encontrado. Ninguém, como ele, ousou comentar a presente situação nestes termos. Vejo, por detrás da sua palavra, muitos vultos talvez eminentes, que, conjugando valores, poderiam fazer-me grande mal.

— Concordo — disse o outro hesitante, em voz muito baixa.

— Assim, pois — continuou o Imperador prudentemente —, é preciso parecer magnânimo e sagaz. Dar-lhe-ei o perdão, por agora, recomendando que não se afaste da cidade, até que se esclareça de todo a situação dos seguidores do Cristianismo...

Tigelinus escutava com um sorriso ansioso, enquanto o filho de Agripina rematava em voz sumida:

— Vigiarás seus menores passos, mantê-lo-ás em custódia oculta, e quando vier a festividade da reconstrução do Grande Circo, aproveitaremos a oportunidade para despachá-lo a lugar distante, onde deverá desaparecer para sempre.

O odioso Prefeito sorriu e acentuou:

— Ninguém resolveria melhor o intrincado problema.

Terminada a breve conversação, imperceptível aos demais, Nero declarou, com enorme surpresa dos palacianos, conceder ao apelante a liberdade que pleiteava em sua primeira defesa, mas reservava o ato de absolvição para quando se apurasse definitivamente a responsabilidade dos cristãos. Dessarte, o defensor do Cristianismo poderia permanecer em Roma, à vontade, submetendo-se, contudo, ao compromisso de não se ausentar da sede do Império, até que seu caso pessoal fosse bastantemente esclarecido. O Prefeito dos Pretorianos lavrou a sentença em pergaminho. Paulo de Tarso, por sua vez, estava confortado e radiante. O caviloso monarca pareceu-lhe menos mau, digno de amizade e reconhecimento. Sentia-se possuído de grande alegria, por isso que os resultados da sua primeira defesa eram de molde a proporcionar nova esperança aos seus irmãos na fé.

Paulo retornou ao cárcere, ficando o administrador notificado das últimas disposições a seu respeito. Só então lhe deram liberdade.

Assaz esperançado, procurou os amigos, mas, por toda parte, só encontrava desoladoras notícias. A maioria dos colaboradores mais íntimos e prestimosos havia desaparecido, presos ou mortos. Muitos haviam debandado, temerosos do extremo sacrifício. Por fim, sempre teve a satisfação de reencontrar Lucas. O piedoso médico informou-o dos acontecimentos dolorosos e trágicos que se repetiam diariamente. Ignorando que um guarda o seguia de longe, para lhe situar a nova residência, Paulo, acompanhado do amigo, atingiu uma casa pobre nas proximidades da Porta Capena. Necessitando repousar e fortalecer o corpo debilitado, o velho pregador procurou dois generosos irmãos, que o receberam com imensa alegria. Trata-se de Lino e Cláudia, dedicados servidores de Jesus.

O Apóstolo dos Gentios instalou-se no lar pobre, com a obrigação de comparecer à Prisão Mamertina, de três em três dias, até que se aclarasse a situação, de modo definitivo.

Não obstante o consolo de que se sentia possuído, o venerável amigo do gentilismo experimentava singulares presságios. Surpreendia-se a refletir no coroamento da carreira apostólica como se nada mais lhe restasse senão morrer por Jesus. Combatia tais pensamentos, no propósito de continuar propugnando pela difusão dos ensinamentos evangélicos. Não mais pôde encaminhar-se à pregação das catacumbas, dada a prostração física, mas valia-se da colaboração afetuosa e dedicada de Lucas para as Epístolas que julgava necessárias. Nessas, inclui-se a derradeira carta que escreveu a Timóteo, aproveitando dois amigos que partiam para a Ásia. Paulo escreve esse último documento ao discípulo muito amado, tomando-se de singulares emoções que lhe enchem os olhos de lágrimas abundantes. Sua alma generosa deseja confiar ao filho de Eunice as últimas disposições, mas luta consigo mesmo, de modo a não se dar por vencido. O ex-rabino, ao traçar conceitos afetuosos, sente-se qual discípulo chamado a esferas mais altas, sem poder furtar-se à condição de homem que não deseja capitular na luta. Ao mesmo tempo em que confia a Timóteo a convicção de haver terminado a carreira, pede-lhe que envie a ampla capa de couro deixada em Trôade, em casa de Carpo, visto necessitar de agasalho para o corpo abatido. Enquanto lhe envia as últimas impressões cheias de prudência e carinho, roga os seus bons ofícios para que João Marcos venha à sede do Império, a fim de auxiliá-lo no serviço apostólico. Quando a mão trêmula e rugosa escreve melancolicamente: "Só Lucas está comigo",[55] o convertido de Damasco interrompe-se para chorar sobre os pergaminhos. Nesse instante, porém, sente afagar-lhe a fronte um como flabelo de asas que adejassem de leve. Brando conforto lhe invade o coração amoroso e intrépido. Nesse ponto da carta, recobra novo ânimo e volta a demonstrar decisão de luta, terminando com as recomendações atinentes às necessidades da vida material e aos seus labores evangélicos.

Paulo de Tarso, entretanto, entrega a missiva a Lucas para expedi-la, sem conseguir disfarçar os seus lúgubres pressentimentos. Em vão, o carinhoso médico e devotado amigo procura desfazer aquelas apreensões. Debalde Lino e Cláudia tentam distraí-lo.

Embora não abandonasse os trabalhos condizentes com a nova situação, o velho Apóstolo mergulhou-se em profundas meditações, das quais apenas se forrava para atender às necessidades triviais.

Efetivamente, decorridas algumas semanas após a carta a Timóteo, um grupo armado visitou a residência de Lino, depois de meia-noite, na véspera das grandes festividades com que a administração pública desejava assinalar a reconstrução do Grande Circo. O dono da casa, a esposa e Paulo de Tarso foram presos, escapando Lucas pelo fato de pernoitar em outra parte. As três vítimas foram conduzidas a um cárcere do monte Esquilino, dando provas de poderosa fé em face do martírio que começava.

O Apóstolo foi atirado a uma cela escura e incomunicável. Os próprios soldados se intimidavam da sua coragem. Ao despedir-se de Lino e sua mulher, enquanto esta se desfazia em lágrimas, o valoroso pregador abraçava-os, dizendo:

— Tenhamos coragem. Esta deve ser a última vez em que nos saudamos com os olhos materiais, mas havemos de avistar-nos no Reino do Cristo. O poder tirânico de César não atinge senão o corpo miserável...

Em virtude de ordem expressa de Tigelinus, o prisioneiro ficou insulado de todos os companheiros.

Na escuridão do cárcere, que mais se assemelhava a uma cova úmida, deu um balanço retrospectivo em todas as atividades de sua vida,

---

[55] Nota do autor espiritual: *II Epístola a Timóteo*, 4:11.

entregando-se a Jesus, inteiramente confiado na sua divina misericórdia. Desejou sinceramente permanecer junto dos irmãos que, por certo, se destinavam aos espetáculos nefandos do dia imediato, esperando com eles comungar a hóstia dos martírios, quando chegasse a hora extrema.

Não pôde dormir, a considerar as horas transcorridas desde o momento da prisão, e concluiu que o dia do sacrifício estaria iminente. Nem uma réstia de luz penetrava o cubículo infecto e acanhado. Percebia, somente, vagos rumores longínquos, que lhe davam ideia da aglomeração popular nas vias públicas. As horas passaram em expectativas que pareciam intermináveis. Depois de angustioso cansaço, conseguiu algumas horas de sono. Acordou, mais tarde, já incapacitado de calcular as horas decorridas. Tinha sede e fome, mas orou com fervor, sentindo que fluíam brandas consolações para sua alma, das fontes da providência invisível. No fundo, estava preocupado com a situação dos companheiros. Um guarda o informara de que enorme contingente de cristãos seria levado ao circo e ele sofria por não ter sido chamado a perecer com os irmãos, na arena do martírio, por amor a Jesus. Mergulhado nessas reflexões, não tardou a sentir que alguém abria, cautelosamente, a porta da enxovia. Conduzido ao exterior, o ex-rabino defrontou seis homens armados que o aguardavam junto de um veículo de regulares proporções. Ao longe, no horizonte pontilhado de estrelas, delineavam-se os tons maravilhosos da madrugada próxima.

O Apóstolo, silencioso, obedeceu à escolta. Ataram-lhe as mãos calejadas, brutalmente, com grosseiras cordas. Um vigilante noturno, visivelmente embriagado, aproximou-se e escarrou-lhe na face. O ex-rabino recordou os sofrimentos de Jesus e recebeu o insulto sem revelar o mínimo gesto de amor-próprio ofendido.

Mais uma ordem, tomou lugar no veículo, junto dos seis homens armados que o observavam, admirados de tanta serenidade e coragem.

Os cavalos trotaram lépidos como se quisessem atenuar a friagem úmida da manhã.

Chegados aos cemitérios que se enfileiravam ao longo da Via Ápia, as sombras noturnas se desfaziam quase completamente, auspiciando um dia de Sol radioso.

O militar que chefiava a escolta mandou parar o carro e, fazendo descer o prisioneiro, disse-lhe hesitante:

— O Prefeito dos Pretorianos, por sentença de César, ordenou que fôsseis sacrificado no dia imediato ao da morte dos cristãos votados às comemorações do circo, realizadas ontem. Deveis saber, portanto, que estais vivendo os últimos minutos.

Calmo, olhos brilhantes e mãos amarradas, Paulo de Tarso, mudo até então, exclamou, surpreendendo os verdugos com a sua majestosa serenidade:

— Ciente da tarefa criminosa que vos incumbe desempenhar... Os discípulos de Jesus não temem os algozes que só lhes podem aniquilar o corpo. Não julgueis que vossa espada possa eliminar-me a vida, de vez que, vivendo estes fugazes minutos em corpo carnal, isso significa que vou penetrar, sem mais demora, nos tabernáculos da vida eterna, com o meu Senhor Jesus Cristo, o mesmo que vos tomará contas, tanto quanto a Nero e Tigelinus!...

A patrulha sinistra estarrecia de assombro. Aquela energia moral, no momento supremo, era de molde a abalar os mais fortes. Percebendo a surpresa geral e cioso do seu mandato, o chefe da escolta tomou a iniciativa do sacrifício. Os demais companheiros pareciam desorientados, nervosos, trêmulos. O inflexível preposto de Tigelinus, porém, ordenou ao prisioneiro que desse vinte passos à frente. Paulo de Tarso caminhou serenamente, embora, no íntimo, se recomendasse a Jesus, compreendendo a necessidade de amparo espiritual para o testemunho supremo.

Ao chegar ao local indicado, o sequaz de Tigelinus desembainhou a espada, mas, nesse instante, tremeu-lhe a mão, fixando a vítima, e falou-lhe em tom quase imperceptível:

— Lastimo ter sido designado para este feito e intimamente não posso deixar de lamentar-vos...

Paulo de Tarso, erguendo a fronte quanto lhe era possível, respondeu sem hesitar:

— Não sou digno de lástima. Tende antes compaixão de vós mesmo, porquanto morro cumprindo deveres sagrados, em função de vida eterna; enquanto que vós ainda não podeis fugir às obrigações grosseiras da vida transitória. Chorai por vós, sim, porque eu partirei buscando o Senhor da Paz e da Verdade, que dá vida ao mundo; ao passo que vós, terminada vossa tarefa de sangue, tereis de voltar à hedionda convivência dos mandantes de crimes tenebrosos da vossa época!...

O algoz continuava a fitá-lo com assombro e Paulo, notando a tremura com que ele empunhava a espada, concitou resoluto:

– Não tremais!... Cumpri vosso dever até o fim!

Um golpe violento fendeu-lhe a garganta, seccionando quase inteiramente a velha cabeça que se nevara aos sofrimentos do mundo.

Paulo de Tarso caiu redondamente, sem articular uma palavra. O corpo alquebrado embolou-se no solo, como um despojo horrendo e inútil. O sangue jorrava em golfões nas últimas contrações da agonia rápida, enquanto a expedição regressava penosamente, muda, dentro da luz matinal e triunfante.

O valoroso discípulo do Evangelho sentia a angústia das derradeiras repercussões físicas, mas, aos poucos, experimentava uma sensação branda de alívio reparador. Mãos carinhosas e solícitas pareciam tocá-lo de leve, como se arrancassem, tão só nesse contato divino, as terríveis impressões dos seus amargurosos padecimentos. Tomado de surpresa, verificou que o transportavam a local distante e pensou que amigos generosos desejavam assisti-lo, em lugar mais conveniente, para que lhe não faltasse a doce consolação da morte tranquila. Depois de alguns minutos as dores haviam desaparecido por completo. Guardando a impressão de permanecer à sombra de alguma árvore frondosa e amiga, experimentava a carícia das brisas matinais que passavam em lufadas frescas. Tentou levantar-se, abrir os olhos, identificar a paisagem. Impossível! Sentia-se fraco, qual convalescente de moléstia prolongada e gravíssima. Reuniu as energias mentais, como lhe foi possível, e orou, suplicando a Jesus permitisse o esclarecimento de sua alma, naquela nova situação. Sobretudo, a falta de visão deixava-o submerso em angustiosa expectativa. Recordou os dias de Damasco, quando a cegueira lhe invadira os olhos de pecador, ofuscados pela luz gloriosa do Mestre. Lembrou o carinho fraternal de Ananias e chorou ao influxo daquelas singulares reminiscências. Depois de grande esforço, conseguiu levantar-se e refletiu que o homem precisava servir a Deus, ainda que tateasse em densas trevas.

Foi aí que ouviu passos de alguém que se aproximava de leve. Ocorreu-lhe subitamente o dia inesquecível em que fora visitado pelo emissário do Cristo, na pensão de Judas.

– Quem sois? – perguntou como o fizera outrora, naquele lance inolvidável.

– Irmão Paulo... – começou a dizer o recém-chegado.

O Apóstolo dos Gentios, porém, identificando aquela voz bem-amada, interrompeu-lhe a palavra, bradando com júbilo inexprimível:

— Ananias!... Ananias!...

E caiu de joelhos, em pranto convulsivo.

— Sim, sou eu — disse a veneranda Entidade, pousando a mão luminosa na sua fronte —; um dia Jesus mandou que te restituísse a visão, para que pudesses conhecer o caminho áspero dos seus discípulos e hoje, Paulo, concedeu-me a dita de abrir-te os olhos para a contemplação da vida eterna. Levanta-te! Já venceste os últimos inimigos, alcançaste a coroa da vida, atingiste novos planos da Redenção!...

O Apóstolo levantou-se afogado em lágrimas de jubilosa gratidão, enquanto Ananias, pousando a destra nos seus olhos apagados, exclamou com carinho:

— Vê, novamente, em nome de Jesus!... Desde a revelação de Damasco, dedicaste os olhos ao serviço do Cristo! Contempla, agora, as belezas da vida eterna, para que possamos partir ao encontro do Mestre amado!...

Então, o devotado trabalhador do Evangelho reconheceu as maravilhas que Deus reserva aos seus cooperadores no mundo cheio de sombras. Tomado de espanto, identificou a paisagem que o rodeava. Não longe estavam as catacumbas da Via Ápia. Misteriosas forças o haviam afastado do quadro triste em que se decompunham os despojos sangrentos. Sentiu-se jovem e feliz. Compreendia, agora, a grandeza do corpo espiritual no ambiente estranho aos organismos da Terra. Suas mãos estavam sem rugas, a epiderme sem cicatrizes. Tinha a impressão de haver sorvido um misterioso elixir de juventude. Uma túnica de alvura resplandecente envolvia-o em graciosas ondulações. Mal despertava do seu deslumbramento, quando alguém lhe bateu levemente no ombro. Era Gamaliel que lhe trazia um ósculo fraternal. Paulo de Tarso sentiu-se o mais ditoso dos seres. Abraçando-se ao velho mestre e a Ananias, em um só gesto de ternura, exclamava entre lágrimas:

— Só Jesus me poderia conceder alegria igual a esta!

Mal não acabara de o dizer, começaram a chegar velhos companheiros de lutas terrenas, amigos de outros tempos, irmãos desvelados que lhe vinham trazer as boas-vindas, ao transpor os umbrais da eternidade. Os deslumbramentos do Apóstolo sucediam-se ininterruptos. Como se ficassem em Roma, à sua espera, todos os mártires das festividades da véspera chegaram cantando, nas proximidades das catacumbas. Todos queriam abraçar o generoso discípulo, oscular-lhe as mãos. Nesse ínterim, dando a impressão de nascer em maravilhosas fontes do mais além, ouviu-se uma cariciosa melodia acompanhada de vozes argentinas, que deviam ser angélicas. Surpreendido com a beleza da composição, intraduzível na linguagem humana, Paulo ouvia o venerando amigo de Damasco, que explicava solícito:

– Este é o hino dos prisioneiros libertados!...

Observando-lhe a intensa comoção, Ananias perguntou qual o seu primeiro desejo na esfera dos redimidos. Paulo de Tarso, intimamente, recordou Abigail e os anelos sagrados do coração, como aconteceria a qualquer ser humano, mas, integrado no ministério divino, que manda esquecer os caprichos mais singelos, e sem trair a gratidão à misericórdia do Cristo, respondeu comovidamente:

– Meu primeiro desejo seria rever Jerusalém, onde pratiquei tantos males e, ali, orar a Jesus, para ofertar-lhe o meu agradecimento.

Tão depressa o disse e a luminosa assembleia se punha em movimento. Assombrado com o poder da volitação, Paulo observava que as distâncias nada representavam agora para as suas possibilidades espirituais.

De Mais-Alto continuavam fluindo harmonias de sublimada beleza. Eram hinos que exaltavam a ventura dos trabalhadores triunfantes, e a misericórdia das bênçãos do Todo-Poderoso.

Paulo desejava imprimir à divina excursão o sabor de suas reminiscências. Para esse fim, o grupo seguiu ao longo da Via Ápia até Arícia, de onde se desviou em direção a Pozzuoli, em cuja Igreja se deteve em preces, por alguns minutos de ventura inigualável. Daí a caravana espiritual demandou a ilha de Malta, transportando-se em seguida para o Peloponeso, onde Paulo se extasiou na contemplação de Corinto, dando curso a recordações carinhosas e doces. Inflamados de entusiasmo fraternal, os componentes da caravana acompanhavam o valoroso discípulo no caminho das sagradas lembranças que lhe vibravam no coração. Atenas, Tessalônica, Filipos, Neápolis, Trôade e Éfeso foram pontos nos quais o Apóstolo estacionara demoradamente, orando com lágrimas de gratidão ao Altíssimo. Atravessadas as zonas da Panfília e da Cilícia, entraram na Palestina, tomados de júbilo e sagrado respeito. Em todos os caminhos incorporavam-se emissários e trabalhadores do Cristo. Paulo não conseguia avaliar a alegria da chegada a Jerusalém, sob o prodigioso azul do crepúsculo.

Obedecendo ao alvitre de Ananias, reuniram-se no cimo do Calvário e ali cantaram hinos de esperanças e de luz.

Lembrando os erros do passado amarguroso, Paulo de Tarso ajoelhou-se e elevou a Jesus fervorosa súplica. Os companheiros remidos recolhiam-se em êxtase, enquanto ele, transfigurado, em pranto, procurava exprimir a mensagem de gratidão ao Divino Mestre. Desenhou-se então, na tela do Infinito, um quadro de beleza singular. Como se houvesse rasgado a imensurável umbela azul, surgiu na amplidão do espaço uma senda luminosa e três vultos que se aproximavam radiantes. O Mestre estava no centro, conservando Estêvão à direita e Abigail ao lado do coração. Deslumbrado, arrebatado, o Apóstolo apenas pôde estender os braços, porque a voz lhe fugia no auge da comoção. Lágrimas abundantes perolavam-lhe o rosto também transfigurado. Abigail e Estêvão adiantaram-se. Ela tomou-lhe delicadamente as mãos em um assomo de ternura, enquanto Estêvão o abraçou com efusão.

Paulo quis lançar-se nos braços dos dois irmãos de Corinto, beijar-lhes as mãos no seu arroubo de ventura, mas qual a criança dócil que tudo devesse ao mestre dedicado e bom, procurou o olhar de Jesus, para sentir-lhe a aprovação.

O Mestre sorriu indulgente e carinhoso, e falou:

— Sim, Paulo, sê feliz! Vem, agora, a meus braços, pois é da vontade de meu Pai que os verdugos e os mártires se reúnam, para sempre, no meu Reino!...

E assim unidos, ditosos, os fiéis trabalhadores do Evangelho da Redenção seguiram as pegadas do Cristo, em demanda às esferas da Verdade e da Luz...

Lá embaixo, Jerusalém contemplava, embevecida, o crepúsculo vespertino, esperando o luar que não tardaria com os primeiros clarões...

Nota da Editora:

A série *Romances de Emmanuel*, psicografada por Francisco Cândido Xavier, é composta, na sequência, pelos livros: *Há dois mil anos, Cinquenta anos depois, Paulo e Estêvão, Renúncia e Ave, Cristo!*. Convidamos o leitor a conhecê-la integralmente.

Índice geral[56]

Abdias
   carta confidencial de Tiago e – 394
Abigail
   ajuda de Saulo no cultivo da fé e – 71
   alegria íntima e – 158
   amor, trabalho, esperança, perdão, e – 275
   Ananias e batismo de – 195
   Ananias, ensinamentos de Jesus e – 158, 161, 170
   atração de * pelo jovem Saulo – 72
   atração de * por Jesus – 150
   chegada de * à casa de Dalila – 135
   colóquio espiritual de Saulo com Estêvão e – 276
   conselho de Justino e – 42
   desgostos profundos e – 158
   encontro de Saulo com – 67
   enfermidade súbita e – 157
   expressões carinhosas e – 75
   família espiritual de Jesus e – 162
   fé invejável e – 40
   filha de Jochedeb – 17
   filhos do Calvário e – 272
   impossibilidade de matrimônio e – 149
   interesse de * pelo Evangelho – 159, 161
   liberdade e – 41
   oração para o moribundo Estêvão e – 147
   morte de – 168
   noiva espiritual e – 271
   Paulo e visão inesquecível de – 397
   perdão e – 160, 162
   porta estreita e – 273
   prece dos aflitos e – 40
   presença de * na lapidação de Estêvão – 142
   reencontro de * com Saulo de Tarso – 159
   resignação santificada e – 159, 164
   retorno de * à casa de Zacarias – 153
   retrato de – 20
   saudade do irmão Jeziel e – 72
   Saulo e ajuda de *, Espírito – 168
   Saulo e recordações de – 169, 177
   Saulo e revelação de – 273-274
   últimas palavras de Jeziel e – 147, 150

---

[56] N.E.: Remete ao número da página.

visita de Jeziel, Espírito, e – 168
visita a Jerusalém e – 133

Acaia, cidade
considerações sobre – 13, nota
desenvolvimento da doutrina cristã em – 373
Junius Gallio, procônsul de – 380

Ágabo
mensagem inspirada de – 283
provações de Jerusalém e – 283
vaticínios de – 400

Agripa, Herodes
biografia de – 284, nota
história de Paulo de Tarso e – 431
pena de morte de Tiago e – 284
Rei palestinense – 431
reminiscências de Paulo e – 432

Aguilhão
trabalho à revelia do – 163

Alexandre
parente próximo de Anás – 71
reencontro de Saulo e – 242

Alexandria, cidade
Saulo e escolas de – 65

Alfeu
pai de Tiago – 57

Algibeira
significado do termo – 54, nota

Alma
inutilidade das cerimônias externas e – 343
néctar confortante da – 83
tempero da * na forja do sofrimento – 64

Amatonte, cidade
considerações sobre – 294, nota
pregação de Barnabé e – 294

Amor
força de Deus – 9
força do * triunfando sobre a morte – 118
Jesus e novo entendimento do – 102

Amós
fel da ingratidão e – 95
filho do trabalho e da humildade e – 103

Ananias
sumo sacerdote de Jerusalém – 418

Ananias
Abigail, ensinamentos de Jesus e – 158, 161, 170
atividades na Igreja do Caminho e – 194
batismo de Abigail e – 195
consolação de Abigail e – 171
crucificação de Jesus e – 193
cura da cegueira de Saulo e – 192
encontro de Saulo com – 191
iniciador de Abigail – 191
olhar inesquecível de Jesus e – 194
partida de * para Damasco – 174
prisão de – 239
Saulo e punição de – 172
Saulo em reunião dirigida por – 205

Anás
parente próximo de Alexandre – 71

Antioquia da Pisídia, cidade
Barnabé e – 278
características de – 279
Célula do Caminho e – 278
chegada de Barnabé e Paulo em – 313
curas em – 316
empreendimento em – 291
enfermidade de Paulo e – 316
instalação de Saulo em – 279
lutas da circuncisão e – 331
passagem por – 358
pregação de Paulo na sinagoga de – 315
retorno de Paulo para – 309, 331, 350
visita e encorajamento aos irmãos de – 329

Apiano, Públio
cópia do pergaminhos da Boa-Nova e – 446
cura do pai de – 446
funcionário de Malta – 445

Índice geral

Apolo
  instruções de Paulo e – 398

Apollodorus
  Paulo de Tarso e *, ancião romano – 449

Apóstolo dos Gentios
  Saulo de Tarso e – 240

Apóstolos
  casa dos – 63
  primeiras organizações de assistência e – 57

Áquila
  anotações de Levi e – 224
  confissões de Saulo de Tarso e – 229
  difusão da Boa-Nova e – 232
  esposo de Prisca – 211
  Igreja do Caminho e – 226
  Jochaí e prisão de – 225-226
  operário do oásis de Dã – 211

Areópago
  presença de Paulo no – 369

Aristarco
  acompanha Paulo até Roma – 434
  Demétrio e prisão de – 388
  Epístola aos hebreus e – 456
  prisão de – 388

Ásia
  tempo de lutas incessantes na – 389

Astenia orgânica
  significado das expressão – 212, nota

Atália, cidade
  pregação de Paulo em – 307
  visita e encorajamento aos irmãos de – 329

Atenas, cidade
  chegada de Timóteo em – 371
  Damaris e – 370
  desinteresse dos textos evangélicos e – 369
  Dionísio e – 369
  entrada de Paulo em – 36
  fundação de Igreja em – 370
  insucesso de Paulo em – 369

  intoxicações intelectuais e – 371
  Jesus, ressurreição e – 369
  presença de Paulo no Areópago – 369
  Saulo e escolas de – 65

Atos dos Apóstolos
  colaboradores de Barnabé e – 279
  Lucas e – 427
  Maria, mãe de Jesus, e – 427
  Simão Pedro e – 347

Banquete divino
  eterno alimento da alegria e da vida – 83
  néctar confortante da alma – 83

Barjesus
  mago judeu – 296
  Provérbios e – 306, nota
  Saulo cura a cegueira de – 300
  sortilégios, talismãs e – 305

Barnabé
  direção da Célula do Caminho e – 278
  Eustáquio, e trabalho remunerador de – 315
  evangelização dos gentios e – 292
  ex-levita de Chipre – 284
  João Marcos e * à caminho de Chipre – 353
  Maria Marcos, irmã de – 285
  pregação de * na cidade de Amatonte – 294
  retorno de * para Antioquia de Pisídia – 309
  Saulo de Tarso e visita de – 251, 277
  Saulo e * a caminho de Selêucia – 293

Barsabás
  discípulo amigo de Pedro e – 349
  Igreja da Antioquia de Pisídia e – 350

Bereia, cidade
  judeus em – 367
  prisão e açoitamento de Paulo em – 367

Berenice
  clemência para Paulo e – 433

Boa-Nova
  Áquila e difusão da – 232
  aviltamento da – 290
  claridade eterna da ressurreição e – 114

Índice geral

difusão da * do Cristo – 290
Gamaliel e compreensão do êxito da – 117
Israel e mensagens da – 81
Jeziel e mensagem da – 59
mensageiros da * em Amatonte – 294
Prisca e difusão da – 232
recepção da * na cidade de Listra – 323
recomeço da * na cidade de Derbe – 329
Saulo e pregações da * em Nea-Pafos – 295
Simão Pedro e pregação da – 57
transmissão da * a dois ladrões – 312
Zacarias e alegrias da – 195

Braga, Ismael Gomes
Paulo e Estêvão, livro, e – 490, ref. 1

Burrus, Afranius, general
amigo pessoal do imperador – 452, 463
vantagens da *custodia libera* e – 452

Cafarnaum
Saulo de Tarso e – 240

Caifás
nomeação de Saulo e – 112

Cainã
conselhos e censuras do vogal – 409

Caio
servo de Licínio Minúcio – 29

Calvário
responsabilidade pelo crime do – 83

Caminho
substituição da palavra * por Cristianismo – 283

Capitoso
significado do termo – 66, nota

Carbo, Sérvio
comandante das galeras – 49

Casa dos Apóstolos
Jerusalém e – 63
socorro aos necessitados e – 63

Cefalônia
considerações sobre – 49, nota
peste desconhecida e – 50

Célula do Caminho
Barnabé, diretor da – 278
fenômenos de vozes diretas e – 281
Manaém e – 280
Saulo de Tarso e – 279

Cencreia
considerações sobre – 17, nota
Eunice em – 374
Loide em – 374

César, Júlio, procônsul
reedificação de Corinto e – 13

Cesareia, cidade
Félix, governador de – 423
Porcius Festus, novo governador de – 427
tempo de reclusão de Paulo em – 427

Chanfalho
significado do termo – 125, nota

Chipre, cidade
Barnabé e João Marcos à caminho de – 352

Cilícia
breve permanência em – 356
considerações sobre – 68, nota

Circo romano
Apollodorus e – 449
imperador Nero e – 449
morte dos cristãos no – 449, 460

Circuncisão
choque entre judeus e cristãos e – 234, 281
Igreja do Caminho e – 274
intolerância judaica e – 332
lutas da * em Antioquia – 331
obrigatoriedade da – 343, 347
operação de * e corações endurecidos – 361
Pedro e desobrigação da – 348
repugnância à * de Tito – 342-344, 347
Tiago e isenção da – 349

Citium
considerações sobre – 49, nota

Índice geral

Cláudia
  instalação de Paulo na casa de – 481
  prisão de – 482
  servidora de Jesus – 481

Corinto, cidade
  Áquila em – 373
  esvaziamento da sinagoga e – 380
  flagelação de Paulo e – 381
  Júlio César e reedificação de – 13
  libertação de Paulo e – 383
  prisão de Paulo e – 380
  Prisca em – 373
  retorno à – 393
  retorno de Licínio Minúcio e –14
  Saulo na sinagoga de – 376
  tradições de libertinagem e – 14

Corpo espiritual *ver* Perispírito

Corte Provinciana
  audiências na – 23

Crescente
  emissário de Pedro para a Espanha – 463

Cristão
  discípulo do Evangelho e – 282
  esperança do – 420
  significado da palavra – 318

Cristianismo
  episódio escassamente conhecido e – 393
  Estêvão, mártir do – 9
  marasmo das Igrejas e morte do – 292
  primeiro núcleo do * em Listra – 326
  profetismo e – 364
  substituição da palavra Caminho por – 283
  sustentação da independência do – 339
  universalidade e – 289

Cristo *ver* Jesus

Crotona, Irineu de
  Jeziel e – 54

Dalila
  irmã de Saulo – 67, 73, 244
  Paulo e visita de * na prisão – 417

Dâmaris
  Paulo e * em Atenas – 370

Damasco
  Ananias fixa-se em – 174
  convocação de Saulo às portas de – 195
  desilusões da sinagoga de – 229
  disciplina espiritual em – 190
  Paulo de Tarso, convertido de – 7, 193
  retorno de Saulo à – 232, 234
  retorno de Saulo à sinagoga de – 235

Daniel
  amarguras do cativeiro e – 103

Davi, rei
  descanso, adultério e – 310

Demétrio
  amigo de Saulo de Tarso – 180

Demétrio, artífice
  amotinadores assalariados e – 388
  culto lucrativo em Éfeso e – 388
  prisão de Gaio e – 388

Derbe, cidade
  chegada de Paulo e Barnabé à 329
  recomeço da Boa-Nova em – 329
  retorno à – 356

Deus
  amor, força de – 9
  Israel e lei do * único – 17

Deus dos Exércitos
  triunfos sangrentos e – 272

Diana, deusa
  considerações sobre – 388, nota
  culto lucrativo em Éfeso e – 388
  Demétrio, artífice, e – 388

Dias, Alexandre
  Paulo e Estêvão, livro, e – 490, ref. 2

Dionísio
  admiração pela palavra de Paulo e – 369
  Paulo e * em Atenas – 369

Discórdia
  eliminação do fermento de – 101

Índice geral

Domitius, Acacius
    absolvição imperial e – 458
    influência política de * em Roma – 457, 463
    Paulo de Tarso e cura de – 457
    prisão de João e – 465
Dor
    campo de ensinamentos sublimes – 117
    ensinamentos da – 204
Drusila
    esposa de Cláudio Lísias – 426
    Paulo de Tarso, Boa-Nova e – 426
Efraim
    Casa do Caminho e – 55
    Jeziel e – 55
Eliaquim, rabino
    revisão dos processos de perseguição e – 403
Elias
    recolhimento ao deserto e – 103
Emmanuel, Espírito
    Amor e sabedoria de Emmanuel, livro, e – 492, ref. 10
    Caminho, Verdade e Vida, livro, e – 493, ref. 11
    Paulo e Estêvão, livro, e – 491, ref. 4
Emaús, cidade
    Ananias, sapateiro em – 193
Enfermidade
    conselheira carinhosa e esclarecida – 117
Enoque, rabino
    revisão dos processos de perseguição e – 403
Epifânio, Antíoco
    biografia de – 22, nota
Epístola aos gálatas
    observações de Paulo e – 334, nota
    perigo iminente e – 338
Epístola aos hebreus
    Aristarco e – 456
    Paulo de Tarso e – 456
Epístola a Filemom
    regeneração de Onésimo e – 453

Epístolas – 492, ref. 8
    cartas do Cristo aos discípulos e – 379
    difusão das * por todas as Igrejas – 386
    elemento educativo e – 386
    êxito rápido das * de Paulo – 379
    inspiração dos companheiros e – 378
    Pedro e primeiras cópias das – 379
    referências pessoais, suaves e doces e – 386
I Epístola de Paulo
    contribuição amorosa de Estêvão e – 378
    Silas e – 378
    Timóteo e – 378
II Epístola a Timóteo
    Paulo de Tarso e – 481-482, nota
Escravidão
    fuga da * dos pecados – 391
    impulso de liberdade e – 15
Escritos Sagrados
    Atos e – 359, nota
    Epístola aos hebreus e – 456
    Epístola aos romanos e – 448
    Epístola a Filemom e – 453
    Isaías e – 59; 60, nota
    Jeziel e – 22
    Levítico e – 61
    Lucas e – 466, nota
    Mateus e – 81, nota; 245, nota; 395, nota
    Provérbios e – 2, nota; 48; 306, nota
    Salmos de Davi – 147, nota
Esdras
    modelo de sacrifício pela paz e – 103
Espaço Cultural Chico Xavier
    Universidade Federal de Minas Gerais e – 490
Espanha
    excursão de Paulo à – 460-461
Espártaco
    soldado de Licínio Minúcio – 25
Espírito de Jesus
    Atos e – 359, nota
    Paulo e voz do – 359

Índice geral

Espírito Santo
  circuncisos e incircuncisos e – 347
  evangelização dos gentios e – 292
  significado da expressa – 283, nota
  vozes do – 331
Esquilino
  morte dos cristãos na prisão de – 463
Estacato
  significado do termo – 42, nota
Estefânio
  Cláudio Lísias e denúncia de – 422
  sobrinho de Paulo de Tarso – 417
Estêvão *ver também* Jeziel
  acusação de feiticeiro e – 99
  agressão física de Saulo e – 104
  apedrejamento para – 128, 140
  aspecto fisionômico de – 137
  cadáver de * na Igreja do Caminho – 151
  colóquio espiritual de Saulo com Abigail e – 276
  cura de uma jovem muda e – 88
  designação de * para as enfermarias – 63
  direito à defesa e – 100
  exaltação dos fariseus e – 102
  humilhação e – 138
  indignação de Saulo ante a vitória de – 84
  infirmações da Lei de Moisés e pregações de – 69
  instrumento humilde nas mãos de Jesus – 98
  lembranças de – 177
  lições de Isaías e – 102
  mártir do Cristianismo e – 9, 141, 233
  morte de – 148
  mudança de nome e – 145
  opinião de Tiago sobre a prisão de – 114
  Oseias Marcos e defesa de * no Sinédrio – 111
  Paulo de Tarso e – 9
  pendência entre Saulo e – 84
  pregações da Igreja e – 64
  presença de * no Sinédrio – 90, 93
  presença de Abigail na lapidação de – 142
  recolhimento ao cárcere e – 104
  repercussão da prisão de – 113
  ressurreição gloriosa e – 271
  Samuel Natan e defesa de * no Sinédrio – 111
  Saulo e compaixão de – 146
  Saulo e interrogatório de – 95
  Saulo e qualidades morais de – 177
  Saulo e revelação de – 274
  Saulo e tempo de companhia espiritual de – 233
  Paulo ouve a voz de – 358
  Saulo, noivo, irmão, e – 145
  sofrimento, tempero da alma de – 64
Eunice
  filha de Loide – 323
  Timóteo, filho de – 323
Eufrates
  considerações sobre – 276, nota
Eustáquio, oleiro
  ameaças dos israelitas e – 317
  Paulo e cumprimentos de – 316
Êutico
  Paulo e cura de – 399
Evangelho
  complemento da Lei de Moisés e * de Jesus – 61, 97
  Cristão e discípulo do – 282
  dialética confusa na interpretação do – 280
  força regeneradora do – 118
  gentios e verdades do – 347
  incorporação do * à Lei de Moisés – 343
  independência do * em Jerusalém – 347
  interesse de Abigail pelo – 159
  introdução de modificações no – 342
  livres pelo * de Jesus – 81
  necessidades novas do – 292
  Paulo de Tarso, trabalhador do – 7
  paz, liberdade e – 82
  pedantismo dogmático e – 9
  pergaminhos do * e Jeziel – 60

perigo ideológico do – 124
pregação do * em Roma – 391, 393
pregação do * na Espanha – 391
processo de divulgação do – 355
recordações de Maria, mãe de Jesus, e – 387, 390
recursos transformadores do – 195
resposta de Deus e – 83
restrição do * a Jerusalém – 290
Saulo e obtenção do * sagrado – 195
Saulo, primeiro perseguidor do – 248
significado da palavra – 196
Terra Prometida e * do Cristo Jesus – 214
transporte do * para o Judaísmo – 338

Evolutivo
significado do termo – 363, nota

Ezequias
hospitalidade de – 212
irmão de Gamaliel – 210

Ezequiel
condenação à morte e – 103

Farisaísmo
hipocrisia e – 406

Fé
Abigail e cultivo da – 71
auréola divina e – 48
batismo de Saulo na * de Jesus – 192
felicidade com as alegrias da nova – 81
Jerusalém e santuário de tradições da – 103

Febe
colaboradora da Igreja de Corinto – 384
colaboradora no porto de Cencreia – 393
desolação de – 384
portadora da Epístola de Paulo para Roma e – 393

Festus, Porcius
encaminhamento de Paulo para Roma e – 431
novo governador de Cesareia e – 427
revisão do processo de Paulo e – 429

Félix, governador
apresentação de Paulo de Tarso e – 423
custódia de Paulo de Tarso e – 427
Drusila, esposa de – 426
Paulo de Tarso e proposta de – 425
transferência de – 427
veredicto e – 424

Filhos do Calvário
Abigail e – 272
Igreja de Corinto e – 380
Jesus, visão de Pedro e – 344
Saulo de Tarso e – 295, 436

Filipe
julgamento de – 125
libertação e – 128
prisão de – 120

Filipos, cidade
abertura das portas das celas e – 365
conversão de Lucano, o carcereiro, e – 366
desobsessão e – 363
elogios e títulos pomposos e – 363
flagelação de Paulo e Silas e – 365
movimento comercial e – 364
pitonisa de – 362
Paulo e Silas em – 361
Paulo reencontra Lucas em – 392

Filócrio
soldado de Licínio Minúcio – 39

Filodemos
tio de Sadoque – 68

Flácus, Sexto
cópia da *Epístola aos romanos* e – 448

Fórum de Ápio
Paulo de Tarso e – 448

Gaio
auxílio a Paulo na cidade de Listra e – 327
Demétrio e prisão de – 388

Gallio, Junius
irmão de Sêneca – 380
prisão de Paulo e – 380
procônsul da cidade de Acaia – 380

Índice geral

Gamaliel
  anotações de Mateus e – 114
  apontamentos de Mateus e – 119
  conclusões a respeito de Jesus e – 151
  defesa dos homens do Caminho e – 126
  êxito da Boa-Nova e – 117
  Ezequias, irmão de – 210
  faculdade de julgar e – 118
  Jesus, o Messias Prometido e – 245
  luz espiritual do Evangelho e – 213
  meditação, caminho do deserto e – 127, 151, 155
  morte de – 228
  movimento renovador no Judaísmo e – 151
  partida de – 151
  profundo abatimento e – 212
  reencontro de Saulo com – 212
  retirada da vida pública e – 127
  Samônio, amigo leproso, e – 115
  Saulo de Tarso substitui – 155
  Saulo e lembrança de – 205
  transformação de – 210
  visita de * a Igreja do Caminho – 112, 114
  Zacarias ben Hanan e auxílio de – 71

Grande Circo
  incêndio nas proximidades do – 467
  reedificação do – 470

Hanan
  pai de Zacarias – 44

Hanan, Zacarias ben
  Abigail na casa de – 45
  amparo de Alexandre e – 70
  auxílio de Gamaliel e – 71
  auxílio de Saulo de Tarso e – 71
  comerciante israelita – 66
  filho de Hanan – 44
  recomeço da vida de – 70
  Ruth, esposa de – 44
  Saulo e – 66

Homem
  condição para o progresso do – 68

Homem velho
  Saulo e remanescentes do – 203, 218

Homens do Caminho
  Andrônico e – 68
  comportamento dos – 207
  Efraim e – 55
  Estêvão e – 68
  Filodemos e – 68
  Irineu e – 55
  mistificadores, falsos taumaturgos e – 69
  origem da serenidade dos – 166
  pena de morte aos – 126
  reflexões de Saulo sobre os – 165
  significado do termo – 55, nota
  visita de Saulo aos – 79

Humiliores
  significado do termo – 476, nota

Ibrahim, tapeceiro
  ameaças dos israelitas e – 317
  Paulo e cumprimentos de – 316
  solicitação de admissão ao trabalho e – 314

Icônio, cidade
  passagem por – 358
  pregação de Paulo na sinagoga de – 318
  prisão de Paulo de Tarso – 321
  recepção de Onesíforo e – 318

Igreja Apostólica
  mediunismo evangelizado e profetismo da – 379

Igreja da Antioquia de Pisídia
  cooperação de Barsabás e – 350
  cooperação de Tito e – 352
  deficiência do verbo de Saulo e – 295
  dificuldades em – 386
  evangelização dos gentios e – 291
  fundação da – 316
  perda do sentido de unidade e – 332
  retorno para – 331
  tempo de pregação na – 317
  transformação de Simão Pedro e – 337
  visita de Simão Pedro à – 332

Igreja de Antipátride
    Epístolas de Paulo e – 386
Igreja de Bereia
    solicitação de providências e – 386
Igreja de Colossos
    insistência na presença de Paulo e – 386
Igreja de Corinto
    Áquila e – 376
    chegada de emissários das regiões e – 377
    desolação de Febe e – 384
    enriquecimento de experiências e – 379
    Eunice e – 376
    filhos do Calvário e – 380
    Loide e – 376
    Prisca e – 376
    projeto e fundação da – 375-376
    solicitação de esclarecimentos e – 386
    Tito Justo e – 376, 379
Igreja de Éfeso
    chegada de Paulo à – 384
    Epístolas de Paulo e – 386
    importância da – 387
    João e fundação da – 384, 466
    Paulo, curas maravilhosas e – 387
    problemas torturantes e – 384
Igreja de Filipos
    Lídia e a fundação da – 362
    magistrados garantem a paz na – 366
Igreja de Icônio
    fundação da – 318
    gentios de Icônio e – 318
    necessidade de novas visitas e – 386
    Onesíforo e – 318
Igreja de Jerusalém *ver* Igreja do Caminho
    Áquila, anotações de Levi e – 224
    assembleia dos correligionários na – 338
    chegada da pequena caravana na – 340
    coleta das dádivas e – 346, 349, 352
    construção de novas dependência na – 340
    cristianização do mundo e – 336
    despesas e dívidas da – 345
    emancipação da – 345
    evangelização dos gentios e – 292
    farisaísmo e emancipação da – 345
    influências judaizantes e – 272
    invasão da política das sinagogas e – 344
    novos cooperadores na – 341
    palavras de Tito na – 347
    Paulo e cerimonial na – 408
    perseguição do Sinédrio e – 394
    preponderância farisaica na – 345
    Saulo, expedição punitiva e – 435
    Tiago e manutenção da – 335-336
Igreja de Listra
    Paulo, Barnabé e instruções para – 329
Igreja de Macedônia
    Paulo em visita à – 398
Igreja de Nea-Pafos
    construção da – 301
    convite de Sérgio Paulo, procônsul, e – 295
    curas impossíveis e – 294
    filhos do Calvário e – 295
    pregação de Barnabé na – 294
    pregação de Saulo na – 294
Igreja de Pozzuoli
    cópia da *Epístola aos romanos* e – 448
    pregação na – 448
    Sexto Flácus e – 448
Igreja de Trôade
    pregação de Paulo na – 399
Igreja do Caminho
    Ananias e primeiras atividades na – 194
    anotações de Levi escritas na – 219
    Barnabé e reunião na – 250
    doação de Oseias Marcos e – 111
    doação de Samuel Natan e – 111
    entrega do cadáver de Estêvão à – 151
    Estêvão, fermento da renovação e – 257
    Filipe e reunião na – 250
    Gamaliel encontra Samônio na – 115
    grandes serviços da – 289

Índice geral

iluminação ao perseguidor da – 227
impedimento às prédicas e – 155
João e reunião na – 250
Nicanor e reunião na – 250
Nicolau e reunião na – 250
nominatas dos israelitas e – 119
notícia da denúncia de Neemias e – 92
Parmenas e reunião na – 250
práticas exteriores do Judaísmo e – 118
primeira reunião na – 63
Prócoro e reunião na – 250
repercussão da prisão de Estêvão e – 113
restrição das atividades da – 175
retorno de Saulo e reunião na – 247
Tiago e reunião na – 250
Timão e reunião na – 250
transformação da – 257
visita de Gamaliel à – 112, 114

Igreja dos Apóstolos *ver* Igreja de Jerusalém

Igrejas do Oriente
   Timóteo e – 464

Isaías
   Escritos Sagrados e – 60, nota
   exortação e – 102, nota
   Jeziel e – 60
   Isaías
   lições de – 102

Isaque
   auxiliar de serviço de Saulo de Tarso – 172

Isaque
   intransigências da Lei de Moisés e – 266
   pai de Saulo de Tarso – 263
   reencontro de Saulo com o pai – 263

Israel
   descrença da Justiça dos Céus e – 81
   espera do messias do plano material e – 85
   grilhões da impiedade humana e – 81
   Jesus e os ensinos dos profetas de – 97
   lei do Deus único e – 17
   mensagens da Boa-Nova e – 81
   missão divina de – 22
   ovelhas perdidas da casa de – 95
   prosperidade da sagrada causa divina e – 81

Jacó
   amigo de Saulo de Tarso – 180

Jaques
   irmão de Saulo de Tarso – 244

Jared
   pai de Jochedeb – 15

Jared, Jochedeb ben
   confisco da propriedade de – 23
   corretivo em flagelação e – 38
   filho de Jared – 15
   ideia de reparação e vingança e – 26
   lamentações de – 24
   morte de – 40
   prisão injusta e – 17
   reflexões de – 16
   remorso e – 30
   tribuno imperial, agressões e – 16, 19
   Zenas, e prisão da família de – 31

Jeremias
   angústias de – 103
   choro incompreendido e – 95

Jerusalém
   Ágabo e provações de – 283
   êxodo em – 155
   Jeziel a caminho de – 56
   julgamento de Saulo de Tarso e – 202
   restrição do Evangelho e – 290
   retorno de Saulo à cidade de – 241
   santuário de tradições da fé e – 103
   tabernáculo do Deus único e – 67
   transferência de Saulo para – 67
   venda de coisas sagradas e – 103

Jesus
   Abigail e ensinamentos de – 158
   Abigail e família espiritual de – 162
   abrigo da paz e da esperança – 85
   aparição de * depois do Calvário – 365
   atração de Abigail por – 150

batismo de Saulo de Tarso na fé de – 192
complemento da Lei de Moisés e – 61
consciência reta e Reino de – 82
conversão do mundo e – 262
convocação ao serviço de – 8
difusão das anotações sobre – 290
encontro de Saulo com – 178
ensinos dos profetas de Israel e – 97
Estêvão, instrumento humilde nas mãos de – 98
Evangelho de *, Lei de Moisés – 61, 97
Gamaliel e conclusões a respeito de – 151
Herodes Antipas e sofrimento de – 138
incompreensão dos homens e – 83
Jeziel e – 59
láurea imortal da salvação e – 81
libertação de Pedro e – 365
Lucas e biografia de – 427
maior mandamento de Moisés e – 82
missão de Saulo de Tarso e – 169
Moisés, a porta, e * a chave – 81
Moisés, o condutor, e * o Salvador – 83
novo entendimento do amor e – 102
Paulo de Tarso e visão gloriosa de – 8
Pedro e visão de – 344
Pentecostes e – 365
possibilidade de * sem intercâmbio – 364
possibilidade de * sem ressurreição – 364
Príncipe da Paz – 138
renovação do mundo e – 9
Saulo e evocação de – 201
Saulo e ressurreição de – 178, 198
Saulo, por que me persegues e – 492, ref. 6
Senhor da Vinha – 83
Simão Pedro e biografia de – 59
substância da nossas liberdade – 83
supremacia de * sobre Moisés – 84
trabalho e sofrimento por amor e – 9
transformação de Paulo de Tarso e – 7
triunfo de * no coração dos infelizes – 117
visão às portas de Damasco e – 365
visita de Paulo à Maria, mãe de – 384

Jeziel *ver também* Estêvão
assistência ao romano Sérgio Paulo e – 50
biografia de Jesus e – 59
canção hebraica e – 20
cativeiro nas galeras e – 39, 42, 48
chegada do Messias e – 59
cidade de Jope e – 53
confiança, humildade e – 48
confissão de culpa – 38
conhecimento dos textos sagrados e – 58
descendente da tribo de Issacar – 58
educação religiosa e – 49
Efraim e – 55
enfermeiro humilde e bom – 50
Escritos Sagrados e – 22, 37
filho de Jochedeb – 17
Gamaliel e *, modelo de renúncia – 117
instruções do Levítico e – 61
Irineu de Crotona e – 54
Jesus de Nazaré e – 59
Lisipo, feitor, e boa conduta de – 48
mensagem da Boa-Nova e – 59
moléstia desconhecida e – 50
morte de – 148
Paulo e visão inesquecível de – 397
Pentecostes e – 60
pergaminhos do Evangelho de Levi e – 60
provas dolorosas e – 37
punição e – 39
salmo ensinado pela mãe de – 30, nota
Saulo e ajuda de Jeziel, Espírito – 168
Sérgio Paulo, romano, e liberdade de – 51
Sermão da Montanha e – 61

Jó
ironia de sua mulher e – 35
testemunho de fé e sofrimentos de – 95

João
banimento e – 128
considerações sobre – 384, nota
Cristianismo da Ásia e – 465
difusão das anotações sobre Jesus e – 290
julgamento de – 125

Índice geral

Paulo de Tarso e libertação de – 463
Popeia Sabina e libertação de – 465-466
prisão de * em Jerusalém – 120
prisão de * em Roma – 462

Johanan, Matatias, prisioneiro
 destino de Ananias e – 173
 Saulo de Tarso e interrogatório de – 173
 tortura e confissão de – 173

Jonas
 amigo de Saulo de Tarso – 180
 sortilégios do Caminho e – 181

Josué
 atraso da marcha do Sol e – 99

Joviano, Rômulo, Dr.
 Fazenda Modelo e – 490

Judá
 caminhada de Saulo para o deserto e – 208

Judaísmo
 ameaça à estabilidade do – 112
 esperança de conquista de Estêvão e – 93
 aceitação da missão do Evangelho e – 95
 Gamaliel e renovação no Judaísmo – 151
 Igreja do Caminho e práticas exteriores do – 118
 Paulo de Tarso, rabi Menandro e – 454
 Paulo e exigências do – 407
 Saulo e desprezo dos amigos do – 207
 Saulo e ofensa aos códigos do – 70
 Saulo e perigo para o * dominante – 83
 Saulo em visita às personalidades do – 110
 sortilégios e – 99
 transporte do Evangelho para o – 338

Judas
 construção do Reino de Deus e – 261
 traição e morte de – 310

Judeu desprezível
 considerações sobre – 15, nota

Judeu insolente
 considerações sobre – 16, nota

Julgamento
 precipitação de – 101

Júlio, centurião
 simpatia por Paulo de Tarso e – 435, 441

Júpiter
 considerações sobre – 324, nota
 ministro de * e sacrifício de animais – 325

Justiça
 concepção de – 101

Justiça de Deus
 desconfiança e – 29

Justino
 Abigail e conselho de – 42
 servidor de Licínio Minúcio – 41

Justo, Tito
 defesa de Paulo em Corinto e – 382-383
 Igreja de Corinto e – 376

Lapidação
 mulheres na cerimônia de – 136

Lar
 tabernáculo das bênçãos eternas – 75

Lei
 desprezo à * e política do mundo – 98

Lei de cooperação
 necessidade e universalidade da – 9

Lei sagrada
 símbolos de justiça e – 24

Levi
 anotações de – 196; 219; 224; 245, nota; 395, nota
 considerações sobre – 60, nota
 deturpações das anotações de – 290
 filho de Alfeu – 56-57
 Igreja do Caminho e anotações de – 196
 irmão de Tiago – 56
 Jeziel e Evangelho de – 60
 Saulo de Tarso e – 241

Levítico
 Escritos Sagrados e – 61
 Jeziel e – 61

Liberdade
  escravidão e impulso de – 15
Licaônia, cidade
  considerações sobre – 322, nota
  visita e encorajamento aos irmãos de – 329
Lino
  instalação de Paulo na casa de – 481
  prisão de – 482
  servidor de Jesus – 481
Lísias, Cláudio, tribuno romano
  acusações e – 421
  benefícios do Cristo e – 413
  Estefânio relata denúncia para – 422
  história de Paulo de Tarso e – 422
  intervenção de * no Sinédrio – 420
  Paulo de Tarso e escrúpulos de – 419
  prisão de Paulo de Tarso e – 413
  transferência de Paulo para Cesareia e – 423
  visita de Tiago e – 422
  Zelfos, tribuno, e – 413
Lisipo, feitor
  boa conduta de Jeziel e – 48
Listra, cidade
  apedrejamento de Paulo e – 327
  caso de Tecla e – 326
  cura do aleijado de – 324
  Eunice, filha de Loide, e – 323
  Loide, irmã de Onesíforo, e – 323
  Paulo é socorrido por Gaio em – 327
  pregação de Paulo de Tarso em – 324
  primeiro núcleo do Cristianismo em – 326
  retorno de Paulo para – 356
  sacrifício aos deuses vivos e – 325
  templo de Júpiter e – 324
  Timóteo, filho de Eunice, e – 323, 326
Loide
  irmã de Onesíforo – 323
  mãe de Eunice – 323
  morte de – 394
  Timóteo, neto de – 323

Lucano, o carcereiro
  conversão de * em Filipos – 366
Lucas, médico
  acompanhamento de Paulo até Roma – 434
  anotações de – 437-439
  Atos dos Apóstolos e – 427
  biografia de Jesus e – 427
  Cristão, discípulo do Evangelho, e – 282
  evangelização na Macedônia e – 360
  hóspede de Antioquia e – 282
  partida para Assós e – 399
  Paulo, * e missão em Roma – 394
  porta aberta para a vaidade e – 438
  reencontro com – 359
  Saulo de Tarso e conversão de – 282
  visita às Igrejas de Macedônia e – 398
Madalena
  Saulo de Tarso e – 241
Malta
  chegada à ilha de – 444
  Públio Apiano, funcionário de – 445
  serviços evangélicos e curas em – 446
Manaém
  afastamento de – 331
  pregador na Célula do Caminho – 280
Marcos, João
  atividade culinária e – 308
  Barnabé e * a caminho de Chipre – 353
  colaboração de * em Nea-Pafos – 306
  despedidas de – 310
  evangelização dos gentios e – 291
  filho de Maria Marcos – 285
  importância aos obstáculos e – 309
  Saulo e * a caminho de Selêucia – 293
  transferência de * para Antioquia – 286
  visita de * à Igreja da Antioquia – 332
Marcos, Maria
  mãe do futuro evangelista João Marcos – 285
  reuniões na casa de – 286

Índice geral

Marcos, Oseias
  defesa de Estêvão no Sinédrio e – 111
  doação à Igreja do Caminho e – 111
  prisão de – 119
  represálias de Saulo e – 111
  Saulo e detenção de – 112

Maria, mãe de Jesus
  biografia de Jesus e – 427
  Evangelho e recordações de – 387
  reencontro de Paulo com – 399
  visita de Paulo de Tarso à – 384

Mateus
  Escritos Sagrados e – 81, nota
  Estêvão e passagem de – 81, nota
  Evangelho de – 81, nota; 245, nota
  Gamaliel e anotações de – 114
  Gamaliel e leitura das anotações de – 119

Mediunidade
  utilização da – 362

Mercúrio
  considerações sobre – 325, nota

Mestre *ver* Jesus

Minúcio, Licínio
  instrumentos de punição e suplício e – 38
  Jochedeb na presença de – 21
  questor do império e – 18
  retorno de * a Corinto – 14

Mnasom
  emissário de Tiago – 400

Moisés
  abertura das onda do mar e – 99
  consciência da observância da lei de – 102
  dedicação ao povo e dificuldades de – 95
  Estêvão e infirmações da lei de – 69
  fonte da água viva da rocha e – 99
  gregos, romanos e a lei de – 67
  Isaque e intransigências da lei de – 266
  Jesus e complemento da lei de – 61, 97
  Jesus e maior mandamento de – 82
  Jesus, a chave, e * a porta – 81

Jesus, o Salvador, e * o condutor – 83
  justiça pela revelação e – 97
  Saulo e confusão a propósito de – 84
  Saulo e interpretações dos textos de – 80
  supremacia de Jesus sobre – 84
  terra da Promissão e – 34
  tripúdio à lei de * e vingança de Saulo – 87

Monte Moriá
  serviços religiosos e – 410
  testemunho do Evangelho e – 413

Morte
  triunfo da força do amor e – 118

Múmio
  biografia de – 13, nota

Natan, Samuel
  defesa de Estêvão no Sinédrio e – 111
  doação à Igreja do Caminho e – 111
  prisão de – 119
  represálias de Saulo e – 111
  Saulo e detenção de – 112

Natureza
  espelho fiel das emoções íntimas – 74

Nea-Pafos, cidade
  colaboração de João Marcos e – 306
  construção da Igreja de – 301
  curas em – 295
  Sérgio Paulo, procônsul em – 297

Neemias
  denuncia Estêvão como blasfemo – 91, 96
  testemunha contra Estêvão – 95

Nero, imperador
  filho de Agripina – 468
  idealização de incêndio e – 468
  libertação de Paulo e – 480
  morte nas arenas do circo e – 449
  Paulo e audiência com – 477
  primeira carnificina e – 471

Nicópolis
  considerações sobre – 49, nota

Índice geral

Oásis de Dã
  Áquila, operário no – 221
  Paulo e amigos do – 374
  Prisca, operária no – 221
  Saulo, tecelão, no – 211
Onesíforo
  amigo de Eustáquio – 318
  recepção na cidade de Icônio e – 318
Onésimo
  Epístola a Filemom e – 453
  regeneração do escravo – 453
Onusto
  significado do termo – 68, nota
Oração
  Abigail e * para Estêvão, moribundo – 147
Orontes
  considerações sobre – 281, nota
Panfília, cidade
  carência de luz espiritual e – 307
  considerações sobre – 307, nota
  missão aos povos de – 307
  visita e encorajamento aos irmãos de – 329
Paulo de Tarso *ver também* Saulo de Tarso
  absolvição imperial e – 458
  carta confidencial de Tiago e – 394
  carta de Simão Pedro e – 459
  cerimonial na Igreja de Jerusalém e – 408
  Cláudio Lísias, romano, e prisão de – 413
  comparecimento de * perante César – 476
  comunidades da capital do Império e – 458
  convertido de Damasco e – 7
  encaminhamento de * para Roma – 431
  Epístola aos gálatas e – 334, nota
  Epístola aos hebreus e – 456
  Epístola aos romanos e – 448
  Estêvão e – 9
  excursão à Espanha e – 460
  excursões evangélicas e – 351
  falso imitador do Messias e – 429
  fanático de coração ressequido e – 8
  flagelação de * em Filipos – 365
  furacão imprevisto e – 442
  inverneio em Kaloi Limenes e – 439
  Jesus e transformação de – 7
  lutas acerbas e – 7
  mais um livro sobre – 7
  morte de – 484-485
  mudança de nome e – 303-304
  Nero e libertação de – 480
  partida de * para Roma – 434
  porta aberta para a vaidade e – 438
  pregação nos calabouços de Roma e – 453
  prisão de – 482
  reflexões de – 411
  relatório de * ao povo de Jerusalém – 413
  reminiscências e – 320, 390, 396, 404, 435, 485
  retorno de * às Igrejas em Espírito – 437
  reunião nas catacumbas e – 472
  Sinédrio e preço da sentença de – 407
  socorro das autoridades romanas e – 412
  sofrimento de – 8
  tempo de reclusão de * em Cesareia – 427
  tempo do recurso a Cesar e – 457
  tendências judaizantes de – 492, ref. 7
  Tiago e pagamento das despesas de – 408
  Torre Antônia e – 413
  trabalhador do Evangelho e – 7
  transferência de * para Cesareia – 423
  Tribunal de Cesareia e – 429
  víbora venenosa e – 444
  visão gloriosa de Jesus e – 8
  visão inesquecível de Jeziel e Abigail – 397
Paulo de Tarso, Espírito
  abertura dos olhos para a vida eterna e – 486
  encontro com Abigail – 488
  encontro com Ananias – 486
  encontro com Estêvão – 488
  encontro com Gamaliel e – 486
  encontro com Jesus – 488
  esferas da Verdade e da Luz e – 488
  grandeza do perispírito e – 486

Índice geral

hino dos prisioneiros libertados e – 487
lembranças de – 487
pegadas do Cristo e – 488
poder da volitação e – 487
primeiro desejo de – 487

Paulo e Estêvão
destaque para – 492, ref. 9
escopo essencial e – 7
Francisco Cândido Xavier e – 490
obra prima da psicografia de Chico Xavier e – 491
revista *Reformador* e – 490

Paulo, Sérgio, procônsul
chefe da política de Nea-Pafos e – 297
construção da Igreja de Nea-Pafos e – 301
convite de – 295
cura e conversão de – 301-304
Jeziel e – 257, 298
liberdade de Jeziel e – 51
peste desconhecida e – 50

Pedro, Simão, apóstolo
banimento de – 394, 404
biografia de Jesus e – 59
chefe legítimo do colégio apostólico – 288
coleta de anos consecutivos e – 385
condução de * ao calabouço e – 111, 112
cooperação fraternal de Filipe e – 57
cooperação fraternal de João e – 57
desobrigação da circuncisão e – 348
difusão das anotações sobre Jesus e – 290
enfermos na residência de – 57
exílio de * em Roma – 459
julgamento de – 125
libertação para – 128
movimento humanitarista e – 57
Paulo de Tarso e carta de – 459
pregação da Boa-Nova e – 57
primeira reunião da Igreja e – 63
prisão de * em Jerusalém – 119, 284
profeta nazareno e – 57
Tiago e – 56
trabalho de * em Roma – 462

transformação de – 334
Urias e – 56
visão de Jesus e – 344
visita de anjo e libertação de – 285
visita de Sadoque às obras de – 69, 79

Pentecostes
concordância dos apóstolos depois do – 272
Jesus e – 365
Jeziel e – 60
revelações do – 427
Saulo e seu dia de – 303

Perge, cidade
pregação na sinagoga de – 308
visita e encorajamento aos irmãos de – 329

Perispírito
II Epístola aos romanos e – 270, nota
Paulo de Tarso e grandeza do – 486
Saulo de Tarso e – 270, nota

Pescênio
soldado de Licínio Minúcio – 38

Política do mundo
desprezo à Lei em troca do apoio à – 98

Porta estreita
Abigail e – 273
Paulo e sensações da – 386

Posca
significado do termo – 272, nota

Pozzuoli, cidade
cristãos e – 447
Sexto Flácus e – 447-448

Prece *ver* Oração

Prefeitura dos Pretorianos
perversidades de Tigelinus e – 462

Prisão Mamertina
Paulo de Tarso e – 475

Prisca
anotações de Levi e – 224
confissões de Saulo de Tarso e – 229
difusão da Boa-Nova e – 232

esposa de Áquila – 211
Igreja do Caminho e – 226
Jochaí e prisão de – 225-226
operária do oásis de Dã – 211

Profetismo
Cristianismo e – 364

Proteção divina
recordação da * nos dias alegres – 163

Provérbios
Escritos Sagrados e – 22, nota; 48; 306, nota

Purpureira
significado do termo – 366, nota

Renovação do mundo
Jesus e – 9

Ressurreição
concordância dos apóstolos depois da – 272
possibilidade de Jesus sem – 364

Roma
encaminhamento de Paulo para – 431
exílio de Simão Pedro em – 459
partida de Paulo para – 434
Paulo e projeto de pregação em – 391, 393

Rufílio
falecimento de – 39
servo de Licínio Minúcio – 29

Ruth
esposa de Zacarias – 44

Sabina, Popeia
Acacius Domitius e – 458
biografia de – 458, nota
libertação de João e – 465
orgias do Palatino e – 465

Sadoque
amigo de Saulo – 65
Filodemos, tio de – 68
interesses de – 200
Saulo visita – 187, 198
visita às obras de Simão Pedro e – 69, 79

Salvação
Jesus e a láurea imortal da – 81

Salmos de Davi
egoísmo dos israelitas e – 95
Estêvão e – 96, nota; 147, nota

Salomão
repouso, devassidão e – 310

Samônio
Gamaliel e *, amigo leproso – 115
história de – 115
Saulo e apelo desesperado de – 124
Saulo e castigo de – 124
vale dos imundos e – 115

Samotrácia, cidade
amigos citados nas Epístolas e – 361
viagem para – 360

Saulo de Tarso *ver também* Paulo de Tarso
Abigail, noiva espiritual, e – 271
admiração de Jerusalém ao jovem – 109
afastamento discreto da pregação e – 280
afirmação da cegueira e – 181-183
ajuda de Abigail de plano mais alto e – 168
ajuda de Jeziel de plano mais alto e – 168
alegria interior e – 192
Alexandre e – 66
alvorecer de um vida nova e – 167
amigo de Sadoque – 65
Ananias e a cura da cegueira de – 192-193
apoio dos romanos e – 110
Apóstolo dos Gentios – 240, 318, 327, 333
aquisição de um tear e – 276
arbitrariedade e – 98
arrependimento e – 169, 192
avaliação da velha cegueira e – 226
Barnabé visita – 251
Barnabé, e * a caminho de Selêucia – 293
batismo na fé de Jesus e – 192
Caifás e nomeação de – 112
caminhada em busca do deserto e – 205, 208
caminhada para Damasco e – 182

Índice geral

caso Tecla, jovem enferma, e – 318
chagas do orgulho e do egoísmo e – 183
ciúmes de Jesus e – 161
colóquio espiritual com Estêvão e Abigail e – 276
condução de Pedro ao calabouço e – 111, 112
confusão a propósito de Moisés e – 84
conquista de Estêvão para o Judaísmo e – 93
conversão de – 492, ref. 5
conversão de Lucas, médico, e – 282
convocação de * às portas de Damasco – 195
cura da cegueira de Barjesus e – 300-301
cura do aleijado de Listra e – 324
Dalila, irmã de – 67
dialética confusa e – 280
disciplina espiritual em Damasco e – 190
emendas de Tiago e – 349
encontro de Abigail com – 67
encontro de Jesus com – 178
enfermidade de * em Antioquia – 316
Epístola aos gálatas e – 334, nota
Epístolas de – 379
escravo assumido e – 182, 194
estalagem de Judas e – 188
Estêvão e afronta à autoridade de – 146
Estêvão e agressão física de – 104
I Epístola de – 378
Estêvão, perigoso inimigo, e – 09
evangelização dos gentios e – 292
evocação de Jesus e – 201
exposição das ideias na sinagoga e – 200
expressão vibrante do Judaísmo e – 94
fábulas piedosas e – 85
fanatismo cruel e – 155
festividades na casa de Zacarias e – 66
fuga de Damasco e – 239
Gamaliel e – 66
ideia de vingança e – 109
impossibilidade de matrimônio e – 149
indignação ante a vitória de Estêvão e – 84
instalação de * na Antioquia – 279
interpretações dos textos de Moisés e – 80

interrogatório de Estêvão e – 95
Jacó, Jonas e Demétrio, amigos de – 180
Jesus e missão de – 168
juiz transformado em réu e – 246
lembrança de Estêvão e de Abigail e – 177, 190
leitura das anotações de Levi e – 196, 219
lembrança de Gamaliel e – 205
Levi e – 241
Lucas, evangelização na Macedônia e – 360
Madalena e – 241
mercancia dos bens celestes e – 363
miséria orgânica e – 392
mudança de nome e – 303-304
necessitado da proteção divina e – 190
obtenção do Evangelho sagrado e – 195
ódio ao Cristo crucificado e – 109
ofensa ao Judaísmo e – 70
ofício de tecelão e – 216
ordem de prisão e – 236, 244
orgulho e – 149, 169, 175
Oseias Marcos e represálias de – 111
ovelha perdida e – 179
pena de morte aos homens do Caminho e – 126
pendência entre Estêvão e – 84
perdão dos pecados e – 192
primeira profissão de fé e – 179
primeiro perseguidor do Evangelho e – 248
prisão de * na cidade de Icônio – 321
propostas de núpcias e – 75
punição de Ananias e – 172
reencontro de * com Abigail – 159
reencontro de * com Alexandre – 242
reencontro de * com Gamaliel – 212
reflexões sobre os homens do Caminho e – 165
reminiscências e – 156, 177, 269
remorso e – 157, 171, 194, 247
renovação dos processos de perseguição e – 170
reparação de faltas e – 201
ressurreição de Jesus e – 178, 198

retorno à casa de Zacarias e – 157
retorno à Damasco – 232
retorno à Igreja do Caminho – 247
retorno à Jerusalém – 241
retorno à Tarso – 255, 262
retorno ao Templo famoso e – 260
Sadoque e visita de – 187, 197
Samuel Natan e represálias de – 111
Saulo e visão de Estêvão – 260
significado da palavra irmão e – 207
substituição de Gamaliel e – 155
supremacia de Jesus sobre Moisés e – 84
tempo como tecelão solitário – 276
tempo na companhia de Áquila e Prisca – 228
tempo na companhia espiritual de Estêvão – 233
tempo no deserto – 232, 244
terceiro céu e – 270, nota
terceiro dia de preces, Ananias e – 191
transferência de * para Jerusalém – 67
transformação física e espiritual de – 228, 277
tripúdio à Lei de Moisés e vingança de – 87
verdade de Estêvão, crença de Abigail e – 178
vergonha do passado cruel e – 179
visão de Jesus ressuscitado e – 179, 244
visão do homem da Macedônia e – 359
visita à Maria, mãe de Jesus – 384
visita às personalidades do Judaísmo e – 110
visita de * aos homens do Caminho – 79
visita de Barnabé e – 278
Zacarias ben Hanan e auxílio de – 71

Selêucia
Barnabé e João Marcos à caminho de – 353
Barnabé, Saulo e João Marcos à caminho de – 293
considerações sobre – 293, nota
visita e encorajamento aos irmãos de – 329

Sermão da Montanha
Jeziel e – 61

Silas
chegada de * na cidade de Tarso – 355
cooperação de * na cidade de Corinto – 375
discípulo amigo de Pedro e – 349
flagelação de * em Filipos – 365
Igreja da Antioquia de Pisídia e – 350
partida para Assós e – 399
Paulo, * e missão em Roma – 394
pitonisa da cidade de Filipos e – 362-363
presença de * na cidade de Tauro – 352
redação da primeira Epístola do Paulo e – 378
qualidades espirituais de – 355
visita às Igrejas de Macedônia e – 398

Sinédrio
abrandamento das exigências e – 404
atitude tolerante do – 69
decreto da prisão de Paulo e – 404
denúncia pública de Estêvão e – 91
Estêvão, grandeza e suntuosidade do – 94
flagelação e morte de Jesus e – 85
humilhação de Paulo e – 406
intenções verdadeiras do – 411
interesses inferiores e – 206
julgamento e punição de Estêvão e – 87
Neemias e denúncia de Estêvão – 92
Oseias Marcos e defesa de Estêvão no – 111
Paulo e exigências do – 405-407, 409
perseguição aos homens do Caminho e – 211
personalidades do Farisaísmo e – 93
poderes do * e renúncia ao amor de Jesus – 87
preço da sentença de Paulo e – 407
presença de Estêvão no – 90, 93
pretensões de Saulo ao cargo no – 67
Samuel Natan e defesa de Estêvão no – 111
Saulo, esperança de penhor racial e – 80, 109

Singulto
significado do termo – 47, nota

Siracusa
pregações de Paulo em – 447

Índice geral

Sobrolho
    significado do termo – 39, nota

Sofrimento
    tempero da alma na forja do – 64
    trabalho e * por amor a Jesus – 9

Sortilégio
    Josué e atrasa da marcha do Sol – 99
    Judaísmo e fatos julgados como – 99
    Moisés e abertura das onda do mar – 99
    Moisés e água viva da rocha – 99

Sóstenes
    acusação de Paulo em Corinto e – 382

Sostênia, viúva
    Abigail e amparo da – 43

Tauro, cidade
    Saulo, tecelão solitário, e – 276-277
    presença de Paulo e Silas em – 352

Tecla
    declaração de amor a Paulo e – 319
    fanatismo e – 319
    jovem noiva e órfã de pai – 318
    Tamíris, noivo de – 319
    Teóclia, mãe de – 319

Templo de Diana
    considerações sobre – 388, nota
    insinuações de Demétrio e – 388

Terceiro céu
    Abigail, noiva espiritual, e – 271
    filhos do Calvário e – 272
    II Epístola aos coríntios e – 270, nota
    ressurreição gloriosa de Estêvão e – 270
    Saulo de Tarso e – 270, nota

Terra Prometida
    Calebe e – 215
    Evangelho do Cristo Jesus e – 214
    Josué e – 215

Tertulo
    cooperador no comendo sodalício e – 424

Tessalônica, cidade
    atritos com os judeus em – 367
    encontro com Timóteo e Lucas em – 367
    partida de Paulo e Silas para – 367
    presença de Lucas e Timóteo em – 361

Thiago, Arnaldo Claro de S.
    Paulo e Estêvão e – 490, ref. 3

Tiago
    auxílio financeiro de Antioquia e – 285
    carta confidencial de – 394
    Cláudio Lísias, e visita de – 422
    concepções do Judaísmo dominante e – 257
    cumpridor da Lei de Moisés e – 255
    direção da Igreja do Caminho e – 285
    falsas interpretações das atitudes de – 406
    fanatismo na personalidade de – 122
    filho de Alfeu – 57
    gentios, isenção da circuncisão e – 349
    irmão de Levi – 56
    leitura dos ensinamentos de Moisés e – 121
    mestre de Israel e – 340
    morte de – 461
    opinião de * sobre a prisão de Estêvão – 114
    pagamento das despesas de Paulo e – 408
    Paulo e compreensão de – 406
    profundas transformações de – 258
    Simão Pedro e – 56
    Tito e comportamento de – 341
    três emendas de – 349

Tiago
    filho de Zebedeu – 284
    João, irmão de – 284
    Herodes Agripa e pena de morte de – 284-285

Timóteo
    acompanha Paulo até Roma – 434
    auxílio a * na cidade de Listra – 327
    chegada de * em Atenas – 371
    circuncisão de – 357-358
    curas e consolações de – 356
    Epístola aos hebreus e – 456

Escritos Sagrados dos profetas e – 323
filho de Eunice – 323
Igrejas do Oriente e – 464
neto de Loide – 323
Paulo aceita a cooperação de – 357
pergaminhos da Lei de Moisés e – 323
redação da primeira Epístola do Paulo e – 378

Tito
abnegado cooperador – 281
circuncisão de – 342-344, 347
comportamento de Tiago ante – 341
Igreja da Antioquia e – 339
ofício de tecelão e – 339
oriundo das fileiras pagãs e – 339
visita à Igreja de Jerusalém e – 339

Torre Antônia
Paulo de Tarso e – 413

Trabalho
sofrimento e * por amor a Jesus – 9

Trastevere
Áquila e Prisca no – 374
pregações do Evangelho no – 374

Tribunal de Cesareia
Paulo de Tarso no – 429

Trôade
sugestão do Espírito de Jesus e – 359, nota

Trófimo
acompanha Paulo ao Templo de Jerusalém – 409
companheiro fiel de Saulo – 281

Vênus Pandemos
considerações sobre – 18, nota
templo de – 18

Vida maior
consciência de uma – 101

Virtude divina
enriquecimento na – 273

Vogal
significado do termo – 409, nota

Volitação
Paulo, Espírito, e poder da – 487

Volúmnio, centurião
Paulo de Tarso e – 474

Vozes diretas
fenômenos de – 281

Xavier, Francisco Cândido
Ministério da Agricultura e – 490
Paulo e Estêvão e – 490

Zacarias
Abigail retorna à casa de – 153
auxílio de Gamaliel e – 71
auxílio de Saulo de Tarso e – 71
Hanan, pai de – 44
Ruth, esposa de – 44
Saulo de Tarso retorna à casa de – 157
Saulo e festividades na casa de – 66

Zelfos, tribuno
Cláudio Lísias, tribuno romano, e – 413
modificação no tratamento de – 415
reforço da guarnição dos soldados e – 414

Zenas, soldado
prisão da família Jared – 31

O QUE É ESPIRITISMO?

O ESPIRITISMO É UM CONJUNTO DE PRINCÍPIOS E LEIS revelados por Espíritos Superiores ao educador francês Allan Kardec, que compilou o material em cinco obras que ficariam conhecidas posteriormente como a Codificação: *O livro dos espíritos*, *O livro dos médiuns*, *O evangelho segundo o espiritismo*, *O céu e o inferno* e *A gênese*.

Como uma nova ciência, o Espiritismo veio apresentar à Humanidade, com provas indiscutíveis, a existência e a natureza do Mundo Espiritual, além de suas relações com o mundo físico. A partir dessas evidências, o Mundo Espiritual deixa de ser algo sobrenatural e passa a ser considerado como inesgotável força da Natureza, fonte viva de inúmeros fenômenos até hoje incompreendidos e, por esse motivo, são tidos como fantasiosos e extraordinários.

Jesus Cristo ressaltou a relação entre homem e Espírito por várias vezes durante sua jornada na Terra, e talvez alguns de seus ensinamentos pareçam incompreensíveis ou sejam erroneamente interpretados por não se perceber essa associação. O Espiritismo surge então como uma chave, que esclarece e explica as palavras do Mestre.

A Doutrina Espírita revela novos e profundos conceitos sobre Deus, o Universo, a Humanidade, os Espíritos e as leis que regem a vida. Ela merece ser estudada, analisada e praticada todos os dias de nossa existência, pois o seu valioso conteúdo servirá de grande impulso à nossa evolução.

FEB editora
Livro espírita para um novo mundo
www.febeditora.com.br
@febeditoraoficial
@febeditora

Conselho Editorial:
Carlos Roberto Campetti
Cirne Ferreira de Araújo
Evandro Noleto Bezerra
Geraldo Campetti Sobrinho – Coord. Editorial
Jorge Godinho Barreto Nery – Presidente
Maria de Lourdes Pereira de Oliveira
Miriam Lúcia Herrera Masotti Dusi

Produção Editorial:
Elizabete de Jesus Moreira

Revisão:
Maria Flavia dos Reis
Neryanne Paiva
Perla Serafim

Capa:
Evelyn Yuri Furuta

Projeto Gráfico e Diagramação:
Rones José Silvano de Lima – instagram.com/bookebooks_designer

Foto de Capa:
http://www.shutterstock.com/Antonio Abrignani

Normalização Técnica:
Biblioteca de Obras Raras e Documentos Patrimoniais do Livro

Esta edição foi impressa pela Leograf Gráfica e Editora Ltda., Osasco, SP, com tiragem de 12 mil exemplares, todos em formato fechado de 155x230 mm e com mancha de 120x190 mm. Os papéis utilizados foram o Off white book 58 g/m² para o miolo e o Cartão 250 g/m² para a capa. O texto principal foi composto em fonte Adobe Garamond Pro 12/15 e os títulos em Adobe Garamond Pro 28/30. Impresso no Brasil. *Presita en Brazilo.*